COLLECTION TEL

Martin Heidegger

Questions I et II

TRADUIT DE L'ALLEMAND
PAR KOSTAS AXELOS, JEAN BEAUFRET,
WALTER BIEMEL, LUCIEN BRAUN,
HENRY CORBIN, FRANÇOIS FÉDIER,
GÉRARD GRANEL, MICHEL HAAR,
DOMINIQUE JANICAUD, ROGER MUNIER,
ANDRÉ PRÉAU, ALPHONSE DE WAELHENS

Gallimard

Questions I

Au moment de recueillir les opuscules de Heidegger qui ont été les premiers traduits en français, et ceci il y a maintenant trente ans, il nous a paru impossible de ne pas les rééditer dans leur version primitive. Ce sont en effet ces premières traductions de Heidegger par Henry Corbin qui ont ouvert *au public français la pensée heideggerienne.*

On a donc intentionnellement laissé se créer une certaine disparité de style. Par exemple, le mot de Dasein *reste traduit par « réalité-humaine ». Si, par la suite, cette traduction est abandonnée, on n'oubliera pas qu'elle a permis la première entente.*

A cette condition seulement il est possible de mesurer la véritable aventure qu'a été la compréhension, en France, de Heidegger; à cette condition seulement il est possible de rendre à Henry Corbin l'hommage qui lui est dû.

C'est pourquoi on trouvera en tête de ce volume la Lettre-Préface *écrite par Heidegger à Henry Corbin le 10 mars 1937, puis l'essentiel de l'*Avant-propos *que ce dernier a rédigé pour faciliter la lecture de la traduction.*

Le texte Qu'est-ce que la métaphysique? *tel qu'il se présente aujourd'hui dans l'édition allemande, rassemble, en plus de la conférence proprement dite (datant de*

1929), une Postface *ajoutée par Heidegger en 1943,*
et une Introduction *surajoutée en 1949.*

   *Pour la traduction française, cette superposition fait
éclater une éventuelle unité de style : quand Henry Corbin
entreprit la première traduction de la conférence, les deux
textes qui, depuis, l'encadrent et l'éclairent, n'existaient
pas. Leur traduction est l'œuvre de Roger Munier, qui
appartient à une autre génération de traducteurs, et qui
profite donc des enseignements que le travail inaugural
de Henry Corbin a permis de récolter.*

Les considérations qui ont été choisies pour être communiquées dans la présente traduction sont toutes et uniquement consacrées à la question fondamentale concernant l'essence et la vérité de l'Être. Cette question fondamentale, il y a lieu de la poser enfin une bonne fois; il faut arriver à la conscience de sa nécessité. Elle n'équivaut point à la question de la métaphysique traditionnellement usitée jusqu'ici; celle-ci, en effet, n'interroge toujours que sur l'existant, sur ce qu'il est. Elle interroge sur l'être *de l'existant* (*Seiende*, lat. *ens*), mais elle n'interroge pas sur l'*Être lui-même (Sein*, lat. *esse)* et sur sa vérité. La question concernant l'être de l'existant (τὶ τὸ ὄν) est, certes, la question directrice de la métaphysique; mais elle n'est pas encore la question fondamentale. Dans cette dernière, la question posée sur l'Être devient tout d'abord, en même temps et nécessairement, la question de l'essence de la vérité, c'est-à-dire du dévoilement comme tel, dévoilement en raison duquel nous venons à nous trouver préalablement et en général dans une réalité manifestée. La question

de la vérité n'est donc pas une question relevant de
la « théorie de la connaissance », car, la connaissance
(Erkenntnis) ne constitue que *l'une* des manières
d'*épanouir* et de *faire sienne* la vérité, mais non pas
cette vérité elle-même.

Ainsi comprise, la question fondamentale concernant l'Être et son épanouissement total peut bien
être passée sous silence; on peut la falsifier, on peut
même l'oublier. Mais elle ne se laisse pas reléguer
définitivement. Elle ne subsiste pas non plus, il est
vrai, en soi et en dehors du temps, mais elle *est*
uniquement *comme* historique. Cela ne veut pas dire
qu'elle se présente simplement dans le courant et
la marche de l'Histoire, comme un événement à
côté de beaucoup d'autres. Que la question fondamentale concernant l'Être soit historique, cela
signifie que son fondement est déjà posé *avec* notre
réalité-humaine historique, jusqu'ici advenue et
encore à advenir. A-t-on la volonté de cette Histoire,
a-t-on assez de force pour la porter et en accomplir
la destinée, ce sera chaque fois dans la mesure respective de cette volonté et de cette force, que la
première et ultime question de la philosophie
assurera sa veille, répandant l'éclat du feu et y
faisant transparaître la figure de toutes choses.

Par la traduction, le travail de la pensée se trouve
transposé dans l'esprit d'une autre langue, et subit
ainsi une transformation inévitable. Mais cette
transformation peut devenir féconde, car elle fait
apparaître en une lumière nouvelle la position
fondamentale de la question; elle fournit ainsi
l'occasion de devenir soi-même plus clairvoyant et
d'en discerner plus nettement les limites.

C'est pourquoi une traduction ne consiste pas simplement à faciliter la communication avec le monde d'une autre langue, mais elle est en soi un défrichement de la question posée en commun. Elle sert à la compréhension réciproque en un sens supérieur. Et chaque pas dans cette voie est une bénédiction pour les peuples.

Les difficultés que le traducteur a dû surmonter dans le cas présent, le travail plein d'abnégation qu'il a mis au service de la cause de la Philosophie, seuls quelques-uns peut-être en apprécieront exactement la valeur. Mais ce que chaque lecteur doit connaître, c'est le sincère et amical remerciement que l'auteur entend exprimer ici au traducteur.

M. H.

Fribourg-en-Brisgau, le 10 mars 1937.

Il n'entre naturellement pas dans l'intention du traducteur de présenter ici un commentaire ou une introduction aux textes choisis. En présence de textes semblables, nul intermédiaire ne saurait accorder dispense de l'effort personnel nécessaire pour les pénétrer, et ce n'est surtout pas en quelques pages qu'il faudrait y prétendre. Ce n'est pas que l'intimité acquise avec les textes ou que les encouragements de l'auteur n'y incitent, mais leur complexité prévisible commande de réserver tous les commentaires pour un travail ultérieur. Plusieurs bons articles ont d'ailleurs paru déjà en français sur ces questions. Dans ce périlleux passage d'une langue à une autre, le traducteur doit s'effacer et n'avoir qu'un souci : être le fidèle ministre d'une pensée.

Pourtant ce ministre, engagé dans une voie où le péril de trahison menace chaque pas, ne croit pas superflu d'attirer brièvement l'attention sur les correspondances lexicologiques qui l'ont guidé pour effectuer un passage dont le lecteur jugera, en définitive, s'il a tiré saine et sauve la pensée originale.

Tout d'abord, le terme de Dasein *qui supporte le*

*concept fondamental de l'analytique de Heidegger.
Parfois on cite simplement ce terme en allemand;
parfois on le traduit par « existence ». Tel est évidemment le sens courant du mot, mais si l'on se contente
de cette équivalence, on sera par suite entraîné à la
plus fâcheuse confusion entre les notions* d'existentiel
et d'existential. *Que cette confusion soit précisément
à l'origine de la majorité des critiques adressées à
Heidegger, il n'y a pas lieu d'y insister ici. Observons
simplement que le propos de l'*Existenzphilosophie, *tel
que l'institue Heidegger, n'équivaut nullement à
reprendre le vieux débat de l' « essence » et de l'« existence ». L'existant que désigne le terme de* Dasein
*n'est point seulement un existant dont il y aurait
à analyser l'être parmi tous les autres existants. Son
être est l'être de l'homme, c'est la* réalité-humaine
*dans l'homme. Nous recourons donc en français à
ce terme composé, répétant d'ailleurs la composition
du terme* Da-sein. *Il faudra pourtant ne jamais perdre
de vue que ce terme composé ne désigne pas une*
réalité *qui serait tout d'abord* posée, *puis recevrait
le prédicat « humaine »; non, il désigne un tout
initialement homogène, spécifiquement distinct de
« réalité » tout court ou de toute réalité différemment
constituée. Il nous est apparu que le procédé consistant à former de nouvelles ressources lexicologiques en
recourant au symbole du trait d'union, était infiniment préférable à la création trop fréquente de néolo-
gismes inattendus ou irritants. En allemand même,
l'auteur recourt fréquemment à cette notation grâce à
laquelle le mouvement ou la cohésion nouvelle que
découvre la pensée, sont annoncés directement dans
les mots. Ces particularités ont été soigneusement*

respectées dans le texte français ; il sera donc important, à chaque rencontre de ces « compositions », de tenir compte de l'intention qu'elles expriment.

A partir de ce terme, nous voyons se développer l'ordre du lexique technique de l'ontologie fondamentale. Si la réalité-humaine n'est pas un simple Positum, *si son être n'est pas l'être d'une chose qui* subsiste *en un présent uniforme, c'est qu'au sens le plus « actif » du verbe* être *elle est sa présence ; comme sujet, elle ne reçoit pas, mais elle* est *ce prédicat : la réalité-humaine, réalise, effectue une présence-réelle* (Das Dasein ist sein Da). *Cette présence, ce « Da », c'est son Être-dans-le-monde* (In-der-Welt-sein), *mais la portée ontologique de cette thèse signifie que « dans le monde » ne représente point un réceptacle contenant son être ; au contraire, l' « être » représente ici la condition originelle qui rend possible le phénomène « dans le monde ». C'est pourquoi la thèse fondamentale est que « l'essence de la réalité-humaine consiste en son* ex-sistance *»* (Das Wesen des Daseins liegt in seiner Existenz). *Il nous faut donc absolument distinguer en français, par une modification orthographique, le rapport spécifique de l'*Existenz *à l'égard du* Dasein. *Nous ne pouvons dire simplement « existence » ; ce terme sera réservé aux « existants » en général (au sens du problème classique du rapport entre l'essence et l'existence). Ce n'est pas le seul cas où nous devrons recourir à l'étymologie (latine ou grecque) d'un vocable pour lui restituer sa force élémentaire ; le* λόγος *de la phénoménologie, son* λέγειν, *découvre la modification que tout préfixe insinue dans le mouvement originaire et pur du verbe, et que nous avons voulu rendre sensible en recourant à un artifice* *typographique. Pour traduire* Existenz, *nous écrivons toujours* existance *(avec un* a, *nom d'action tiré du participe) et chaque fois que nous voudrons souligner cette modalité propre de la réalité-humaine, nous écrirons* ex-sistance; *quant au verbe de cette* existance, *nous lui réserverons sa forme étymologique* « exsister » (exsistere).

En ex-sistant, la réalité-humaine trans-scende; elle pro-jette (entwirft) *un monde, elle fait que règne un monde. Ce projet est son pouvoir-être* (Seinkönnen) *absolument propre, pouvoir-être toujours déjà effectif* (existentiel), *dans lequel elle ex-siste et dont il appartient à l'analyse de dévoiler la possibilité, la préesquisse* (existential) [1]. *En ex-sistant, la réalité-humaine explique un monde; elle est d'ores et déjà compréhension, interprétation* (Aus-legung). *Son mode d'être est d'être révélante* (Erschliessend) *et en même temps réalité-révélée (Erschlossenheit,* ἀ-λήθεια), *vérité ontologique. Par contre, pour l'existant à qui elle rend possible de se manifester sous l'horizon qu'elle projette, la vérité .est essentiellement d'être mis à découvert (Entdecktheit), vérité ontique. Au lieu de l'ex-sistance (qui est toujours ex-sistance d'un monde), le mode d'être de cet existant mis à découvert dans le monde est donc celui d'une in-sistance dans ce monde. C'est celui qui, par opposition à la réalité-humaine, forme la réalité-donnée, la réalité-des-choses subsistantes* (Vorhandenheit) *et*

---

1. Afin de ne pas trop compliquer les modifications graphiques, nous conserverons aux termes d'*existentiel* et d'*existential* l'orthographe que l'usage leur a antérieurement fixée par leur dérivation du mot « existence ».

le cercle de la réalité-ustensile (Zuhandenheit), *l'ensemble des objets dont la réalité est dévoilée dans l'usage, dans un « pour... ».*

Si l'être de la réalité-humaine n'est pas celui d'une réalité-donnée, d'une réalité-subsistante (nous avons employé, selon les cas, ces deux nuances de traduction), c'est que sa présence *n'est pas un présent uniforme et continu* dans *le temps. La trans-scendance est le* pro-jet *(Entwurf) dans lequel la réalité-humaine d'ores et déjà* jetée (geworfen) *dans son effectivité (sa déréliction :* Geworfenheit) *anticipe, assume par avance son pouvoir-être (son ultime pouvoir-être : la mort). Cette* décision-résolue *(Ent*schlossenheit*) n'est nullement une disposition psychologique, mais le mode* d'être *de la réalité-humaine comme* réalité-révélée *à elle-même (Er-*schlossenheit*) ex-sistant comme* présence *de par son* avenir. *L'ex-sistance est ek-statique : la triple* ἔϰστασις *de la temporalité du Temps est la structure même de sa transcendance.*

Nous n'avons pas à suivre plus dans le détail les correspondances d'un lexique si difficile à sauvegarder. Une remarque encore, pourtant. A deux reprises, nous venons de renvoyer à la structure de la transcendance comme temporalité (Zeitlichkeit) ; *tel est précisément le point où l'analyse de Heidegger s'attaque à une relation dont la mise en lumière peut avoir les suites les plus fécondes : le rapport entre* temporalité *et* historicité, *conditionnant à son tour le rapport entre* historicité *et* science historique. *Il ne nous fallait pas seulement distinguer entre Histoire comme réalité-historique* (Geschichte) *et l'histoire comme science-historique* (Historie), *mais il nous fallait à tout prix*

*rendre sensible en français la racine commune des
deux termes* Geschehen *et* Geschichte. *Le* Geschehen
*n'équivaut pas à un devenir, à une évolution naturelle
ou à un élan vital ; il marque la structure absolument
propre de la réalité-humaine qui, réalité transcendante
et réalité révélante, rend possible l'*historicité *d'un
monde. Pour rendre sensible cette relation, nous
avons eu recours au mot vieux-français* historial [1] *;
cet adjectif équivalait anciennement à historique, mais
comme il est tombé en désuétude, il nous sera permis
de lui donner vie nouvelle en l'incorporant comme
« nom verbal » (cf. mémorial) à notre lexique. Sa dési-
nence offre l'avantage de l'appeler spontanément du
côté de l'*existential (*l'*historique *étant alors du côté de*
l'existentiel).

*D'autres remarques seront faites, au besoin, au
cours du texte. Du moins, que l'on veuille bien considérer la lourde tâche que représentait le passage de ces
notions en français — en une langue que l'on dit si
peu faite pour la « métaphysique », à laquelle pourtant
les métaphysiciens peuvent très bien se faire.*

La lourdeur même de la tâche nous sera donc une

---

1. On le trouve par ex. (comme adjectif) chez Vincent de
Beauvais : *Le Miroir historial du monde*, traduction française
du *Speculum historiale*, imprimé à Paris en 1495. Mentionnons encore le témoin d'un usage plus tardif dans le titre
suivant : *Almanach historial pour l'an de grâce* 1662, *exactement supputé et calculé par maistre Mathurin Questier.* Le
vieil auteur n'avait, bien entendu, aucun dessein d'ontologie
fondamentale ; le titre n'en indique pas moins un rapport
intéressant ici. C'est *avant que* l'année en question n'ait une
réalité-historique, objet d'enquête pour la science-historique à venir, que l'almanach qui en fournit les cadres
possibles, se présente comme « historial » .

excuse, si le lecteur philosophique découvre certains passages dont la traduction mérite critique. Dans la mesure même où la critique sera motivée, proposera des corrections, faisant ainsi progresser la compréhension du problème de l'Être et du Temps, la témérité de notre entreprise aura trouvé sa récompense.

Peut-être formulera-t-on le regret, sinon l'objection, que seuls deux fragments de l'œuvre capitale Sein und Zeit *aient été présentés. Sans doute. Mais il faut bien commencer. Nous sommes loin d'avoir perdu l'espoir que les conditions de l'édition ne permettent un jour de publier une traduction intégrale de* Sein und Zeit. *En attendant, ce nous a semblé une tâche urgente de fournir en français un texte qui puisse servir de point de départ aux échanges et discussions philosophiques. Ce travail n'est pas le fruit d'un hasard, mais d'une conviction : le problème dévoilé par Heidegger modifie l'horizon philosophique ; sa signification décisive n'est pas tant à mesurer à l'écho de controverses parfois passionnées, qu'à la vérité qu'elle « agit » en fait. Retrouvé en sa vérité originelle, le vieux mot d'ontologie annonce tout autre chose que ce que l'on a coutume de honnir en le prononçant. Cela compris, on évitera de retomber dans une nouvelle erreur en identifiant l'« Ontologie fondamentale » avec une* Weltanschauung *quelconque (théiste ou athée, idéaliste ou matérialiste, etc). Mais nous n'avons le dessein ni de prendre la « défense » ni de faire la « présentation » ou l'« éloge » du philosophe Heidegger. Un grand philosophe est un événement assez rare en ce monde ; l'œuvre est là qui témoigne pour lui-même, qui annonce sa présence ; à celle-ci il n'est point d'hommage plus vrai à rendre* que celui du travail en vue d'une compréhension authentique. Compréhension qui fonde toute la réalité-humaine, qui rend possible une humaine co-présence.

H. C.

Juin 1937.

Qu'est-ce que la métaphysique?

Traduit par Henry Corbin
pour Qu'est-ce que la métaphysique?
et par Roger Munier
pour Le retour au fondement de la métaphysique
et la Postface.

Titre original :

WAS IST METAPHYSIK?

© *Éditions Gallimard, 1938.*

LE RETOUR AU FONDEMENT
DE LA MÉTAPHYSIQUE

Descartes écrit à Picot qui traduisait en français les *Principia Philosophiae :* « Ainsi toute la philosophie est comme un arbre, dont les racines sont la Métaphysique, le tronc est la Physique, et les branches qui sortent de ce tronc sont toutes les autres sciences... » (*Opp. ed. Ad. et Ta.*, IX, 14).

Pour en rester à cette image, nous posons la question : Dans quel sol les racines de l'arbre de la philosophie trouvent-elles leur point d'attache? De quel fond les racines et par elles l'arbre tout entier reçoivent-ils la vigueur et les sucs nourriciers? Quel élément celé dans le fond et le sol s'entrelace aux racines qui portent l'arbre et le nourrissent? Sur quoi repose et prend naissance la métaphysique? Qu'est-ce que la métaphysique vue de son fondement? Qu'est-ce en somme et au fond que la métaphysique?

Elle pense l'étant en tant qu'étant. Partout où l'on pose la question de ce qu'est l'étant, l'étant comme tel se tient en vue. La représentation métaphysique doit cette vue à la lumière de l'Être. La lumière, c'est-à-dire ce qu'une telle pensée expérimente comme lumière, n'entre plus elle-même dans la vue de cette pensée; car celle-ci ne représente l'étant et constamment que sous le point de vue de l'étant. Sans doute, la pensée métaphysique pose-t-elle, de ce point de vue, la question de la source étante et d'un auteur de la lumière. Cette lumière elle-même est tenue pour suffisamment éclairée, du fait qu'elle accorde l'échappée à tout point de vue sur l'étant.

De quelque manière que l'étant puisse être interprété, que ce soit comme esprit au sens du spiritualisme, comme matière et force au sens du matérialisme, comme devenir et vie, comme représentation, comme volonté, comme substance, comme sujet, comme *energeia*, comme éternel retour de l'identique, à chaque fois l'étant apparaît comme étant dans la lumière de l'Être. Partout où la métaphysique représente l'étant, l'Être s'est éclairci. L'Être est advenu en un décèlement (Ἀλήθεια). Quant à savoir si et comment l'Être apporte avec soi un tel décèlement, si et comment Lui-même s'établit dans la métaphysique et en tant que cette métaphysique, cela reste voilé. L'Être n'est point pensé dans son essence dé-celante, c'est-à-dire dans sa vérité. La métaphysique toutefois, dans ses réponses à la question qu'elle pose sur l'étant comme tel, parle à partir de la révélation inaperçue de l'Être. C'est pourquoi l'on peut dire que la vérité de l'Être est le fondement sur lequel prend appui la métaphysique, en tant que racine de l'arbre de la philosophie et dont elle se nourrit.

Parce que la métaphysique interroge l'étant en tant qu'étant, elle s'en tient, à l'étant et ne se tourne pas vers l'Être en tant qu'Être. En tant que racine de l'arbre, elle dispense tous les sucs et la vigueur au tronc et à ses branches. La racine se ramifie dans le fond et le sol afin que l'arbre, pour sa croissance, puisse surgir de ce fond et de ce sol et ainsi

les abandonner. L'arbre de la philosophie croît
du sol nourricier de la métaphysique. Le fond et
le sol sont bien l'élément où s'épand la racine de
l'arbre, mais la croissance de l'arbre ne peut jamais
assumer en soi le sol nourricier, au point qu'il dis-
paraisse dans l'arbre, comme une chose d'arbre.
Bien plutôt, ce sont les racines qui se perdent dans
le sol jusqu'à leurs plus minces radicelles. Le fond
est fond pour la racine; en lui elle s'oublie pour le
bien de l'arbre. Même lorsqu'elle s'en remet, selon
sa manière propre, à l'élément du sol, la racine
appartient à l'arbre. Elle prodigue son élément et se
prodigue elle-même pour l'arbre. En tant que racine,
elle ne se tourne pas vers le sol; non pas du moins,
comme si c'était son essence de ne croître qu'en
direction de cet élément et de se répandre en lui.
Mais probablement l'élément n'est-il lui-même l'élément que si la racine l'entrelace.

Dans la mesure où elle ne représente constamment
que l'étant en tant qu'étant, la métaphysique ne se
tient pas dans sa pensée à l'Être lui-même[1]. La
philosophie ne se rassemble pas sur son fondement.
Elle l'abandonne constamment, et cela par le fait
de la métaphysique. Mais elle ne lui échappe pourtant jamais.

Dans la mesure où une pensée se dispose à expérimenter le fondement de la métaphysique, dans la
mesure où cette pensée tente de penser la vérité
de l'Être lui-même[2], au lieu de représenter seulement l'étant en tant qu'étant, la pensée a, d'une
certaine manière, abandonné la métaphysique.
Cette pensée retourne — si l'on considère encore
la chose du point de vue de la métaphysique —

---

1. ... *denkt... nicht an das Sein selbst.*
2. ... *an die Wahrheit des Seins selbst zu denken...*

au fondement de la métaphysique. Seulement, ce qui de la sorte apparaît encore comme fondement est probablement, lorsqu'on l'éprouve [1] à partir de lui-même, quelque chose d'autre et de non dit encore, de la même manière que l'essence de la métaphysique est autre chose que la métaphysique.

Une pensée qui pense la vérité de l'Être [2] ne se contente plus de la métaphysique; mais elle ne pense pas pour autant contre la métaphysique. Pour parler en image, elle n'arrache pas la racine de la philosophie. Elle en fouille le fondement et en laboure le sol. La métaphysique demeure l'élément premier de la philosophie. Elle n'atteint pas l'élément premier de la pensée. Dans la pensée qui pense la vérité de l'Être [3], la métaphysique est dépassée. La prétention de la métaphysique à régir la relation constituante à l' « Être » et à définir, de façon normative, tout rapport à l'étant comme tel, se fait caduque. Ce « dépassement de la métaphysique » n'écarte pas, toutefois, la métaphysique. Aussi longtemps que l'homme demeure l'*animal rationale*, il est l'*animal metaphysicum*. Aussi longtemps que l'homme se comprend comme le vivant doué de raison, la métaphysique appartient, selon le mot de Kant, à la nature de l'homme. Par contre, si elle réussit à retourner au fondement de la métaphysique, la pensée pourrait bien entraîner un changement de l'essence de l'homme, changement d'où s'en suivrait peu à peu une transformation de la métaphysique.

Par suite, lorsqu'au cours du déploiement de la question portant sur la vérité de l'Être, il est parlé d'un dépassement de la métaphysique, cela signifie :

1. ... *erfahren...*
2. ... *das an die Wahrheit des Seins denkt...*
3. ... *im Denken an die Wahrheit des Seins...*

pensée de l'Être lui-même dans l'Être[1]. Une telle pensée[2] rejoint, par-delà la non-pensée qui a sévi jusqu'ici, le fondement de la racine de la philosophie. La pensée qui s'essaie dans *Sein und Zeit* (1927) se met en chemin de préparer le dépassement de la métaphysique ainsi compris. Mais ce qui met sur son chemin une telle pensée ne peut toutefois être que cela-même qui est à-penser. Que l'Être lui-même aborde ici une pensée et comment il l'aborde, cela n'est jamais d'abord ni jamais seulement au pouvoir de la pensée. Que l'Être lui-même atteigne une pensée et comment il l'atteint dispose la pensée au bond par quoi elle bondit de l'Être lui-même pour correspondre ainsi à l'Être comme tel.

Mais pourquoi, dès lors, un tel dépassement de la métaphysique est-il nécessaire? Est-ce seulement pour que cette discipline de la philosophie, qui jusqu'alors était la racine, soit étayée par une plus originelle et remplacée par elle? S'agit-il d'une modification de l'édifice doctrinal de la philosophie? Nullement. Ou va-t-on découvrir, à la faveur du retour au fondement de la métaphysique un postulat de la philosophie inaperçu jusqu'alors et convaincre cette dernière qu'elle ne repose pas encore sur sa fondation inébranlable et ne saurait être encore, pour cette raison, la science absolue? Nullement.

Dans la venue ou le retrait[3] de la vérité de l'Être, c'est autre chose qui est en jeu : non point la constitution de la philosophie, non point seulement la philosophie elle-même, mais la proximité et l'éloignement de Cela d'où la philosophie, en tant que pensée par représentation de l'étant comme tel,

1. ... *Andenken an das Sein selbst.*
2. ... *Andenken...*
3. ... *Ausbleiben...*

reçoit son essence et sa nécessité. Reste à décider si l'Être lui-même peut faire advenir sa relation à l'essence de l'homme à partir de sa vérité propre ou si la métaphysique, dans l'aversion de son fondement, empêche désormais que la relation de l'Être à l'homme à partir de l'essence de cette relation elle-même, n'accède à un éclat qui amène l'homme à l'appartenance à l'Être.

Dans ses réponses à la question qu'elle pose sur l'étant comme tel, la métaphysique, avant même l'étant, a déjà représenté l'Être. Elle exprime nécessairement l'Être et le fait donc constamment. Mais la métaphysique ne fait pas accéder au langage l'Être lui-même, parce qu'elle ne pense [1] pas l'Être dans sa vérité, ni la vérité en tant que décèlement, ni celui-ci dans son essence. L'essence de la vérité n'apparaît toujours à la métaphysique que sous la forme déjà dérivée de la vérité de la connaissance et de son énoncé. Mais le décèlement pourrait bien être quelque chose de plus originel que la vérité au sens de *veritas*. ᾿Αλήθεια pourrait être le mot qui donnerait une indication, non encore éprouvée sur l'essence non pensée de l'*esse*. S'il en était ainsi, il est clair que la pensée par représentation de la métaphysique ne pourrait jamais atteindre cette essence de la vérité, quel que soit l'intérêt qu'elle ne cesse de porter, sur le plan historique, à la philosophie présocratique; car il ne s'agit pas de quelque renaissance de la pensée présocratique, un tel propos serait vain et absurde, mais de l'attention portée à la venue de l'essence non encore exprimée du décèlement, en quoi l'Être s'est annoncé. Depuis lors, la vérité de l'Être demeure celée à la métaphysique, au cours de son histoire d'Anaximandre à

---

1. ... *bedenkt*.

Nietzsche. Pourquoi la métaphysique ne la pense-
t-elle pas [1]? L'omission d'une telle pensée [2] tient-elle
seulement à la manière propre de la pensée métaphysique? Ou appartient-il au destin essentiel
de la métaphysique que son propre fondement se
dérobe à elle, parce qu'au lever du décèlement, ce
qui dans ce dernier déploie son essence [3] : le cèlement, partout se retire et cela au profit du décelé
qui apparaît comme l'étant?

Cela dit, la métaphysique exprime constamment l'Être et dans les modalités les plus diverses.
Elle-même donne et renforce l'apparence qu'elle
pose la question portant sur l'Être [4] et lui donne
une réponse. Or, la métaphysique ne répond nulle
part à la question portant sur la vérité de l'Être,
parce qu'elle ne pose jamais cette question. Elle
ne pose pas cette question, parce qu'elle ne pense
l'Être qu'autant qu'elle représente l'étant en
tant qu'étant. Elle vise l'étant dans sa totalité et
parle de l'Être. Elle nomme l'Être et vise l'étant en
tant qu'étant. L'énoncé de la métaphysique, de
son commencement à sa consommation, se meut
d'étrange façon dans une confusion permanente
d'étant et d'Être. Cette confusion, il faut assurément la penser comme événement et non comme
faute. Elle ne peut aucunement avoir son fondement dans une simple négligence de la pensée ou
dans une légèreté du dire. Par suite de cette confusion permanente, la représentation atteint au
comble de l'aberration, lorsqu'on affirme que la
métaphysique pose la question de l'Être [5].

1. ... *denkt... an sie nicht?*
2. ... *solchen Andenkens...*
3. ... *das Wesende in dieser...*
4. ... *die Frage nach dem Sein..*
5. . *die Seinsfrage*

Il semble presque que la métaphysique soit vouée, par la manière dont elle pense l'étant, à être, à son insu, l'obstacle qui interdit à l'homme la relation originelle de l'Être à l'essence de l'homme.

Et si le retrait de cette relation et l'oubli de ce retrait déterminaient de loin l'âge moderne? Et si le retrait de l'Être livrait l'homme toujours plus exclusivement au seul étant, de sorte que l'homme demeure presque abandonné par la relation de l'Être à son essence (celle de l'homme) et qu'au même moment cet abandon demeure voilé? Et s'il en était bien ainsi et depuis longtemps déjà? Et s'il existait des signes que cet oubli doive, à l'avenir, s'installer dans l'oubli de façon plus décisive encore?

Y aurait-il encore là motif, pour quelqu'un qui pense, de prendre des airs supérieurs devant ce destin de l'Être? S'il en était ainsi, y aurait-il encore motif, dans un tel abandon de l'Être, de se duper soi-même, et cela en vertu d'une exaltation toute personnelle? S'il en était ainsi de l'oubli de l'Être, ne serait-ce pas là une suffisante raison pour qu'une pensée qui pense l'Être [1] connaisse l'effroi, selon lequel elle ne peut rien d'autre que soutenir dans l'angoisse ce destin de l'Être, afin de remettre d'abord la pensée en présence de l'oubli de l'Être? Reste à savoir toutefois si une pensée en sera capable, tant que l'angoisse ainsi destinée n'est pour elle qu'une disposition d'âme pénible? Le destin ontologique de cette angoisse, qu'a-t-il à faire avec la psychologie et la psychanalyse?

Mais supposé qu'au dépassement de la métaphysique corresponde l'effort d'apprendre à être

---

[1] ... *ein Denken, das an das Sein denkt...*

enfin attentif à l'oubli de l'Être pour éprouver et insérer cette épreuve [1] dans la relation de l'Être à l'homme et l'y garder, la question : « Qu'est-ce que la métaphysique? » resterait peut-être, dans le dénuement de l'oubli de l'Être, la nécessité la plus haute de toutes pour la pensée.

Tout tient en ceci, que la pensée en son temps se fasse plus pensante. On y parvient lorsque la pensée, au lieu de s'élever à un plus haut degré de tension, est renvoyée à une autre origine. La pensée posée par l'étant comme tel, donc procédant par représentation et par là même éclairante, est alors relevée par une pensée qui est événement de l'Être lui-même et donc à l'écoute et au service de l'Être [2].

Les considérations sur l'aide efficace et utile que la représentation partout encore métaphysique et seulement métaphysique peut apporter à l'action immédiate dans la vie quotidienne et publique, planent dans le vide. Car plus la pensée se fait pensante, plus correspondante elle s'accomplit à partir de la relation de l'Être à elle-même, d'autant plus purement elle se situe déjà d'elle-même dans l'unique agir à elle approprié : dans la pensée de ce qui lui a été donné à-penser et, par le fait même, est déjà pensé.

Mais qui revient encore dans sa pensée sur ce qui a été pensé [3]? On fait des inventions. Mettre la pensée sur un chemin qui lui permette de parvenir à la relation de la vérité de l'Être à l'essence de l'homme, ouvrir à la pensée un sentier, afin qu'elle pense [4] expressément l'Être lui-même dans sa

1. ... *Erfahrung...*
2. ... *dem Sein höriges Denken.*
3. ... *denkt noch an Gedachtes?*
4. ... *bedenke...*

vérité, c'est le but vers lequel la pensée qui s'essaie dans *Sein und Zeit* est « en chemin ». Sur ce chemin, et cela veut dire : au service de la question portant sur la vérité de l'Être, une réflexion sur l'essence de l'homme devient nécessaire; car l'épreuve, inexprimée parce qu'il faut d'abord la faire sienne, de l'oubli de l'Être, inclut cette présomption qui commande tout, que conformément au décèlement de l'Être, la relation de l'Être à l'essence de l'homme appartient bien à l'Être lui-même. Toutefois, comment cette présomption devenue épreuve pourrait-elle seulement se faire question formulée, si l'on ne met d'abord tout son soin à soustraire à la subjectivité, y compris celle de l'*animal rationale*, la détermination essentielle de l'homme? Afin de désigner en même temps et en *un seul* mot, à la fois la relation de l'Être à l'essence de l'homme et le rapport essentiel de l'homme à l'ouverture (« là ») de l'Être comme tel, fut choisi, pour le domaine essentiel où l'homme se tient comme homme, le terme de *Dasein*. On a choisi ce terme, quoique la métaphysique l'utilise pour ce qui est d'habitude désigné par *existentia*, réalité effective [1], réalité [2] et objectivité, et quoique l'expression usuelle de *menschliches Dasein* emploie d'ordinaire le mot dans sa signification métaphysique. C'est d'ailleurs pourquoi toute ré-flexion [3] est stoppée, si l'on se contente de constater qu'à la place de *Bewusstsein* (conscience) on emploie dans *Sein und Zeit* le mot *Dasein*. Comme si le débat ne portait ici que sur le simple usage de mots différents, comme s'il ne s'agissait pas de cela seul : porter devant la pensée la relation de l'Être à l'essence de l'homme et,

---

1. ... *Wirklichkeit...*
2. ... *Realität...*
3. ... *Nach-denken...*

partant, si on le pense de notre point de vue, en premier lieu porter devant cette pensée une épreuve essentielle de l'homme qui soit suffisante pour le déploiement de la question directrice. Le mot *Dasein* ne vient pas plus uniquement à la place du mot *Bewusstsein* que la « chose » nommée *Dasein* ne vient à la place de ce qu'on représente sous le nom de *Bewusstsein*. Bien plutôt est désigné par *Dasein* ce qui doit être avant tout éprouvé comme lieu[1], à savoir comme le champ[2] de la vérité de l'Être, et ensuite être pensé conformément à cette épreuve.

Quel est, tout au long du traité de *Sein und Zeit*, le contenu du mot *Dasein*, la proposition suivante : « *Das " Wesen " des Daseins liegt in seiner Existenz* » (p. 42) (« L' " essence " du *Dasein* repose dans son existence »), l'indique déjà.

Si l'on considère évidemment que dans la langue de la métaphysique *Existenz* désigne une même chose que *Dasein*, à savoir la réalité de chaque réel, de Dieu jusqu'au grain de sable, la difficulté de ce qui est à-penser est seulement reportée, par cette proposition comprise sans autre examen, du mot *Dasein* sur le mot *Existenz*. Le terme d'*Existenz* est employé exclusivement, dans *S. u. Z.*, pour caractériser l'être de l'homme. A partir de l' « existence » pensée comme il convient, on peut penser l' « essence » du *Dasein*, dans l'ouverture duquel l'Être lui-même se dénonce et se cèle, s'accorde et se dérobe, sans que cette vérité de l'Être s'épuise dans le *Dasein* ou même se laisse réduire à l'unité avec lui, en la manière de la proposition méta-

1. ... *Stelle...*
2. ... *Ortschaft...*

physique : toute objectivité est comme telle subjectivité.

Que signifie « existence » dans *S. u. Z.*? Le mot
désigne un mode de l'Être, à savoir l'être de cet
étant qui se tient ouvert pour l'ouverture de l'Être,
dans laquelle il se tient, tandis qu'il la soutient.
Ce soutenir est expérimenté sous le nom de « souci ».
L'essence extatique du *Dasein* est pensée à partir
du souci, de même qu'en retour le souci n'est
expérimenté d'une manière suffisante que dans son
essence extatique. Le soutenir ainsi expérimenté
est l'essence de l'*ekstasis* qui est ici à penser. C'est
pourquoi l'essence extatique de l'existence est encore
comprise d'une manière insuffisante, lorsqu'on la
représente seulement comme « ex-stase [1] » et que
l'on conçoit le « ex [2] » comme « éloignement de »
l'intérieur d'une immanence de la conscience et
de l'esprit; car, ainsi comprise, l'existence ne serait
toujours représentée qu'à partir de la « subjectivité »
et de la « substance », alors que le « ex [3] » reste à
penser comme la dis-jonction [4] de l'ouverture de
l'Être lui-même. La *stasis* de l'extatique repose,
aussi étrange que cela puisse paraître, dans
l'in-stance [5] dans le « ex [6] » et le « là » du décèlement
qui est comme tel l'Être lui-même déployant son
essence. Ce qu'il faut penser sous le terme d' « existence », quand le mot est utilisé à l'intérieur de la
pensée qui pense en direction de la vérité de l'Être
et à partir d'elle, c'est ce que le mot *Inständigkeit*

1. ... « *Hinausstehen* »...
2. ... *das « Hinaus »*...
3. ... *das « Aus »*...
4. ... *das Auseinander*...
5. ... *im Innestehen*...
6. ... *im « Aus »*...

(« in-sistance [1] ») pourrait le plus heureusement désigner. Seulement, il importe alors absolument de penser à la fois l'in-stance dans l'ouverture de l'Être, la prise en charge de l'in-stance (souci) et la persévérance dans l'extrême (être vers la mort), et cela comme l'essence plénière de l'existence.

L'étant qui est sur le mode de l'existence est l'homme. L'homme seul existe. Le rocher est, mais il n'existe pas. L'arbre est, mais il n'existe pas. Le cheval est, mais il n'existe pas. L'ange est, mais il n'existe pas. Dieu est, mais il n'existe pas. La proposition : « L'homme seul existe » ne signifie nullement que seul l'homme soit un étant réel et que tout le reste de l'étant soit irréel et seulement une apparence ou la représentation de l'homme. La proposition : « L'homme existe » signifie : l'homme est cet étant dont l'être est signalé dans l'Être, à partir de l'Être, par l'in-stance maintenue ouverte dans le décèlement de l'Être. L'essence existentiale de l'homme est le fondement grâce auquel l'homme peut représenter l'étant comme tel et avoir une conscience du représenté. Toute conscience présuppose l'existence pensée de façon extatique comme *essentia* de l'homme, et ici *essentia* signifie ce en quoi l'homme déploie son essence, en tant qu'il est homme. La conscience, par contre, ne crée pas d'abord l'ouverture de l'étant, pas plus qu'elle n'accorde d'abord à l'homme l'être-ouvert pour l'étant. Vers où, d'où et en quelle libre dimension toute intentionalité de la conscience pourrait-elle en effet se mouvoir, si l'homme n'avait pas déjà dans l'in-sistance son essence? Que peut désigner d'autre, à supposer qu'on y ait jamais pensé

---

1. A entendre étymologiquement : *in* (dans), *sistere* (se tenir debout), en même temps qu'au sens usuel. *(N.d.T.)*

sérieusement, le mot -*sein* (être) dans les termes *Bewusstsein* (conscience) et *Selbstbewusstsein* (conscience de soi), sinon l'essence existentiale de ce qui est, en existant? Être un « soi » caractérise sans doute l'essence de cet étant, qui existe, mais l'existence ne consiste pas dans l' « être-soi », pas plus qu'elle ne se détermine à partir de lui. Comme toutefois la pensée métaphysique détermine l' « être-soi » de l'homme à partir de la substance ou, ce qui au fond revient au même, à partir du sujet, le premier chemin qui conduit de la métaphysique à l'essence extatico-existentiale de l'homme doit passer par la détermination métaphysique de l' « être-soi » de l'homme (*S. u. Z.*, § 63 et 64).

Mais comme la question portant sur l'existence n'est constamment qu'au service de l'unique question de la pensée, c'est-à-dire de la question qu'il faut d'abord déployer, portant sur la vérité de l'Être comme fondement celé de toute métaphysique, le titre du traité qui tente le retour au fondement de la métaphysique n'est pas *Existenz und Zeit* (Existence et Temps), ni *Bewusstsein und Zeit* (Conscience et Temps), mais *Sein und Zeit* (Être et Temps). Ce titre toutefois ne saurait davantage être pensé en correspondance aux autres titres courants : Être et Devenir, Être et Apparence, Être et Pensée, Être et Devoir-être. Car partout ici l'Être est encore représenté de façon limitée, comme si « Devenir », « Apparence », « Pensée », « Devoir-être » n'appartenaient pas à l'Être, alors que de toute évidence ils ne sont pourtant pas rien et, par le fait même, appartiennent à l'Être. *Sein* (Être) dans *Sein und Zeit* n'est pas autre chose que *Zeit* (temps), pour autant que le « temps » est donné comme pré-nom à la vérité de l'Être, laquelle est ce en quoi l'Être déploie son essence[1] et ainsi est l'Être lui-même. Mais pourquoi donc *Zeit* et *Sein*?

Le retour par la pensée au commencement de l'histoire[2], au cours de laquelle l'Être se dévoile dans la pensée des Grecs, peut montrer que les Grecs dès le début éprouvèrent l'être de l'étant comme la présence du présent. Lorsque nous traduisons εἶναι par « être », c'est une traduction grammaticalement juste. Mais nous ne faisons que remplacer un vocable par un autre. A l'examen, il apparaît aussitôt que nous ne pensons pas plus εἶναι à la manière grecque que nous ne pensons une détermination correspondante, claire et sans ambiguïté de « être ». Que disons-nous dès lors, quand au lieu de εἶναι nous disons « être » et au lieu de « être » εἶναι et *esse?* Nous ne disons rien. Le mot grec, le mot latin et le mot [français] demeurent également inertes. En obéissant à l'usage courant, nous nous révélons seulement les supporters de la plus grande absence de pensée qui soit jamais apparue à l'intérieur de la pensée et maintient jusqu'à l'heure présente son empire. En réalité cet εἶναι veut dire : être présent. L'essence de cet être-présent est profondément cachée[3] dans les noms originels de l'Être. Mais pour nous εἶναι et οὐσία en tant que παρ- et ἀπουσία, veulent d'abord dire ceci : dans l'être-présent règnent, non pensées et celées, présence actuelle et persistance dans la durée, se déploie le temps. L'Être comme tel est par conséquent décelé à partir du temps. Le temps renvoie ainsi au décèlement, c'est-à-dire à la vérité de l'Être. Mais le temps qui est dès

---

1. *... das Wesende des Seins...*
2. *Das Andenken an den Anfang der Geschichte...*
3. *... geborgen...*

lors à penser n'est pas éprouvé dans le cours changeant de l'étant. Tout autre est encore manifestement l'essence du temps, essence qui n'est pas encore pensée par le concept métaphysique de temps et ne saurait jamais l'être. Le temps devient ainsi le pré-nom à penser[1] au préalable, pour la vérité de l'Être qui est à éprouver avant tout.

Comme interpelle, dans les premiers noms métaphysiques de l'Être, une essence celée du temps, ainsi dans son nom ultime : dans l' « éternel retour de l'identique ». Sur l'histoire de l'Être règne, dans l'époque de la métaphysique, une essence non pensée du temps. A ce temps, l'espace n'est pas co-ordonné, mais il ne lui est pas non plus seulement subordonné.

Une tentative de passer de la représentation de l'étant comme tel à la pensée qui pense la vérité de l'Être[2] doit, partant de cette représentation, d'une certaine manière représenter encore la vérité de l'Être même, de sorte que cette représentation reste nécessairement d'une autre espèce et finalement, en tant que représentation, non appropriée à ce qui est à-penser. Ce rapport qui, en provenance de la métaphysique, consent à la relation de la vérité de l'Être à l'essence de l'homme est conçu comme compréhension. Mais ici la compréhension est en même temps pensée à partir du décèlement de l'Être. C'est le projet extatique, c'est-à-dire jeté en in-stance[3] dans le domaine de l'ouvert. Le domaine qui se remet comme ouvert dans le projeter, afin qu'en lui quelque chose (ici l'Être) se manifeste comme quelque chose (ici l'Être en

---

1. ... *der... zu bedenkende...*
2. ... *in das Denken an die Wahrheit des Seins...*
3. ... *innestehende geworfene Entwurf...*

tant que lui-même dans son décèlement) s'appelle le sens (cf. *S. u. Z.*, p. 151). « Sens de l'Être » et « vérité de l'Être » disent la même chose.

Supposé que le temps appartienne d'une manière encore celée à la vérité de l'Être, tout projet qui veut maintenir ouverte [1] la vérité de l'Être comme compréhension de l'Être doit se reporter au temps comme à l'horizon possible de l'intelligence de l'Être. (Cf. *S. u. Z.*, § 31-34 et 68).

L'avant-propos de *Sein und Zeit*, à la première page du traité, se termine par les phrases suivantes : « L'élaboration concrète de la question portant sur le sens de l' « *Être* » est l'intention du présent traité. L'interprétation du *Temps* comme horizon possible de toute intelligence de l'Être en général est son objectif préliminaire. »

La philosophie ne pouvait pas apporter une preuve plus évidente de l'empire exercé par cet oubli de l'Être dans lequel toute philosophie a sombré, mais qui est en même temps devenu et resté dans *S. u. Z.* la revendication du destin à la pensée, que cette assurance de somnambule avec laquelle elle est passée à côté de la question propre et unique de *S. u. Z.* C'est aussi pourquoi il ne s'agit pas là d'incompréhensions vis-à-vis d'un livre, mais de notre abandon de l'Être.

La métaphysique dit ce qu'est l'étant en tant qu'étant. Elle renferme un λόγος (énoncé) sur l'ὄν (l'étant). La dénomination postérieure d' « ontologie » caractérise son essence, à supposer évidemment que nous l'entendions selon son contenu propre et non dans son acception scolaire restreinte. La métaphysique se meut dans le domaine de l'ὄν ᾗ ὄν. Sa représentation vaut pour l'étant en tant

---

1. ... *jedes entwerfende Offenhalten...*

qu'étant. De la sorte, la métaphysique représente partout l'étant comme tel dans sa totalité, l'étantité de l'étant (l'οὐσία de l'ὄν). Mais la métaphysique représente d'une double manière l'étantité de l'étant : d'abord la totalité de l'étant comme tel, au sens de ses traits les plus généraux (ὄν καθόλου, κοινόν) mais, en même temps, la totalité de l'étant comme tel au sens de l'étant le plus haut et, partant, divin (ὄν καθόλου, ἀκρότατον, θεῖον). Le décèlement de l'étant comme tel s'est effectué nommément sous cette forme double dans la métaphysique d'Aristote (cf. Met. Γ, E, K).

Précisément parce qu'elle porte à la représentation l'étant en tant qu'étant, la métaphysique est en soi, de cette façon double et une, la vérité de l'étant dans sa généralité et son plus haut sommet. Elle est, selon son essence, à la fois ontologie au sens restreint et théologie. Cette essence ontothéologique de la philosophie proprement dite (πρώτη φιλοσοφία) doit être fondée en la manière dont l'ὄν, en tant précisément qu'ὄν, accède pour elle à l'ouvert. Le caractère théologique de l'ontologie ne tient donc pas au fait que la métaphysique grecque fut plus tard assumée par la théologie d'église du Christianisme et transformée par elle. Il tient bien plutôt à la manière dont l'étant, dès l'origine, s'est dé-celé en tant qu'étant. C'est ce décèlement de l'étant qui a d'abord rendu possible que la théologie chrétienne s'empare de la philosophie grecque — pour son profit ou pour sa perte, les théologiens en décideront, partant de l'expérience du fait chrétien, s'ils méditent ce qui est écrit dans la première lettre aux Corinthiens de l'apôtre Paul : οὐχὶ ἐμώρανεν ὁ θεὸς τὴν σοφίαν τοῦ κόσμου; « Dieu n'a-t-il pas convaincu de folie la sagesse du monde? » (I Cor., I, 20). Or la σοφία τοῦ κόσμου est ce que, selon I,22, les ῞Ελληνες ζητοῦσιν, ce que cherchent les Grecs. La πρώτη φιλοσοφία (la philosophie proprement dite), Aristote l'appelle explicitement ζητουμένη — celle qui est cherchée. La théologie chrétienne se résoudra-t-elle enfin à prendre au sérieux la parole de l'Apôtre et, en conséquence, à considérer la philosophie comme une folie?

En tant que vérité de l'étant comme tel, la métaphysique est dimorphe. Mais le fondement de ce dimorphisme, tout autant que sa provenance, échappent à la métaphysique — et cela non par le fait du hasard ou en raison d'une négligence. La métaphysique présente ce dimorphisme par cela même qu'elle est ce qu'elle est : la représentation de l'étant en tant qu'étant. La métaphysique n'a pas le choix. En tant que métaphysique elle est, de par sa propre essence, exclue de l'épreuve de l'Être; car elle ne représente constamment l'étant (ὄν) qu'en ce qui s'est montré déjà en tant qu'étant (ᾗ ὄν) à partir de celui-ci. La métaphysique toutefois ne porte jamais attention à ce qui précisément dans cet ὄν, en tant qu'il a été décelé, déjà s'est celé.

Ainsi pouvait-il devenir en son temps nécessaire de réfléchir à nouveau sur ce qui est dit proprement par le mot ὄν, « étant [1] ». La question portant sur l'ὄν était de la sorte ré-itérée à la pensée [2] (cf. *S. u. Z.*, Avant-propos). Seulement cette réitération [3] ne répète pas simplement [4] la question platonico-aristotélicienne; elle revient comme question sur cela qui dans l'ὄν se cèle.

---

1. ... « *seiend* »...
2. ... *wieder in das Denken geholt.*
3. ... *dieses Wiederholen...*
4. ... *redet... nicht bloss nach...*

Sur cela qui est celé dans l'ὄν, la métaphysique
demeure fondée, si toutefois elle consacre sa représentation à l'ὄν ᾗ ὄν. La question qui revient sur
cela qui est celé cherche donc, si on l'envisage du
point de vue de la métaphysique, la fondation de
l'ontologie. C'est pourquoi l'entreprise se nomme,
dans *Sein und Zeit* (p. 13) « ontologie fondamentale ». Seulement cette dénomination se révèle
aussitôt périlleuse, comme toute autre dénomination en ce cas. Du point de vue de la métaphysique,
elle dit sans doute une chose exacte; mais c'est
précisément pour cela qu'elle induit en erreur;
car il s'agit d'obtenir le passage de la métaphysique à la pensée qui pense la vérité de l'Être [1].
Aussi longtemps que cette pensée elle-même se
caractérise encore comme ontologie fondamentale,
elle se fait, par cette appellation, obstacle à elle-
même sur son propre chemin et l'obscurcit. Le terme
d' « ontologie fondamentale » donne à croire en effet
que la pensée qui tente de penser la vérité de l'Être [2]
et non pas, comme toute ontologie, la vérité de
l'étant, est elle-même encore, en tant qu'ontologie
fondamentale, une sorte d'ontologie. En fait, la
pensée qui pense la vérité de l'Être [3] a, en tant que
retour au fondement de la métaphysique, abandonné
dès le premier pas le domaine de toute ontologie.
Par contre, toute philosophie qui se meut dans une
représentation médiate ou immédiate de la « Transcendance » demeure nécessairement ontologie au
sens essentiel, qu'elle veuille poser une base à
l'ontologie ou, selon ce qu'elle prétend, repousser
l'ontologie en tant que pétrification conceptuelle
de l'expérience vécue.

1. ... *in das Denken an die Wahrheit des Seins...*
2. ... *das die Wahrheit des Seins zu denken versucht...*
3. ... *das Denken an die Wahrheit des Seins...*

Mais si maintenant la pensée qui tente de penser
la vérité de l'Être[1], et cela selon l'usage, résultant
d'une longue habitude, de la représentation de
l'étant comme tel, s'empêtre elle-même dans cette
représentation, rien probablement ne sera plus
nécessaire que la question : Qu'est-ce que la métaphysique? aussi bien pour une première réflexion que
pour inciter au passage de la pensée par représentation, à la pensée qui pense l'Être[2].

Le déploiement de cette question par la présente
conférence débouche lui-même sur une question.
Elle est dite la question fondamentale de la métaphysique et se formule ainsi : Pourquoi est-il en
somme de l'étant et non pas plutôt rien? On a
certes, depuis lors beaucoup discouru, et de toutes
manières, sur l'angoisse et le rien dont il est question
dans la conférence. Mais jamais encore on ne s'est
avisé d'examiner la raison pour laquelle une conférence qui tente, à partir de la pensée qui pense la
vérité de l'Être, de penser le rien[3] et, de là, de
pénétrer dans l'essence de la métaphysique, prétend
voir dans cette question la question fondamentale
de la métaphysique. Cela n'oblige-t-il pas l'auditeur
attentif à un examen qui doit être d'un plus grand
poids que tout le zèle déployé contre l'angoisse
et le rien? Cette question finale nous amène à
considérer ce fait qu'une réflexion qui, par le truche-
ment du rien, tente de penser l'Être[4], revient à
son terme à une question portant sur l'étant.
Dans la mesure où cette question, selon la manière
traditionnelle de la métaphysique, questionne

1. ... *das versucht, die Wahrheit des Seins zu denken...*
2. ... *in das andenkende Denken...*
3. ... *die aus dem Denken an die Wahrheit des Seins her an
das Nichts... zu denken versucht...*
4. *an das Sein zu denken versucht*

encore sur le plan causal en suivant le fil directeur
du : pourquoi?, la pensée qui pense l'Être [1] est
reniée totalement au profit de la connaissance par
représentation de l'étant issue de l'étant. Est-il
besoin d'ajouter que cette question finale est
évidemment celle que le métaphysicien Leibniz
a posée dans ses « Principes de la nature et de la
grâce » : « pourquoi il y a plutôt quelque chose que
rien? » (*Opp. ed. Gerh.*, t. VI, 602, n. 7).

La conférence retombe-t-elle de la sorte en deçà
de son propre projet, ce qui en soi serait possible,
par la difficulté du passage de la métaphysique à
l'autre pensée? Pose-t-elle à son terme, avec
Leibniz, la question métaphysique de la Cause
suprême de toutes les choses étantes? Pourquoi,
dès lors, comme il serait de mise, le nom de Leibniz
n'est-il pas prononcé?

A moins que la question ne soit posée en un tout
autre sens? Si elle n'enquête pas sur l'étant et ne
recherche pas pour lui la Cause première étante, la
question doit s'appliquer à ce qui n'est pas l'étant.
Cela même, la question le nomme et l'écrit en
grand : c'est le rien, que la conférence a pour
unique thème. Il semble normal d'exiger que soit
examinée enfin de façon approfondie la fin de
cette conférence, à partir de l'horizon particulier
qui d'un bout à l'autre la commande. Ce qu'on
appelle la question fondamentale de la métaphysique serait alors à accomplir, sur le plan de l'onto
logie fondamentale, en tant que question issue du
fondement de la métaphysique et question portant
sur ce fondement.

Mais comment, dès lors, si nous admettons que

1. ... *das Denken an das Sein*...

la conférence à son terme reste fidèle à son propos, faut-il comprendre cette question?

Répétons-la : Pourquoi est-il en somme de l'étant et non pas plutôt rien? A supposer que nous ne pensions plus métaphysiquement selon la manière habituelle à l'intérieur de la métaphysique, mais qu'au contraire, à partir de l'essence et de la vérité de la métaphysique, nous pensions la vérité de l'Être [1], cette question peut également se formuler : D'où vient que partout l'étant ait prééminence et revendique pour soi tout « est », tandis que ce qui n'est pas un étant, le rien compris de la sorte comme l'Être lui-même, reste oublié? D'où vient qu'il n'en soit proprement rien de l'Être et que le rien proprement ne déploie pas son essence? Est-ce d'ici que vient à toute métaphysique cette fausse certitude inébranlée que l' « Être » se comprend de lui-même et qu'en conséquence le rien se fait plus facile que l'étant? Ainsi en est-il en fait de l'Être et du rien. S'il en était autrement, Leibniz ne pourrait pas écrire en commentaire au passage cité : « Car le rien est plus simple et plus facile que quelque chose ».

De ces deux choses que reste-t-il de plus énigmatique : que l'étant soit ou que l'Être soit? Ou ne parvenons-nous pas encore par cette réflexion, à la proximité de l'énigme qui est advenue avec l'être de l'étant?

Quelle que puisse être la réponse à cette question, le temps devrait être maintenant venu d'examiner enfin de façon approfondie à partir de sa fin, la conférence si souvent combattue « Qu'est-ce que la métaphysique? », je dis bien de *sa* fin et non d'une fin imaginaire.

---

1. ... *an die Wahrheit des Seins denken...*

QU'EST-CE QUE LA MÉTAPHYSIQUE?

Qu'est-que la Métaphysique? L'attente à laquelle
cette question donne l'éveil est celle d'un discours
sur la métaphysique. Nous y renoncerons. Au lieu
de cela, nous discuterons une question métaphysique précise. En procédant ainsi, nous nous trans-
portons immédiatement dans la métaphysique De
cette seule manière, nous lui procurons la possibilité
adéquate de se présenter elle-même. Notre projet
comporte comme initiative le *développement* d'une
interrogation métaphysique; il tentera alors *d'élaborer* la question et s'achèvera en lui *donnant une
réponse.*

LE DÉVELOPPEMENT
D'UNE INTERROGATION MÉTAPHYSIQUE

Du point de vue du « bon sens », la philosophie est,
selon le mot de Hegel, le « monde à l'envers ». En
conséquence, le caractère spécifique de notre initiative a besoin d'être préalablement marqué en
propre. Cette propriété résulte d'un double caractère que possède l'interrogation métaphysique.
D'une part, chaque question métaphysique

embrasse toujours l'*ensemble* de la problématique
de la métaphysique. Elle est, chaque fois, *l'ensemble*
lui-même. *Mais alors,* aucune question métaphysique ne peut être questionnée sans que le questionnant — comme tel — ne soit lui-même *compris*
dans la question, c'est-à-dire *pris dans cette question.*

Nous en dégageons l'avertissement suivant :
l'interrogation métaphysique doit nécessairement
être posée dans son ensemble; chaque fois elle doit
l'être comme naissant de la situation essentielle de
la réalité-humaine questionnante. C'est *nous* qui
interrogeons, *ici* et *maintenant, pour nous.* Notre
réalité-humaine — dans notre communauté de
chercheurs, de professeurs et d'étudiants — est
déterminée par la *connaissance.* Qu'en advient-il
de nous d'essentiel, dans le fond de notre réalité-
humaine, pour autant que la connaissance est
devenue notre *passion?*

Les domaines de nos connaissances sont séparés
par de vastes distances. La manière dont chacune de
nos sciences traite son objet diffère essentiellement
de l'autre. La multitude de disciplines ainsi émiet-
tées ne doit plus aujourd'hui sa cohérence qu'à
l'organisation technique d'Universités et de Facultés; elle ne conserve un sens qu'à travers les buts
pratiques poursuivis par les spécialistes. En revanche, l'enracinement des sciences dans leur fondement essentiel est bel et bien mort.

Et pourtant, par toutes ces sciences nous sommes,
en suivant les visées qui leur sont absolument
propres, en rapport avec l'*existant lui-même.* Du
point de vue des sciences précisément, aucun
domaine ne jouit d'une *prés*éance sur l'autre; la
Nature ne passe pas *avant* l'Histoire, ni inversement. Il n'est pas une façon de traiter les objets
qui se place au-dessus des autres. La connaissance

mathématique n'est pas plus rigoureuse que la connaissance historique ou philologique; elle a simplement le caractère de l' « exactitude », ce qui ne coïncide pas avec la « rigueur ». Exiger de la science de l'histoire l' « exactitude », ce serait porter atteinte à l'Idée de la rigueur qui est spécifiquement propre aux sciences de l'Esprit. *Le rapport avec le monde,* qui gouverne toutes les sciences comme telles, leur fait chercher l'existant lui-même, afin qu'elles en fassent l'objet d'une exploration et d'une définition qui en pose le fondement, en se conformant chaque fois au mode d'être de cet existant et à la qualité de son contenu. Ce qui s'accomplit dans les sciences — en vertu de leur Idée — c'est un *mouvement d'approche vers l'essentiel de toutes choses.*

Ce rapport caractéristique avec le monde, qui est un rapport tendant vers l'existant lui-même, a comme support et comme guide une attitude que l'*existance*[1] humaine *choisit librement.* Certes, la conduite générale de l'homme, pré-scientifique ou extra-scientifique, marque également une relation avec l'existant. Mais le caractère privilégié de la science tient à ce qu'elle laisse par principe, expressément et uniquement à la chose elle-même, le premier et le dernier mot. Interrogation, définition, exposé des raisons s'en tenant ainsi à la pure matérialité-des-choses, il se produit une soumission envers l'existant qui tend à lui laisser, à lui-même, le soin de se révéler. Recherche et théorie ont donc ainsi le *rôle de servir;* sur le développement de ce *service* repose, comme sur sa base, la possibilité d'un *rôle de guide* dans l'ensemble de l'existance humaine qui, tout en étant limité, n'en est pas moins

1. Cf. Avant-propos, p. 16.

le rôle propre de la recherche. Le rapport particulier que la science soutient avec le monde, de
même que l'attitude humaine qui lui sert de guide,
ne sont, il est vrai, parfaitement conçus que lorsque
nous voyons et saisissons *ce qui* se produit, ce qui
s'historialise *(geschieht)* [1] dans le rapport *ainsi*
soutenu avec le monde. L'homme — cet existant
parmi d'autres existants — « poursuit des recherches
scientifiques ». Ce qui se produit dans cette poursuite, ce n'est rien de moins que l'*irruption* d'un
existant, appelé homme, dans l'ensemble de
l'existant, et cela de telle sorte que dans cette
irruption et par elle, l'existant vient à *éclore* en
ce qu'il est et tel qu'il *est*. L'irruption qui fait
éclore, c'est elle qui avant tout, suivant le mode qui
est *sien*, produit l'existant à lui-même.

Ce triple aspect — relation au monde, attitude,
irruption — formant *dès la racine une unité, sim-
plifie* et *tranche* avec l'éclat du feu la *réalité-*
humaine qui *se réalise* dans l'existence scientifique.
Ayant projeté en elle cette lumière, si nous nous
approprions *expressément* pour nous-mêmes cette
réalité-humaine réalisée dans la science, *nécessairement* alors nous devons dire :

Ce à quoi est relative la relation au monde,
c'est l'*existant lui-même* — et rien d'autre.

Ce dont toute attitude reçoit sa conduite directive, c'est l'*existant lui-même* — et rien de plus.

Ce avec quoi s'historialise, dans l'irruption,
l'analyse qui recherche et confronte, *c'est l'existant
lui-même* — et rien au-delà.

Or, chose remarquable, c'est précisément dans la
manière dont l'homme qui fait des recherches
s'assure de ce qui est *absolument sien*, qu'il parle

1. Cf. Avant-propos, p. 18.

d'un *Autre*. Ce que la recherche doit pénétrer, c'est simplement « ce qui est », et en dehors de cela — *rien :* uniquement « ce qui est », outre cela — *rien :* exclusivement « ce qui est », et au-delà — *rien.*

Qu'en est-il donc de ce Rien? Est-ce un hasard que nous nous exprimions ainsi tout naturellement? Est-ce une simple façon de parler — et rien de plus?

Seulement, qu'avons-nous à nous soucier de ce Rien? Le Néant, précisément la science le repousse et le relègue comme constituant *le pur négatif.* Pourtant, lorsque nous *reléguons* de cette façon le Néant, précisément alors ne *l'alléguons*-nous pas? Mais pouvons-nous parler d'alléguer si nous n'alléguons *rien?* Et ne tombons-nous pas carrément avec tout cela dans une creuse logomachie? N'est-ce pas précisément *maintenant* que la science doit reprendre son sérieux et son sang-froid, afin d'avoir affaire exclusivement avec « ce qui est »? Le Néant, que peut-il être d'autre pour la science qu'une horreur et une chimère?

Si la science est dans son droit, un seul point se trouve fixé : c'est que du Rien la science ne prétend rien savoir. Et telle est, finalement, la conception scientifiquement rigoureuse du Néant. Nous le connaissons pour autant que nous n'en voulons rien savoir, ne rien savoir de ce Rien.

La science ne veut Rien savoir du Néant. Mais tout aussi sûr est ceci : justement là où elle cherche à exprimer son essence propre, elle appelle le Néant à l'aide. Sur ce qu'elle rejette, elle élève une prétention. Quelle *discordance* nous dévoile-t-elle en sa réalité essentielle?

En réfléchissant sur notre existance effective — comme sur une existance déterminée par la recherche scientifique — nous sommes tombés au beau

milieu d'un *entre-choc*. Dans ce *choc*, une interrogation s'est déjà développée. La question n'a
besoin que d'être exprimée en propres termes :
Qu'en est-il du Néant?

L'ÉLABORATION DE LA QUESTION

Le fait même d'élaborer la question du Néant nous
pousse nécessairement dans la situation qui nous
fera connaître s'il est possible qu'elle reçoive une
réponse, ou bien au contraire si y répondre constitue
une impossibilité. Le Néant, avons-nous dit, est
allégué, c'est-à-dire relégué au contraire par la
science, avec une indifférence supérieure, comme
« ce qu'il n'y a pas ».

Essayons toutefois d'interroger sur le Néant :
Qu'est-ce que le Néant? Dès le premier contact,
la question trahit quelque chose d'insolite. En
interrogeant ainsi, nous posons d'ores et déjà le
Néant comme quelque chose qui « est » ceci et
cela, comme un *existant*. Or, il en diffère radicalement. Interroger sur le Néant — demander ce
qu'il est et comment il est — *renverse l'objet de la
question en son contraire*. La question se dépouille
elle-même de son propre objet.

Corrélativement, toute *réponse* à cette question
est, dès l'origine, impossible, car elle se présente, et
par la force des choses, sous la forme suivante :
le Néant « est » ceci et cela. *Question et réponse* à
l'égard du Néant impliquent donc le même *contre-
sens*.

Ainsi, il n'est pas besoin que la science le rejette.
La règle communément admise comme règle
fondamentale de la pensée, le principe de la contradiction à éviter, la « Logique » générale, étouffent

cette question. Car la pensée — qui est essentiellement toujours la pensée *de quelque chose* — devrait, *en tant que* pensée du *Néant*, agir à l'encontre de son essence propre.

Puisqu'il nous demeure interdit de faire du Néant comme tel un objet, nous voici déjà au bout de notre enquête sur le Néant — à supposer, toutefois, que dans cette question la « Logique » soit bien la suprême instance, que l'*entendement* soit bien le moyen, et la pensée exactement la voie qui conduise à saisir le Néant *en son origine*, et à décider s'il est possible de le dévoiler.

Mais serait-il donc permis de toucher à la souveraineté de la « Logique »? L'entendement n'est-il donc pas réellement seigneur et maître dans cette interrogation sur le Néant? Avec *son* aide, nous n'arrivons pourtant qu'à une détermination toute générale du Néant, nous pouvons le poser comme un problème, mais comme un problème qui se détruit lui-même. Car le Néant est la *négation* de la totalité de l'existant, le non-existant pur et simple. Toutefois, en nous exprimant ainsi, nous soumettons le Néant à une détermination plus haute, celle du *négatif* : nous le définissons comme une *chose-niée*. Or, selon la doctrine souveraine et inviolée de la « Logique », la *négation* est une *opération de l'entendement*. Comment, dès lors, pourrions-nous prétendre dans la question du Néant, voire dans la question de la possibilité même de cette question, mettre l'*entendement* en vacances? Pourtant, ce que nous présupposons là, est-il si sûr? Le *non*, la négativité et par conséquent la négation, présentent-elles la détermination *supérieure*, sous laquelle le *Néant* tomberait comme une *espèce particulière* de chose-niée? *N'y a-t-il le Néant que parce qu'il y a le « non »*, *c'est-à-dire la négation? Ou bien est-ce le contraire?*

*N'y a-t-il la négation et le « non » que parce qu'il y a
le Néant?* Voilà qui n'est pas décidé, et qui n'a même
jamais été élevé à la hauteur d'une question explicite. Nous affirmons ceci : *le Néant est originairement
antérieur au « Non » et à la négation.*

Si cette thèse est juste, alors la possibilité de la
négation comme opération de l'entendement, et par
là l'entendement lui-même, dépendent en quelque
sorte du *Néant.* Comment l'entendement peut-il
alors prétendre décider de ce dernier? Est-ce que,
finalement, le *contre-sens* apparent des question et
réponse concernant le Néant reposerait sur le *sens-
propre* aveuglément affirmé par l'entendement en
vagabondage?

Si l'impossibilité que présente en sa forme la question du Néant ne nous décourage pas, si à son
encontre nous posons la question quand même, nous
devons du moins satisfaire à *ce qui* ne laisse pas de
subsister comme une exigence fondamentale pour
la possibilité de mener à bonne fin *toute* question,
quelle qu'elle soit. Si le Néant, quoi qu'il puisse en
être, doit être — lui-même — le *contenu de la question,* il faut qu'il puisse être tout d'abord *donné.*
Il faut que nous puissions *le* rencontrer.

Où chercherons-nous le Néant? Comment trouve-
rons-nous le Néant? Ne devons-nous pas, pour
trouver quelque chose, avoir déjà la connaissance
générale que cette chose existe? En effet, tout
d'abord et le plus souvent l'homme n'est capable
de chercher que lorsqu'il a anticipé sur la présentation réelle de l'objet cherché. Or, ce que nous
cherchons maintenant, c'est le *Néant.* Y a-t-il
finalement une recherche *sans* cette anticipation,
une recherche qui comporterait une découverte
pure?

Quoi qu'il puisse en être, *nous connaissons le*

Néant, bien que ce soit simplement comme ce dont, tous les jours, nous parlons par-ci par-là. Et ce Néant vulgaire, anémié sous la pâleur d'une évidence toute faite, ce Néant qui sans se faire remarquer rôde autour de nos *parleries,* nous pouvons même lui donner, sans hésiter, l'apprêt d'une définition :

Le Néant est la négation radicale de la totalité de l'existant.

Cette caractérisation du Néant ne semble-t-elle point finalement pointer l'index dans la seule direction d'où il pourra nous rencontrer?

Il faut que tout d'abord soit donnée la *totalité de l'existant,* pour qu'elle puisse être soumise *comme telle* à la négation radicale, dans laquelle le Néant lui-même devrait alors se dénoncer.

Seulement, même abstraction faite du caractère problématique que présente le rapport entre la négation et le Néant, comment nous, êtres finis, rendrons-nous accessible *en soi* et *en même temps* à nous *l'ensemble* de l'existant en sa totalité? Tout au plus pouvons-nous penser dans son « Idée » l'ensemble de l'existant, nier par la pensée ce que nous imaginons ainsi, puis le « penser » comme nié. De cette manière, nous atteignons bien le concept formel du Néant *imaginé,* mais jamais le *Néant lui-même.* Mais le *Néant* n'est *rien,* et entre le Néant imaginé et le Néant « réel », il ne peut régner de différence, s'il est vrai que le Néant représente bien l'indifférenciation absolue. Quant au Néant « réel », n'est-ce pas là encore la notion voilée mais contradictoire d'un Néant *existant?* C'est la dernière fois que les objections de l'entendement auront arrêté notre recherche, dont la légitimité ne pourra être établie qu'à travers une *expérience fondamentale du Néant.*

S'il est sûr que jamais nous ne saisissions absolument en soi l'ensemble de l'existant, il est non moins certain que nous nous trouvons placés au milieu de cet existant, qui nous est dévoilé en son ensemble d'une manière ou d'une autre. Finalement, une différence essentielle intervient entre *saisir l'ensemble* de l'existant en soi, et *se sentir* au milieu de l'existant en son *ensemble*. Le premier terme marque une impossibilité de principe. Le second, un événement continuel en notre réalité-humaine.

Sans doute, il semble que précisément dans les démarches de notre vie quotidienne, nous ne nous attachions chaque fois qu'à tel ou tel existant, et que nous nous consacrions exclusivement à tel ou tel domaine de l'existant. Bien qu'elle ait ainsi l'apparence de se disperser, la banalité quotidienne n'en assure pas moins toujours la cohérence de l'existant en son ensemble, bien qu'une ombre la dissimule. C'est alors même — et précisément alors — que nous ne sommes *pas* spécialement occupés des choses ni de nous-mêmes, que cet « ensemble » nous survient, par exemple dans *l'ennui véritable*. Ennui encore lointain, dans le cas où c'est simplement tel livre, tel spectacle, tel travail ou telle distraction qui nous ennuie; mais ennui qui éclôt lorsque « *l'on* s'ennuie ». L'ennui profond, essaimant comme un brouillard silencieux dans les abîmes de la réalité-humaine, rapproche les hommes et les choses, et vous-mêmes avec tous, dans une indifférenciation étonnante. Cet ennui révèle l'existant en son ensemble.

Une autre possibilité de cette révélation nous est donnée dans la *joie* que suscite le présent non pas de la « personne » pure et simple, mais le présent de la *présence* d'un être chéri.

Semblable *tonalité*-affective dans laquelle on « est » dans un tel ou tel « état », fait que nous nous sentons au milieu de l'existant en son ensemble, dont le *ton* nous pénètre. La situation-affective *(Befindlichkeit)* que nous fait sentir cette *tonalité (Stimmung)*, non seulement nous dévoile chaque fois à sa manière l'existant en son ensemble, mais ce dévoilement — loin d'être un simple accident — est en même temps l'*historial* essentiel dans lequel se *réalise* notre *réalité*-humaine.

Ce que nous appelons « sentiments » n'est ni un épiphénomène fugitif du comportement de notre pensée et de notre volonté, ni une simple impulsion qui le provoquerait, ni un état subsistant comme une chose, avec lequel nous passerions tel ou tel arrangement.

Pourtant, si les tonalités-affectives nous mettent ainsi en présence de l'*existant* en son *ensemble*, elles nous dérobent le Néant que nous cherchons. Et nous serons maintenant *encore* moins d'avis que la négation de l'existant en son ensemble, tel que la tonalité-affective nous le révèle, nous mette en présence du Néant. Cela ne pourrait arriver avec le caractère originel correspondant, que *dans une tonalité-affective* qui, par une action dévoilante en un *sens absolument propre*, nous révélerait le Néant.

Est-ce que dans la réalité-humaine de l'homme, une tonalité-affective se produit (« s'historialise »), telle que l'homme y soit mis en présence du Néant lui-même?

Que cela se produise est possible, bien que de façon assez rare et n'ayant de réalité que pour certains instants, dans cette tonalité fondamentale qu'est l'*angoisse*. Par cette angoisse, nous n'entendons pas l'anxiété très fréquente que comporte par essence une disposition craintive dont il n'est que trop facile de rencontrer des exemples. L'angoisse est foncièrement différente de la crainte. Si nous

eprouvons de la crainte, c'est toujours devant tel
ou tel existant *déterminé*, qui nous menace sous tel
ou tel aspect *déterminé*. La « crainte devant... »
quelque chose, craint toujours aussi *pour* quelque
chose de déterminé. Parce que le propre de la
crainte est que *soit limité* ce *devant quoi* et ce *pour
quoi* elle craint, l'homme craignant et craintif se
trouve *enchaîné* par ce en quoi il se sent. Dans son
effort pour se sauver devant cela, — devant *tel*
objet déterminé, — il manque de sécurité par
rapport à ce qui est *Autre*, c'est-à-dire « perd la
tête » dans l'ensemble.

L'angoisse fait qu'une pareille déroute ne peut
plus survenir. Tout au contraire, elle fait régner un
repos caractéristique. Certes, l'angoisse est toujours
« angoisse devant... », mais non point devant ceci
ou cela. L'angoisse « devant... » est toujours angoisse
« pour... », mais non point pour ceci ou pour cela.
Pourtant, *l'indétermination* de ce devant quoi et
pour quoi nous nous angoissons n'est pas un manque
pur et simple de détermination; c'est l'impossibilité
essentielle de recevoir une détermination quelconque.
Elle se fait jour dans une explication bien connue.

Dans l'angoisse — disons-nous communément —
« on se sent oppressé ». Mais qui est ce « On »?
Qu'est-ce qui oppresse ce « On »? Nous ne pouvons
pas dire devant quoi *on* se sent oppressé. Toutes les
choses et nous-mêmes, nous nous abîmons dans une
sorte d'indifférence. Cela pourtant non point au
sens d'une disparition pure et simple, mais dans leur
recul comme tel, les choses *se tournent* vers nous.
Ce recul de l'existant en son ensemble, qui nous
*ob*sède dans l'angoisse, est ce qui nous *op*presse.
Il ne reste rien comme appui. Dans le glissement de
l'existant, il ne reste et il ne nous survient que ce
« rien ».

L'angoisse révèle le Néant.

Dans l'angoisse, nous « flottons en suspens ». Plus clairement dit : l'angoisse nous tient ainsi suspendus, parce qu'elle produit un glissement de l'existant en son ensemble. A cela tient que nous-mêmes — nous, ces hommes que voici — *nous nous sentions en même temps glisser* au milieu de l'existant. C'est pourquoi, dans le fond, ce n'est ni « toi » ni « moi » que l'angoisse oppresse, mais « on » se sent ainsi. Seule, la pure *réalité*-humaine *réalisant* sa présence est encore là dans la secousse qui la laisse en suspens, et qui ne lui permet de se raccrocher à rien.

L'angoisse nous coupe la parole. Parce que l'existant glisse dans son ensemble et qu'ainsi justement le Néant nous accule, toute proposition qui énoncerait l' « être » (dirait le mot « est ») se *tait* en sa présence. S'il est vrai que dans l'oppression de l'angoisse nous cherchions souvent à combler précisément le vide du silence par un discours au hasard, ce n'est encore là qu'un témoignage *pour* la présence du Néant.

Que l'angoisse dévoile le Néant, c'est ce que l'homme confirme lui-même lorsque l'angoisse a cédé. Avec le clairvoyant regard que porte le souvenir tout frais, nous sommes forcés de dire : ce devant quoi et pour quoi nous nous angoissions n'était « réellement »... rien. En effet : le Néant lui-même — comme tel — était là.

Avec la tonalité-fondamentale de l'angoisse, nous avons rencontré *cet historial* dans lequel se réalise la réalité-humaine ; le Néant nous y est révélé, et à partir de là nous devons pouvoir interroger sur lui.

Qu'en est-il du Néant ?

LA RÉPONSE A LA QUESTION

La réponse qui, pour *notre* projet, est la seule tout
d'abord essentielle, nous l'avons atteinte dès que
nous prenons garde au fait que la question concernant le Néant reste *réellement* posée. Ce qui maintenant s'impose, c'est de parachever la métamorphose
de l'être humain en sa présence-réelle, métamorphose
que toute angoisse fait s'accomplir (s'historialiser)
avec nous, afin d'y capturer le Néant qui s'y est
annoncé, et de le capturer tel qu'il se dénonce. De
là, une autre exigence découle, c'est de *bannir*
expressément toutes les caractérisations du Néant
qui *ne résulteraient pas* de la rencontre où nous
l'abordons réellement.

Le Néant se dévoile dans l'angoisse — mais non
point comme un existant. Il n'est pas davantage
donné comme un objet. L'angoisse, ce n'est pas
l'acte de concevoir le Néant. Toutefois, le Néant
est révélé par elle et en elle, non pas, répétons-le,
que le Néant s'y montre à l'état séparé, « à côté »
de l'existant dans son ensemble, lequel est en proie
à l'oppression que l'on ressent. Nous préférerions
dire que dans l'angoisse, le Néant se présente
d'un seul et même coup avec l'existant. Que signifie
maintenant cette indivision, ce « seul et même
coup »?

Dans l'angoisse, l'existant dans son ensemble
devient *branlant (hinfällig)*. En quel sens cela
advient-il? L'existant n'est pourtant point *anéanti*
par l'angoisse, pour laisser ainsi de reste le Néant.
Comment en irait-il ainsi, alors que l'angoisse se
sent précisément dans *l'impuissance* totale envers
l'existant dans son ensemble! En vérité, le Néant
se dénonce avec et dans l'existant, *en tant que*

celui-ci nous échappe et glisse dans tout son ensemble.

Si dans l'angoisse il n'advient *aucun anéantisse-ment* de l'ensemble de l'existant, nous n'effectuons *pas davantage* une *négation* de l'existant dans son ensemble, pour atteindre enfin au Néant. Indépendamment du fait que l'angoisse comme telle est étrangère à l'effectuation explicite d'une formule de négation, nous arriverions même toujours trop tard en croyant d'une négation faire résulter le Néant. C'est *avant* cela déjà que le Néant survient. Nous disions qu'il survient « d'un seul et même coup » avec l'existant qui glisse dans tout son ensemble.

Dans l'angoisse, il y a un mouvement de « recul devant... », mouvement qui sans doute n'est plus une fuite, mais un repos sous une fascination. Ce « recul-devant... » prend du Néant son issue. Le Néant n'attire pas à soi; au contraire, il est essentiellement *répulsion*. Mais en repoussant, sa répulsion est comme telle l'*expulsion* qui déclenche le glissement, celle qui renvoie à l'existant qui, dans son ensemble, *s'engloutit*. Cette *expulsion* totalement *répulsante*, qui renvoie à l'existant en train de glisser dans tout son ensemble, c'est elle dont le Néant obsède la réalité-humaine dans l'angoisse, et qui est comme telle l'essence du Néant : *le néantissement (Nichtung)*. Pas plus qu'elle n'est un *anéantissement* de l'existant, elle ne résulte d'une négation. Le *néantir* ne se laisse mettre au compte ni d'un anéantissement ni d'une négation. *C'est le Néant lui même qui néantit (das Nichts selbst nichtet)*.

Le *néantir* n'est pas un accident fortuit, mais en tant qu'expulsion par répulsion sur l'existant qui glisse dans tout son ensemble, c'est lui qui révèle cet existant dans sa parfaite *étrangeté* jusqu'alors

voilée, qui le révèle comme le *radicalement Autre*
— en face du Néant.

Dans la nuit claire du Néant de l'angoisse se montre enfin la manifestation *originelle* de l'existant
comme tel : à savoir *qu'il y ait de l'existant — et
non pas Rien.* Ce « non pas Rien » que nous prenons la peine d'ajouter n'est *pas une explication
complémentaire,* mais *la condition préalable qui
rend · possible* la manifestation d'un existant en
général. L'essence de ce Néant qui néantit dès
l'origine réside *en ce qu'il met tout d'abord la réalité-
humaine devant l'existant comme tel.*

C'est uniquement en raison de la manifestation
originelle du Néant que la réalité-humaine de
l'homme peut aller *vers* l'existant et pénétrer *en*
lui. Mais pour autant que chaque réalité-humaine,
de par son essence, est en rapport avec l'existant,
avec celui qu'elle n'est pas et avec celui qu'elle est
elle-même, déjà, étant telle parce que réalité-
humaine, elle pro-cède du Néant révélé.

Réaliser une *réalité-*humaine *(Da-sein)* signifie :
se trouver retenu à l'intérieur du Néant.

Se retenant à l'intérieur du Néant, d'ores et déjà
chaque réalité-humaine *émerge hors* de l'existant
dans son ensemble. Cette émergence hors de l'existant, nous l'appelons la *Transcendance.* Si, dans le
principe de son essence, la réalité-humaine ne trans-
cendait pas, c'est-à-dire, dirons-nous maintenant,
si elle ne se *retenait* pas d'ores et déjà à l'intérieur
du Néant, jamais alors elle ne pourrait sou*tenir*
un rapport *avec* l'existant, ni par conséquent *avec*
elle-même.

*Sans la manifestation originelle du Néant, il n'y
aurait ni être personnel, ni liberté.*

Ainsi est atteinte la réponse à la question concernant le Néant. Le Néant n'est ni un objet, ni en

général un existant. Le Néant ne survient ni « pour soi », ni à côté de l'existant auquel, pour ainsi dire, il adhère. *Le Néant est la condition qui rend possible la révélation de l'existant comme tel pour la réalité-humaine.* Le Néant ne forme pas simplement le concept antithétique de *l'existant*, mais l'essence *de l'Être même* comporte dès l'origine le Néant. C'est dans l'*être* de l'existant que se produit le *néantir* du Néant.

Laissons maintenant s'exprimer une *réflexion* que nous avons trop longtemps différée. Si la réalité-humaine ne peut sou*tenir* de rapport *avec* l'existant qu'en se re*tenant* elle-même à l'intérieur du Néant, si elle peut seulement ainsi *ex-sister* et si le Néant n'est révélé originellement que dans l'angoisse, ne faut-il pas alors que nous flottions *continuelle-ment* dans cette angoisse pour pouvoir tout simple-ment exsister? Or, n'avons-nous pas avoué nous-même que cette angoisse primordiale est *rare?* Mais avant tout, nous *exsistons* bien tous et nous soutenons un rapport avec l'existant, avec celui que nous ne sommes pas comme avec celui que nous sommes nous-mêmes — *sans cette angoisse.* Celle-ci n'est-elle pas une invention arbitraire, et le Néant qui lui est attribué, une exagération?

Pourtant, que signifient ces mots : cette angoisse primordiale ne se produit qu'en de *rares* instants? Rien d'autre que ceci : le Néant nous est tout d'abord et le plus souvent *caché* dans son caractère originel. Par quoi l'est-il donc? Par le fait que, de telle ou telle manière définie, nous nous consacrions pleinement à l'existant. Plus dans nos activités nous nous attachons *à* l'existant, et *moins* nous le laissons glisser comme tel, plus nous nous détournons *du* Néant. Mais d'autant plus sûrement aussi nous

nous poussons nous-mêmes à la surface « publique »
de la réalité-humaine.

Et pourtant, cette façon continuelle, bien qu'équivoque, de se détourner du Néant ne dépasse pas
certaines limites, en vertu du sens qui lui est absolument propre. Lui — le Néant dans son *néantir* —
nous renvoie précisément *à* l'existant. Le Néant
néantit sans interruption, sans que par *le* savoir
où nous nous mouvons *dans l'ordre quotidien*, nous
ayons *réellement* connaissance de ce qui se passe
ainsi.

Pour témoigner de la manifestation du Néant
dans notre réalité-humaine, de sa continuité et de
sa diffusion, y a-t-il témoignage plus impression-
nant que la *Négation?* Il faut même que celle-ci
fasse partie intégrante de l'essence de la pensée
humaine. Chaque négation s'exprime par l'énoncé
d'un *Non* au sujet de « ce qu'il *n'*y a *pas* ». Mais ce
non (ce « *ne* pas ») la négation ne l'ajoute nullement
d'elle-même pour l'intercaler, en quelque sorte,
comme un moyen de différenciation et d'opposition
à l'égard du donné. Aussi bien, comment la négation introduirait-elle par elle-même le « ne pas »,
alors qu'elle ne peut nier que si préalablement lui
est donné quelque chose de *niable?* Mais comment
quelque chose de niable et à nier pourrait être
aperçu comme *n'étant pas*, sinon à la condition
que toute pensée comme telle n'anticipe déjà du
regard sur le « ne pas »? A son tour, ce « ne pas »
ne peut être révélé que si son origine, le néantir
du Néant en général et par là le Néant lui-même,
a été dégagée de l'obscurité. Le « Ne pas », ce n'est
pas la négation qui l'engendre, mais la négation
est *fondée* sur le « ne pas », lequel a son origine dans
le *néantir* du Néant. La négation n'est en outre que
l'*un* des modes du comportement qui néantit, c'est-

à-dire un mode qui est fondé préalablement sur le
néantir du Néant.

Par là se trouve établie *dans ses grandes lignes* la
thèse que nous énoncions plus haut, à savoir que
*c'est le Néant qui est l'origine de la négation, et non
l'inverse.* Si la puissance de l'*entendement* se voit
ainsi brisée dans le champ de la question concernant
le Néant et l'Être, c'est également le destin du règne
de la « Logique » à l'intérieur de la philosophie qui
se trouve décidé. L'Idée même de la « Logique »
se dissout dans le tourbillon d'une interrogation
plus originelle.

Si fréquents et variés puissent être les cas où la
négation — exprimée ou non — s'impose à chaque
pensée, il s'en faut d'autant qu'elle soit le seul
témoin valide et décisif de cette révélation du Néant
que comporte essentiellement la réalité-humaine.
En effet, la négation ne peut prétendre ni à l'exclu-
sivité, ni au rôle directeur quant au comportement
néantissant dans lequel la réalité-humaine reste
secouée par le *néantir* du Néant. Plus abyssales
que l'adéquation pure et simple à la négation logique sont la rudesse de la *transgression* et la morsure
de l'*exécration.* Plus responsables sont la douleur
du *refuser* et la cruauté du *défendre.* Plus accablante,
l'âpreté de la *privation.*

Toutes *ces* possibilités du comportement néantissant — forces dans lesquelles la réalité-humaine
supporte sa déréliction, sans en être toutefois
maîtresse — *ne sont point des espèces de la négation
pure et simple.* Mais cela ne les empêche pas de
s'exprimer par le *Non* et par la négation. Il est vrai
que par là, le vide et l'ampleur de la négation ne
font que se trahir encore mieux.

Que la réalité-humaine se trouve de part en part
transie par le comportement néantissant, voilà qui

atteste la manifestation continuelle bien qu'obscur-
cie, du Néant que l'angoisse seule dévoile en son
mode originel. Et là réside le fait que *cette angoisse
originelle* soit le plus souvent *réprimée* dans la
réalité-humaine. L'angoisse est là. Elle sommeille
seulement. Son souffle vibre continuellement à travers la réalité-humaine : au minimum, à travers la
réalité-humaine de l' « anxieux », et imperceptible
pour les « oui, oui » et les « non, non » de l'affairé;
bien plutôt, à travers le secret d'une réalité-humaine
repliée en soi-même; *avec le plus de persistance*, à
travers celle dont le fond est *audace*. Mais celle-ci ne
prend naissance que de *ce pour quoi elle se prodigue*,
afin de sauver *l'ultime grandeur* de la réalité-
humaine.

L'angoisse de l'audacieux ne souffre pas qu'on
l'*oppose* à la joie, ni même à la jouissance facile
d'une activité paisible. *En deçà* de telles antino-
mies, elle entretient une secrète *alliance* avec la
sérénité et la douceur du désir créant et agissant.

L'angoisse originelle peut à tout instant se lever
dans la réalité-humaine. Point n'est besoin qu'un
événement *insolite* lui *donne l'éveil*. Aussi profonde
est l'assise de son règne, aussi futile peut être le motif
qui l'occasionne. *Continuellement* prête à un nouveau
bond, *ce n'est que rarement* qu'elle vient à bondir
pour nous écarteler en suspens.

La réalité-humaine se trouvant retenue dans le
Néant par la cause de l'angoisse cachée, l'homme
devient la *sentinelle* du Néant. Notre *finitude* est
telle que précisément ce n'est ni par notre décret,
ni par notre propre vouloir que nous pouvons nous
mettre en la présence originelle du Néant. Le *finitif*
de cette finitude creuse et ouvre un tel abîme dans
la réalité-humaine que la finitude la plus profonde,

celle qui nous est absolument propre, *se refuse* à notre liberté.

Être retenue dans le Néant par la cause de l'angoisse cachée, c'est pour la réalité-humaine passer au-delà de l'existant dans son ensemble; c'est la *trans-scendance*.

Notre interrogation sur le Néant doit nous présenter la *Métaphysique elle-même*. Le nom de « métaphysique » provient du grec τὰ μετὰ τὰ φυσικὰ. Ce titre curieux fut interprété plus tard comme désignant l'interrogation qui dépasse l'existant comme tel (μετὰ, *trans*, après, au-dessus).

La Métaphysique, c'est l'*interrogation qui dépasse* l'existant sur lequel elle questionne, afin de le recouvrir *comme tel* et *dans son ensemble* pour en actuer le concept.

Lorsque l'on interroge sur le Néant, on dépasse en ce sens l'existant en tant qu'existant pris dans son ensemble. Cette question s'atteste ainsi comme une question « métaphysique ». Nous avons donné en commençant une double caractéristique des questions de ce genre. D'une part, chaque question métaphysique embrasse respectivement l'ensemble de la métaphysique. Par ailleurs, en chaque question métaphysique, chaque réalité-humaine qui questionne se trouve respectivement comprise et prise dans la question.

Dans quelle mesure la question du Néant traverse-t-elle et enserre-t-elle l'ensemble de la Métaphysique?

Sur le Néant, la métaphysique s'exprime depuis le lointain des âges en une thèse, il est vrai, équivoque : *ex nihilo nihil fit*. Du rien, rien ne se fait. Bien que dans la discussion de cette thèse, jamais le Néant ne devienne lui-même vraiment le problème, elle notifie pourtant par cette attention

prêtée chaque fois au *Néant*, quelle conception de
l'*existant* la fonde et la dirige.

La métaphysique antique conçoit le Néant sous
l'espèce du non-existant, c'est-à-dire de la matière
privée de forme qui ne peut par elle-même s'in-
former en un existant pourvu d'une forme et
présentant par conséquent un Εἶδος, une Idée,
« ce que l'on voit ». L'existant, c'est la forme se
formant elle-même, et qui se présente comme tel
dans la forme (dans « ce que l'on voit »). L'origine,
la légitimité et les limites de cette conception de
l'Être ne sont pas davantage discutées que le Néant
lui-même.

La dogmatique *chrétienne*, par contre, nie la vérité
de la thèse *ex nihilo nihil fit :* elle transforme la
signification du Néant en l'entendant comme
l'Absence [1] radicale de l'existant extra-divin :
ex nihilo fit... ens creatum. Le Néant devient alors
la notion antithétique de l'Existant véritable, du
summum ens, de Dieu comme *Ens increatum.* Ici
aussi, l'interprétation du *Néant* annonce quelle
est la conception fondamentale de l'*existant.* Mais la
discussion métaphysique de l'existant se maintient
sur le même plan que la discussion du Néant. Les
questions de l'Être et du Néant comme tels ne sont
posées ni l'une ni l'autre. C'est pourquoi on ne
soupçonne pas même cette difficulté que, si Dieu
crée du Néant, il faut précisément qu'il puisse
soutenir un rapport *avec* le Néant. Or, si Dieu est
Dieu, *il* ne peut pas connaître le Néant, s'il est vrai
que l' « Absolu » exclut de soi tout manque d'être.

Cette évocation historique sommaire nous montre le Néant comme notion antithétique de l'*exis-*

---

1. A prendre en son étymologie rigoureuse : *Ab[s]entia,*
non-être. *(N.d.T.)*

tant véritable, c'est-à-dire comme sa négation. Mais le Néant nous devient-il, par une voie ou l'autre, un problème, alors ce n'est pas seulement une définition plus claire que reçoit ce rapport antithétique; c'est le premier éveil de l'interrogation métaphysique authentique sur l'*être* de l'existant. Le Néant ne reste pas l'*opposé* indéterminé à l'égard de *l'existant*, mais il se dévoile comme *composant l'être de cet existant*.

« L'Être pur et le Néant pur sont donc identiques [1]. » Cette thèse de Hegel reste vraie. Être et Néant se com-posent réciproquement, non point parce que tous deux — envisagés par le concept hegélien de la Pensée — concordent dans leur indétermination et leur immédiateté, mais parce que l'*Être* lui-même est *fini* dans son essence et ne se révèle que dans la transcendance de la réalité-humaine qui, dans le *Néant*, émerge hors de l'existant.

S'il est vrai que l'interrogation sur l'être en tant qu'être soit la question compréhensive de la Métaphysique, la question du Néant s'avère d'une nature telle qu'elle circonscrit l'ensemble de la Métaphysique. En même temps, la question du Néant traverse tout l'ensemble de la Métaphysique, pour autant qu'elle nous contraint au problème de *l'origine de la négation*, c'est-à-dire pour autant qu'elle nous amène, au fond, à décider de la souveraineté légitime de la « Logique » en Métaphysique.

La thèse ancienne « *ex nihilo nihil fit* » prend alors un autre sens, un sens qui concerne le *problème de l'Être lui-même*, et elle est à énoncer ainsi : *ex nihilo omne ens qua ens fit*. C'est dans le Néant de la réalité-humaine que l'existant dans son ensemble arrive

1. Hegel, *Wissenschaft der Logik*, I. Buch, WW. III, p. 74.

seulement à soi-même, suivant la possibilité qui lui est absolument propre, c'est-à-dire selon un mode fini. Comment alors la question du Néant, si elle est une question métaphysique, entraîne-t-elle en elle notre réalité-humaine qui questionne? Nous avons caractérisé notre réalité-humaine comme essentiellement déterminée par la *connaissance scientifique*. Si notre réalité-humaine ainsi définie se trouve comprise dans l'interrogation sur le Néant, c'est que de toute nécessité une telle interrogation aboutit *à mettre en question* la réalité-humaine.

La réalité-humaine qui réalise la science tient sa simplicité et sa netteté tranchante du fait que d'une façon privilégiée, elle se rapporte à l'*existant lui-même*, et uniquement à lui. Le Néant, la science voudrait bien le reléguer d'un geste supérieur. Mais désormais il nous devient manifeste par notre interrogation sur le Néant que cette réalité-humaine qui réalise la science n'est *possible que si*, d'ores et déjà, elle se retient à l'intérieur du Néant. Elle ne se comprend dans ce qu'elle est que si elle *ne* relègue *pas* le Néant. Le sang-froid et la supériorité que l'on attribue à la science ne sont plus qu'une plaisanterie, si elle ne prend pas au sérieux le Néant. C'est uniquement parce que le Néant est révélé que la science peut faire de l'existant lui-même l'objet de la recherche. Et c'est à l'unique condition que la science *ex*-siste *de* la Métaphysique, qu'elle peut reprendre sans cesse sa tâche essentielle, qui ne consiste pas à collectionner et à classer des connaissances, mais à ouvrir, par une révélation toujours renouvelée, *l'espace total de la Vérité* de la Nature et de l'Histoire.

C'est uniquement parce que le Néant nous est révélé dans le fond de la réalité-humaine que la complète *étrangeté* de l'existant peut nous assaillir.

C'est uniquement à la condition que son étrangeté nous oppresse, que l'existant éveille et attire sur soi l'*étonnement*. C'est uniquement en raison de l'étonnement — c'est-à-dire de la manifestation du Néant — que surgit le « pourquoi ? » C'est uniquement parce que le pourquoi est possible comme tel, que nous pouvons d'une façon déterminée *questionner sur des raisons* et *fonder par des raisons*. C'est uniquement parce que nous pouvons questionner et fonder, qu'est confié à notre *existance* le destin du *chercheur*.

La question sur le Néant nous met *nous-mêmes* en question, nous qui questionnons. C'est une question métaphysique.

La réalité-humaine ne peut soutenir de rapport avec l'existant que si elle se maintient à l'intérieur du Néant. Le dépassement de l'existant s'*historialise dans l'essence de la réalité-humaine*. Mais ce dépassement, *c'est la Métaphysique elle-même*. Ce qui implique que la Métaphysique com-pose la « nature de l'homme ». Elle n'est ni la spécialité d'une philosophie d'école, ni un champ clos pour extravagances fantaisistes — elle est *l'historial qui, fonde ment de la réalité-humaine, s'historialise comme réalité-humaine* [1].

La vérité de la Métaphysique résidant en ce fond abyssal *(abgründiger Grund)*, elle a pour voisinage *immédiat* la possibilité qui la guette sans cesse, de l'erreur la plus profonde. C'est pourquoi

---

1. *Das Grundgeschehen...* Il nous paraît particulièrement important ici de ne pas traduire l'infinitif *geschehen* par la simple idée de « se réaliser ». » Le mouvement ontologique dans lequel une réalité-humaine *réalise* sa présence est rendu possible par cet *historial* originel, lequel est fondement de son historicité. Cf. le chapitre sur « *Historicité et temporalité* ». *(N.d.T.)*

la rigueur d'aucune science n'égale le sérieux de la Métaphysique. Et jamais la philosophie ne peut être mesurée à la mesure de l'Idée de la Science.

Si, telle que nous venons de la dérouler, nous avons réellement questionné du même coup la question du Néant, alors ce n'est pas de l'extérieur que nous nous sommes présenté la Métaphysique. Nous n'avons pas fait non plus que de nous « transposer » en elle. Aussi bien ne pourrions-nous même pas nous transposer en elle, car du fait que nous exsistons, *nous sommes d'ores et déjà toujours en elle* : φύσει γάρ, ὦ φίλε, ἔνεστί τις φιλοσοφία τῇ τοῦ ἀνδρὸς διανοίᾳ. (Platon, *Phèdre*, 279 *a*.) Du fait que l'homme existe, le « philosopher » existe.

La philosophie — ce que nous appelons ainsi — n'est que la mise-en-marche de la Métaphysique, par laquelle elle accède à soi-même et à ses tâches *explicites*. Et la philosophie ne se met en marche que par une *insertion* spécifique de mon existence propre dans les possibilités fondamentales de la réalité-humaine en son ensemble. Pour cette insertion, voici qui est décisif : *d'abord*, donner accès à l'existant dans son ensemble; *ensuite*, lâcher prise soi-même dans le Néant, c'est-à-dire s'affranchir des idoles que chacun possède et près desquelles chacun cherche ordinairement à se dérober; *enfin*, laisser cours aux oscillations de cet état de suspens, afin qu'elles nous ramènent sans cesse à la question *fondamentale* de la métaphysique, celle qui extorque le *Néant* lui-même :

Pourquoi, somme toute, y a-t-il de l'existant plutôt que Rien?

La question « Qu'est-ce que la *métaphysique?* »
reste une question. La présente postface est pour
celui qui persiste dans la question une plus originelle préface. La question « *Qu'est-ce* que la métaphysique? » questionne par-delà la métaphysique.
Elle surgit d'une pensée qui est déjà entrée dans le
dépassement de la métaphysique. Il est de l'essence
de tels passages qu'ils doivent encore, dans certaines
limites, parler le langage de ce qu'ils aident à dépasser. La conjoncture particulière dans laquelle est
débattue la question portant sur l'essence de la
métaphysique, ne saurait conduire à l'opinion que
ce questionner est tenu de prendre son départ dans
les sciences. Avec d'autres modes de la représentation et d'autres sortes de la production de l'étant,
la recherche moderne est engagée dans le trait fondamental de cette vérité, selon laquelle tout étant
est marqué par la volonté de volonté, dont la
« volonté de puissance » qui la préfigurait a signalé
l'apparition. La « volonté » comprise comme trait
fondamental de l'étantité de l'étant, c'est l'équivalence posée de l'étant avec le réel, si bien que la
réalité du réel est ramenée à la fabricabilité incon-
ditionnelle de l'objectivation générale. La science

moderne ne sert pas plus un objectif à elle seule
proposé, qu'elle ne cherche une « vérité en soi ».
Elle est, en tant qu'un mode de l'objectivation
calculante de l'étant, une condition posée par la
volonté de volonté elle-même, grâce à laquelle
celle-ci assure la domination de son essence. Mais
comme toute objectivation de l'étant passe dans
l'équipement et la consolidation de l'étant et tire
de celui-ci les possibilités de son progrès, l'objectivation persiste dans l'étant et tient déjà celui-ci
pour l'Être. Tout rapport avec l'étant atteste ainsi
un savoir de l'Être, mais en même temps l'incapacité à se tenir de lui-même dans la loi de la vérité
de ce savoir. Cette vérité est la vérité sur l'étant.
La métaphysique est l'histoire de cette vérité. Elle
dit ce qu'est l'étant, en portant au concept l'étantité de l'étant. Dans l'étantité de l'étant, la métaphysique pense l'Être, sans toutefois pouvoir, selon
le mode de sa pensée, penser [1] la vérité de l'Être.
Partout la métaphysique se meut dans le domaine
de la vérité de l'Être, laquelle reste pour elle le
fondement inconnu et infondé. Mais supposé que,
non seulement l'étant soit issu de l'Être, mais
qu'aussi et plus originellement encore l'Être lui-
même repose en sa vérité et que la vérité de l'Être
déploie son essence comme l'être de la vérité, alors
il est nécessaire de poser la question de ce que la
métaphysique est en son fondement. Ce questionner doit penser métaphysiquement et, en même
temps, penser à partir du fondement de la métaphysique, c'est-à-dire ne plus penser métaphysiquement. Un tel questionner reste, en un sens essentiel, ambigu.

Toute tentative de suivre la démarche de pensée

1. ... *bedenken.*

de la conférence butera par là même sur des obstacles. Il est bon qu'il en soit ainsi. Le questionner en devient plus authentique. Toute question posée en conformité avec la chose même est déjà le pont jeté vers la réponse. Les réponses essentielles ne sont jamais que le dernier pas des questions. Mais ce pas ne peut être accompli sans la longue série des premiers pas et des suivants. La réponse essentielle tire sa portée de l'insistance [1] du questionner. La réponse essentielle n'est que le commencement d'une responsabilité. En celle-ci, le questionner plus originairement s'éveille. C'est aussi pourquoi la question authentique n'est pas supprimée par la réponse trouvée.

Les obstacles à l'intelligence de la conférence sont de deux sortes. Les uns naissent des énigmes qui se cèlent dans le domaine de ce qui est ici pensé. Les autres surgissent de l'incapacité, souvent aussi du dépit à l'encontre de la pensée. Dans le domaine du questionner pensant peuvent servir parfois des perplexités passagères, et sans nul doute celles qui font l'objet d'un examen attentif. De grossières méprises sont également de quelque fruit, même quand elles sont proférées dans la violence d'une polémique aveugle. Il faut seulement que la réflexion ramène tout au calme de la méditation longanime.

Les perplexités et les méprises prédominantes touchant cette conférence peuvent se grouper sous trois chefs. On dit :

1. La conférence fait du « néant[2] » l'unique objet de la métaphysique. Or comme le néant est le nul pur et simple, cette pensée conduit à l'opinion que

1. ... *Inständigkeit.* ... Voir « Le retour au fondement de la métaphysique », p. 35, n. 1.
2. Étant donné les guillemets, je traduis ainsi, dans ce paragraphe, *das Nichts*.

tout est néant, de sorte qu'il ne vaut la peine ni de vivre ni de mourir. Une « philosophie du néant » est le nihilisme achevé.

2. La conférence érige une disposition [1] isolée et de surcroît pénible, l'angoisse, au rang d'unique disposition fondamentale. Or comme l'angoisse est l'état psychique des « anxieux » et des pusillanimes, cette pensée nie l'attitude résolue de la vaillance. Une « philosophie de l'angoisse » paralyse la volonté d'action.

3. La conférence se prononce contre la « logique ». Or comme l'entendement renferme les mesures de tout calcul et classement, cette pensée abandonne le jugement sur la vérité à la disposition fortuite. Une « philosophie du seul sentiment » met en péril la pensée « exacte » et la sécurité de l'agir.

La juste réponse à ces allégations se dégage d'un nouvel examen approfondi de la conférence. Il suffit d'apprécier si le rien qui dispose l'angoisse à son essence, s'épuise dans une négation vide de tout étant ou si ce qui jamais et nulle part n'est un étant se dévoile comme ce qui se distingue de tout étant et que nous nommons l'Être. En quelque point que toute recherche explore l'étant et aussi loin qu'elle aille, nulle part elle ne trouve l'Être. Elle n'atteint jamais que l'étant, parce que d'avance, dans le dessein de son explication, elle demeure attachée à l'étant. Or l'Être n'est aucune modalité étante affectant l'étant. L'Être ne se laisse pas comme l'étant représenter et produire objectivement. Cet autre pur et simple de tout étant est le non-étant. Mais ce rien déploie son essence comme l'Être. Nous renonçons trop précipitamment à la pensée lorsque, dans une explication simpliste, nous

1. ... *Stimmung...*

donnons le rien pour le seul nul et l'équivalons à ce qui est dépourvu d'essence. Au lieu de céder à pareille précipitation d'une perspicacité vide et d'abandonner l'énigmatique ambivalence du rien, il faut nous équiper pour l'unique disponibilité qui est d'éprouver dans le rien la vaste dimension ouverte de ce qui donne à tout étant la garantie d'être. C'est l'Être lui-même. Sans l'Être, dont l'essence insondable, mais non déployée encore, nous destine le rien dans l'angoisse essentielle [1], tout étant resterait dans la privation d'être. Mais aussi bien, même cette dernière n'est pas, comme abandon de l'Être, un néant nul, s'il est vrai qu'il appartient à la vérité de l'Être que jamais l'Être ne se déploie [2] sans l'étant, que jamais un étant n'est sans l'Être.

L'angoisse accorde une épreuve de l'Être comme de l'autre de tout étant, à supposer que par « angoisse » devant l'angoisse, c'est-à-dire dans la seule anxiété de la peur, nous ne nous dérobions pas devant la voix silencieuse qui nous dispose à l'effroi de l'abîme. Il va sans dire que si, lors du renvoi à cette angoisse essentielle, nous abandonnons arbitrairement la démarche de pensée de cette conférence, si nous détachons l'angoisse, comme disposition par cette voix disposée [3], de la relation au rien, seule nous reste l'angoisse comme « sentiment » isolé, que l'on peut distinguer et dissocier d'autres sentiments, dans l'assortiment connu des états d'âme dont la psychologie fait son bien. Conformément à la distinction simpliste entre « haut » et « bas », les « états d'âme [4] » se laissent

1. ... *wesenhaft*...
2. ... *west*...
3. ... *als die von jener Stimme* (voix) *gestimmte Stimmung*...
4. ... *die « Stimmungen »*...

alors ranger dans les catégories de ceux qui exaltent et de ceux qui dépriment. A l'ardente chasse aux « types » et à leurs opposés, des « sentiments », aux variétés et subdivisions de ces « types », jamais la proie n'échappera. Mais cette investigation anthropologique de l'homme se voit à jamais fermée la possibilité d'entrer dans la démarche de pensée de la conférence; car celle-ci pense, à partir de l'attention à la voix de l'Être, en direction du disposer venant de cette voix[1] et qui revendique l'homme dans son essence, afin que dans le rien il apprenne à éprouver l'Être.

La disponibilité à l'angoisse est le oui à l'insistance requérant d'accomplir la plus haute revendication, dont seule est atteinte l'essence de l'homme. Seul de tout l'étant, l'homme éprouve, appelé par la voix de l'Être, la merveille des merveilles : *Que* l'étant *est*. Celui qui est ainsi appelé dans son essence en vue de la vérité de l'Être est par là même constamment disposé en un mode essentiel. Le clair courage pour l'angoisse essentiale garantit la mystérieuse possibilité de l'épreuve de l'Être. Car proche de l'angoisse essentiale comme effroi de l'abîme habite l'horreur. Elle éclaircit et enclôt ce champ de l'essence de l'homme, à l'intérieur duquel il demeure chez lui dans Ce qui demeure.

L' « angoisse » devant l'angoisse, par contre, peut s'égarer si loin qu'elle méconnaisse les relations simples dans l'essence de l'angoisse. Que serait toute vaillance, si elle ne trouvait, dans l'expérience de l'angoisse essentiale son point d'appui permanent? Dans la mesure où nous déprécions l'angoisse essentiale et la relation de l'Être à l'homme en elle éclaircie, nous dégradons l'essence de la vaillance. Or

1. ... *in das aus dieser Stimme* (voix) *kommende Stimmen...*

celle-ci est capable de soutenir le rien. La vaillance reconnaît dans l'abîme de l'effroi l'espace à peine foulé de l'Être, à partir de l'éclaircie duquel seule, chaque étant retourne à ce qu'il est et peut être. Cette conférence ne cultive pas une « philosophie de l'angoisse », pas plus qu'elle ne cherche à donner l'impression d'une « philosophie héroïque ». Elle pense seulement ce qui, pour la pensée occidentale à son début, a point comme ce qui est à-penser et cependant est resté dans l'oubli : l'Être. Mais l'Être n'est pas un produit de la pensée. Bien plutôt c'est la pensée essentielle qui est un événement de l'Être.

C'est aussi pourquoi la question à peine formulée se fait à présent nécessaire, de savoir si cette pensée se tient bien dans la loi de sa vérité, quand elle suit uniquement la pensée que la « logique » contient dans ses formes et règles. Pourquoi la conférence met-elle ce terme entre guillemets? Pour indiquer que la « logique » n'est qu'*une* interprétation de l'essence de la pensée, celle précisément qui repose, comme le mot déjà l'indique, sur l'épreuve de l'Être atteinte dans la pensée grecque. La défiance envers la « logique », dont la logistique peut être considérée comme la naturelle dégénérescence, surgit du savoir de cette pensée qui trouve sa source dans l'épreuve de la vérité de l'Être, et non dans la considération de l'objectivité de l'étant. Jamais la pensée exacte n'est la pensée la plus rigoureuse, s'il est vrai que la rigueur reçoit son essence de la manière dont le savoir à chaque fois s'applique à maintenir la relation à l'essentiel de l'étant. La pensée exacte s'attache uniquement au calcul au moyen de l'étant et sert exclusivement celui-ci.

Tout calculer fait poindre dans le dénombré le dénombrable, afin de l'utiliser pour le prochain

dénombrement. Le calculer ne fait apparaître autre
chose que le dénombrable. Chaque chose n'est
que ce qu'il dénombre. Ce qui est à chaque fois
dénombré assure la marche en avant du dénombrer. Celui-ci consomme en progressant les nombres
et se dévore lui-même continûment. La mise en
œuvre du calcul au moyen de l'étant vaut comme
l'explication de l'être de l'étant. D'avance, le calculer utilise tout étant comme le dénombrable et
consomme le dénombrer pour le dénombrement.
Cette utilisation consommante de l'étant trahit le
caractère dévorant du calcul. Ce n'est que parce
que le nombre peut s'accroître à l'infini, et ceci indis-
tinctement en direction du grand et du petit, que
l'essence dévorante du calcul peut se dissimuler
derrière les produits de celui-ci et prêter à la pensée
calculante l'apparence de la productivité, alors
qu'en réalité, déjà dans son intention, et non seulement dans ses résultats ultérieurs, elle ne fait valoir
tout étant que sous la forme de l'additionnable
et du comestible. La pensée calculante s'oblige elle-
même à l'obligation de tout maîtriser à partir de la
logique de sa manière de faire. Elle ne peut soup-
çonner que tout calculable du calcul, avant les
sommes et produits par ce dernier à chaque fois
calculés, est déjà un tout dont l'unité appartient
certes à l'Incalculable [1], lequel se dérobe, lui et son
inquiétant abîme, aux prises du calcul. Ce qui toutefois, partout et constamment, s'est d'avance
refusé à la prétention du calcul et néanmoins est
en tout temps déjà, dans une énigmatique incon-
naissabilité, plus proche de l'homme que tout étant
où l'homme fait ses plans et s'organise, peut parfois
disposer l'essence de l'homme à une pensée dont

---

1. *Das Unberechenbare*, l'Insondable.

aucune « logique » ne peut contenir la vérité. La pensée dont les pensées non seulement ne calculent pas, mais sont absolument déterminées à partir de l'autre de l'étant, je l'appelle la pensée essentielle. Au lieu de se livrer à des calculs sur l'étant au moyen de l'étant, elle se prodigue dans l'Être pour la vérité de l'Être. Cette pensée répond [1] à la revendication de l'Être, quand l'homme remet [2] son essence historique à la réalité simple de l'unique nécessité qui ne contraint pas, tandis qu'elle oblige, mais crée l'urgence qui s'accomplit dans la liberté de l'offrande. L'urgence est que la vérité de l'Être soit sauvegardée, quoi qu'il puisse échoir à l'homme et à tout étant. L'offrande est le don prodigue, soustrait à toute obligation, parce que s'élevant de l'abîme de la liberté, de l'essence de l'homme en vue de la sauvegarde de la vérité de l'Être pour l'étant. Dans l'offrande advient le merci celé qui seul honore la bienveillance en vertu de laquelle l'Être s'est transmis à l'essence de l'homme dans la pensée, afin que l'homme assume, dans la relation à l'Être, la garde de l'Être. La pensée originelle est l'écho de la faveur de l'Être, dans laquelle s'éclaircit et se laisse advenir l'unique réalité : que l'étant est. Cet écho est la réponse [3] humaine à la parole [4] de la voix silencieuse de l'Être. La réponse de la pensée est l'origine de la parole humaine, parole qui seule donne naissance au langage comme divulgation de la parole dans les mots. S'il n'était aussi bien une pensée celée dans le fondement essentiel de l'homme historique, jamais celui-ci ne serait capable du merci, à supposer que

1. ... *antwortet...*
2. ... *uberantwortet...*
3. ... *antwort...*
4. ... *wort...*

dans tout penser[1] et dans chaque remercier, il
doive bien y avoir une pensée, qui originellement
pense la vérité de l'Être. Mais comment autrement
une humanité pourrait-elle jamais rencontrer le
merci originel, si la faveur de l'Être n'accorde à
l'homme, par la relation ouverte à elle-même, la
noblesse de la pauvreté en laquelle la liberté de
l'offrande cèle le trésor de son essence? L'offrande
est le départ de l'étant dans la marche pour la
sauvegarde de la faveur de l'Être. L'offrande peut
sans doute être préparée et aidée par les travaux et réalisations dans l'étant, mais elle n'est
jamais par eux accomplie. Son accomplissement
s'origine dans l'insistance, du sein de laquelle tout
homme historique agissant — la pensée essentielle
est aussi un agir — préserve l'existence acquise
pour la sauvegarde de la dignité de l'Être. Cette
insistance est la calme assurance qui ne se met pas
en peine de la disponibilité celée pour l'essence
exodique de toute offrande. L'offrande est chez
elle dans l'essence de l'événement par lequel l'Être
revendique l'homme pour la vérité de l'Être. C'est
pourquoi l'offrande ne tolère aucun calcul[2] par lequel
n'est à chaque fois escompté[3] qu'un profit ou une
perte, les buts soient-ils bas ou élevés. Une telle sup-
putation[4] altère l'essence de l'offrande. La hantise des
buts trouble la clarté de l'horreur prête à l'angoisse
d'où part le courage pour l'offrande, qui a prétendu
au voisinage de l'Indestructible.

La pensée de l'Être ne cherche dans l'étant aucun
appui. La pensée essentielle prête attention aux
signes lents de l'Incalculable et reconnaît en celui-ci

1. ... *Bedenken...*
2. ... *Berechnung...*
3. ... *verrechnet...*
4. ... *Verrechnen...*

l'immémoriale venue de l'Inéluctable. Cette pensée est attentive à la vérité de l'Être et sert l'être de la vérité de telle sorte que celui-ci trouve dans l'humanité historique sa demeure. Ce servir n'a pas de résultats, parce qu'il n'a besoin de nul effet. La pensée essentielle sert dans l'existence comme insistance simple, en tant qu'au contact de celle-ci, sans qu'elle puisse en décider ni même en avoir connaissance, ce qui lui ressemble a son éveil.

La pensée, obéissant à la voix de l'Être, cherche pour celui-ci la parole à partir de laquelle la vérité de l'Être vient au langage. C'est seulement lorsque le langage de l'homme historique surgit de la parole qu'il est d'aplomb. Mais s'il se tient d'aplomb, alors lui fait signe la garantie de la voix silencieuse de sources cachées. La pensée de l'Être veille sur la parole et dans une telle vigilance remplit sa destination. C'est le souci pour l'usage de la langue. Du mutisme longtemps gardé et de l'élucidation patiente du domaine en lui éclairci vient le dire du penseur. D'une même origine est le nommer du poète. Toutefois, comme le semblable n'est semblable que comme le différent, si le dire poétique [1] et la pensée le plus purement se ressemblent dans le soin donné à la parole, ils sont en même temps dans leur essence séparés tous deux par la plus grande distance. Le penseur dit l'Être. Le poète nomme le sacré. Quant à savoir comment, si on le pense à partir de l'essence de l'Être, le dire poétique, le merci et la pensée renvoient l'un à l'autre et en même temps sont distincts, la question ici doit rester ouverte. Il est probable que merci et dire poétique surgissent de manière différente de la

---

1. ... *das Dichten.*

pensée originelle, qu'ils utilisent, sans toutefois pouvoir être pour soi une pensée.

On connaît sans doute beaucoup de choses sur les rapports de la philosophie et de la poésie. Mais nous ne savons rien du dialogue entre poète et penseur qui « habitent proches sur les monts les plus séparés ».

Une des demeures essentielles du mutisme est l'angoisse au sens de l'effroi auquel l'abîme du rien dispose l'homme. Le rien comme autre de l'étant est le voile de l'Être. Dans l'Être, originellement, tout destin de l'étant déjà s'est accompli.

Le dernier poème du dernier poète de l'hellénisme originel, l'Œdipe à Colone de Sophocle, prend fin sur une parole qui, de façon fulgurante, se retourne vers l'histoire celée de ce peuple et réserve l'entrée de celui-ci dans la vérité inconnue de l'Être :

Mais cessez maintenant, jamais plus désormais
Ne réveillez la plainte;
Car partout l'Advenu tient près de soi gardé une
*   décision d'accomplissement.*

Ce qui fait l'être-essentiel
d'un fondement ou « raison »

Traduit par Henry Corbin

Titre original :

VOM WESEN DES GRUNDES

© *Éditions Gallimard, 1938.*

Aristote, après avoir analysé les différentes significations du mot ἀρχή (fondement, principe) condense ainsi son exposé : πασῶν μὲν οὖν κοινὸν τῶν ἀρχῶν τὸ πρῶτον εἶναι ὅθεν ἢ ἔστιν ἢ γίγνεται ἢ γιγνώσκεται. (« Ce qu'il y a de commun entre tous les fondements, c'est d'être *le premier* à partir duquel il y a soit de l'être, soit du devenir, soit de la connaissance [1]. ») Ainsi sont mises en évidence les modifications de ce que nous appelons communément un « fondement » : fondement de l'essence, fondement de l'existence, fondement de la vérité. Mais en outre, on cherche encore à saisir ce que, comme tels, ces fondements ont entre eux de commun. Leur caractère commun, leur κοινόν, c'est d'être « τὸ πρῶτον ὅθεν », « le premier à partir duquel... » A côté de cette triple division des « principes supérieurs », se trouve un fractionnement de la « cause » (αἴτιον) en quatre espèces : ὑποκείμενον (cause matérielle), τὸ τὶ ἦν εἶναι (cause formelle), ἀρχὴ τῆς μεταβολῆς (cause efficiente) et οὗ ἕνεκα (cause finale) [2]; cette division est restée classique

1. *Métaphysique* Δ1, 1013a, 17 sq.
2. *Ibid.* Δ2, 1013b, 16 sq.

dans l'histoire ultérieure de la « Métaphysique »
et de la « Logique ». Bien que toutes les « causes »
(πάντα τὰ αἴτια) soient reconnues comme des « fondements » (ἀρχαί), la cohésion interne entre ces
classifications et leur principe reste dans la pénombre. Bien plus, ce que l'on doit aller jusqu'à mettre
en doute, c'est la possibilité de découvrir l'être-
essentiel du fondement en cherchant à caractériser
ce qu'il y a de « commun » entre les différentes
« espèces » de causes. Il ne faut pas méconnaître
pourtant le trait qui contribue ici à produire sous
son jour originel ce qu'est un fondement en général.
Aussi bien Aristote ne s'est-il pas contenté d'un
relevé rapide des « quatre causes »; sa préoccupation
a été de comprendre, avec leur cohésion systématique, le fondement qui motive leur nombre de
quatre. C'est ce que trahissent non seulement la
minutieuse analyse du livre B de la *Physique,*
mais avant tout la discussion de la question des
« quatre causes », telle qu'elle est conduite au livre A
(3-7) de la *Métaphysique* avec le souci de rappeler
l' « histoire du problème ». Cette discussion, Aristote
la termine par la constatation suivante : « ὅτι μὲν
οὖν ὀρθῶς διώρισται περὶ τῶν αἰτίων καὶ πόσα καὶ ποῖα,
μαρτυρεῖν ἐοίκασιν ἡμῖν καὶ οὗτοι παντες, οὐ δυνάμενοι
θιγεῖν ἄλλης αἰτίας, πρὸς δὲ τούτοις ὅτι ζητητέαι αἱ
ἀρχαὶ ἢ οὕτως ἅπασαι ἢ τινὰ τρόπον τοιοῦτον δῆλον. »
[« Que nous ayons exactement analysé les causes tant
du point de vue de leur quantité que de leur qualité,
c'est ce dont témoignent, semble-t-il, tous ceux-là
par leur impuissance à atteindre une autre cause; en
outre, il est évident que pour la recherche des fondements, ou bien tous ces modes sont à considérer, ou
bien l'un d'entre eux seulement [1]. »]

1. *Métaphysique,* A7, 988*b*, 16 sq.

L'histoire du problème du fondement, avant et après Aristote, ne peut être exposée ici. En tenant compte de ce problème tel que nous nous proposons de l'instituer, nous nous contenterons de rappeler ce qui suit. C'est Leibniz qui nous a familiarisés avec le problème du fondement, auquel il a donné sa forme en posant la question du « principe de raison suffisante » *(principium rationis sufficientis)*. La première monographie qui traita spécialement du « principe de raison déterminante », plus communément dite « suffisante », fut due à Christian August Crusius, lequel lui consacra une dissertation intitulée : *Dissertatio de usu et limitibus principii rationis determinantis vulgo sufficientis* (1743) [1]. Finalement, Schopenhauer traita encore de ce principe sous forme de monographie, dans sa dissertation : *Sur la quadruple racine du principe de raison suffisante* (1813) [2]. Or, s'il est vrai que le problème du fondement est rivé aux questions centrales de la métaphysique, il doit bien alors être également vivant là même où il n'est pas expressément traité sous la forme qui lui est habituelle. C'est ainsi que Kant, par exemple, ne semble avoir apporté qu'un faible intérêt au principe de raison déterminante, bien qu'il le discute aussi bien au début [3] qu'à la fin [4] de sa carrière philosophique.

---

1. *Opuscula philosophico-theologica antea seorsum edita, nunc secundis curis revisa et copiose aucta* (Lipsiae, 1750, p. 152 sq.).

2. *Ueber die vierfache Wurzel des Satzes vom zureichenden Grunde* (2e éd. 1847; 3e éd. donnée par Julius Frauenstädt, 1864).

3. *Principiorum primorum cognitionis metaphysicae nova dilucidatio* (1755).

4. *Ueber eine Entdeckung, nach der alle neue Kritik der reinen Vernunft durch eine ältere entbehrlich gemacht werden*

Et pourtant, ce principe est au centre de la *Critique de la Raison pure* [1]. Par ailleurs, les recherches de Schelling « Sur l'essence de la liberté humaine » (1809) [2] ne lui cèdent point en importance quant au même problème.

Ce simple renvoi à Kant et à Schelling suffit déjà à mettre en doute que le problème de la « raison » ou fondement se confonde avec celui du « principe de raison », et si même, somme toute, il se pose bien avec ce dernier. Si tel n'est point le cas, c'est qu'il faut commencer par réveiller le problème du fondement; cela n'exclut pas qu'une discussion du « principe de raison » puisse servir ici d'occasion et ménager une première indication. Mais l'exposé du problème équivaut à trouver et à délimiter le *cadre* à l'intérieur duquel on devra traiter *de* l'être-essentiel du fondement, sans prétendre d'un seul coup nous le mettre sous les yeux. C'est comme constituant ce cadre que la *transcendance* sera mise en évidence. Mais cela veut dire en même temps que par le problème du fondement, la transcendance, précisément alors et alors seulement, se trouve mieux déterminée quant à son origine et à sa compréhension. Par ailleurs, toute mise en lumière d'une essence signifie un effort d'application *philosophante*, c'est-à-dire une tension qui, par le plus intime d'elle-même, est une tension *finie* : aussi doit-elle inévitablement témoigner du « non-être » *(Unwesen)* dont la connaissance humaine affecte tout *être (Wesen)*. De tout ceci, il résulte pour la disposition de notre recherche le schéma suivant :

soll (Sur une découverte d'après laquelle toute nouvelle critique de la raison pure doit être rendue superflue par une plus ancienne), 1790.

1. Cf. *infra*, p. 102 sq.
2. WW., I. Abt., Bd. 7, p. 333-416.

I. Le problème du fondement.

II. La transcendance comme cadre de la question concernant l'être-essentiel du fondement.

III. De l'être-essentiel du fondement.

I. — LE PROBLÈME DU FONDEMENT

Le « principe de raison déterminante » semble, en sa qualité de « principe suprême », écarter toute éventualité d'un *problème* du fondement, c'est-à-dire de la « raison déterminante » en elle-même. Mais le « principe de raison déterminante » est-il donc un énoncé *concernant* le fondement, la « raison » comme telle? Découvre-t-il même, en tant que principe suprême, l'essentiel de ce fondement? Sa formule courante et abrégée s'énonce ainsi : *Nihil est sine ratione*, il n'y a rien sans « raison », ou, transposée en une forme positive : *Omne ens habet rationem*, tout existant a une « raison ». Le principe est donc un énoncé *concernant l'existant*, et cela du point de vue de ce qui peut en être la « raison », le fondement. Pourtant, ce qui fait l'être-essentiel du fondement, de la « raison déterminante », n'est point précisé *dans* ce principe; ou plutôt cela même se trouve présupposé *pour* ce principe comme une « représentation » évidente de soi-même. En outre, le principe « suprême » de raison déterminante fait en un autre sens encore, usage de l'être-essentiel du fondement *sans l'avoir éclairci:* en effet, le caractère spécifique de principe qui fait de lui un axiome « fondamental », la qualité « principielle » de ce *principium grande* (Leibniz), cela, dès l'origine, ne peut pourtant être délimité que

si l'on considère ce qu'est essentiellement l'être
d'un « fondement ».

Ainsi donc, que ce soit par la manière dont il se
pose ou par le « contenu » qui se trouve posé par
lui, le « principe de raison déterminante » mérite
d'être mis en question, s'il est vrai que l'être-essentiel du fondement puisse et doive dépasser le niveau
d'une « représentation » de généralité vague, pour
devenir réellement un problème.

Bien que le principe de raison n'apporte tout
d'abord aucun éclaircissement sur la « raison »
ou fondement comme tel, il n'en peut pas moins
servir de point de départ pour caractériser le problème du fondement. Il est vrai que le principe
souffre bien des interprétations et des estimations
diverses — indépendamment même des questions
énoncées plus haut. Toutefois, pour le projet institué ici, il semble tout indiqué d'accepter le principe dans la formule et dans le rôle que Leibniz a
été le premier à lui donner en termes explicites.
Or, ce qui fait précisément l'objet de vives contestations, c'est de savoir si pour Leibniz le *principium rationis* a une valeur « logique » ou une valeur
« métaphysique », ou bien s'il n'a pas les deux en
même temps. Aussi bien, tant que nous avouons
ne pas savoir grand-chose ni du concept de « logique »,
ni du concept de « métaphysique », ni même du rapport entre les deux, les discussions concernant
l'interprétation historique de Leibniz restent privées de tout fil conducteur certain, et sont par conséquent frappées de stérilité philosophique. En tout
cas, elles ne peuvent aucunement préjuger des citations de Leibniz qui vont être alléguées ici au sujet
du *Principium rationis*. Qu'il nous suffise d'introduire un passage capital du traité des *Primae
Veritates* :

« *Semper igitur praedicatum seu consequens inest subjecto seu antecedenti; et in hoc ipso consistit natura veritatis in universum seu connexio inter terminos enuntiationis, ut etiam Aristoteles observavit. Et in identicis quidem connexio illa atque comprehensio praedicati in subjecto est expressa, in reliquis omnibus implicita, ac per analysin notionum ostendenda, in qua demonstratio a priori sita est.*

» *Hoc autem verum est in omni veritate affirmativa universali aut singulari, necessaria aut contingente, et in denominatione tam intrinseca quam extrinseca. Et latet hic arcanum mirabile a quo natura contingentiae seu essentiale discrimen veritatum necessariarum et contingentium continetur, et difficultas de fatali rerum etiam liberarum necessitate tollitur.*

» *Ex his propter nimiam facilitatem suam non satis consideratis multa consequuntur magni momenti. Statim enim hinc nascitur axioma receptum,* nihil esse sine ratione, seu nullum effectum esse absque causa. *Alioqui veritas daretur, quae non potest probari a priori, seu quae non resolveretur in identicas, quod est contra naturam veritatis, quae semper vel expresse vel implicite identica est* [1]. »

1. Cf. *Opuscules et fragments inédits* de Leibniz, éd. par L. Couturat (1903, pp. 518 sq.); Cf. aussi *Revue de Métaphysique et de Morale* (t. X, 1902, p. 2 sq.). — Couturat attribue à ce traité une importance particulière, parce qu'il lui fournit, pense-t-il, un argument péremptoire en faveur de sa thèse « que la Métaphysique de Leibniz repose tout entière sur la Logique ». Si ce même traité forme la base des discussions qui vont suivre, que l'on n'y voie de notre part aucun acquiescement, ni à l'interprétation qu'en donne Couturat, ni à sa conception générale de Leibniz, ni même à sa notion de la Logique. Ce traité représente au contraire un témoignage très net *contre* la tentative de dériver de la logique le *principium rationis*, et en général *contre* la question de savoir si, chez Leibniz, la préséance revient à la Logique ou à la Métaphysique. C'est Leibniz, justement, qui mit en branle la

Fidèle à la manière qui lui est si personnelle, Leibniz caractérise dans ce texte les « *vérités premières* » et *en même temps* détermine ce que la vérité est *tout d'abord* et comme telle ; cela, avec l'intention de nous montrer le *principium rationis* prenant « naissance » de la *natura veritatis*. Pour cette entreprise, il estime précisément nécessaire d'indiquer que l'apparente évidence de concepts tels que « vérité » et « identité » met obstacle à une explication qui s'étendrait jusqu'à l'origine du *principium rationis* et des autres axiomes. Nos considérations présentes ne mettent pas en cause d'ailleurs la dérivation du *principium rationis* : elles tendent à analyser le problème du fondement ou de cette *ratio* elle-même. Comment le passage cité plus haut peut-il ici nous servir de guide ?

Le *principium rationis* subsiste, parce que, s'il ne subsistait pas, il y aurait de l'existant qui devrait être « sans raison ». Pour Leibniz, cela signifie : il y aurait du vrai qui s'opposerait à une réduction en identités, il y aurait des vérités qui devraient pécher contre la « nature » de la vérité. Mais parce que cela est impossible et parce qu'il y a de la vérité qui subsiste, le *principium rationis* subsiste lui aussi, puisqu'il tire son origine de l'essence de la vérité. Or, l'essence de la vérité réside dans la connexion (συμπλοκή) du sujet et du prédicat. Par conséquent, Leibniz conçoit d'ores et déjà la vérité comme vérité de la proposition ou jugement, et fait expressément appel à Aristote, appel d'ailleurs injustifié. Il détermine le *nexus* comme un « inesse » du prédicat (Pr) dans le sujet (S), et à son tour l' « inesse » comme un « idem esse ». L'identité,

possibilité d'une pareille question, et c'est grâce à Kant qu'elle reçut sa première secousse, bien que l'effet n'eut guère de suites.

comprise ici comme l'essence de la vérité du jugement, ne signifie manifestement pas la vide identité
d'un être avec soi-même; elle veut dire unité, entendue comme union originelle de ce qui forme un
seul et même tout. La vérité signifie par conséquent un *accord*, qui de son côté n'est tel que parce
qu'en *concordance* avec ce qui se dénonce dans
l'identité comme formant un être unique. Les
« vérités » — les propositions vraies — ont de par
leur nature rapport avec quelque chose sur le
fondement et *en raison de quoi* elles peuvent être
autant d'accords. Dans toute vérité, la jonction
analytique est ce qu'elle est, toujours « en raison
de... », c'est-à-dire comme se « motivant ». La
vérité implique donc essentiellement un rapport
avec quelque chose comme un « fondement », une
« raison ». C'est ainsi que le problème de la vérité
nous conduit nécessairement dans les « parages »
du problème du fondement. Plus nous nous empare-
rons à son origine de l'essence de la vérité, plus le
problème du fondement devra s'imposer à nous.

Outre cette délimitation de l'essence de la vérité
comme caractère du jugement, nous est-il possible
d'obtenir quelque chose qui soit encore plus originel? Oui, et ce n'est rien moins que la constatation
suivante : si différemment saisie puisse-t-elle être
dans le détail, cette définition de la vérité n'en
est pas moins pourtant une définition inévitable
certes, mais dérivée ou secondaire [1]. La concordance du nexus *avec* l'existant, et par suite son
propre accord, ne rendent point *comme tels*, en premier lieu, l'existant accessible. Il faut plutôt que
celui-ci soit déjà manifesté comme « ce dont » est

---

1. Cf. Martin Heidegger, *Sein und Zeit*, I, 1927, § 44,
p. 213-230. Sur le « jugement » : cf. *Ibid.*, § 33, p. 154 sq.

possible une détermination prédicative; il faut donc qu'il le soit *avant* cette prédication et *pour* elle. Pour être possible, la prédication doit avoir son siège dans un acte de manifestation qui *n'ait point lui-même un caractère prédicatif.* La vérité de la proposition est enracinée dans une vérité (une mise à découvert) *plus haute en origine*, dans un état manifeste de *l'existant* qui est anté-prédicatif, et que nous appellerons *vérité ontique.* Sa manifestation possible aussi bien que la manière correspondante de la déterminer en l'interprétant, ont un caractère qui varie selon les différentes espèces et régions de l'existant. C'est ainsi par exemple que la vérité des choses-subsistantes *(das Vorhandene)* [v. g. les choses matérielles] se distingue spécifiquement en tant que *réalité-mise-à-découvert* (Entdecktheit), de la vérité de cet existant que nous sommes nous-mêmes, à savoir de la *modalité révélée et révélante (Erschlossenheit)* de la réalité-humaine qui est *existante* [1]. Si multiples puissent être les différences de ces deux espèces de vérités ontiques, il reste que, pour toute manifestation antéprédicative, l'acte qui manifeste n'a jamais *en premier lieu* le caractère d'une représentation ou d'une intuition pure, même pas dans la contemplation « esthétique ». Si l'on est tenté de caractériser la vérité anté-prédicative comme une intuition, c'est *parce que* la vérité ontique, supposée vérité authentique, est préalablement définie comme vérité d'une proposition logique, c'est-à-dire comme un *lien établi par la représentation.* En face de ce dernier, la représentation tout court libre de toute association, apparaît alors comme marquant un degré plus simple. Certes, cette représentation remplit

---

1. Cf. *Ibid.*, § 60, p. 295 sq.

sa fonction propre en ce qui concerne la *constitu-tion-en-objet* de l'existant, celui-ci, il est vrai, se trouvant alors nécessairement d'ores et déjà révélé. Mais la révélation ontique elle-même se produit dans une *situation-éprouvée* au milieu de l'existant [1], selon une certaine tonalité-affective, selon certaines impulsions; elle se produit dans les comportements envers l'existant, comportements intentionnels, visées et aspirations, qui se trouvent simultanément fondés dans cette situation-affective.

Pourtant, qu'on les interprète comme anté-prédicatifs ou comme prédicatifs, ces comporte-ments seraient incapables de nous rendre l'existant accessible en lui-même, si la révélation qu'ils provo-quent n'était d'ores et déjà illuminée toujours et guidée par une compréhension de l'être de l'existant, une compréhension de la structure de son être : essence *(quid)* et modalité *(quomodo)*. C'est seule-ment parce que l'*être* est dévoilé qu'il devient possible à l'*existant* de se manifester. Ce dévoilement entendu comme vérité sur l'être, tel est ce que nous dési-gnons du nom de *vérité ontologique*. Sans doute les termes d' « ontologie » et d' « ontologique » recèlent bien des équivoques, à tel point que l'authentique problème d'une ontologie reste précisément caché. Discours (λόγος) de l'existant (ὄν) veut dire : l'acte de poser une demande (λέγειν) à l'existant en tant qu'existant, mais en même temps cela désigne *ce au sujet de quoi* l'existant subit une demande (λεγόμενον). Mais poser une demande à quelque chose *en tant que* telle ou telle chose, cela ne veut pas dire encore nécessairement que l'on *conçoive dans son essence* la chose à laquelle une

1. Sur cette situation-affective *(Befindlichkeit)*, cf. *Ibid.*, § 29, p. 134 sq.

demande est ainsi posée. La *compréhension* de l'être, celle qui éclaire et qui guide en la précédant toute relation avec l'existant (λόγος en un sens très large), ne signifie elle-même ni que l'on saisisse l'être comme tel, ni même que l'on forme un concept de ce qui est ainsi saisi (λόγος en son sens le plus précis, concept « ontologique »). A cette intelligence de l'être qui n'est pas encore arrivée au rang de concept, nous donnons donc le nom de pré-ontologique, ou même celui de compréhension ontologique, mais en un sens plus large. Former un concept de l'être, cela suppose que l'intelligence de l'être se soit elle-même élaborée et qu'elle ait pris expressément pour thème et pour problème l'être qui en elle est déjà compris, esquissé en un projet général et dévoilé d'une façon ou d'une autre. Entre une compréhension pré-ontologique de l'être et une problématique expressément formulée du concept de l'être, il y a de multiples degrés. Caractéristique entre autres degrés est, par exemple, le pro-jet qui, en esquissant la constitution de l'être de l'existant, jalonne en même temps un champ déterminé (Nature, Histoire) comme le domaine où il sera possible à une connaissance scientifique de constituer des objets. La détermination anticipée de l'être d'une Nature en général (essence et modalité) prend corps dans les « concepts fondamentaux » de la science correspondante. Ces concepts délimitent, par exemple, ce que sont l'espace, le lieu, le temps, le mouvement, la masse, la force, la vitesse, mais pourtant ni l'essence du temps, ni l'essence du mouvement ne sont pris expressément comme problèmes. La compréhension de l'être de l'existant qui se présente comme objet, est ici portée au rang de concept; seulement, la détermination des concepts de temps et de lieu... etc., les définitions, sont en vertu du propos initial et de l'étendue embrassée, réglées uniquement par la recherche instituée à la base, et qui, dans la *science* en question, renvoie toujours à l'existant, non à son être. Les concepts qui sont à la base de la science actuelle ne recèlent point en eux-mêmes les « authentiques » concepts ontologiques de l'être de l'existant qui est mis en question par cette science; il n'est pas davantage possible d'atteindre ces derniers en se contentant d'élargir les premiers dans une mesure « adéquate ». Il faut au contraire que les concepts ontologiques originels soient acquis *antérieurement* à toute définition scientifique des concepts de base; c'est seulement *alors*, en partant de ces concepts ontologiques, que l'on peut évaluer au prix de quelle restriction, par quelle délimitation chaque fois tracée d'un point de vue déterminé, les concepts qui sont à la base des sciences rencontrent l'être qui est saisissable dans les concepts ontologiques purs. Le « fait » dont s'occupent les sciences — et ceci revient à désigner l'élément de compréhension de l'Être qui se trouve en fait inclus nécessairement dans les sciences aussi bien que dans tout autre rapport avec l'existant, — ce fait, disons-nous, ne constitue pas une instance en légitimation de l'*a priori;* ce n'est pas non plus la source à laquelle on en pourrait puiser la connaissance; c'est simplement une invite possible, une référence à la constitution originelle de l'être, celle de l'Histoire, par exemple, ou de la Nature; une référence qui doit elle-même rester soumise à une critique permanente, laquelle a déjà reçu sa direction de la problématique qui forme la base de toute question concernant l'être de l'existant.

Les degrés et les modifications possibles de la vérité ontologique, entendue au sens large du mot,

trahissent en même temps le grand fonds de vérité
originelle qui est à la base de toute vérité ontique[1].
L'*état-dévoilé (Unverborgenheit)* de l'être est toujours
vérité de l'être *de* l'existant, que ce dernier soit
réel ou non. Réciproquement, il y a d'ores et déjà
dans l'état-dévoilé d'un existant un dévoilement
de son être. Vérité ontique et vérité ontologique
concernent chacune différemment *l'existant dans*
son être et *l'être de* l'existant. Elles forment un
tout essentiellement solidaire, en raison de leur
rapport avec la *différence entre l'être et l'existant*
(différence ontologique). Avec cette inévitable
bifurcation en ontique et ontologique, l'essence de la
vérité comme telle n'est possible que dans l'éclosion
simultanée de cette différence. Si par ailleurs, la
marque distinctive de la réalité-humaine tient à ce
que c'est en comprenant-l'être qu'elle a un rapport

---

1. Si l'on se réclame volontiers aujourd'hui des termes
d' « ontologie » et d' « ontologique » comme de mots à la mode
et de titres servant à désigner certaines tendances, ces expressions n'en sont pas moins alors usitées en un sens tout extérieur et méconnaissent la situation du problème. On vit dans
cette opinion erronée que l'ontologie, parce qu'elle met en
question l'être de l'existant, représente une « position
réaliste » (naïve ou critique) en face de la « position idéaliste ».
Or, une problématique ontologique a si peu à voir avec le
« réalisme » que c'est Kant précisément qui, en posant la
question *trancendantale*, et grâce à elle, a pu faire le premier
pas décisif depuis Platon et Aristote vers une fondation de
l'ontologie *expressément* voulue. Ce n'est pas encore en
prenant parti pour la « réalité du monde extérieur » que l'on
suit une direction ontologique. Selon le sens que lui a
donné la vulgarisation philosophique — et ici s'annonce la
désastreuse confusion — le mot « ontologique » signifie ce
qui devrait être tout au contraire dénommé « ontique »,
c'est-à-dire une attitude qui prend l'*existant* en lui-même,
pour ce qu'il est et tel qu'il est. Mais on n'a nullement ainsi
posé le *problème de l'être,* ni moins encore atteint le fondement qui assure la possibilité d'une ontologie.

avec l'existant, il faut alors que *le* « pouvoir-différencier », par lequel la différence ontologique devient effective, ait enraciné sa propre possibilité jusque dans l'essence de la réalité-humaine. C'est ce fondement de la différence ontologique que nous désignons, par anticipation, comme la *transcendance* de la réalité-humaine.

Si l'on caractérise tout *rapport* avec l'existant comme intentionnel, *l'intentionnalité* n'est alors possible que *sur le fondement de la transcendance,* mais elle n'est pas identique avec celle-ci et surtout ce n'est pas elle qui, inversement, rendrait possible la transcendance[1].

Les quelques pas essentiels accomplis jusqu'ici tendaient uniquement à montrer que l'essence de la vérité doit être recherchée en une origine plus lointaine que ne voulait l'admettre la définition traditionnelle, pour qui la vérité est une propriété des jugements. Or, si l'être-essentiel du fondement a un rapport intime avec l'essence de la vérité, à son tour le problème du fondement ne peut être à sa place que là où l'essence de la vérité puise sa possibilité interne, à savoir dans l'essence de la transcendance. La question concernant l'être-essentiel du fondement devient le *problème de la transcendance.*

Si la parenthèse qui assemble vérité, fondement et transcendance recèle bien dès l'origine un tout unique, nécessairement alors l'enchaînement des problèmes correspondants se fera jour partout où la question du « fondement » sera appréhendée résolument — ne serait-ce même que sous la forme d'une discussion explicite du « principe de raison ».

Déjà le passage de Leibniz qui a été cité plus haut trahit la parenté qui unit le problème du « fonde-

---

1. Cf. *Sein und Zeit*, § 69, p. 364 sq. et en outre p. 363 rem.

ment » ou « raison » et le problème de l'être. *Verum esse* signifie *inesse* compris comme *idem esse*. Mais *verum esse*, « être-*vrai* », signifie en même temps pour Leibniz *être* « en vérité », être tout court, *esse simpliciter*. L'idée d'être en général est donc expliquée au moyen de l'*inesse* en tant qu'*idem esse*. Ce qui fait d'un existant *(ens)* un existant, c'est l' « identité », l'unité exactement comprise qui, en tant que simple, unifie dès l'origine et en même temps, par cette unification, individualise. Opérant l'individualisation dans la simplicité et dès l'origine, anticipant donc, cette unification qui constitue l'essence de l'existant comme tel, c'est elle en outre qui forme l'être essentiel de la « subjectivité » du sujet, du *subjectum* (la substantialité de la substance) comprise en un sens monadologique. La manière dont Leibniz dérive le *principium rationis* de l'essence de la vérité logique annonce donc qu'à la base se trouve une Idée tout à fait précise de l'être en général, à la seule lumière de laquelle cette « déduction » devient possible. La connexion du « fondement » et de l' « être » se montre mieux encore dans la métaphysique de Kant. Dans ses traités « critiques », on inclinerait communément, il est vrai, à regretter que le « principe de raison » ne soit pas traité de façon explicite, à moins que l'on ne regarde comme compensant cette absence presque inconcevable l'argumentation de la « seconde analogie ». Seulement, Kant a bel et bien traité du « principe de raison », et cela en un passage saillant de sa *Critique de la Raison pure*, sous le titre de « Principe supérieur de tous les jugements synthétiques ». Ce principe fait voir *ce qui* — dans le cercle et sur le plan de la discussion ontologique de Kant — appartient *en général à l'être* de l'existant, en tant qu'accessible dans l'expérience. Il donne une définition « réelle » de la vérité transcendantale, c'est-à-dire en détermine la possibilité interne par l'unité du temps, de la faculté imaginative et du « je-pense [1] ». Si Kant déclare, à propos du principe leibnizien de raison suffisante, qu'il constitue « une indication dont il faut prendre note, invitant à des recherches qui seraient encore à instituer en métaphysique [2] », une telle remarque s'applique aussi bien à son propre « principe supérieur de tous les jugements synthétiques », et cela dans la mesure même où y est *latent* le problème de la connexion essentielle entre vérité, fondement et être. Une question qui ne peut être déduite que de là serait alors la question concernant le rapport d'origine entre logique transcendantale et logique formelle, ce qui revient à mettre en cause la légitimité même d'une distinction de ce genre.

En décrivant brièvement ici comment Leibniz dérive le « principe de raison » à partir de l'essence de la vérité, le but n'était autre que d'élucider le lien du problème du fondement ou « raison » avec la question concernant la possibilité interne de la vérité ontologique ; donc, en fin de compte, son lien avec une question antérieure en origine, et par conséquent plus vaste en compréhension : la question concernant l'être-essentiel de la transcendance.

---

1. Cf. Martin Heidegger, *Kant und das Problem der Metaphysik* (1929).
2. Cf. Kant, *Ueber eine Entdeckung, nach der alle neue Kritik der reinen Vernunft durch eine ältere entbehrlich gemacht werden soll* (1790). — *Schlussbetrachtung über die drei vornehmlichen Eigentümlichkeiten der Metaphysik des Herrn von Leibniz.* (Considération finale sur les trois propriétés essentielles de la métaphysique de M. de Leibniz) ; — cf. encore *Preisschrift über die Fortschritte der Metaphysik*, I, Abt. (Mémoire pour un concours sur les progrès de la Métaphysique).

La transcendance est donc le *cadre* à l'intérieur
duquel le problème du fondement doit être abordé.
C'est ce cadre qu'il nous faut maintenant esquisser
à grands traits.

II. — LA TRANSCENDANCE,
COMME CADRE DE LA QUESTION
CONCERNANT L'ÊTRE-ESSENTIEL
DU FONDEMENT

Une remarque d'ordre terminologique doit tout
d'abord régler l'emploi de ce terme de « transcendance »; elle nous préparera à déterminer le phénomène qui est désigné par ce mot. Transcendance
signifie « dépassement ». Est transcendant, c'est-à-
dire « transcende », ce qui réalise ce « dépassement »,
ce qui s'y maintient habituellement. Il s'agit donc
d'un événement qui est propre à quelque existant.
Si on le saisit d'un point de vue purement formel,
ce dépassement apparaît comme une « relation »
qui s'étend « de » quelque chose « vers » quelque
chose. En ce sens, fait essentiellement partie du
dépassement la *chose vers laquelle* est orienté ce
dépassement, et tel est ce que l'on a l'habitude de
désigner à tort comme le « Transcendant ». Finalement, il y dans chaque dépassement *quelque chose*
de dépassé. Tous ces éléments sont empruntés à
une série de faits d'ordre « spatial », auxquels le
terme en question fait tout d'abord penser.

La transcendance, selon l'acception terminologique que nous avons à éclaircir et à justifier
ici, désigne quelque chose appartenant en propre à
la *réalité-humaine;* cette propriété ne doit pas faire
penser à un comportement possible parmi d'autres,
à une attitude qui serait réalisée de temps à autre;

non, il faut l'entendre au sens d'une constitution fondamentale de cet existant qu'est la réalité-humaine, et comme antérieur à tout comportement. Bien entendu, la réalité-humaine, parce qu'elle existe « dans l'espace », a également comme possibilité parmi d'autres celle de dépasser aussi « dans l'espace » : une barrière, par exemple, ou un gouffre. Cependant, la transcendance est le dépassement par lequel sont rendus possibles tout à la fois l'existence comme telle, et un fait comme « se »-mouvoir-dans-l'espace.

Si l'on choisit pour l'existant que nous sommes nous-mêmes et que nous comprenons comme « réalité-humaine », le titre de « sujet », il faut alors dire ceci : la transcendance désigne l'essence du sujet, elle est la structure fondamentale de la subjectivité. Jamais le sujet ne commence par exister tout d'abord comme « sujet », pour ensuite devenir *également* transcendant, *au cas où* des objets se sont présentés; non, *être*-un-sujet, cela signifie : exister en transcendance et comme trancendance. Jamais on ne peut discuter le problème de la transcendance, comme s'il y avait à décider de cette question : la transcendance peut-elle advenir au sujet ou ne le peut-elle pas? Au contraire, la compréhension de la transcendance implique que déjà se trouve décidé si nous concevons en définitive ce qu'est la « subjectivité » ou bien si nous ne mettons pour ainsi dire en ligne de compte qu'une carcasse de sujet.

Sans doute, en caractérisant la transcendance comme structure fondamentale de la « subjectivité », on n'a pas encore fait de grands progrès pour pénétrer dans cette constitution de la réalité-humaine. Loin de là, on se défend expressément de mettre en avant le concept d'un sujet, cette mise en avant fût-elle nettement formulée ou au contraire tacite, comme il arrive le plus fréquemment; dès lors, il n'est plus possible de déterminer la transcendance comme une « relation de sujet à objet ». En retour, la réalité- humaine qui transcende — et c'est déjà là une expression tautologique — ne dépasse ni une « barrière » qui, tendue devant le sujet, le contraindrait tout d'abord à rester chez lui, c'est-à-dire à l'immanence ; ni un « gouffre » qui séparerait ce sujet de l'objet. A leur tour, les objets — c'est-à-dire l'existant qui a été constitué-en-objet — ne sont point *ce vers quoi* a lieu le dépassement. *Ce qui* est dépassé, c'est précisément et uniquement *l'existant lui-même*, et en fait tout existant qui peut se trouver dévoilé à la réalité-humaine ou le devenir; par conséquent *aussi et précisément*, cet existant qu'elle est « elle-même » par son existence.

En transcendant, la réalité-humaine arrive avant tout à cet existant qu'*elle* est, c'est-à-dire arrive à elle en tant que « soi-même ». La transcendance constitue l'*ipséité*. Mais encore une fois, jamais uniquement celle-ci; la transcendance concerne chaque fois et tout ensemble cet existant que « soi-même » la réalité-humaine *n'est pas;* ou plus exactement encore : c'est dans la transcendance et par elle qu'il est possible de distinguer à l'intérieur de l'existant et de décider « qui est un soi-même », et comment est un « soi-même », et ce qui ne l'est pas. Mais c'est dans la mesure — et dans la seule mesure — où la réalité-humaine ex-siste comme un Soi-même, qu'elle peut « se » rapporter à l'existant qui auparavant doit être trans-scendé. Bien qu'étant au milieu de l'existant et entourée par lui, la réalité-humaine, en tant qu'elle est existence, a d'ores et déjà et toujours transcendé la « nature ».

Mais ce qui se trouve chaque fois transcendé
en fait d'existant dans une réalité-humaine, ne
s'était point tout simplement rassemblé là;
l'existant, quelles que puissent être dans le détail
son organisation et sa détermination, est d'ores
et déjà transcendé comme une totalité. Celle-ci peut,
il est vrai, ne pas être reconnue comme telle, quoique
toujours — pour des raisons qui n'ont pas à être
discutées ici — elle soit interprétée à partir de
l'existant, et le plus souvent à partir d'une région
d'où la pression de l'existant se rend sensible;
ainsi est-elle du moins connue.

La transcendance se produit en totalité; jamais
elle n'est telle que tantôt elle advienne, tantôt
s'abstienne, ni moins encore telle qu'une appréhension d'objets simplement et en premier lieu théorique. Mais par le fait qu'une réalité-humaine est
présence-effective, la transcendance elle aussi est
déjà effective.

Mais alors, si l'existant *n'est pas ce vers quoi* est
dirigé le dépassement, comment faut-il déterminer
ce « vers quoi »? Comment même doit-il être cherché?
Ce vers quoi la réalité-humaine comme telle transcende, nous l'appelons le monde, et la transcendance, nous la définissons maintenant comme *être-
dans-le-monde*. Le monde appartient à la structure
unitaire de la transcendance, et c'est en tant que
faisant partie de cette dernière que le concept de
monde est appelé concept *transcendantal*. On qualifie
par ce terme tout ce qui appartient essentiellement
à la transcendance, et qui tient de la transcendance
sa possibilité interne comme une investiture. Et
c'est pour cela seulement que la mise en lumière
et l'explication de la transcendance peuvent être
appelées également discussion « transcendantale ».
La signification de ce mot « transcendantal » ne doit

pas être tirée d'une philosophie à laquelle on attribuerait le « transcendantal » comme point de vue, voire comme le point de vue d'une « théorie de la connaissance ». Cela n'empêche pas de constater que c'est Kant précisément qui a reconnu le « transcendantal » comme problème de la possibilité interne d'une ontologie en général, bien que pour lui le « transcendantal » conserve encore une signification essentiellement « critique ». Le transcendantal concerne, pour Kant, la « possibilité », c'est-à-dire « ce qui rend possible » une connaissance qui *ne* « survole » *pas injustement* l'expérience, une connaissance par conséquent qui n'est pas « transcendante », mais qui est l'expérience elle-même. Le transcendantal définit donc d'une façon restrictive, — mais par là même la valeur ne laisse pas d'en être positive, — ce qu'est essentiellement la connaissance non transcendante : c'est la connaissance ontique qui est possible à l'homme en tant qu'homme. Nécessairement alors, une conception qui saisisse de façon plus radicale et plus universelle l'essence de la transcendance ne peut aller sans une élaboration de l'idée d'ontologie, de l'idée de métaphysique par conséquent, qui remonte plus haut à l'origine.

L'expression d' « être-dans-le-monde », caractéristique de la transcendance, désigne un « état de choses » que l'on s'imagine facilement pénétrable. Pourtant, ce que l'on entend par là dépend de la signification attribuée au concept de *monde :* ce concept est-il pris en un sens banal, préphilosophique? Ou bien est-il entendu dans son acception transcendantale? Pour apporter ici quelque lumière, nous discuterons donc la double signification qui se présente lorsque l'on parle d'être-dans-le-monde.

La transcendance, disons-nous, conçue comme

être-dans-le-monde, doit appartenir en propre à la réalisation-de-la-présence humaine. Mais, finalement, n'est-ce pas le comble de la banalité et du vide que de formuler un énoncé comme celui-ci : la réalité-humaine se présente elle aussi parmi les autres existants et elle est par conséquent accessible comme telle? La transcendance signifierait alors faire partie de tout le reste des choses formant des réalités-déjà-données *(Vorhandene)* ou encore : faire partie de l'existant, continuellement et indéfiniment multipliable. Dans ce cas, le « monde » sert de titre pour tout ce qui est, pour la totalité, celle-ci étant entendue comme l'Unité qui, sauf l'idée d'assemblage, ne précise pas autrement ce qu'est le « Tout ». Est-ce sur cette notion du monde que l'on se fonde en parlant d'être-dans-le-monde? Il faudra bien alors accorder la « transcendance » à *tout* existant, en tant qu'il est une *réalité-subsistante*. Une chose déjà subsistante, c'est-à-dire une chose qui se présente à vous parmi d'autres, « *est dans le monde* ». Si le mot « transcendant » ne signifie rien d'autre que « faire partie de tout le reste de l'existant », il est alors évidemment impossible d'attribuer la transcendance à la *réalité-humaine* comme si elle devait caractériser sa constitution essentielle. La thèse suivant laquelle il appartient en propre à l'essence de la réalité-humaine d'être-dans-le-monde est même évidemment fausse, car il n'y a aucune nécessité absolue à ce qu'un être tel que la réalité-humaine existe en fait. Elle peut aussi bien *ne pas* être.

Si, par contre, c'est à juste titre que l'être-dans-le-monde est attribué exclusivement à la réalité-humaine, et cela comme sa constitution essentielle, ce terme ne peut plus recevoir la signification que nous venons d'examiner. La notion de « monde » doit signifier quelque chose d'autre que la totalité de l'existant que l'on trouve précisément comme une réalité-donnée.

Attribuer à la réalité-humaine l'être-dans-le-monde comme une constitution foncière, cela signifie énoncer quelque chose sur son essence, c'est-à-dire sur sa possibilité comme réalité-humaine, possibilité interne qui lui est absolument propre. Entendons bien qu'il ne s'agit point ici d'avoir les yeux fixés, comme s'il s'agissait d'une instance décisive, sur la question suivante : existe-t-il ou non, en fait, maintenant et chaque fois, une réalité-humaine, et *quelle* réalité-humaine? Non, si l'on parle ici d'être-dans-le-monde, cela n'équivaut nullement à constater si, oui ou non, une réalité-humaine se présente en fait; il ne peut absolument pas s'agir ici d'un jugement ontique. L'expression d' « être-dans-le-monde » met en cause un comportement essentiel qui détermine la réalité-humaine comme telle; elle a en conséquence le caractère d'une thèse ontologique. Nous dirons donc : ce n'est point parce qu'elle existe en fait ni pour cette raison seule que la réalité-humaine est un être-dans-le-monde; mais, tout au contraire, il ne lui est *possible d'être* comme réalité existante, c'est-à-dire comme réalité-humaine, que parce que sa constitution essentielle consiste à être-dans-le-monde.

Déclarer que la réalité-humaine effective est-dans-le-monde — c'est-à-dire qu'elle se trouve parmi d'autres existants, — c'est là une phrase qui se révèle comme une tautologie dépourvue de signification. Déclarer qu'il appartient essentiellement à la réalité-humaine qu'elle soit-dans-le-monde, — c'est-à-dire qu'il faille nécessairement qu'elle soit là « à côté » d'autres existants, — c'est une affirmation que nous avons reconnue comme fausse. Mais dire que s'il y a de l'être-dans-le-monde, cela appartient en propre à l'essence de la réalité-humaine comme telle, c'est énoncer la thèse qui renferme le *problème* de la transcendance.

Cette thèse est initiale et simple. Cela ne veut pas dire qu'il soit simple de la dévoiler, même si, chaque fois, ce n'est que dans un *pro-jet unique*, d'une transparence variable, que l'être-dans-le-monde puisse être soumis à une compréhension préliminaire, laquelle à son tour et d'une façon, il est vrai, toujours relative, doit aboutir à un *concept*.

Les caractéristiques que nous avons données jusqu'à maintenant de l'être-dans-le-monde sont telles que la transcendance de la réalité-humaine en a reçu seulement une détermination négative. De la transcendance, le monde fait partie comme ce vers quoi est dirigé le « dépassement ». Le problème positif : que faut-il entendre par « monde »? Comment le « rapport » de la réalité-humaine avec le monde doit-il être déterminé? C'est-à-dire en quel sens faut-il concevoir le fait d'être-dans-le-monde comme formant initialement la constitution de la réalité-humaine? Ce problème, nous ne le discuterons ici que dans la direction et dans les limites que nous impose le problème même qui nous guide, celui du fondement ou « raison ». C'est à cette fin que sera tentée ici une interprétation du *phénomène du monde*, pour contribuer à mettre en lumière la transcendance comme telle.

Pour nous orienter dans le sens de ce phénomène transcendantal du monde, il nous faut tout d'abord caractériser, réserve faite des lacunes inévitables, les significations principales qui se présentent dans l'histoire du concept de monde. Pour les concepts élémentaires de ce genre, l'acception vulgaire ne correspond presque jamais à la signification primitive et essentielle. Celle-ci se trouve sans cesse recouverte, et il est bien rare et bien difficile qu'elle rejoigne son concept.

Dès l'aurore décisive de la philosophie antique apparaît quelque chose d'essentiel [1]. Κόσμος ne désigne pas un quelconque existant qui presse et oppresse, ni même tout l'existant pris ensemble; non, il désigne l' « état », c'est-à-dire le *mode* selon lequel existe cet existant et cela *dans son ensemble*. Κόσμος οὗτος, « ce monde-ci », ne désigne donc point une région particulière de l'existant délimitée par rapport à telle autre, mais ce monde même de l'existant par opposition à un autre monde *de ce même* existant; il désigne donc l'ἐόν lui-même κατὰ κόσμον [2]. Le monde, étant cette « manière d'être dans son ensemble », se trouve d'ores et déjà à la base de toute division possible de l'existant; chaque fragmentation, loin d'anéantir le monde, a toujours *besoin* de ce monde. Ce qui est ἐν τῶι ἑνὶ κόσμωι [3] (dans un des mondes) n'a point seulement formé ce « cosmos » en s'y rassemblant, mais se trouve préalablement et continuellement commandé par le monde. Héraclite [4] connaît un autre trait essentiel, plus large encore du κόσμος : ὁ Ἡράκλειτός φησι τοῖς ἐγρηγορόσιν ἕνα καὶ κοινὸν κόσμον εἶναι, τῶν δὲ κοιμωμένων ἕκαστον εἰς ἴδιον ἀποστρέφεσθαι. « Les éveillés n'ont qu'un monde unique et qui leur est commun; chaque dormeur au contraire se porte vers un monde qui lui est propre. » Ici le monde est mis en rapport avec les manières d'être élémentaires, selon lesquelles la réalité-humaine

---

1. Cf. Karl Reinhardt, *Parmenides und die Geschichte der griechischen Philosophie*, 1916, p. 174 sq. et p. 216 rem.
2. Cf. Diels, *Fragmente der Vorsokratiker : Melissos*, fragm. 7; *Parménide*, fragm. 2.
3. Diels, *Anaxagore*, fragm. 8.
4. Id., *Héraclite*, fragm. 89.

exsiste en fait. A l'état de veille, le mode d'être de l'existant présente une concordance constante, une moyenne accessible à chacun. Dans le sommeil, au contraire, le monde de l'existant est strictement individualisé, spécial à chaque cas de réalité-humaine.

De ces indications sommaires se dégagent déjà plusieurs constatations :

1º Le monde désigne plutôt un *mode d'être* de l'existant que cet existant lui-même;

2º Ce mode d'être détermine l'existant *dans son ensemble*. C'est au fond la possibilité même de toute modalité en général, comme limite et comme mesure.

3º Ce mode d'être en son ensemble est en quelque sorte pré-liminaire.

4º Ce mode d'être en son ensemble et pré-liminaire est lui-même relatif à la réalité-humaine. Le monde fait précisément partie de la *réalité-humaine*, bien qu'il embrasse à la fois tout l'existant et la réalité-humaine en une totalité.

S'il est possible de condenser dans les significations qui précèdent, cette compréhension du κόσμος encore peu explicite et plutôt à son aurore, il est tout aussi indéniable que bien souvent le mot désigne uniquement l'existant qui est lui-même saisi dans cette manière d'être.

Maintenant, ce n'est point un hasard si la relation du κόσμος et de la réalité-humaine, et par conséquent le concept de monde lui-même, se sont précisés et élucidés en liaison avec la nouvelle compréhension ontique de l'existence qui s'est fait jour dans le Christianisme. Cette relation est ressentie de façon si originelle que désormais le terme κόσμος est employé comme un titre désignant un mode foncier et nettement défini de l'existance-

humaine. Chez Paul (cf. I Cor. et Gal.), κόσμος οὗτος, « ce monde » ne signifie ni uniquement, ni en premier lieu un état de choses « cosmique », mais l'état et la situation de l'*être humain*, la façon dont celui-ci prend position *envers* le cosmos, la façon dont il en apprécie les biens. Κόσμος, c'est l'être de l'homme, tel qu'il se trouve qualifié par le fait de son sentiment détourné de Dieu (ἡ σοφία τοῦ κόσμου, la sagesse du monde). Κόσμος οὗτος désigne l'être de la réalité-humaine dans une existence « historique » déterminée, par opposition à une autre qui déjà commence à poindre (αἰών ὁ μέλλων, l' « âge » à venir).

C'est avec une fréquence insolite — surtout si on le compare avec les Synoptiques — et en même temps en un sens tout à fait central, que l'*Évangile de Jean* [1] fait usage de la notion de κόσμος. Le monde désigne la forme propre à l'être de la réalité-humaine qui est foncièrement éloignée de Dieu; c'est, purement et simplement, le *caractère de l'être de l'homme*. En conséquence, le monde est également un titre qui désigne toute cette région de l'être : sages et fous, justes et pécheurs, juifs et païens, sans distinction. La signification centrale de cette notion de monde, qui est pleinement anthropologique, nous la voyons exprimée dans le fait qu'elle forme antithèse avec la filiation divine de Jésus; celle-ci est conçue comme Vie (ζωή), Vérité (ἀλήθεια), Lumière (φῶς).

1. Pour les passages de l'Évangile de Jean cités ici, cf. l'*excursus* sur la notion de κόσμος ap. W. Bauer, *Das Johannes Evangelium* (Lietzmanns Handbuch zum Neuen Testament, 6), 2ᵉ éd. entièrement refondue, 1925, p. 18. — Pour l'interprétation théologique, cf. le remarquable exposé de A. Schlatter, *Die Theologie des Neuen Testaments*, II. Teil, 1910, p. 114 sq.

L'empreinte que reçoit ainsi la signification de κόσμος dans le Nouveau Testament se retrouve en traits qu'il est impossible de méconnaître chez Augustin et chez Thomas d'Aquin. « Mundus » signifie bien chez Augustin la totalité du créé; mais « mundus » n'en est pas moins souvent écrit pour « mundi habitatores ». A son tour, le terme a le sens spécialement existentiel de « dilectores mundi, impii, carnales ». « Mundus *non* dicuntur *justi*, quia licet carne in eo habitent, *corde* cum deo sunt [1]. » En créant ce concept de monde qui devait être ensuite un facteur déterminant dans l'histoire de l'esprit occidental, Augustin s'inspirait tout autant de Paul que de l'*Évangile de Jean*. On peut citer à l'appui le passage suivant du *Tractatus in Johannis Evangelium*. Interprétant le prologue de l'Évangile de Jean (I, 10) ἐν τῷ κόσμῳ ἦν, καὶ ὁ κόσμος δι' αὐτοῦ ἐγένετο· καί ὁ κόσμος αὐτὸν οὐκ ἔγνω. ([La lumière] était dans le monde, et le monde a été fait par elle, et le monde ne l'a pas connue) Augustin démontre que l'usage qui y est fait *à deux reprises* du terme « mundus » correspond à une *double* signification : d'une part, « mundus per ipsum factus est »; d'autre part, « mundus eum non cognovit ». Dans le premier cas, il s'agit du monde comme : « ens creatum »; dans le second cas, « mundus » veut dire « habiter par le cœur dans le monde » *(habitare corde in mundo)*, c'est-à-dire, « aimer le monde » *(amare mundum)*, ce qui équivaut exactement à « ne pas connaître Dieu » *(non cognoscere Deum)*. Voici d'ailleurs le contexte de ce passage :

« *Quid est*, mundus factus est per ipsum? *Cœlum, terra, mare et omnia quae in eis sunt, mundus*

---

1. S. Augustini, *Opera* (Migne), t. IV, 1842. [Les justes ne sont *pas* dits être du monde, parce que, tout en y habitant selon la chair, *par le cœur* ils sont avec Dieu.]

*dicitur. Iterum alia significatione, dilectores mundi
mundus dicitur.* Mundus per ipsum factus est, et
mundus eum non cognovit. *Num enim cœli non cognoverunt Creatorem suum, aut angeli non cognoverunt
Creatorem suum aut non cognoverunt Creatorem suum
sidera, quem confitentur daemonia? Omnia undique tes-
timonia perhibuerunt. Sed qui non cognoverunt? Qui
amando mundum dicti sunt mundus. Amando enim
habitamus corde : amando autem, hoc appellari merue-
runt quod ille, ubi habitabant. Quomodo dicimus, mala
est illa domus, aut bona est illa domus, non in illa quam
dicimus malam, parietes accusamus, aut in illa, quam
dicimus bonam, parietes laudamus, sed malam domum :
inhabitantes malos, et bonam domum : inhabitantes bo-
nos. Sic et mundum, qui inhabitant amando mundum.
Qui sunt? Qui diligunt mundum, ipsi enim corde habitant in mundo. Nam qui non diligunt mundum, carne
versantur in mundo, sed corde inhabitant cœlum*[1]. »

Le « monde » signifie donc l'existant dans son
ensemble et ce, comme la qualification décisive
avec laquelle la réalité-humaine se pose et se maintient devant l'existant. De même, Thomas d'Aquin
emploie « mundus » tantôt comme équivalent de
« universum », « universitas creaturarum », tantôt
avec le sens de « saeculum » (les « pensées du siècle »),
« quod mundi nomine amatores mundi significan-
tur ». « Mundanus » (saecularis) est l'antithèse de
« spiritualis [2] ».

Sans aborder ici la notion de monde chez Leibniz,
mentionnons du moins la définition que reçoit le
monde dans la métaphysique de l'École. Baum-

---

1. S. Augustini, Tract. II, cap. I, n. 11; t. III, col. 1393.
2. Cf. par exemple, *Sum. theol.* II², qu. CLXXXVIII, a. 2,
ad. 3 : « *dupliciter aliquis potest esse in saeculo : uno modo
per praesentiam corporalem, alio modo per mentis affectum* »·

garten donne la suivante [1] : « Mundus (universum, πᾶν) est series (multitudo, totum) actualium finitorum, quae non est pars alterius. » Le Monde est posé ici comme équivalent de la totalité des choses existantes, et cela au sens de *ens creatum*. Or, cela revient à dire : la manière de concevoir le monde dépend de celle dont on comprend l'essence et la possibilité des preuves de l'existence de Dieu. C'est ce qui devient particulièrement clair chez Chr. H. Crusius qui définit ainsi le concept d'un monde : « Un *monde* signifie un enchaînement réel de choses finies, qui n'est pas lui-même à son tour une partie d'un autre enchaînement, auquel il appartiendrait par le moyen d'un enchaînement réel [2]. » Par conséquent, au monde s'oppose Dieu lui-même. Mais le monde est tout aussi différent d'une « créature *particulière* »; il ne l'est pas moins d'une « *pluralité* de créatures *simultanément existantes* » qui « se trouveraient *sans aucun* enchaînement »; finalement, le monde est aussi différent d'un ensemble de créatures « qui ne serait qu'une simple partie d'un autre ensemble, avec lequel il se trouverait en un enchaînement réel [3] ».

Quant aux déterminations essentielles qui appartiennent à un monde ainsi défini, on les dérive d'une double source. Il faut que dans chaque monde soit présent « ce qui découle de l'essence générale des choses ». Ensuite, tout ce qui « peut être reconnu, certaines créatures étant posées, comme nécessaire

---

1. *Metaphysica*, ed. II, 1743, § 354, p. 87.
2. *Entwurf der notwendigen Vernunft-Wahrheiten, wiefern sie den zufälligen entgegensetzet werden* (Esquisse des vérités de raison nécessaires; comment elles s'opposent aux contingentes), Leipzig, 1745, § 350, p. 657.
3. *Ibid.*, § 349, p. 654 sq.

de par les propriétés essentielles de Dieu[1] ». C'est pourquoi, dans l'ensemble de la métaphysique, la « théorie du monde » (cosmo-logie) est post-ordonnée à l'Ontologie, c'est-à-dire à la théorie de l'essence des choses comme telles et de leurs différences les plus générales, de même qu'à la « théologie théorique naturelle ». Le monde est, suivant tout ceci, un titre régional désignant l'unité suprême qui relie la totalité de l'existant créé.

Si la notion de monde joue ainsi le rôle d'une notion fondamentale de la métaphysique, c'est-à-dire de la cosmologie rationnelle en tant que discipline de la « Metaphysica specialis »; si, par ailleurs, la *Critique de la Raison pure* de Kant présente une fondation de la métaphysique prise en son ensemble[2], nécessairement alors le problème de la notion du monde doit prendre une forme nouvelle, correspondant à la métamorphose subie par l'Idée de la métaphysique. L'indiquer ici, sans doute en termes concis, est d'autant plus nécessaire qu'à côté de la signification cosmologique du « monde », la signification existentielle revient au jour dans l'anthropologie de Kant, dépouillée cette fois, il est vrai, de sa coloration spécifiquement chrétienne.

Déjà, dans la *Dissertation* de 1770, Kant donne, comme introduction, une caractéristique de la notion de monde *(mundus)* qui suit encore fidèlement la voie tracée par la métaphysique ontique traditionnelle[3]; mais il y touche à une difficulté présentée par cette notion et qui plus tard, dans la

---

1. *Entwurf*, § 348, p. 653.
2. Cf. M. Heidegger, *Kant und das Problem der Metaphysik* (1929).
3. *De mundi sensibilis atque intelligibilis forma et principiis.* Sectio I : *De notione mundi generatim*, § 1-2.

Critique de la Raison pure, se précisera et s'élargira jusqu'à devenir un problème capital. En discutant dans la *Dissertation* la notion de monde, Kant commence par donner une définition « formelle » de ce que l'on comprend par monde ; le monde, en tant que « terminus », est essentiellement rapporté à la « synthesis » : « In composito substantiali, quemadmodum analysis non terminatur nisi parte quae non est totum, h. e. *Simplici*, ita synthesis non nisi toto quod non est pars, i. e. *Mundo.* » Au § 2, Kant caractérise les « éléments » qui sont essentiels pour une définition du concept de monde : « 1. Materia *(in sensu transcendentali)* h. e. partes, *quae hic sumuntur esse* substantiae. 2. Forma, *quae consistit in substantiarum* coordinatione, *non subordinatione.* 3. Universitas, *quae est omnitudo compartium* absoluta. » A propos de ce troisième élément, Kant fait la remarque suivante : « Totalitas *haec absoluta, quanquam conceptus quotidiani et facile obvii speciem prae se ferat, praesertim cum negative enuntiatur, sicuti fit in definitione, tamen penitius perpensa crucem figere philosopho videtur.* »

Cette « croix » pesa sur Kant l'espace des quelque dix années suivantes, car dans la *Critique de la Raison pure* c'est précisément cette « universitas mundi » qui devient le problème, et cela sous plusieurs rapports. Il faut éclaircir : 1º *A quoi* se rapporte cette totalité qui est représentée sous le titre de « monde », ou mieux, à quoi peut-elle uniquement se rapporter ? 2º *Qu'est-ce qui* est par conséquent représenté dans le concept de monde ? 3º Quel *caractère* a la *représentation* d'une semblable totalité, c'est-à-dire quelle est la structure logique du *concept* de monde comme tel ? Les réponses de Kant à ces questions, que lui-même n'a point posées aussi expressément, déterminent un change-

ment total du problème du monde. Certes, même
pour la notion kantienne du monde, il reste maintenu que la totalité que représente cette notion
se rapporte aux choses existantes *finies*. Seulement, cette relation avec la finitude, qui est essentielle au contenu de la notion de monde, prend un
nouveau sens. Ce n'est point en prouvant par une
argumentation ontique que leur être est créé par
Dieu, que l'on détermine la finitude des choses
existantes; non, leur finitude est interprétée en
considérant le fait que les choses sont un objet
possible pour une connaissance finie, et de quelle
façon elles le sont; une connaissance finie, c'est-
à-dire une connaissance qui doit avant tout se
laisser *donner* les choses comme déjà existantes.
Tous ces existants dont l'accessibilité est telle qu'ils
correspondent à une connaissance réceptive (c'est-
à-dire à une intuition finie), Kant les désigne comme
« phénomènes », c'est-à-dire comme « choses dans le
phénomène ». Ces mêmes existants, compris maintenant comme « objets » possibles d'une intuition
absolue, c'est-à-dire créatrice, Kant les appelle
« choses en soi ». L'unité de la chaîne des phénomènes, c'est-à-dire la constitution de l'être de
l'existant accessible à une connaissance finie, est
déterminée par les principes ontologiques, c'est-à-
dire par le système des connaissances synthétiques
a priori. Quant au contenu positif que l'on se représente dans ces principes « synthétiques » *a priori*,—
entendons par là leur « réalité », conformément à
l'ancienne acception du mot que Kant maintient
précisément — c'est intuitivement et indépendamment de toute expérience, par les objets, que ce
contenu se présente, nous voulons dire par ce qui est
nécessairement intuitionné *a priori* avec ces objets,
par l'intuition pure du « temps ». Leur réalité est

objective ; c'est à partir des objets qu'elle est représentable. Toutefois, parce que nécessairement soumise au fait d'une donnée qui reste contingente, *l'unité des phénomènes* est toujours *conditionnée* et foncièrement incomplète. Si maintenant l'on se représente comme complète cette unité de la multiplicité des phénomènes, surgit alors la représentation d'une totalité dont il nous est, en principe, impossible de projeter le contenu ou la « réalité » dans une image, c'est-à-dire dans quelque chose que puisse saisir l'intuition. Cette représentation est « transcendante ». Mais pour autant que cette représentation d'une totalité est nécessaire *a priori*, elle a, bien que transcendante, une *réalité transcendantale*. Ce sont les représentations ayant ce caractère que Kant appelle « *Idées* ». « Elles renferment une certaine complétude, à laquelle n'atteint aucune connaissance empirique possible et la raison n'a ici qu'une unité systématique, en ce sens qu'elle cherche à en approcher l'unité empiriquement possible, sans jamais l'atteindre complètement [1]. » « J'entends par système l'unité des connaissances multiples sous une Idée. Celle-ci est le concept intelligible de la forme d'un tout [2]. » Parce que « nous ne pouvons jamais les projeter dans une image [3] », jamais non plus l'unité ni la totalité représentées dans ces Idées ne se rapportent immédiatement à l'intuitif. Elles concernent donc toujours uniquement, à titre d'unité supérieure, l'unité de la synthèse de l'entendement. Mais ces Idées « ne sont point arbitrairement inventées ; elles sont imposées par la nature de la raison même et se rapportent donc nécessairement à l'usage de l'entendement

---

1. Cf. *Critique de la Raison pure*, éd. A, p. 568 ; éd. B. p. 596.
2. *Ibid.*, A, 832 ; B, 860.
3. *Ibid.*, A, 328 ; B, 384.

dans son ensemble [1]. » Comme concepts de la raison pure, elles ne naissent point de la réflexion de l'entendement, laquelle est toujours relative au donné; elles proviennent de la pure activité de la raison en tant qu'activité « conclusive ». C'est pourquoi Kant appelle les Idées, par opposition aux concepts « réfléchis » de l'entendement, des concepts « conclus » *(conceptus ratiocinatus)* [2]. Or, le but auquel tend la raison en procédant ainsi à ses conclusions, c'est d'atteindre ce qui est un inconditionné pour les conditions. Les Idées, en tant que purs concepts intelligibles de la totalité, sont ainsi des représentations de l'inconditionné : « Le concept transcendantal de la raison n'est donc autre que celui de la *totalité* des *conditions* pour un conditionné donné. Comme maintenant l'*inconditionné* seul rend possible la totalité des conditions, et que réciproquement, la totalité des conditions est elle-même toujours inconditionnée, on peut alors expliquer un pur concept intelligible comme tel par le concept de l'inconditionné, dans la mesure où il renferme une base de la synthèse du conditionné [3]. »

Les Idées, en tant que représentations de la totalité inconditionnée d'une sphère de l'existant, sont des représentations nécessaires. Maintenant, les représentations peuvent soutenir un triple rapport : rapport avec le sujet, rapport avec l'objet, celui-ci à son tour pouvant intervenir de deux manières : soit de manière finie (relation aux phénomènes), soit de manière absolue (relation aux choses

---

1. Cf. *Critique de la Raison pure*, A, 327; B, 384.
2. *Ibid.*, A, 310; B, 367; en outre A, 333; B, 390.
3. *Ibid.*, A, 322; B, 379. — Pour le rang qui revient à l' « Idée » comme « mode de représentation » déterminé, dans la « hiérarchie » des représentations, cf. *Ibid.*, A, 320; B, 376 sq.

en soi). Corrélativement, s'engendrent trois classes d'Idées auxquelles s'ordonnent les trois disciplines de la *Metaphysica specialis* traditionnelle. Par conséquent, le concept de monde est cette même Idée dans laquelle est représentée *a priori* l'absolue totalité des objets accessibles à une connaissance finie. Le monde équivaut donc à la « totalité des phénomènes [1] », ou « à la totalité des objets d'une expérience possible [2] ». « J'appelle « concepts du monde » toutes les Idées transcendantales, dans la mesure où elles concernent l'absolue totalité dans la synthèse des phénomènes [3] ». Mais l'existant accessible à la connaissance finie peut, ontologiquement, être considéré aussi bien du point de vue de son « essence » que de son « existence »; formulons en termes kantiens cette différence suivant laquelle Kant partage également les catégories et les principes de l'analytique transcendantale, nous dirons alors que cette considération peut adopter un point de vue « *mathématique* » et un point de vue « *dynamique* » [4]; il en résulte une division en concepts

1. Cf. *Critique de la Raison pure*, A, 334; B, 391.
2. *Was heisst : sich im Denken orientieren?* (Que signifie s'orienter dans la pensée?) 1786. WW. (Cassirer), IV, p. 355.
3. *Critique de la Raison pure*, A, 407 sq.; B, 434.
4. « Dans l'application des concepts purs de l'entendement à une expérience possible, l'usage de leur synthèse est soit *mathématique*, soit *dynamique* : en effet, d'une part elle concerne simplement *l'intuition*, d'autre part elle concerne *l'existence* d'un phénomène en général » (*ibid.*, A, 160; B, 199). — Au sujet de la distinction correspondante des « principes », Kant s'exprime ainsi : « Mais on notera bien que je n'ai pas davantage en vue, dans un cas, les principes de la mathématique que dans l'autre cas, les principes de la dynamique générale (physique); je vise simplement les principes de l'entendement pur par rapport au sens interne (sans distinguer les représentations qui y sont données), cela donc par quoi les premiers reçoivent ensemble leur possibilité. Je les désigne ainsi plutôt en considérant leur appli-

mathématiques du monde et concepts dynamiques. Les concepts mathématiques du monde s'opposent, par leur « signification plus étroite », aux concepts dynamiques; ces derniers, Kant les appelle également « concepts transcendants de la nature [1] ». Toutefois, Kant estime « tout à fait convenable » de désigner ces Idées « dans leur ensemble » comme concepts du monde, « parce que l'on entend par monde un concept incluant tous les phénomènes et que nos idées tendent uniquement à l'inconditionné sous les phénomènes; d'autre part aussi, parce que le terme de monde, dans son acception transcendantale, signifie l'absolue totalité de ce que comprennent les choses existantes et parce que nous avons uniquement en vue l'intégralité de la synthèse (uniquement, il est vrai, par une régression qui remonte aux conditions [2]). »

Nous trouvons clairement exprimé dans cette remarque non seulement ce qui rattache la notion kantienne du monde à la métaphysique traditionnelle, mais encore, et non moins clairement, la métamorphose qui s'accomplit dans la *Critique de la Raison pure*. Nous voyons éclore une interprétation ontologique plus originelle du concept de monde, interprétation qu'il est possible maintenant, pour répondre aux trois questions posées plus haut, de caractériser de la façon suivante : 1º le concept de monde, ce n'est pas l'enchaînement ontique des choses existantes, mais une totalité

cation qu'à cause de leur contenu... » *Ibid.*, A, 162; B, 302. — Pour une problématique plus radicale du concept de monde et de l'existant dans son ensemble, cf. la distinction du sublime mathématique et du sublime dynamique, ap. *Critique du Jugement*, en particulier le § 28.

1. *Ibid.*, A 419 sq.; B, 446 sq.
2. *Ibid.*

transcendantale (ou ontologique) des phénomènes.
2° Dans le concept de monde, ce n'est pas une « coordination » des substances qui est représentée, mais
exactement une subordination, ou mieux la série
des conditions de la synthèse, « série qui s'élève »
jusqu'à l'inconditionné. 3° Le concept de monde
n'est pas une représentation « rationnelle », indéterminée quant à sa structure logique ; il est déterminé comme Idée, c'est-à-dire comme concept pur
et synthétique de la raison, et différent des concepts
de l'entendement.

De cette façon, le caractère d' « université[1] »
(universitas) anciennement attribué au concept de
monde *(mundus)*, lui est maintenant ravi et réservé
à une classe encore supérieure d'Idées transcendantales ; le concept de monde renferme lui-même une
indication qui y renvoie, et c'est cette classe que
Kant désigne comme « Idéal transcendantal[2] ».

Nous devons renoncer à interpréter ici ce point
culminant de la métaphysique spéculative de Kant.
Il nous faut seulement mentionner une indication
capable de faire ressortir plus nettement encore le
caractère essentiel du concept de monde, la finitude.

En tant qu'Idée, le concept de monde est la
représentation d'une totalité *inconditionnée.* Pourtant, ce n'est point la représentation de l'inconditionné « authentique », de l'inconditionné tout
court, car la totalité que saisit la pensée dans le
concept de monde demeure relative aux phénomènes, à l'objet possible d'une connaissance *finie.*
Le monde en tant qu'Idée est certes transcendant ;
il *dépasse* les phénomènes, mais en cela même, et

1. *Allheit* par opposition à *Allgemeinheit* dont Kant fait
l'équivalent d'*universalitas ;* cf. A, 572 ; B, 600 en note.
(N.d.T.).

2. A, 572 ; B, 600.

parce qu'il est la totalité de ces *phénomènes*, il se trouve *rapporté* à eux. La transcendance, entendue au sens kantien comme le fait de dépasser et de surpasser l'expérience, présente un double sens. Elle peut signifier, d'une part : dépasser, tout en restant *à l'intérieur* de l'expérience, ce qui est donné *en elle* comme tel, à savoir la multiplicité des phénomènes. Tel est le cas de la représentation d'un « monde ». Mais d'autre part, la transcendance signifie aussi : *sortir du* phénomène en tant que connaissance finie et se représenter la totalité possible de toutes les choses comme « objet » de l'*intuitus originarius*. C'est dans cette transcendance qu'apparaît l'Idéal transcendantal, en face duquel le monde représente une *limitation* et désigne en propre la connaissance *humaine*, finie, dans sa totalité. Le concept de monde se place pour ainsi dire *entre* la « possibilité de l'expérience » et l' « Idéal transcendantal »; il signifie donc en son fond la totalité de la finitude de *l'être de l'homme*.

Ici, nous voyons la perspective s'ouvrir sur la seconde signification possible que revêt chez Kant le concept de monde : à côté de la signification « cosmologique », la signification spécifiquement « existentielle ».

« Le plus important objet dans le monde, auquel l'homme puisse appliquer tous les progrès de la culture, c'est *l'homme*, parce qu'il est à lui-même son but ultime. Le connaître selon son espèce, comme un être terrestre doué de raison, tel est ce qui mérite tout particulièrement le nom de *connaissance du monde*, quoique l'homme ne soit en fin de compte qu'une partie des créatures terrestres[1]. »

---

1. *Anthropologie in pragmatischer Hinsicht abgefasst*, 1800, 2. Aufl., Vorrede, WW. (Cassirer), VIII, p. 3.

Une connaissance de *l'homme* est une connaissance qui s'attache « à ce que l'homme, en tant qu'être librement agissant, fait de soi-même, ou bien peut et doit faire de soi-même »; *non point donc précisément* la connaissance de l'homme d'un point de vue « physiologique », tel est ce qui est appelé ici connaissance du *monde*. « Connaissance du monde » revient à signifier une *anthropologie* pragmatique. « Une telle anthropologie, considérée... comme *connaissance du monde*, ne mérite pas encore proprement l'épithète de *pragmatique*, si elle comporte une connaissance étendue des *choses* qui sont dans le monde, par exemple des animaux, des plantes et des minéraux dans les différents pays et climats; elle ne le mérite que si elle comporte une connaissance de l'homme en tant que « *citoyen du monde (Weltbürger* [1]*)* ».

Que le « monde » signifie précisément l'*existance* de l'être humain dans une communauté historique, et non pas simplement le fait de son appartenance au cosmos comme une espèce animale parmi d'autres, c'est ce que mettent encore particulièrement en évidence certaines expressions employées par Kant pour illustrer le concept existentiel du monde; celles-ci, par exemple : « avoir l'expérience du monde », et « avoir l'usage du monde ». Tout en ayant trait l'une et l'autre à l'existence de l'être humain, ces deux expressions marquent pourtant une signification différente « en ce sens que l'un (celui qui a l'expérience du monde) ne fait que *comprendre* le jeu dont il doit être le spectateur, tandis que l'autre a *réellement pris part au jeu* [2] ».

---

1. *Anthropologie*, p. 4.
2. *Ibid.* « Un homme du monde est partenaire au grand jeu de la vie. » « Être un *homme du monde* signifie connaître les rapports à entretenir avec les autres hommes et savoir

Le monde désigne ici le « jeu » de la réalité-humaine quotidienne, cette réalité-humaine elle-même.

De la même façon, Kant distingue entre « le tact dans les affaires du monde » et « le tact personnel ». Le premier désigne « l'aptitude d'un homme à prendre de l'ascendant sur les autres afin de les gagner à ses projets [1] ». En outre : « Une histoire est conçue de façon pragmatique si elle *avertit le tact* de l'homme, c'est-à-dire si elle enseigne au monde comment il peut sinon mieux, du moins tout aussi bien que les générations précédentes, prendre soin de ses intérêts [2]. »

De cette « connaissance du monde » entendue comme une « expérience de la vie » et une compréhension de l'existence, Kant distingue le « savoir d'école [3] ». Suivant le fil de cette distinction, il développe alors le concept de la philosophie d'après le « concept de l'École » et d'après le « concept du monde » (conceptus cosmicus [4]). La philosophie, au sens scolastique, reste la chose du pur « artiste de la raison ». La philosophie selon le concept du monde, c'est ce qui tient à cœur au « maître en idéal », c'est-à-dire à celui qui a pour but « l'homme divin

comment les choses se passent dans la vie humaine. » « *Avoir les usages du monde*, c'est avoir des maximes et imiter de grands modèles. Cela vient du français. On parvient au but par la conduite, les usages, les relations, etc. » *Vorlesung über Anthropologie.* — Cf. *Die philosophischen Hauptvorlesungen I. Kants. Nach den neuaufgefundenen Kollegheften des Grafen Heinrich zu Dohna-Wundlacken.* (Herausgegeben von A. Kowalewski, 1924, p. 71.)

1. Cf. *Grundlegung zur Metaphysik der Sitten*, WW. (Cassirer), IV, p. 273 rem.

2. *Ibid.*, p. 274 rem.

3. Cf. le cours d'anthropologie cité plus haut, p. 72.

4. *Critique de la Raison pure*, A, 839; B, 867 sq.; — cf. aussi *Logique* (éd. par G. B. Jäsche). Introduction Section III.

en nous [1] ». « Le concept du monde désigne ici le concept concernant ce qui intéresse nécessairement chaque homme [2]. »

Le monde, en tout ceci, désigne la réalité-humaine dans le fond de son être. Ce concept de monde correspond parfaitement au concept existentiel d'Augustin, avec cette différence, toutefois, que maintenant disparaît ce qu'il y avait de spécifiquement chrétien dans l'appréciation de l'existence « mondaine », des *amatores mundi :* le monde désigne alors en un sens positif les « partenaires » au jeu de la vie.

Cette signification *existentielle* du concept de monde, telle que Kant nous en instruit finalement, l'expression de « vision-du-monde » *(Weltanschauung)* que nous voyons s'établir dans la suite, va encore nous la manifester [3]. En outre, certaines expressions comme « homme du monde », « monde distingué », indiquent une signification semblable du concept de monde. Ici encore, le « monde » n'est pas une simple dénomination régionale, qui caractériserait la communauté des humains par opposition à la totalité des choses de la nature; le monde désigne les hommes *dans leurs rapports*

---

1. *Critique de la Raison pure*, A, 569; B, 597.
2. *Ibid.*, A, 840; B, 868, rem.
3. Trois questions seraient à poser ici : 1º Comment l'essence de la réalité-humaine comporte-t-elle nécessairement, en tant qu'Être-dans-le-monde, une certaine vision-du-monde *(Weltanschauung)* ? 2º Envisagée par rapport à la transcendance de la réalité-humaine, comment l'essence d'une vision-du-monde doit-elle en général se délimiter? Comment doit-elle être fondée en sa possibilité interne? 3º Quel rapport, selon son caractère transcendantal, une vision-du-monde entretient-elle avec la philosophie? — Mais il est vraiment impossible de développer ici ces questions et d'y répondre.

avec la totalité de l'existant. Nous dirons donc, par exemple, que les hôtels et écuries de courses font également partie du « monde distingué ».

Il est donc également faux de prendre l'expression de « monde » soit pour désigner la totalité des choses de la nature (notion naturaliste du monde), soit de la revendiquer comme un titre pour la communauté des humains (notion personnaliste du monde [1]). Qu'elle se profile ici avec plus ou moins

1. Si l'on identifie le monde avec l'attirail des instruments et des choses qui appartiennent à l'ordre ontique : si l'on interprète l'être-dans-le-monde comme un *commerce avec* ces objets, il ne reste alors aucun espoir de comprendre la transcendance en tant qu'être-dans-le-monde, au sens d'une « constitution foncière de la réalité-humaine ».

Par contre, si l'on veut donner une *première caractéristique* du phénomène du monde, la priorité appartient à la structure ontologique de cet existant formé par le « monde ambiant » et dans la mesure où il est découvert comme un attirail d'usage ; cette structure a en effet l'avantage de nous conduire à l'analyse du phénomène du monde, et de préparer le problème transcendantal du monde. Tel fut d'ailleurs *l'unique* dessein de notre analyse du « monde ambiant » *(Umwelt)* dans notre livre sur « l'Être et le Temps » *(Sein und Zeit)* ; la structure et la disposition des § 14 à 24 en indiquent assez clairement l'intention ; mais considérée par rapport à l'ensemble et *à la fin qui nous conduit,* cette intention n'occupe qu'un rang subordonné.

Si maintenant la nature semble absente de l'analytique de la réalité-humaine ainsi orientée — et non seulement la nature comme objet des sciences naturelles, mais encore la Nature en un sens tout à fait primitif (cf. à ce propos *Sein und Zeit,* p. 65) — cela tient à des raisons précises. Entre autres, la raison décisive consiste en ce que la Nature n'est pas un existant que nous puissions rencontrer dans le cercle du monde ambiant [comme l'objet des soins de la banalité quotidienne] ; qu'elle n'est point non plus comme telle et en premier lieu quelque chose *avec quoi* nous *entretenions un rapport.* Si la Nature est manifestée originairement dans la réalité-humaine, c'est que cette dernière existe comme toujours accordée à un certain ton affectif *au milieu de* l'existant. C'est dans la mesure où l'existence humaine comporte

de clarté, ce que la signification de κόσμος, *mundus*, « monde », présente métaphysiquement d'essentiel, c'est qu'elle tend à l'interprétation de la réalité-humaine *dans son rapport avec l'existant en son ensemble*. Or, pour des raisons qui ne sont pas à discuter ici, l'élaboration du concept de monde commence par se heurter à *la* signification selon laquelle le concept caractérise le mode de l'existant considéré dans son ensemble; mais ce que l'on ne peut alors comprendre tout d'abord que d'une façon imprécise et vague, c'est le *rapport* de cet existant *avec* la réalité-humaine. Le monde appartient à une structure *relationnelle* caractérisant la réalité-humaine comme telle, et que nous avons appelée l'Être-dans-le-monde. Loin de faire un usage arbitraire du concept de monde — les indications historiques qui précèdent ont dû le montrer — notre tentative équivaut justement à élever à la hauteur d'un *problème* précis et nettement formulé, un phénomène de réalité-humaine qui, pour être couramment bien connu déjà, n'est pas encore par là même ontologiquement saisi dans son unité d'ensemble.

La réalité-humaine — cet existant qui se sent *au milieu de* l'existant, qui entretient des rapports

essentiellement une certaine tonalité affective (son abandon au monde où elle a été jetée) et où cette tonalité s'exprime dans l'unité du concept total de *Souci*, qu'alors seulement peut être trouvée la *base* pour le *problème* de la *Nature*.

[Pour éviter d'élargir ici notre traduction jusqu'à la paraphrase, nous prions le lecteur de se reporter au texte allemand du § 29 de *Sein und Zeit*. Le caractère existential de la *Befindlichkeit* (situation-affective) et de la *Geworfenheit* (déréliction, abandon après avoir été jeté), auquel la note précédente vient de faire allusion, s'y trouve minutieusement analysé par opposition à toute tentative de réduction à un phénomène de psychologie empirique. *(N.d.T.)*]

avec l'existant — exsiste par là de telle sorte que
l'existant lui est toujours manifesté dans son
ensemble. La totalité peut ici ne pas être expressément saisie, son appartenance à la réalité-humaine
peut demeurer voilée, l'ampleur de cet ensemble
peut également varier. La totalité est véritablement
comprise, sans que pour cela l'ensemble de l'existant manifesté soit expressément saisi dans ses
connexions spécifiques, ses régions et stratifications ;
sans même que cet ensemble ait été « intégralement »
sondé. Or, l'acte de compréhension qui chaque fois
anticipe sur la totalité et l'embrasse, est une
trans-scendance vers le monde. Il y a lieu alors de
tenter une interprétation plus concrète du phénomène du monde. Elle résultera de la réponse que
nous essayerons de donner à une double question :
1º Quel est le caractère fondamental de la totalité
que nous avons caractérisée ? 2º Comment cette
caractérisation du monde permet-elle de jeter
quelque clarté sur l'essence du rapport qu'entretient la réalité-humaine avec le monde ? C'est-à-
dire, comment rend-elle lumineuse l'interne possibilité de l'Être-dans-le monde (la transcendance) ?

Le monde comme totalité « est » non pas un existant, mais cela même d'où la réalité-humaine *se fait
annoncer* avec quel existant elle *peut* avoir des
rapports et comment elle le peut. Que la réalité-
humaine « se » fasse ainsi annoncer, à soi-même, de
et par « *son* » monde, cela revient alors à dire : dans
l'acte de cette venue-à-elle-même, à partir du
monde, la réalité-humaine se temporalise comme
un *Soi*, c'est-à-dire comme un existant qu'il lui est
réservé *d'être*, à elle en propre. Dans l'être de cet
existant, *il s'agit de son propre pouvoir-être*. La
réalité-humaine est telle qu'elle exsiste *à dessein
de soi-même*. Mais si le monde à son tour est tel que

c'est avant tout en *trans*-scendant vers lui que se
temporalise une « ipséité » *(Selbstheit)*, ce même
monde alors se révèle comme ce à dessein de quoi
la réalité-humaine exsiste. Le monde porte le caractère fondamental d'un « à dessein »; il le porte en
un sens si primordial que, si des cas particuliers se
précisent dans la réalité des faits sous des formes
telles qu' « à ton dessein », « à son dessein », « à tel
ou tel dessein », c'est toujours le monde qui fournit
à l'avance la possibilité interne de chacun de ces
cas. Or, ce en vue de quoi la réalité-humaine exsiste,
c'est elle-même; le monde fait partie de ce qui en
existant « est soi-même », c'est-à-dire de l' « ipséité » :
le monde est essentiellement relatif à la réalité-
humaine.

Avant de poursuivre notre enquête sur l'essence
de cette relation et d'interpréter ainsi l'être-dans-
le-monde en nous fondant sur cet « à dessein »
comme sur le caractère élémentaire du monde, nous
devons essayer d'écarter quelques malentendus
trop faciles à imaginer.

L'énoncé de cette thèse que *la réalité-humaine
exsiste à dessein de soi* ne renferme aucun but égoïste
d'ordre ontique, proposé à l'aveugle amour de soi
que professerait tel ou tel être humain existant en
fait. Par conséquent, toute « réfutation » porterait
à faux, qui alléguerait que beaucoup d'hommes se
sacrifient *pour les autres* et que, d'une façon générale, les humains n'existent pas seulement chacun
pour soi, mais en communauté. On n'a le droit de
voir dans la thèse énoncée plus haut ni un isolement
solipsiste de la réalité-humaine, ni son exaltation
égoïste. Tout au contraire, elle fournit la condition
à laquelle il est possible que l'être humain puisse
se comporter, *ou bien* « de façon égoïste », *ou bien*
« de façon altruiste ». C'est uniquement parce que

la réalité-humaine en tant que telle prend la forme déterminée d'un « soi-même », d'une ipséité, qu'un rapport peut s'établir entre un « Moi-même » et un « Toi-même ». L'*ipséité* est la présupposition exigée pour que soit possible une *égoïté* qui, à son tour, ne se révèle jamais que par Toi. Mais jamais l'ipséité n'a exclusivement trait à Toi; c'est elle au contraire qui rend tout cela possible (à savoir qu'il y ait Moi, qu'il y ait Toi), aussi est-elle neutre à l'égard d'être-moi et d'être-toi; à plus forte raison l'est-elle à l'égard de la « sexualité » Toutes les propositions essentielles d'une analyse ontologique de la réalité-humaine dans l'homme anticipent sur cet existant, et c'est par ce devancement qu'elles le saisissent encore dans une telle neutralité.

Comment maintenant se détermine le rapport de la réalité-humaine avec le monde? Puisque le monde n'est pas *un* existant et puisque le monde doit faire partie de la réalité-humaine, on ne peut évidemment pas se représenter ce rapport comme une relation entre deux existants dont l'un serait la réalité-humaine et l'autre le monde. Mais alors, ne fait-on pas rentrer le monde dans la réalité-humaine (dans le sujet)? Ne le tient-on pas pour quelque chose de purement « subjectif »? Mais que veulent dire « sujet » et « subjectif »? Il faut commencer par projeter quelque lumière sur la transcendance, si l'on veut atteindre une possibilité de préciser leur sens. Finalement, le concept de monde doit être saisi de telle sorte que, si le monde est bien subjectif, justement pour cela il ne tombe pas comme un existant à l'intérieur de la sphère d'un sujet « subjectif ». Pour la même raison, en outre, il n'est pas non plus purement objectif, si l'on entend par ce mot « faire partie des objets existants ».

Le monde étant chaque fois pour une réalité-humaine la totalité de « son dessein », se trouve ainsi *produit par* cette réalité même *devant* elle-même. « *Pr*oduire-devant-soi-même » le monde, c'est pour la réalité-humaine *pro*-jeter originairement ses propres possibilités, en ce sens que, étant au milieu de l'existant, elle pourra soutenir un rapport avec celui-ci. Mais de même que ce projet du monde n'appréhende pas expressément ce qui est pro-jeté, de même aussi il équivaut à esquisser *par-delà* l'existant le monde ainsi pro-jeté. Seule cette esquisse préalable par-delà l'existant rend possible qu'un existant se manifeste comme tel. L'*historial* (das Geschehen) de ce *pro*-jet qui esquisse *par-delà* l'existant, de ce projet dans lequel se temporalise l'être de la réalité-humaine, c'est cela l'Être-dans-le-monde. Que « la réalité-humaine transcende », cela revient à dire : dans l'essence de son être, la réalité-humaine est *configuratrice d'un monde*, et « configuratrice » en un sens multiple : elle fait qu'un monde s'historialise; elle se donne avec le monde une figuration originelle qui, pour n'être pas expressément saisie, n'en joue pas moins le rôle d'une pré-figuration pour tout l'existant manifesté, auquel appartient elle-même chaque fois la réalité-humaine.

L'existant, disons la Nature au sens le plus large du mot, ne pourrait d'aucune façon se manifester, s'il ne trouvait l'*occasion* d'entrer dans un monde. C'est pourquoi nous parlerons d'une possible et occasionnelle « entrée *au monde* » de l'existant. L'entrée au monde, ce n'est point un accident qui s'ajoute à l'existant pendant qu'il y entre, mais sa propre réalité-historiale, ce qu'il advient *de* l'existant lui-même. Et cet historial est l'ex-sistance de la réalité-humaine qui, en tant qu'ex-sistante, transcende. C'est à la seule condition que dans sa totalité d'existant, l'existant s' « existencifie » *(seiender wird)* à la manière dont se temporalise une réalité-humaine, que sonnent le jour et l'heure de l'entrée-au-monde de l'existant. Et c'est à la seule condition que s'*historialise* cette « proto-histoire » *(Urgeschichte)*, la transcendance, c'est-à-dire à la seule condition qu'un existant fasse, par le caractère de l'Être-dans-le-monde, irruption dans l'existant, c'est à cette seule condition, disons-nous, qu'il est possible que de l'existant se manifeste [1].

La mise en lumière de la transcendance, telle que nous l'avons tentée jusqu'à présent, permet déjà de comprendre que si c'est vraiment par elle seule que l'existant en tant que tel peut venir au jour, la transcendance forme un *cadre privilégié* pour l'élaboration de toute question concernant l'existant en tant que tel, c'est-à-dire l'existant dans son être. Nous pouvons dès lors reprendre notre problème directeur, savoir : qu'est-ce qui fait l'être-essentiel d'un fondement ou « raison », en le situant dans le cadre de la transcendance, et par là même nous pourrons serrer de plus près le problème même de la transcendance ; mais il nous faut tout d'abord nous familiariser mieux encore avec la transcendance de la réalité-humaine en recourant de nouveau à une évocation historique.

La transcendance est évoquée en propres termes,

---

1. En interprétant ontologiquement la réalité-humaine comme être-dans-le-monde, on ne décide encore rien, ni en un sens positif, ni en un sens négatif, sur une possibilité d'être-en-rapport avec Dieu. Ou plutôt, par la mise en lumière de la transcendance, on atteint avant tout une *notion suffisante* de la *réalité-humaine*, compte tenu duquel existant on peut dès lors *poser la question* de savoir ce qu'il en est ontologi-quement du rapport de la réalité-humaine avec Dieu.

chez Platon, dans l'ἐπέκεινα τῆς οὐσίας [1]. Mais
est-il possible d'interpréter le « Bien », το Ἀγαθόν,
comme la transcendance *de la réalité-humaine?*
Un simple coup d'œil sur le contexte à l'intérieur
duquel Platon discute le problème de l'ἀγαθόν,
doit suffire à dissiper les hésitations. Le problème de
l'ἀγαθόν n'est que l'apogée d'une question centrale
et concrète : la possibilité fondamentale de l'*existance de la réalité-humaine* dans la *polis.* Il peut bien
se faire que le problème d'une esquisse ontologique
de la réalité-humaine se pro-jetant sur sa constitution métaphysique fondamentale ne soit ni express-
sément posé, ni même encore élaboré; il reste pourtant que la triple caractérisation de l'ἀγαθόν, menée
en parallèle continu avec le « soleil », contraint de
poser la question d'une possibilité de la vérité, de
la compréhension et de l'être; ou, en synthétisant
les phénomènes, la question du principe originel
unique qui rend possible la vérité de la compréhension de l'être. Mais cet acte de compréhension — en
tant que pro-jet qui dévoile l'être — est l'action-
première *(Urhandlung)* d'une existence humaine
dans laquelle tout fait d'exsister doit s'enraciner
au milieu de ce qui est. L'ἀγαθόν est alors cette
« puissance » (ἕξις) qui détient la possibilité de la
vérité, de la compréhension et même de l'être, ou
mieux, des trois à la fois dans la même unité.

Ce n'est point un hasard si l'ἀγαθόν est indéterminé quant à son contenu matériel, si bien qu'à cet
égard, toutes définitions et toutes interprétations
sont vouées à l'échec. Les explications rationalistes
trahissent la même impuissance que la fuite de
l' « irrationalisme » vers le « mystère ». Pour éclairer
ce qu'est l'ἀγαθόν, il faut, conformément à l'indi-

1. *République*, VI, 509, B.

cation donnée par Platon lui-même, s'en tenir à la
tâche d'interpréter dans son essence la connexion
de la vérité, de la compréhension et de l'être. En
revenant sur la possibilité interne de cette
connexion, l'interrogation se voit « contrainte »
d'effectuer *explicitement* la transcendance, qui
advient nécessairement dans chaque réalité-humaine
comme telle, mais le plus souvent cachée. L'essence
de l'ἀγαθόν consiste à être en puissance de soi-
même comme οὖ ἕνεκα (ce en vue de quoi) —
comme le « dessein »; il est la source de la possibilité
comme telle. Et c'est déjà parce que le possible est
plus haut que le réel, que « la puissance du Bien »
(ἡ τοῦ ἀγαθοῦ ἕξις) est la source essentielle de la
possibilité, μειζόνως τιμητέον [1].

Sans doute, c'est précisément ici que le rapport
de ce « dessein » avec la réalité-humaine devient un
problème. Seulement ce problème n'arrive pas à se
faire jour. Au contraire, selon la doctrine devenue
traditionnelle, les Idées subsistent en un « lieu
supra-céleste » (ὑπερουράνιος τόπος); il ne s'agit
que de les garantir comme le plus objectif des objets,
comme ce qu'il y a de réellement existant dans
l'existant, sans que pour cela le « dessein » se manifeste comme un caractère primaire du monde, ni que
se fasse sentir le contenu originel de l'ἐπέκεινα (l'au-
delà) comme transcendance de la réalité-humaine.
Inversement, plus tard aussi se fait jour, déjà
préfigurée chez Platon dans le « soliloque de la
réminiscence », le « soliloque de l'âme », la tendance
à concevoir les Idées comme innées « au sujet ».
Ces deux tentatives témoignent que si le monde
se présente *devant* la réalité-humaine comme au-

---

1. *République*, 509, A.

delà d'elle, il est simultanément vrai que c'est à son tour *dans* cette même réalité-humaine que le monde se forme. L'histoire du problème des Idées nous montre comment d'ores et déjà la transcendance essaye toujours de percer, mais en même temps comment elle oscille entre deux pôles d'interprétation possible, qui ne sont eux-mêmes ni fondés ni déterminés suffisamment. Les Idées passent pour plus objectives que les objets, mais en même temps pour plus subjectives que le sujet. A la place du phénomène du monde qui n'est pas reconnu, se présente une région privilégiée de l'éternellement subsistant ; de même, le *rapport* avec le monde est interprété au sens de tel rapport déterminé avec cet existant, comme νοεῖν, *intuitus ;* comme une intuition sans intermédiaire, une raison intuitive. L' « idéal transcendantal » va de pair avec l'*intuitus originarius.*

Cette évocation fugitive de l'histoire encore obscure du problème originel de la transcendance doit permettre au moins de reconnaître une chose. C'est que la transcendance ne peut être ni saisie ni dévoilée, si l'on se réfugie dans ce qui a le caractère d'un objet ; elle ne peut l'être que par l'interprétation ontologique de la subjectivité du sujet, interprétation qu'il faut renouveler sans cesse, et qui aussi vrai qu'elle s'oppose au « subjectivisme », doit refuser d'emboîter le pas à l' « objectivisme [1] ».

---

1. Il me sera permis d'indiquer ici que la partie jusqu'à présent publiée des recherches sur « l'Être et le Temps » ne se propose point d'autre tâche que le pro-jet de la *transcendance* dans une esquisse concrète qui nous la dévoile (cf. les § 12-83, en particulier le § 69). A son tour, cette tâche n'est effectuée que pour rendre possible le dessein qui *seul* nous conduit, et que manifeste clairement l'*intitulation générale* de la première partie de ces recherches : dégager « l'hori-

III. — DE L'ÊTRE-ESSENTIEL
DU FONDEMENT OU « RAISON »

La discussion du « principe de raison déterminante » a renvoyé le problème du fondement ou

zon *transcendantal* du *problème* de l'être »*. Toutes les interprétations concrètes, avant tout celle du temps, ne sont à
mettre en valeur que dans cette *seule et unique* direction :
rendre possible le *problème* de l'être. Elles ont aussi peu à
voir avec la moderne « théologie dialectique » qu'avec la
scolastique du moyen âge.

Si maintenant, la réalité-humaine y est interprétée comme
l'existant qui, de façon générale, peut poser un problème de
l'être, parce que ce problème fait partie intégrante de son
existance, il convient de *ne pas* fausser cette interprétation.
Il serait totalement injuste de l'entendre comme si cet
existant qui, *en tant que réalité-humaine*, est susceptible d'une
existance authentique ou inauthentique, était en définitive
le seul existant « authentique » parmi tous les autres existants,
ceux-ci n'étant alors que l'ombre de celui-là. Tout au
contraire justement, en mettant en lumière la transcendance, il s'agit de dégager l'horizon qui seul permet au concept
d'être *en tant que concept* — y compris le concept « naturel »
auquel on fait si souvent appel — de s'assurer une base
philosophique. Mais donner une interprétation ontologique de
l'être, dans et par la transcendance de la réalité-humaine,
cela ne revient en rien à opérer une déduction ontique de
tout l'existant qui est en dehors de l'être de l'homme, en
procédant à partir de l'existant comme réalité-humaine.

C'est pourtant à une aussi grave erreur d'interprétation
qu'est lié le reproche d'un « point de vue anthropocentrique »
dans *Sein und Zeit*. Cette objection que l'on a fait circuler
avec un empressement si excessif, ne veut pourtant absolument rien dire, tant que l'on néglige d'examiner à fond le
propos, la *ligne générale* et le *but* du développement du
problème dans *Sein und Zeit*. On s'interdit alors de com-

* Le titre entier de cette partie de *Sein und Zeit* porte :
*L'interprétation de la réalité-humaine par la temporalité et
l'explication du temps comme de l'horizon transcendantal du
problème de l'être*. (N.d.T.)

« raison » dans le cadre de la transcendance (§ I). Celle-ci à son tour a été déterminée au cours d'une analyse du concept de monde, comme l' « Être-dans-le-monde » d'une réalité-humaine (§ II). Il y a lieu maintenant, en procédant de la transcendance de la réalité-humaine, d'éclaircir ce qu'est essentiellement un fondement ou « raison ».

Comment, d'une façon générale, y a-t-il dans la transcendance une possibilité interne pour quelque chose de tel qu'un fondement ou « raison »? Le monde se donne à la réalité-humaine comme formant chaque fois la totalité de son propre « dessein »; or, cela veut dire : « dessein » d'un existant qui, dès l'origine, est simultanément l'être *parmi...* les choses existantes, l'être *avec...* la réalité-humaine des autres, et l'être *en rapport...* avec lui-même. De cette manière, la réalité-humaine ne peut avoir de rapport avec elle-même comme telle, qu'à la condition de « se » transcender dans le « dessein ». Ce dépassement intentionnel n'advient que par une « in-tention », un « vouloir », qui se projette en une ébauche de ses propres possibilités. Cette volonté, qui essentiellement pro-jette *devant* la réalité-

prendre comment précisément, grâce à un effort qui fait ressortir la transcendance de la réalité-humaine, l' « être humain » est bien amené au « centre », mais en un sens tel que sa négativité *(Nichtigkeit)* dans l'ensemble de l'existant puisse et doive avant tout devenir un *problème.* Quels dangers recèle donc un « point de vue anthropocentrique », dont *tout l'effort* consiste justement et *uniquement* à montrer que l'*essence* de la réalité-humaine qui est là, « au centre », est ek-statique, c'est-à-dire « *ex-centrique* »? Qu'en conséquence, la liberté de point de vue que l'on se plaît à imaginer reste, à l'encontre de tout le sens que présente le « fait de philosopher » comme possibilité essentiellement *finie* de l'existence, une folle illusion? — Cf. l'interprétation de la structure horizontale ek-statique du temps comme temporalité ap. *Sein und Zeit*, I, p. 316-438.

humaine *par-delà* elle-même son propre « dessein »,
ne peut être par conséquent un vouloir déterminé,
un « acte de volition » qui s'opposerait à d'autres
comportements (tels que représentation, jugement,
allégresse). Toutes ces attitudes sont enracinées
dans la transcendance. Mais il faut que ce soit cette
in-tention, cette volonté elle-même qui « forme »,
en tant que transcendance et par la transcendance,
le « dessein ». Or, ce qui de par son essence pro-
jette, en ébauchant, quelque chose de tel qu'un
« dessein », et ne le produit pas comme un simple
fruit occasionnel, c'est cela que nous appelons
liberté. Ce dépassement qui s'effectue vers le monde,
c'est la liberté elle-même. Par conséquent, la transcendance ne touche pas au dessein comme à quelque valeur ou à quelque but subsistant en soi, mais
c'est la liberté — et la liberté *en tant que liberté* —
qui se *pré*-sente, s'*ob*jecte à soi-même le dessein.
C'est dans cette transcendante *pré*sentation à soi-
même du dessein que se réalise la réalité-humaine
dans l'homme, si bien que celui-ci, dans l'essence
de son existence, devient responsable de soi, peut
être un libre soi-même. Mais ici la liberté se révèle
comme ce qui rend possible à la fois d'imposer et de
subir une obligation. *Seule, la liberté peut faire que
pour la réalité-humaine un monde règne et se mondifie.* Le monde n'*est* jamais, le monde se *mondifie*[1].

Il y a finalement dans cette interprétation de la
liberté, telle que la transcendance nous a permis
de l'atteindre, une caractéristique de son essence
beaucoup plus originaire que dans celle qui, la
définissant comme spontanéité, en fait une sorte
de causalité. Le fait de commencer-de-soi-même
ne donne qu'une caractéristique négative de la

---

1. *Welt ist nie, sondern weltet.*

liberté, telle que, si on remonte au-delà, il n'y a plus de cause déterminante. Mais en caractérisant ainsi la liberté, on ne s'aperçoit pas que l'on traite le fait de « commencer » *(Anfangen)* et le fait d'un « historial » *(Geschehen)* comme s'il s'agissait là de deux faits ontologiquement indifférents ; on omet de prendre expressément comme point de départ, pour caractériser ce que c'est qu'être-cause, le mode d'être spécifique de l'existant en question, la réalité-humaine ; si donc il faut que la spontanéité (le fait de « commencer-de-soi-même ») serve à caractériser l'essence du « sujet », une double exigence doit tout d'abord être satisfaite. 1º Pour pouvoir appréhender adéquatement ce que veut dire « de soi-même » *(von selbst)*, il faut commencer par éclaircir ontologiquement ce qu'est l'*ipséité* *(Selbstheit)*, ce que c'est qu'être soi-même. 2º A son tour, l'éclaircissement de l'ipséité doit montrer, en ébauche, le caractère qui différencie de tout autre *historial* l'avènement d'un Soi ; alors seulement, on pourra déterminer quel genre de mouvement appartient au fait de « commencer ». Or, *c'est dans la transcendance que consiste l'être propre du soi-même, l'ipséité de ce Soi qui est d'ores et déjà à la base de toute spontanéité.* Faire que règne un monde, en une ébauche qui le pro-jette par-delà l'existant, c'est cela la liberté. C'est uniquement parce que celle-ci constitue la transcendance, qu'elle peut s'attester dans la réalité-humaine ex-sistante, comme une espèce particulière de causalité. Mais interpréter la liberté comme une « causalité » revient avant tout à se mouvoir déjà dans une notion déterminée de ce qu'est un fondement qui motive. La liberté comme transcendance n'est pourtant pas seulement une « espèce » particulière de fondement qui motive, mais elle est l'origine de tout fondement comme tel. *Liberté signifie liberté pour fonder.*

Le rapport qui, dès l'origine, unit liberté et fondement, liberté et « raison », nous le désignons comme l'*acte de « fonder » (gründen)*. Dans cet acte de fonder, la liberté *donne* et *prend* elle-même un fondement. Mais cet acte de fonder qui s'enracine dans la transcendance se ramifie en variations multiples. Trois d'entre elles se présentent ainsi : 1º Fonder, au sens d'ériger, d'instituer *(stiften)*. 2º Fonder, au sens de prendre-base, de « se fonder » *(Boden-nehmen)*. 3º Fonder, au sens de donner un fondement, de « motiver » *(begründen)*. Si ces différentes manières de « fonder » appartiennent à la transcendance, il est alors manifeste que des titres tels qu' « instituer » ou « prendre base » ne peuvent avoir une signification ontique banale ; il leur faut une signification *transcendantale*. Mais comment la transcendance de la réalité-humaine peut-elle équivaloir à « fonder », selon les différents sens que nous venons d'indiquer ?

Intentionnellement, nous produisons comme le « premier » de ces différents sens le fait d' « ériger », d' « instituer ». Ce n'est pas à dire que les autres sens en procèdent. Ce n'est pas là davantage le sens de « fonder » qui soit avant tout le mieux connu, ni même le premier reconnu. Toutefois, une certaine préséance lui revient en propre ; son droit tient à ceci que, mettant précédemment en lumière la transcendance, il nous a été impossible d'éviter ce « premier » sens. Fonder n'est ici rien d'autre que le projet, l'ébauche d'un dessein. Or, si faire ainsi librement régner un monde se voit défini comme une transcendance, et si nécessairement les autres manières de fonder appartiennent au pro-jet d'un monde, en tant que ce pro-jet est une fondation, il en résulte alors que ni la transcendance ni la liberté n'ont réussi jusqu'ici à être déterminées parfaitement. Certes, dans le projet du monde qu'esquisse la réalité-humaine, il y a toujours ce fait que dans la transcendance, et par elle, elle revient sur l'existant. Le dessein esquissé dans le pro-jet renvoie à la totalité de l'existant qui peut être découvert sous cet horizon du monde. De cet existant font chaque fois partie, quel qu'en soit le degré de clarté et de formulation explicite, l'existant que forme la réalité-humaine, et l'existant qui ne possède pas l'être de l'homme. Pourtant, dans le projet du monde, cet existant n'est pas encore manifesté en lui-même. Il devrait même rester caché, si la réalité-humaine qui projette n'était pas elle-même déjà aussi, *en tant que projetante, au milieu de* cet existant. Mais être « au milieu de... » ne signifie pas ici se présenter parmi les autres existants, en entretenant *avec* eux quelque rapport. « Être-au-milieu de... », cela appartient au contraire à la transcendance. *Ce-qui-transcende*, et qui de la sorte s'exhausse, doit, en tant qu'être qui transcende, *se sentir* au milieu de l'existant. La réalité-humaine, dans cette situation-affective, est si bien *investie* par l'existant que, lui appartenant, elle est *accordée au ton* de cet existant qui la pénètre. *La transcendance signifie le pro-jet et l'ébauche d'un monde, mais de telle sorte que Ce-qui-projette est commandé par le règne de cet existant qu'il transcende, et est d'ores et déjà accordé à son ton.* Puisque la transcendance comporte pour la réalité-humaine le fait d'*être investie* par l'existant, celle-ci a pris base dans l'existant, elle a trouvé un « fondement ». Cette « seconde » manière de fonder n'apparaît point *après* la « première », elle en est contemporaine. On n'entend point par là qu'elles soient l'une et l'autre présentes dans le même « maintenant », mais on veut

dire ceci : projeter un monde et être investi par
l'existant, l'une et l'autre de ces manières de fonder
appartiennent chaque fois *à une seule* temporalité,
en ce sens qu'elles en constituent ensemble la tem-
poralisation. De même que l'avenir précède « dans »
le temps, mais ne se temporalise que dans la mesure
où justement le Temps se temporalise, c'est-à-dire
dans la mesure où le passé et le présent se tempora-
lisent aussi dans la spécifique Unité-Temps, de
même également ces différentes manières de fonder
que provoque la transcendance attestent une telle
connexion. Cette analogie, d'ailleurs, ne subsiste
que parce que la transcendance a sa racine dans
l'*essence* du Temps, ce qui veut dire dans sa constitution ek-statique horizontale [1].

La réalité-humaine ne pourrait être, comme existant, pénétrée par la tonalité de l'existant, ni par
conséquent être environnée par lui, être prise par
lui, être traversée par son rythme; il lui manque-
rait pour cela tout espace, si cet investissement par
l'existant n'était accompagné de l'éclosion d'un
monde, ne fût-ce même encore que l'aurore d'un
monde. Il se peut que le monde ainsi découvert
manque de clarté dans son concept, ou même qu'il
soit privé de toute transparence; il se peut que le
monde soit interprété comme *un* simple existant
parmi d'autres; une connaissance explicitement
formulée de la transcendance de la réalité-humaine
peut bien faire défaut; la liberté de la réalité-humaine
qui apporte avec soi l'ébauche du monde, peut être
à peine éveillée; mais si la réalité-humaine est
investie par l'existant, ce n'en est pas moins uniquement *comme* Être-dans-le-monde. La *réalité-*

----

1. L'interprétation temporelle de la transcendance est
complètement et intentionnellement laissée de côté dans les
présentes considérations.

humaine fonde, « instistue » le monde, uniquement
en tant qu'elle-même « se fonde » au milieu de l'existant.

Or, dans cette « institution » où fonder signifie
projeter *ses propres possibilités*, il y a maintenant
ce fait que chaque fois la réalité-humaine prend un
essor. Par ce qui fait son être essentiel, le pro-jet
des possibilités est chaque fois plus riche que la
possession qui repose déjà en celui qui projette.
Mais, si une possession de ce genre appartient à la
réalité-humaine, c'est que cette dernière, en ébauchant son pro-jet, se sent au milieu de l'existant.
Par là même, par le seul fait de sa propre existance
effective, certaines autres possibilités lui sont
retirées. Mais, si le fait d'être investie par l'existant
implique pour la réalité-humaine le *retrait* de certaines possibilités de son pouvoir-être-dans-le-
monde, c'est justement aussi par ce *retrait* que
viennent *à sa rencontre*, comme constituant son
monde, les possibilités de l'esquisse du monde qu'elle
peut saisir « réellement ». C'est grâce à ce retrait
que l'engagement signifié par le pro-jet ébauché
et qui demeure, peut faire sentir sa force dans la
sphère d'existance de la réalité-humaine. *Corres-*
pondant aux deux manières de fonder, la transcen-
dance agit à la fois comme un essor et comme une
privation. Que le projet du monde, tout en signi-
fiant chaque fois un essor, n'acquière de puissance
et ne devienne une possession que par la privation,
c'est là un « témoignage » transcendantal de la
finitude qui est propre à la liberté de l'être de
l'homme. Et n'est-ce pas même l'essence *finie*
de la liberté en général qui est attestée ici?

Pour interpréter les différents sens selon lesquels
liberté veut dire « fonder », il importe en premier
lieu de saisir l'*unité* des différentes manières de
fonder dont nous avons rendu compte jusqu'ici;

le fait qu'essor et privation se mettent transcendantalement en valeur l'un par l'autre rend déjà cette unité apparente.

La réalité-humaine est donc un existant, qui non seulement se sent au milieu de l'existant, mais qui en outre a des *rapports avec* l'existant et par là avec lui-même. Ce rapport avec l'existant est même tout d'abord et le plus souvent posé comme un équivalent de la transcendance. Or, bien que ce soit là méconnaître ce qu'est essentiellement la transcendance, il faut pourtant que la possibilité transcendantale du rapport intentionnel devienne un *problème*. Et si l'intentionnalité est même une constitution spécifique de l'existence de la réalité-humaine, on n'a pas le droit alors de la laisser de côté lorsqu'il s'agit d'éclaircir la transcendance.

Le *pro-jet* qui esquisse le monde rend bien possible — on ne peut le montrer ici — une compréhension anticipante de l'être de l'existant, mais il n'est pas lui-même un rapport entre la réalité-humaine et l'*existant*. A son tour, l'investissement qui fait que la réalité-humaine se sente et se situe au milieu de l'existant, soit pénétrée par sa tonalité — ce qui ne va jamais sans un certain dévoilement du monde — cet investissement pourtant n'est pas un *rapport avec* l'existant. Mais ce sont *l'un et l'autre* à la fois, le pro-jet du monde et l'investissement par l'existant qui, dans leur unité caractéristique, forment la possibilité trancendantale de l'intentionnalité; ensemble, ces deux manières de fonder en actualisent une *troisième: fonder (gründen) au sens de « motiver » (be-gründen)*, de donner un fondement. C'est par cette dernière que la transcendance de la réalité-humaine assume la possibilité de manifester l'existant en lui-même, la possibilité de la vérité ontique.

« Motiver » ne doit pas s'entendre ici en un sens

étroit et dérivé, comme une démonstration de propositions d'ordre ontique et théorique; le mot doit être pris dans son acception essentiellement primitive. Selon cette dernière, motiver signifie en somme *rendre possible la question « pourquoi? »* comme telle. En conséquence, faire apparaître le caractère propre de l'acte de motiver, caractère « fondatif » dès le principe, cela revient à éclaircir l'origine transcendantale du « pourquoi » comme tel. Ce que l'on recherche ainsi, ce n'est point à quelle occasion la question « pourquoi? » fait irruption en fait dans la réalité-humaine; la question porte sur la possibilité *transcendantale* du « pourquoi » en général. Aussi y a-t-il lieu d'interroger la transcendance elle-même, pour autant qu'elle a été déterminée par les deux manières de fonder dont nous avons rendu compte jusqu'ici. L'acte de fonder au sens d' « instituer » pro-pose, en tant qu'ébauche d'un monde, certaines possibilités de l'existance. Ex-sister signifie toujours : entretenir, en se sentant et situant au milieu de l'existant, des rapports avec cet existant — avec celui qui ne possède pas l'être d'une réalité-humaine, avec soi-même, avec son semblable; mais, dans ce rapport éprouvé dans une situation-affective, il s'agit du pouvoir-être de la réalité-humaine elle-même. Dans le pro-jet du monde est donné un essor du possible; c'est par rapport à ce possible et dans le fait d'être investi par l'existant, par le réel, dont la pression se fait sentir de tous côtés dans la situation-affective, que surgit le « pourquoi ».

En outre, parce que les deux manières de fonder qui ont été tout d'abord alléguées, forment dans la transcendance *un tout solidaire*, le jaillissement du « pourquoi » est une nécessité transcendantale. Par son origine, le « pourquoi » assume déjà des formes

diverses. Les principaux types en sont les suivants :
Pourquoi est-ce *ainsi* et non autrement? Pourquoi
ceci et non cela? Pourquoi, en définitive, quelque
chose et non pas rien? De quelque façon qu'il
s'exprime, il y a déjà dans ce pourquoi une *pré-
notion* de l'essence et du comment des choses, de
l'être et du néant en général, même s'il ne s'agit
encore ainsi que d'une appréhension préconceptuelle.
Cette notion de l'être ne fait que rendre possible
le pourquoi. Mais cela veut dire qu'elle renferme
déjà la réponse originelle, la réponse première et
dernière, à toute question. La notion de l'être
donne, en tant qu'elle est une toute *préliminaire
réponse*, la *motivation* première et dernière. C'est
parce que l'être et la constitution de l'être y sont
dévoilés que la motivation transcendantale signifie
la *vérité ontologique*.

Cette motivation est si bien « à la base » de tout
rapport avec l'existant, que c'est seulement à la
clarté de la notion de l'être que l'existant peut être
manifesté en lui-même, c'est-à-dire *comme* cet
existant qu'il est et tel qu'il est. Or, parce que toute
manifestation de l'existant, toute « vérité ontique »,
est d'ores et déjà et de part en part commandée
transcendantalement par la *motivation* que nous
avons décrite; par cela même, il faut que toute
révélation, toute découverte ontique soit à sa façon
« motivante », c'est-à-dire se *légitime*. C'est dans
cette légitimation que s'accomplit la « *Présentation
de l'existant* » telle que l'exigent chaque fois l'essence
et la modalité de tel existant en particulier, aussi
bien que le mode de *dé-voilement* (c'est-à-dire la
« vérité ») qu'il comporte; l'existant ainsi « présenté »
s'annonce alors comme « cause » par exemple,
ou comme « motif » à l'égard d'un contexte d'existant déjà révélé. Parce que la transcendance de la

réalité-humaine, en tant qu'éprouvant sa situation dans son pro-jet, motive en lui donnant forme une notion de l'être; parce que *cette dernière façon* de « fonder » coexiste dès l'origine, dans l'unité de la transcendance, avec les deux autres premièrement nommées — en d'autres termes, parce qu'elle prend naissance dans la liberté finie de l'être de l'homme; par tout cela, la réalité-humaine *peut*, dans ses légitimations et justifications effectives, se débarrasser des fondements et « raisons »; elle peut réprimer la prétention de leur faire appel; elle peut les renverser, les dissimuler. En vertu de cette origine de la motivation, et par là même de la légitimation, c'est la liberté qui chaque fois, dans la réalité-humaine, reste maîtresse de la limite jusqu'à laquelle la légitimation sera poussée; c'est elle encore qui se prête ou non à la motivation authentique, c'est-à-dire au dévoilement de sa possibilité transcendantale. Bien que dans la transcendance il y ait toujours de l'être qui soit dévoilé, cela n'implique point encore que l'être soit saisi en un concept ontologique. Ainsi la transcendance peut en général demeurer voilée *comme telle* et n'être connue que par une interprétation « indirecte ». Mais, même alors, elle est pourtant dévoilée, parce que c'est elle justement qui permet à un existant d'éclore dans la constitution fondamentale de l'être-dans-le-monde, et c'est là que s'atteste le dévoilement de la transcendance par soi-même. Mais la transcendance se révèle expressément comme origine « de l'acte de fonder », lorsque celui-ci est amené à *prendre naissance* sous sa triple forme. « Fondement » veut donc dire : possibilité, base, légitimation. La transcendance, qui fonde en ce triple sens, effectue tout d'abord, en le constituant originairement comme unité, l'ensemble dans lequel chaque réalité-humaine pourra respectivement exsister. La liberté est, sous cette triple forme, liberté-pour-fonder. L'historial de la transcendance comme acte de fonder consiste en ce que se forme la zone d'irruption pour que la réalité-humaine effective *se tienne* effectivement chaque fois au milieu de l'existant dans son ensemble.

Limitons-nous ainsi le nombre traditionnel des quatre causes en les réduisant à trois? ou bien y a-t-il équivalence entre les trois formes de l'acte de fonder et les trois modifications du πρῶτον ὅθεν chez Aristote? La comparaison ne peut être instituée sur des marques aussi extérieures; le propre, en effet, de la première élaboration des « quatre causes », c'est de ne point permettre encore de distinction de principe entre les fondements transcendantaux et les causes spécifiquement ontiques. Les premiers ne représentent que quelque chose de « plus général » par rapport aux seconds. Le caractère primitif des fondements transcendantaux, leur caractère spécifique de « fond », reste encore dissimulé sous la caractéristique purement formelle des « premiers principes », des « principes suprêmes ». Aussi l'unité leur fait-elle défaut. Celle-ci ne peut consister que dans la simultanéité initiale qui marque l'origine transcendantale du triple fait de « fonder ». La réalité-essentielle « du » fondement ne peut pas même être cherchée, moins encore donc être trouvée, en posant simplement la question d'une « espèce » générale qui pourrait être obtenue par voie d' « abstraction ». *L'être-essentiel du fondement, c'est la triple ramification de l'acte de fonder qu'une genèse transcendantale déploie en pro-jet du monde, en investissement dans l'existant et en motivation ontologique de l'existant.*

C'est uniquement pour cela que la question antérieurement posée sur l'être-essentiel du fondement apparaît déjà comme absorbée par la tâche de mettre en lumière ce que sont essentiellement l'*être* et la *vérité*.

Pourtant, la question ne se pose-t-elle pas toujours de savoir pourquoi ces trois éléments qui déterminent la transcendance en formant un tout solidaire, sont étiquetés du même titre de « fonder »? N'y a-t-il plus ici qu'une homonymie artificielle, un jeu de mots forcé? Ou bien les trois manières de fonder sont-elles encore identiques, à *un* certain point de vue, bien que celui-ci doive être chaque fois autre? A cette question, il faut répondre affirmativement. Mais on ne peut songer à mener ici à son terme, sur le « plan » des considérations présentes, l'éclaircissement *du* sens par rapport auquel les trois modes inséparables du fait de fonder se correspondent en formant un tout homogène et pourtant ramifié. Mentionnons seulement, à titre d'indication, que chacun des actes d'instituer, de prendre-base, de légitimer, provient respectivement et à sa façon du Souci de la persistance et de la subsistance, Souci qui, à son tour, n'est lui-même possible que comme temporalité.

En nous détournant à dessein de ce cercle de problèmes pour jeter un regard sur le point de départ de notre recherche, nous avons maintenant à discuter brièvement si, de la mise en lumière que nous avons tentée de l' « essence » du fondement, résulte un gain — et lequel — pour le « principe de raison déterminante ». Le principe déclare : tout existant a sa « raison ». Grâce à ce qui précède se trouve tout d'abord éclairci *pourquoi* il en est ainsi. C'est que « de naissance », l'être, en tant qu'être d'ores et déjà compris, *motive* dès l'origine; c'est pourquoi chaque existant, en tant qu'existant, annonce à sa

manière des « raisons », que celles-ci soient ou non
expressément saisies et adéquatement déterminées.
C'est que, d'autre part, le fondement ou « motif »
forme un caractère transcendantal essentiel à
l'*être comme tel*, et c'est pourquoi le principe de
raison déterminante s'applique à l'*existant*. Mais
si un fondement ou motif appartient à l'essence
de l'être, c'est parce qu'il n'y a d'être (non pas tel
ou tel « existant », mais de l' « être ») que par la transcendance, celle-ci étant l'acte même de « fonder »
effectué dans une situation-affective par le pro-jet
d'un monde.

Il devient clair alors, en ce qui concerne le principe de raison déterminante, que le « lieu de sa
naissance » ne se trouve ni dans l'essence du jugement, ni dans la vérité du jugement (vérité prédicative), mais dans la vérité ontologique, ce qui veut
dire dans la transcendance elle-même. *La liberté
est l'origine du principe de raison déterminante :*
en effet, c'est en elle, c'est dans l'unité de l'essor et
de la privation, que se fonde la motivation qui se
dégage comme vérité ontologique.

En partant de cette origine, non seulement nous
comprenons le principe dans sa possibilité interne,
mais notre attention s'éveille pour ce que ses
énoncés présentent de remarquable et de non encore
éclairci, cela même qui reste étouffé dans la formule
courante. Nous trouvons précisément chez Leibniz
le principe de raison déterminante énoncé en for-
mules si bien frappées qu'elles mettent en valeur
l'élément apparemment insignifiant de son contenu.
On peut les grouper dans le schéma suivant : « ratio
est cur hoc *potius* existit quam aliud; ratio est
cur sic potius existit quam aliter; ratio est cur
aliquid *potius* existit quam nihil. » Le « pourquoi »
(cur) s'y exprime comme un « pourquoi... plutôt

que » *(cur potius quam)*. Ici encore, le premier
problème n'est pas de savoir par quelle voie et par
quels moyens on pourra décider de ces questions
qui se posent chacune en fait dans leur situation
ontique respective. Là où il faut plutôt projeter
la lumière, c'est sur la question de savoir à quoi
cela tient-il que le « plutôt que » ait pu ainsi s'associer au « pourquoi ».

Toute légitimation se meut forcément dans un
certain cercle du *possible :* elle est en effet elle-même
un rapport intentionnel avec l'existant, et par
conséquent d'ores et déjà soumise, quant à sa
possibilité, à une motivation ontologique, celle-ci
pouvant être explicite ou non. En vertu de son
être, la motivation *pro*pose nécessairement toujours
certaines sphères d'efflorescence du possible, le
caractère de la possibilité s'y modifiant selon la
constitution de l'être de l'existant qu'il s'agit de
dévoiler; c'est qu'en effet l'être, ou plutôt la constitution de l'être qui motive, se trouve, en tant que
nécessité transcendantale pour la réalité-humaine,
enraciné dans la propre *liberté* de celle-ci. Le fondement ou « raison » tirant essentiellement son origine du fait que c'est une liberté finie qui « fonde »,
c'est le reflet de *cette* origine qui se manifeste dans
le « plutôt que » *(potius quam)* des énoncés du
principe de raison. Mais à son tour la mise en
lumière des connexions transcendantales concrètes
entre la « raison » et le « plutôt que », pousse à
éclaircir l'Idée de l'Être comme telle (l'essence et
l'existence, le « quelque chose », le rien et la négativité).

Par sa forme et son rôle traditionnels, le principe
de raison déterminante est resté fiché dans l'extério-
risation qu'entraîne nécessairement avec soi un
premier éclaircissement de tout ce qui a le « carac-

tère d'un principe ». En effet, expliquer cette loi en faisant d'elle un « principe », l'associer en outre aux principes d'identité et de contradiction, voire la déduire de ceux-ci, tout cela n'achemine pas vers l'origine, mais équivaut à supprimer toute question de plus ample portée. De plus, il faut observer ici que non seulement les principes d'identité et de contradiction ont *eux-mêmes un caractère transcendantal*, mais encore qu'ils renvoient à quelque chose de plus primitif, à quelque chose qui n'a pas soi-même le caractère d'un principe, mais qui relève du propre fait qu'advienne, que s'*historialise* la transcendance : nous voulons dire la temporalité.

Ainsi donc, le « principe de raison » affecte de son non-être l'être-essentiel de la « raison », et sous son aspect de principe ratifié, il refoule une problématique capable de le dissoudre lui-même. Seulement, il ne faut pas rendre responsable de ce non-être la « légèreté superficielle » de quelques philosophes en particulier; il ne s'agit donc point de le surmonter par quelque « prolongement » plus ou moins radical. Son « né-ant » *(Un-wesen)*, le fondement le doit au fait qu'il tient sa naissance d'une liberté finie. Cette dernière elle-même ne peut pas se dérober à ce qui prend d'elle ainsi naissance. Le fondement qui prend naissance en transcendant repose à son tour sur la liberté elle-même, et celle-ci devient, en tant qu'elle est elle-même *origine*, le « fondement ». *La liberté est le fondement du fondement*, la raison de la raison. Cela, bien entendu, non point au sens d'une « itération » sans fin et de pure forme. Que la liberté *soit* elle-même fondement, cela ne veut pas dire, si enclin soit-on à l'imaginer, qu'elle ait le caractère de l'*une* quelconque des manières de fonder; non, si le fait de fonder est susceptible de modes divers, la liberté, elle, se définit comme l'unité qui forme la base de cette dispersion transcendantale. Mais parce qu'elle est précisément *cette base (Grund)*, la liberté est l'*abîme (Abgrund)* de la réalité-humaine. Non pas que la libre attitude individuelle soit infondée; mais, par ce qui fait d'elle essentiellement une transcendance, la liberté pose la réalité-humaine comme un pouvoir-être en possibilités multiples, lesquelles sont là béantes devant son choix d'être fini, c'est-à-dire dans son destin.

Mais en transcendant l'existant par son pro-jet du monde, la réalité-humaine doit se transcender elle-même pour pouvoir, de cet exhaussement, se comprendre *soi-même* avant tout comme un abîme. A son tour, ce caractère abyssal de l'être de l'homme n'est rien qui puisse s'offrir à une dialectique quelconque ou à une analyse psychologique. L'éclosion de l'abîme dans la transcendance fondative, c'est là plutôt le mouvement-premier *(Urbewegung)* qui, avec nous-mêmes, réalise la liberté. Ce qui par là nous est « donné à comprendre », c'est-à-dire ce que ce mouvement nous propose d'ores et déjà comme contenu originel du monde, c'est que plus il est originairement fondé, plus ce contenu du monde atteint purement et simplement dans l'action le cœur de la réalité-humaine, son ipséité. Ainsi donc, le « né-ant » du fondement n'est que « surmonté » par l'existance effective; mais jamais on ne s'en débarrasse.

Pourtant, si la transcendance, au sens de liberté-pour-fonder, est comprise en premier et dernier lieu comme un abîme, alors se précise également l'être-essentiel de ce que nous avons nommé l'*investissement* dans et par l'existant. Bien que se sentant au milieu de l'existant et bien que pénétrée de sa tonalité, c'est *comme un libre* pouvoir-être que la réalité-humaine se trouve *jetée* parmi l'existant. *Qu'*elle soit en puissance un « soi-même » et qu'elle le soit en fait proportionnellement chaque fois à sa liberté ; *que* la transcendance se temporalise comme acte proto-historial *(Urgeschehen)* ; tout cela n'est pas au pouvoir de cette liberté elle-même. Mais une telle impuissance — le fait qu'elle se trouve jetée, abandonnée *(Geworfenheit)* — n'est pas simplement le résultat de l'empiétement de l'existant sur la réalité-humaine ; cette impuissance détermine l'être de l'homme comme tel. Tout projet du monde se trouve en conséquence *jeté* lui aussi. Il faut éclaircir par la constitution même de son être *ce qu'est essentiellement la finitude* de la réalité-humaine ; cette tâche doit passer avant toute affirmation « évidente » de la « nature » finie de l'homme ; avant toute description des attributs qui ne font que découler de la finitude ; avant toute « explication » hâtive de la provenance ontique de ces dernières.

Or, ce qu'est essentiellement la finitude de la réalité-humaine, cela ne se révèle que dans la transcendance *en tant que celle-ci est liberté-pour-fonder.*

Ainsi donc l'être humain prenant, comme transcendance exsistante, son essor en possibilités, est *un être du lointain.* C'est uniquement par ces lointains originels qu'il se façonne dans sa transcendance envers tout l'existant, que grandit dans l'homme la vraie proximité des choses. C'est la seule possibilité d'entendre au lointain, qui fait qu'actuellement pour la réalité-humaine, pour cet être qui est un « soi-même », s'éveille la réponse d'une humaine co-présence ; et c'est dans cette réalité-interhumaine qu'il peut dépouiller le moi-même, pour se conquérir comme authentique Soi-même.

De l'essence de la vérité

*Traduit par Alphonse de Waelhens
et Walter Biemel.*

Il est question de l'*essence* de la vérité. S'interroger sur l'essence de la vérité ce n'est pas se soucier de savoir si la vérité est la vérité de l'expérience pratique de la vie ou celle de la conjecture dans le domaine économique, la vérité d'une réflexion technique ou d'une sagesse politique et plus spécialement la vérité de la recherche scientifique ou de la création artistique, ou même la vérité d'une méditation philosophique ou d'une foi religieuse. S'interroger sur l'essence, c'est s'écarter de tout cela et porter son regard vers ce qui uniquement caractérise toute « vérité » en tant que telle.

Mais la question de l'essence, ne nous égare-t-elle pas dans le vide d'un universel abstrait qui coupe le souffle à toute pensée? L'excentricité d'une telle recherche ne manifeste-t-elle pas que toute philosophie est sans appui dans le réel *(bodenlos)*? Une pensée enracinée dans la réalité et. tournée vers elle doit tout de même tendre, en premier lieu et sans détours, à instaurer, contre la confusion des opinions et des calculs, la vérité réelle, qui aujourd'hui nous fournit une mesure et un point d'appui. Qu'importe dans notre réelle détresse la question de l'essence de la vérité puisqu'elle s'écarte (« s'abstrait ») de toute réalité? La question de l'essence n'est-elle pas le problème le plus inessentiel et le plus gratuit qu'on puisse se poser?

Personne ne saurait se soustraire à l'évidente certitude de ces objections. Personne non plus ne saurait en dédaigner l'urgence et la gravité. Mais qui s'exprime en ces objections? Le simple « bon sens ». Celui-ci s'entête à soutenir les exigences de l'immédiatement utile et s'emporte contre le savoir relatif à l'essence de l'étant, savoir fondamental qui porte depuis longtemps le nom de « philosophie ».

Le sens commun a sa nécessité propre; il défend son droit en usant de la seule arme dont il dispose. Il se réclame de l' « évidence [1] » de ses prétentions et de ses critiques. La philosophie de son côté ne peut réfuter le sens commun puisque ce dernier est sourd à son langage. Bien plus, elle ne saurait même avoir l'intention de le réfuter car le sens commun est aveugle à tout ce qu'elle propose de regarder comme essentiel.

Au surplus, nous restons nous-mêmes au niveau de l'intelligibilité du sens commun, tant que nous nous croyons en sécurité parmi ces « vérités » diverses que nous dispensent l'expérience de la vie, l'action, la recherche scientifique, la création artistique et la foi. Nous-mêmes participons à la révolte

---

1. Nous traduisons *Selbstverständlichkeit* par évidence. Il importe toutefois de remarquer que, dans la langue de Heidegger, le terme comporte une nuance très nettement péjorative, qu'il n'a pas en français. Heidegger l'emploie toujours pour désigner les évidences prétendues du sens commun qui se donnent comme telles, à raison de l'incapacité même du sens commun à poser un problème authentique.

du sens commun contre tout ce qui exige d'être
mis en question [1].

S'il faut néanmoins chercher la vérité, on souhaite
que la réponse nous dise où nous en sommes. On
veut savoir ce que, aujourd'hui, il en est de nous.
On réclame d'apprendre quel but doit être proposé
à l'homme au sein de son évolution historique et
pour cette évolution elle-même. On veut la « vérité »
réelle. Ainsi a-t-on tout de même souci de la vérité !

Cependant lorsqu'on réclame la « vérité » réelle,
on doit déjà savoir ce que c'est que la vérité en
tant que telle. Ne le saurait-on que « confusément »
et « en général » ? Mais ce « savoir » approximatif
et cette indifférence ne sont-ils pas, au fond, plus
pitoyables que l'ignorance pure et simple de l'essence
de la vérité ?

I. — LE CONCEPT COURANT DE VÉRITÉ

Qu'entend-on ordinairement par « vérité » ? Ce
mot si noble et pourtant si usé, au point d'en être
presque vide de sens, désigne ce qui constitue le
vrai comme vrai. Qu'est-ce qu'être vrai ? Nous disons
par exemple : « c'est une vraie joie de collaborer
à la réussite de cette entreprise ». Nous voulons
dire par là qu'il s'agit d'une joie pure, réelle. Le
vrai est donc le réel *(Wirkliche)*. Nous parlons en ce
sens de l'or véritable en le distinguant de l'or faux.
L'or faux n'est pas réellement ce qu'il paraît être.
Il n'est qu'une « apparence », il est, pour cette raison,
irréel. L'irréel passe pour le contraire du réel. Mais
le cuivre doré est tout de même quelque chose

---

1. Le texte allemand dit : *gegen jeden Anspruch des*
Fragwürdigen, ce qui signifie littéralement : contre toute
exigence de ce qui est digne d'être mis en question.

de réel. C'est pourquoi nous dirons plus clairement :
l'or réel est l'or authentique *(echt)*. Mais « réels »
ils le sont l'un et l'autre, l'or authentique ne l'est
ni plus ni moins que le cuivre doré. La vérité de l'or
authentique ne peut donc être garantie par sa
simple réalité. La question renaît : que signifie ici
être « authentique » et être « vrai »? L'or authentique
est ce réel dont la réalité se trouve en accord avec
ce que, d'emblée et toujours, nous avons « proprement » en vue lorsque nous pensons à de l'or. Inversement nous dirons, dès que nous soupçonnons avoir
affaire à du cuivre doré : « quelque chose ici ne
"colle" [*stimmt*] pas ». Au contraire, nous remarquons à propos de ce qui est « comme il convient » :
cela « colle ». La *chose* est en accord avec ce qu'elle
est estimée être [1].

Mais nous n'appelons pas seulement vraie une
joie réelle, l'or authentique et tout étant de ce genre,
mais, encore et avant tout, nommons-nous vraies
ou fausses nos énonciations relatives à l'étant, lequel,
lui-même, peut être, selon sa nature, authentique
ou faux, tel ou tel dans sa réalité. Un énoncé est
vrai lorsque ce qu'il signifie et exprime, se trouve
en accord avec la chose dont il juge. Ici aussi nous
disons : cela « colle ». A présent, ce n'est pas la chose
qui est en accord mais le *jugement (Satz)*.

Le vrai, que ce soit une chose vraie ou un jugement vrai, est ce qui est en accord, ce qui concorde
(das Stimmende). Être vrai et vérité signifient ici :
s'accorder, et ce d'une double manière : d'abord,
comme accord entre la chose et ce qui est présumé
d'elle et, ensuite, comme concordance entre ce qui
est signifié par l'énoncé et la chose.

---

[1]. *Stimmt* : expression en réalité intraduisible, mais
dont nous avons rendu le sens par une périphrase.

Ce double caractère de l'accord fait apparaître la définition traditionnelle de l'essence de la vérité : *veritas est adæquatio rei et intellectus.* Cela peut signifier : la vérité est l'adéquation de la chose à la connaissance. Mais cela peut s'entendre aussi : la vérité est l'adéquation de la connaissance à la chose. D'ordinaire, la définition citée ne s'exprime que dans la formule : *veritas est adæquatio intellectus ad rem.* Cependant la vérité ainsi comprise, ou vérité de jugement, n'est possible que fondée sur la vérité de la chose, sur l'*adæquatio rei ad intellectum.* Ces deux conceptions de l'essence de la *veritas* visent toujours un « se conformer à... » et pensent donc la vérité comme *conformité (Richtigkeit).*

Cependant, l'une de ces conceptions ne résulte pas simplement de la conversion de l'autre. Au contraire, *intellectus* et *res* sont pensés différemment dans les deux cas. Pour le reconnaître, il nous faut ramener l'expression courante du concept ordinaire de la vérité à son origine immédiate (médiévale). La *veritas*, interprétée comme *adæquatio rei ad intellectum*, n'exprime pas encore la pensée transcendantale de Kant qui est postérieure et ne deviendra possible qu'à partir de l'essence humaine en tant que subjectivité, pensée selon laquelle « les objets se conforment à notre connaissance ». Mais elle découle de la foi chrétienne et de l'idée théologique selon lesquelles les choses, dans leur essence et leur existence, ne sont que pour autant que, créées *(ens creatum)*, elles correspondent à l'idée conçue préalablement par l'*intellectus divinus*, c'est-à-dire par l'esprit de Dieu. Les choses sont donc ordonnées à l'*idea (ideegerecht)* conformes *(richtig)* et, en ce sens, « vraies ». L'*intellectus humanus* est lui aussi un *ens creatum.* Faculté accordée à l'homme par Dieu, l'*intellectus humanus* doit être adéquat à son idée. Or l'intellect n'est conforme à son idée qu'en réalisant dans ses jugements l'adéquation du conçu à la chose, celle-ci devant être, de son côté, conforme à l'*idea*. La possibilité de la vérité de la connaissance humaine se fonde, si tout étant est « du créé », sur ceci que la chose et le jugement étant pareillement adéquats à l'idée et issus de l'unité du plan divin de la création, ils sont donc coordonnés l'un à l'autre. La *veritas* comme *adæquatio rei (creandæ) ad intellectum (divinum)* garantit la *veritas* comme *adæquatio intellectus (humani) ad rem (creatam)*. *Veritas* signifie partout et essentiellement la *convenientia*, la concordance des étants entre eux, laquelle se fonde sur la concordance des créatures avec le créateur, « harmonie » *(« Stimmen »)* déterminée donc par l'ordre de la création.

Mais cet ordre, détaché de toute idée de création, peut aussi être représenté de manière indéterminée et générale comme l'ordre du monde. Au lieu de l'ordre de la création conçu théologiquement, surgit l'ordination possible de tous les objets par l'esprit qui, comme *mathesis universalis (Weltvernunft)*, se donne sa loi à lui-même et postule ainsi l'intelligibilité immédiate des démarches qui constituent son procès (ce que l'on considère comme « logique »). Il n'est plus nécessaire alors de justifier spécialement que l'essence de la vérité du jugement réside dans la conformité de l'énoncé. Même là où l'on s'efforce avec un remarquable insuccès d'expliquer comment cette conformité peut s'établir, on la présuppose déjà comme l'essence de la vérité. Pareillement la vérité de la chose signifie-t-elle toujours l'accord de la chose donnée avec son concept essentiel tel que « l'esprit » le conçoit. Ainsi naît l'apparence que cette conception de l'essence de la vérité est indépendante de l'interprétation relative à l'essence de l'être de tout étant; cette dernière inclut pourtant nécessairement une interprétation correspondante touchant l'essence de l'homme comme porteur et réalisateur de l'*intellectus*. Ainsi la formule de l'essence de la vérité *(veritas est adæquatio intellectus et rei)* acquiert-elle pour chacun et immédiatement une évidente validité. Sous l'empire de l'évidence [1] de ce concept de vérité, à peine médité dans ses fondements essentiels, on admet comme également évident que la vérité a un contraire et qu'il y a de la non-vérité. La non-vérité d'un jugement (non-conformité) est la non-concordance de l'énoncé avec la chose. La non-vérité de la chose (inauthenticité) signifie le désaccord d'un étant avec son essence. La non-vérité se laisse chaque fois comprendre comme non-accord [2]. Celui-ci tombe donc en dehors de l'essence de la vérité. C'est pourquoi la non-vérité, en tant que contraire ainsi conçu de la vérité, peut être négligée lorsqu'il s'agit de saisir la pure essence de cette dernière.

Est-il encore nécessaire de dévoiler davantage l'essence de la vérité? L'essence pure de la vérité n'est-elle pas suffisamment explicitée par cette notion communément valable, qu'aucune théorie ne vient troubler et que protège son évidence [3]? Lorsqu'enfin nous prenons la réduction de la vérité du jugement à la vérité de la chose pour ce qu'elle signifie ordinairement, à savoir pour une explication théologique, et lorsque nous veillons à purifier la détermination philosophique de l'essence de toute intrusion de la théologie et que

1. Voir note p. 162.
2. Nous avons traduit *Nichtübereinstimmen* par non-concordance. *Nichtstimmen* par non-accord et *Nichteinstimmen* par désaccord.
3. Voir note p. 162.

nous limitons le concept de la vérité à la vérité du
jugement, nous rejoignons une tradition ancienne
de la pensée, non la plus ancienne il est vrai, et
d'après laquelle la vérité consiste dans la concordance (ὁμοίωσις) d'un énoncé (λόγος) avec une chose
(πρᾶγμα). Que reste-t-il à chercher, si l'on admet
que nous savons ce que signifie la concordance d'un
énoncé avec une chose? Mais le savons-nous?

II. — LA POSSIBILITÉ INTRINSÈQUE
DE LA CONCORDANCE

Nous parlons de concordance en divers sens.
Nous disons par exemple en présence de deux pièces
de cinq marks posées sur la table : il y a concordance entre elles. Elles sont en concordance par
l'identité de leur aspect. Elles ont donc cet aspect
en commun et, de ce point de vue, sont pareilles.
Nous parlons encore de concordance lorsque, par
exemple nous disons d'une des pièces : cette pièce
de monnaie est ronde. Ici, c'est l'énoncé qui est en
concordance avec la chose. La relation, à présent
ne s'établit plus d'une chose à une chose mais entre
un énoncé et une chose. En quoi cependant la chose
et l'énoncé peuvent-ils se convenir, là où manifestement les termes de la relation diffèrent par leur
aspect? La pièce de monnaie est faite de métal.
L'énoncé n'est aucunement matériel. La pièce est
ronde. L'énoncé n'a aucun caractère spatial. La
pièce permet d'acheter un objet. L'énoncé n'est
jamais un moyen de paiement. Mais en dépit de
toutes les différences, l'énoncé en question concorde,
en tant que vrai, avec la pièce de monnaie. Et cet
accord, conformément au concept courant de la
vérité, doit être conçu comme une adéquation.

Comment ce qui est complètement différent, l'énoncé, peut-il se faire adéquat à la pièce de monnaie? Cet énoncé devrait donc devenir une pièce de monnaie et ainsi cesser absolument d'être lui-même. C'est ce qui ne saurait se faire. Au moment où pareille transmutation viendrait à s'accomplir, il serait impossible qu'un énoncé puisse encore, en tant que tel, être en concordance avec la chose. Pour réaliser l'adéquation, l'énoncé devra rester, voire devenir ce qu'il est. En quoi consiste donc son essence, foncièrement différente de celle de toute chose? Comment un énoncé, tout en maintenant son essence, peut-il se faire adéquat à l'autre, à une chose?

L'adéquation ne saurait signifier ici le fait que deux choses de nature dissemblable deviennent réellement identiques. L'essence de l'adéquation se détermine plutôt par la nature de la relation qui règne entre l'énoncé et la chose. Tant que cette « relation » demeurera indéterminée et non fondée en son essence, toute discussion sur la possibilité ou l'impossibilité, sur la nature et le degré de cette adéquation, se déroule dans le vide.

L'énoncé relatif à la pièce de monnaie « se » rapporte à cette chose en tant qu'elle l'apprésente [1] et dit ce qu'il en est de l'apprésenté selon la perspective directrice du regard *(leitende Hinsicht)*. L'énoncé apprésentatif en ce qu'il dit de la chose apprésentée, l'exprime *telle qu'*elle est. Le « tel-que » concerne l'apprésentation et ce qu'elle

---

1. Heidegger qui emploie le verbe *vorstellen*, lequel signifie ordinairement représenter, vise ici le sens étymologique de « rendre présent » devant soi, à l'exclusion de toute idée de représentation au sens que ce terme reçoit d'habitude en épistémologie ou en psychologie; c'est ce que nous avons voulu souligner en traduisant *vor-stellen* par *apprésenter*.

apprésente. « Apprésenter » signifie ici, en écartant
tous les préjugés « psychologistes » et « épistémo-
logiques », le fait de laisser surgir la chose devant
nous en tant qu'objet. Ce qui est ainsi opposé à nous
doit, sous ce mode de position, mesurer [couvrir]
(durchmessen) un domaine ouvert à notre rencontre,
mais aussi demeurer la chose en elle-même et se
manifester dans sa stabilité. Cette apparition de la
chose, en tant qu'elle mesure [couvre] un domaine
de rencontre, s'accomplit au sein d'une ouverture
dont la nature d'être ouvert n'a pas été créée par
l'apprésentation mais est investie et assumée par
celle-ci comme champ de relation. La relation de
l'énonciation apprésentative à la chose est l'accomplissement de cette *référence (Verhältnis)*; celle-ci
se réalise originellement et chaque fois comme la
mise en branle d'un comportement [1]. Tout comportement se caractérise par le fait que, s'établissant
au sein de l'ouvert, il s'en tient constamment
à ce qui est manifeste [2] *comme tel.* Cela seul qui est
ainsi, au sens strict du mot, manifeste, la pensée
occidentale l'a précocement éprouvé comme « ce
qui est présent » *(« das Anwesende »)* et l'a depuis
longtemps nommé « l'étant » *(« das Seiende »).*

Le comportement est ouvert sur l'étant. Toute
relation d'ouverture (par laquelle on s'ouvre à...)

1. Comportement *(Verhalten)* n'a pas ici le sens que lui
donnent les psychologues ou les moralistes : il s'agit d'un
comportement plus originel et par lequel nous établissons
une relation à ce qui nous entoure.
2. Nous avons traduit *Offenbares* par *ce qui est manifeste.* Cette expression nous fait perdre l'idée d'ouverture,
exprimée par le mot allemand. Nous avons adopté dans cette
phrase ou ultérieurement les traductions suivantes : *das
Offene* : l'ouvert; *die Offenbarkeit* : la révélation; *die Offen-
heit* : l'ouverture. Il était impossible de conserver en français
une racine identique pour tous ces termes.

est un comportement. L'apérité [1] de l'homme se différencie selon la nature de l'étant et le mode du comportement. Tout travail et toute réalisation, toute action et toute prévision se maintiennent dans l'ouverture d'un domaine ouvert au sein duquel l'étant se pose proprement et se rend proprement susceptible d'être exprimé dans ce qu'il est et comme il est. C'est ce qui a lieu seulement lorsque l'étant même se pro-pose *(vorstellig wird)* dans l'énonciation qui l'apprésente, de telle sorte que cette énonciation se soumet à la consigne d'exprimer l'étant *tel-qu'il est*. Dans la mesure où l'énonciation obéit à cette consigne, elle se conforme à l'étant. L'expression soumise à pareille consigne est conforme (vraie). Ce qui est ainsi énoncé est ce qui est conforme (le vrai).

L'énoncé doit emprunter sa conformité à l'ouverture du comportement. Car ce n'est que par celle-ci que ce qui est manifeste peut devenir, d'une manière générale, la mesure directrice d'une apprésentation adéquate. Mais le comportement ouvert lui-même doit se laisser guider par cette mesure. Cela signifie que le comportement doit accepter le don préalable de cette mesure directrice de toute apprésentation. Ceci est inhérent à l'apérité du comportement. Mais si c'est seulement par l'apérité du comportement que la conformité (vérité) de l'énoncé devient possible, alors ce qui rend possible la conformité possède un droit plus originel d'être considéré comme l'essence de la vérité.

Ainsi tombe l'attribution traditionnelle et exclu-

---

1. Nous traduisons : *Offenständigkeit* par *apérité* et *offenständigsein* par *être ouvert à...* (Nous attirons l'attention sur le fait que M. Rovan emploie dans la traduction citée le mot *apérité*, pour exprimer l'idée d'*ouverture*.)

sive de la vérité au jugement (énoncé) [1], tenu pour être le seul lieu essentiel de celle-ci. La vérité n'a pas sa résidence originelle dans le jugement. Mais en même temps s'élève cette question : quel est le fondement de la possibilité intrinsèque de l'apérité du comportement qui se donne d'avance une mesure; c'est seulement à cette possibilité que la conformité du jugement emprunte l'apparence de réaliser l'essence de la vérité.

III. — LE FONDEMENT DE LA POSSIBILISATION [2] D'UNE CONFORMITÉ

D'où l'énonciation apprésentative tient-elle la consigne de s'orienter vers l'objet et de s'accorder selon la loi de la conformité? Pourquoi cet accord est-il co-déterminant de l'essence de la vérité? Comment seul peut s'effectuer le don préalable *(Vorgabe)* d'une mesure et comment se produit l'injonction de s'accorder? C'est ce qui ne se réalisera que si cette donation préalable *(Vorgeben)* [nous] aura déjà rendus libres à l'ouvert pour ce qui se manifeste en lui et qui va lier toute apprésentation. Se libérer pour la contrainte d'une mesure n'est possible que si on *est libre* à l'égard de ce qui est manifeste au sein de l'ouvert. Une pareille manière d'être libre se réfère à l'essence jusqu'à présent incomprise de la liberté. L'apérité du comportement, ce qui rend

1. Le texte allemand porte *Aussage* que nous avons régulièrement traduit par *énoncé;* nous avons ici repris le terme *jugement* en raison de l'allusion à la formule *judicium est locus veritatis.*
2. Le texte allemand porte *Ermöglichung*, c'est-à-dire *rendre possible*, ce que nous avons traduit par *possibilisation.*

intrinsèquement possible la conformité, se fonde dans la liberté. *L'essence de la vérité est la liberté.*

Mais cette affirmation sur l'essence de la conformité ne remplace-t-elle pas une « évidence [1] » par une autre? Une action ne peut s'accomplir que moyennant la liberté de celui qui agit. Ainsi en est-il aussi de l'action d'énoncer en apprésentant, et encore du consentement ou du refus d'une « vérité ».

Cette thèse ne signifie cependant pas que, pour parfaire un énoncé, pour le communiquer ou l'assimiler, il faut agir sans contrainte, mais elle dit : la liberté est l'*essence* même de la vérité. Nous entendons ici par « essence » le fondement de la possibilité intrinsèque de ce qui est immédiatement et généralement admis comme connu. Toutefois, par le concept de liberté nous ne pensons pas la vérité et moins encore son essence. La thèse selon laquelle l'essence de la vérité (la conformité de l'énoncé) est la liberté, doit donc surprendre.

Placer l'essence de la vérité dans la liberté, cela ne veut-il pas dire que l'on confie la vérité à l'arbitraire humain? Peut-on plus foncièrement saper la liberté qu'en l'abandonnant au caprice de ce « faible roseau »? Ce qui s'est constamment imposé au bon sens durant cette discussion, se fait jour maintenant avec plus de clarté : la vérité se trouve ici ramenée à la subjectivité du sujet humain. Même si une objectivité est accessible au sujet, elle n'en est pas moins aussi humaine que cette subjectivité et placée à la disposition de l'homme.

Sans doute porte-t-on au compte de l'homme la fausseté et l'hypocrisie, le mensonge et la tromperie, l'illusion et l'apparence, en un mot, tous les modes de la non-vérité. Mais puisqu'enfin la non-

1. Voir note p. 162.

vérité est le contraire de la vérité, on a le droit
de l'éloigner de l'enquête sur la pure essence de la
vérité à laquelle elle est inessentielle [1]. Cette origine
humaine de la non-vérité ne fait que confirmer,
par opposition, que l'essence de la vérité « en soi »
règne « au-dessus » de l'homme. Celle-ci vaut pour la
métaphysique comme éternelle et impérissable,
elle ne peut donc se construire sur l'évanescence et
la fragilité de l'être humain. Comment dès lors
l'essence de la vérité trouverait-elle encore son
siège et son fondement dans la liberté de l'homme?

L'hostilité à la thèse que la liberté est l'essence
de la vérité s'appuie sur quelques préjugés dont les
plus opiniâtres sont : la liberté est une propriété
de l'homme; l'essence de la liberté n'exige pas
d'examen plus poussé et même n'en admet pas; ce
qu'est l'homme, chacun le sait.

IV. — L'ESSENCE DE LA LIBERTÉ

Cependant, l'indication d'une relation essentielle entre la vérité comme conformité et la liberté
ébranle ces préjugés, pourvu toutefois que nous
soyons disposés à une volte-face de la pensée.
La réflexion sur ce lien essentiel entre la vérité et
la liberté nous amène à poursuivre le problème de
l'essence de l'homme, selon une perspective qui va
nous garantir l'expérience d'un fondement [2] caché
de celui-ci (du *Dasein*), et cela de telle manière
que cette réflexion nous fasse passer d'emblée

---

1. Le texte allemand porte *Unwesen*, qui signifie à la fois
l'inessentiel et ce qui est dégénéré par rapport à l'essence.
2. Nous traduisons ici *Wesensgrund* qui signifie littéralement *fondement essentiel* par *fondement*, afin d'éviter en
français la répétition renouvelée d'*essentiel* et d'*essence*.

dans le domaine où l'essence de la vérité s'épanouit
originellement. De là, il se découvrira pareillement :
la liberté n'est le fondement de la possibilité intrinsèque de la conformité que parce qu'elle reçoit sa
propre essence de l'essence plus originelle de la
seule vérité vraiment essentielle.

La liberté a été déterminée d'abord comme liberté
à l'égard de ce qui est manifeste au sein de l'ouvert.
Comment faut-il penser cette essence de la liberté?
Le révélé (ce qui est manifeste), auquel se rend
adéquat le jugement apprésentatif en tant qu'il
est conforme, est l'étant tel qu'il se manifeste
pour et par un comportement ouvert. La liberté
vis-à-vis de ce qui se révèle au sein de l'ouvere
laisse l'étant être l'étant qu'il est[1]. La liberté se
découvre à présent comme ce qui laisse-être l'étant.

On parle ordinairement de « laisser[2] » lorsque
par exemple nous nous abstenons d'une entreprist
que nous avions projetée. Nous « laissons cela »
signifie que nous n'y touchons plus et cessons
de nous en préoccuper. « Laisser » a ici le sens
négatif de « se détourner de... », de « renoncer
à... »; il exprime une indifférence ou même une
omission.

Le mot qui est ici nécessaire pour rendre le laisser-
être de l'étant ne vise cependant ni l'omission ni
l'indifférence mais leur contraire. Laisser-être signifie « s'adonner à l'étant ». Ceci ne doit pas être
compris comme une simple façon de manier, de
conserver, de prendre soin, d'organiser l'étant
rencontré ou recherché. Laisser-être l'étant — à

---

1. Le texte allemand porte : *läszt das jeweilige Seiende
das Seiende sein, das es ist.*
2. Laisser — *sein-lassen*, le terme allemand a le double
sens de *laisser être* (admettre à l'être) et de *laisser* au sens
d'abandonner.

savoir, comme l'étant qu'il est — signifie s'adonner
à l'ouvert et à son ouverture, dans laquelle tout
étant entre et demeure *(hereinsteht)* et que celui-ci
apporte, pour ainsi dire, avec lui. Cet ouvert, la
pensée occidentale l'a conçu à son début comme
τὰ ἀληθέα, le non-voilé[1]. Lorsque nous traduisons
ἀλήθεια par « non-voilement », au lieu de le traduire
par « vérité », cette traduction n'est pas seulement
plus « littérale », mais elle comprend l'indication de
repenser plus originellement la notion courante de
vérité comme conformité de l'énoncé au sens,
encore incompris, du caractère d'être dévoilé
(Entborgenheit) et du dévoilement de l'étant
(Entbergung). S'adonner au premier (c'est-à-dire
au caractère d'être dévoilé), ce n'est pas se perdre
en lui mais déployer un recul devant l'étant, afin
qu'il se manifeste en ce qu'il est et comme il est,
de sorte que l'adéquation apprésentative puisse
prendre mesure sur lui. Pareil laisser-être signifie
que nous nous exposons à l'étant comme tel et que
nous transposons dans l'ouvert tout notre comportement. Le laisser-être, c'est-à-dire la liberté, est en
lui-même ex-position à l'étant, il est ek-sistant.
L'essence de la liberté, vue à la lumière de l'essence
de la vérité, apparaît comme ex-position [à l'étant]
en tant qu'il a le caractère d'être dévoilé.

La liberté n'est pas seulement ce que le sens
commun aime à faire passer sous ce nom : le caprice
qui parfois surgit en nous, de pousser notre choix

---

1. Dans cette phrase et celle qui suit, se rencontre une
série de mots allemands de même racine, pour lesquels nous
avons adopté les traductions suivantes : *das Unverborgene* —
le non-voilé; *die Unverborgenheit* — le non-voilement; *die
Entbergung* — le dévoilement (l'acte de dévoiler); *die
Entborgenheit* — le caractère d'être dévoilé. Plus loin on
trouve aussi : *die Verbergung* — la dissimulation et *die
Verborgenheit* — l'obnubilation.

vers telle ou telle extrémité. La liberté n'est pas une simple absence de contrainte relative à nos possibilités d'action ou d'inaction. Mais la liberté ne consiste pas non plus en une disponibilité à l'égard d'une exigence ou d'une nécessité (et donc d'un étant quelconque). Avant tout cela (avant la liberté « négative » ou « positive ») la liberté est l'abandon au dévoilement de l'étant comme tel. Le caractère d'être dévoilé de l'étant se trouve préservé par l'abandon ek-sistant; grâce à cet abandon, l'ouverture de l'ouvert, c'est-à-dire la « présence » *(Da)*, est ce qu'elle est.

Dans le *Da-sein* se conserve pour l'homme le fondement essentiel, longtemps non fondé, qui lui permet d'ek-sister. « Existence » ne signifie pas ici *existentia* comme apparition d'un étant simplement donné[1]. Mais « existence » ne doit pas s'entendre davantage comme l'effort existentiel, par exemple moral, de l'homme soucieux d'une ipséité, basée sur sa constitution psycho-physique. L'ek-sistence, enracinée dans la vérité comme liberté, est l'ex-position au caractère dévoilé de l'étant comme tel. Encore incomprise, n'ayant même pas besoin d'être essentiellement fondée, l'ek-sistence de l'homme historique commence à l'instant où le premier penseur est touché par le non-voilement de l'étant et de demande ce que l'étant est. En cette question, le non-voilement de l'étant est pour la première fois éprouvé. L'étant en totalité se découvre comme φύσις, « nature », terme qui ne vise pas encore ici un domaine particulier de l'étant, mais l'étant comme tel en sa totalité, perçu sous la forme d'une présence en éclosion. Ce n'est que là où l'étant lui-même

---

1. Le terme *Vorhandensein* qui se trouve dans le texte allemand, désigne ici la modalité d'être d'une chose en opposition avec celle du *Dasein*.

est expressément élevé et maintenu dans son
non-voilement, là où ce maintien est compris à la
lumière d'une interrogation portant sur l'étant
comme tel, que commence l'histoire. Le dévoilement initial de l'étant dans sa totalité, l'interrogation sur l'étant comme tel et le commencement de
l'histoire occidentale sont une seule et même chose ;
ils s'effectuent en même « temps », mais ce temps,
lui-même non mesurable, ouvre la possibilité de
toute mesure.

Si cependant le *Da-sein* ek-sistant, comme laisser-
être de l'étant, libère l'homme pour sa « liberté »,
soit qu'elle offre à son choix quelque possible
(étant), soit qu'elle lui impose quelque nécessaire
(étant), alors ce n'est pas l'arbitraire humain qui
dispose de la liberté. L'homme ne « possède » pas la
liberté comme une propriété, mais tout au contraire :
la liberté, le *Da-sein* ek-sistant et dévoilant, possède l'homme, et cela si originairement qu'*elle* seule
permet à une humanité d'engendrer la relation à
l'étant en totalité et comme tel, sur quoi se fonde
et se dessine toute histoire. Seul l'homme ek-sistant
est historique. La « nature » n'a pas d'histoire.

La liberté ainsi comprise, comme laisser-être
de l'étant, accomplit et effectue l'essence de la
vérité sous la forme du dévoilement de l'étant. La
« vérité » n'est pas une caractéristique d'une proposition conforme énoncée par un « sujet » relativement à un « objet », laquelle alors « aurait valeur »
sans qu'on sache dans quel domaine ; la vérité est le
dévoilement de l'étant grâce auquel une ouverture
se réalise. Au sein de celle-ci se développe, en
s'ex-posant, tout comportement, toute prise de
position de l'homme. C'est pourquoi l'homme *est*
selon le mode de l'ek-sistence.

Il faut, puisque tout comportement humain

est ouvert à sa manière et se met en harmonie avec ce à quoi il se rapporte, que le comportement fondamental du laisser-être, c'est-à-dire la liberté, lui ait communiqué sous forme de don la directive intrinsèque de conformer son apprésentation à l'étant. L'homme ek-siste signifie maintenant : l'histoire des possibilités essentielles de l'humanité historique se trouve ménagée pour celle-ci dans le dévoilement de l'étant en totalité. Selon la manière dont est présente *(west)* l'essence originaire de la vérité, naissent les quelques décisions capitales de l'histoire.

Parce que la vérité est liberté en son essence, l'homme historique peut aussi, en laissant être l'étant, *ne pas* le laisser être en ce qu'il est et tel qu'il est. L'étant, alors, est travesti et déformé. L'apparence affirme sa puissance. En cette puissance surgit la non-essence de la vérité. Puisque la liberté ek-sistante comme essence de la vérité n'est pas une propriété de l'homme mais que celui-ci n'ek-siste qu'en tant que possédé par cette liberté et devient ainsi seulement capable d'histoire, la non-essence de la vérité ne saurait naître subsidiairement de la simple incapacité et de la négligence de l'homme. La non-vérité doit, tout au contraire, dériver de l'essence de la vérité. Ce n'est que parce que la vérité et la non-vérité ne sont *point* indifférentes l'une à l'égard de l'autre dans leur *essence*, mais s'appartiennent mutuellement, que, au fond, une proposition vraie peut se trouver en opposition aiguë avec la proposition non-vraie corrélative. La question de l'essence de la vérité n'atteint donc son domaine originel qu'au moment où la vue préalable de la pleine essence de la vérité permet d'englober dans le dévoilement de celle-ci la réflexion sur la non-vérité. L'examen de la non-essence de la vérité

ne comble pas une lacune subsidiaire, mais il constitue le pas décisif dans la position adéquate de la
question de l'essence de la vérité. Mais comment
saisirons-nous la non-essence de l'essence de la
vérité? Si l'essence de la vérité ne s'épuise pas dans
la conformité de l'énoncé, alors la non-vérité, elle
non plus, ne peut être égalée à la non-conformité
du jugement.

v. — L'ESSENCE DE LA VÉRITÉ

L'essence de la vérité s'est dévoilée comme
liberté. Cette dernière est le laisser-être ek-sistant
qui dévoile l'étant. Tout comportement ouvert
se déploie *(schwingt)* en laissant-être l'étant et
tout en prenant attitude vis-à-vis de tel ou tel étant
particulier. La liberté a, d'avance, accordé tout
comportement à l'étant en totalité en tant qu'elle
est l'abandon au dévoilement de cet étant en totalité et comme tel. Cet accord affectif [1] *(Stimmung)*
ne se laisse cependant jamais saisir comme « état
vécu » ou comme « état d'âme » *(Gefühl)*. Car on
le détourne ainsi de son essence, et on le comprend
à partir de notions qui (comme la « vie » et « l'âme »)
ne peuvent elles-mêmes prétendre à la dignité
d'essence qu'apparemment et aussi longtemps qu'on
se méprend sur cet accord affectif et qu'on en falsifie la signification. Un accord affectif, c'est-à-dire
une exposition ek-sistante à l'étant en totalité,
ne peut être « vécu » et « senti » que parce que
« l'homme, être doué de sentiment » s'est abandonné

1. Nous traduisons *Gestimmtheit* par accord affectif.
Heidegger précise le terme en lui accolant entre parenthèses
le substantif *Stimmung* (disposition), que nous avons
conservé dans le texte.

à un accord dévoilant de l'étant en totalité, tout en ne pressentant pas l'essence de cette disposition affective. Tout comportement de l'homme historique est, qu'il le sente expressément ou non, qu'il le comprenne ou non, accordé, et, par cet accord, porté dans l'étant en totalité. Le degré de révélation [1] de l'étant en totalité ne coïncide pas avec la somme des étants connus en fait. Au contraire, là où l'étant est peu connu de l'homme et n'est saisi que rudimentairement par la science, la révélation de l'étant en totalité peut s'affirmer de manière plus essentielle que là où ce qui est connu et constamment offert à la connaissance est devenu inépuisable pour le regard, que là où rien ne résiste plus au zèle du savoir, lorsque la capacité technique de dominer les choses se déploie en une agitation sans fin. C'est précisément dans ce nivellement omniscient d'un savoir, qui n'est plus que savoir, que s'estompe la révélation de l'étant, qu'elle sombre dans l'apparente nullité de ce qui n'est même plus indifférent, de ce qui n'est plus qu'oublié.

Le laisser-être de l'étant, générateur de l'accord (du *Dasein* à l'étant en totalité), pénètre et précède tout comportement ouvert qui se déploie en lui. Le comportement de l'homme est pénétré *(durchstimmt)* de la révélation de l'étant en totalité. Cet « en totalité » apparaît cependant pour l'horizon de la préoccupation et du calcul journaliers comme l'insaisissable et l'imprévisible. Il ne se laisse jamais atteindre à partir de l'étant qui vient de se manifester, que celui-ci appartienne à la nature ou à l'histoire. Quoiqu'il pénètre constamment tout, en

---

1. Le texte porte simplement *die Offenbarkeit* — *la révélation.*

l'accordant, il reste néanmoins lui-même l'indéterminé et l'indéterminable; et c'est pourquoi on le
confond le plus souvent avec ce qu'il y a de plus
courant et de moins remarquable. Ce qui nous
pénètre ainsi (en nous accordant) n'est pas rien, mais
est, au contraire, une dissimulation de l'étant en
totalité. Dans la mesure où le laisser-être laisse être
l'étant auquel il se réfère dans un comportement
particulier, et ainsi le dévoile, il dissimule l'étant
en totalité. En soi, le laisser-être est donc du même
coup une dissimulation. Dans la liberté ek-sistante
du *Dasein* se réalise la dissimulation de l'étant en
totalité, *est* l'obnubilation.

VI. — LA NON-VÉRITÉ
EN TANT QUE DISSIMULATION

L'obnubilation refuse à l'ἀλήθεια le dévoilement.
Elle ne l'admet même pas comme στέρησις (privation), tout en préservant pour l'ἀλήθεια ce qui lui est
propre. L'obnubilation est donc, lorsqu'on la pense
à partir de la vérité comme dévoilement, le caractère de n'être pas dévoilé et, ainsi, la non-vérité
originelle, propre à l'essence de la vérité. L'obnubilation de l'étant en totalité ne s'affirme pas comme
une conséquence subsidiaire de la connaissance
toujours parcellaire de l'étant. L'obnubilation de
l'étant en totalité, la non-vérité originelle, est plus
ancienne que toute révélation de tel ou tel étant.
Elle est plus ancienne encore que le laisser-être
lui-même qui, en dévoilant, dissimule déjà, et prend
attitude relativement à la dissimulation. Qu'est-ce
que le laisser-être préserve par cette relation à la
dissimulation? Rien de moins que la dissimulation
de l'étant comme tel, obnubilé en totalité, c'est-à-

dire le mystère [1]. Il ne s'agit point d'un mystère particulier touchant ceci ou cela mais de ce fait unique que le mystère (la dissimulation de ce qui est obnubilé) comme tel domine le *Da-sein* de l'homme.

Il advient ainsi que, dans le laisser-être dévoilant et qui en même temps dissimule l'étant en totalité, la dissimulation apparaît comme ce qui est obnubilé en premier lieu. Le *Da-sein* en tant qu'il ek-siste, engendre le premier et le plus étendu non-dévoilement, la non-vérité originelle. La non-essence originelle de la vérité est le mystère. Le terme non-essence [2] n'implique pas encore ici cette nuance de dégradation que nous lui attachons dès que l'essence est entendue comme universalité (χοινόν, γένος), comme *possibilitas (Ermöglichung)* de l'universel et comme son fondement. C'est que la non-essence vise ici l'essence pré-existante. D'ordinaire, cependant, la « non-essence » désigne la déformation de l'essence déjà dégradée. En toutes ces significations, néanmoins, la non-essence est toujours essentiellement liée à l'essence, selon des modalités correspondantes, et ne devient jamais inessentielle au sens d'indifférente. Mais parler ainsi de la non-essence et de la non-vérité, heurte trop fort l'opinion encore courante et paraît une accumulation forcée de « paradoxes » arbitraires. Parce que cette apparence est difficile à éliminer, nous voulons renoncer à ce langage qui n'est para-

1. Le texte porte — *die Verbergung des Verborgenen im Ganzen, des Seienden als eines solchen,* ce qui signifie littéralement : l'obnubilation du dissimulé en totalité, de l'étant comme tel.

2. Voir note p. 174. Heidegger attribue ici à l'expression — comme nous le verrons plus loin — un troisième sens, plus originel.

doxal que pour la *doxa* (opinion) commune. **Pour**
celui qui sait, tout au moins, le « non » de la non-
essence originelle de la vérité comme non-vérité,
indique le domaine encore inexploré de la vérité
de l'Être (et non seulement de l'étant).

La liberté comme laisser-être de l'étant est en
soi une relation ré-solue, une relation qui n'est pas
close sur elle-même. Tout comportement se fonde
sur cette relation et en reçoit la directive [de s'en
remettre] à l'étant et à son dévoilement. **Par là**
cependant, cette relation à la dissimulation se cache
elle-même en ce qu'elle promeut l'oubli du mystère
et disparaît dans cet oubli. Quoique l'homme se
rapporte constamment à l'étant, il se limite habituellement à tel ou tel étant en son caractère révélé.
L'homme s'en tient à la réalité courante et susceptible d'être dominée, même là où il s'agit de ce qui
est fondamental. Et s'il se met en devoir d'élargir,
de transformer, de se réapproprier et d'assurer le
caractère révélé de l'étant dans les domaines les
plus variés de son activité, les directives en vue de
cette fin n'en sont pas moins trouvées dans l'étroit
milieu de ses projets et de ses besoins courants.

S'installer dans la vie courante équivaut en soi
au refus de reconnaître la dissimulation de ce qui est
obnubilé. Sans doute y a-t-il aussi au sein de la vie
courante des énigmes, du non-éclairci, de l'indécis,
du douteux. Mais toutes ces questions, qui ne surgissent d'aucune inquiétude, ne sont que transi-
tions et intermédiaires dans le mouvement de la vie
courante et, par conséquent, inessentielles. Là
où l'obnubilation de l'étant en totalité est tolérée
sous forme d'une limite qui s'annonce accidentelle-
ment à nous, la dissimulation comme événement
fondamental n'en est pas moins tombée dans l'oubli.

Mais le mystère oublié du *Dasein* n'est pas éliminé par l'oubli; au contraire, cet oubli prête à l'apparente disparition de ce qui est oublié une présence propre. En tant que le mystère se renie dans l'oubli et pour l'oubli, il contraint l'homme historique d'en rester à la vie courante et à ses faux pouvoirs. Ainsi abandonnée, l'humanité complète son « monde » à partir de ses besoins et de ses intentions les plus récentes et le remplit de ses projets et de ses calculs. Oublieux de l'étant en totalité, l'homme emprunte alors à ceux-ci ses mesures. Il se fixe ses projets et ses calculs en se munissant toujours de mesures nouvelles, sans plus réfléchir à cela même qui fonde la prise de mesure, ni à l'essence de ce qui la fournit. En dépit du progrès vers de nouvelles mesures et de nouveaux buts, l'homme se trompe sur l'essence authentique de ses mesures. Aussi se mesure-t-il mal, et cela d'autant plus gravement qu'il se prend exclusivement lui-même, en tant que sujet, pour mesure de tout étant. Dans cet oubli démesuré, l'humanité s'assure avec insistance d'elle-même, grâce à ce qui lui est à tout moment accessible dans la vie courante. Cette persévérance trouve son appui, inconnaissable pour elle-même, dans la *relation* par laquelle l'homme non seulement ek-siste, mais en même temps *in-siste*, c'est-à-dire se raidit sur ce que lui offre l'étant en tant qu'il paraît de soi et en soi manifeste.

Ek-sistant, le Dasein est insistant. Même dans l'existence insistante règne le mystère, comme essence oubliée, et ainsi rendue « inessentielle », de la vérité.

VII. — LA NON-VÉRITÉ
EN TANT QU'ERRANCE

Insistant, l'homme est tourné vers ce qu'il y a
de plus courant dans l'étant. Mais il ne peut insister qu'en étant déjà ek-sistant, c'est-à-dire en
tant qu'il prend tout de même pour mesure directrice l'étant comme tel. L'humanité, néanmoins,
par la prise de mesure qui lui est propre, est
détournée du mystère. Cette insistante conversion
à ce qui est courant et cette aversion ek-sistante
du mystère vont de pair. Elles sont une seule et
même chose. Cette manière de se tourner et de se
détourner résulte, au fond, de l'agitation inquiète
qui est caractéristique du *Dasein*. L'agitation qui
fuit le mystère pour se réfugier dans la réalité
courante, et pousse l'homme d'un objet quotidien
vers l'autre, en lui faisant manquer le mystère,
est l'*errer (Irren)*.

L'homme erre. L'homme ne tombe pas dans
l'errance à un moment donné. Il ne se meut que
dans l'errance parce qu'il in-siste en ek-sistant et
ainsi se trouve toujours-déjà dans l'errance.
L'errance au sein de laquelle l'homme se meut, n'a
pas la forme d'un ravin qui longerait son chemin et
dans lequel il lui arriverait quelquefois de choir; au
contraire, l'errance fait partie de la constitution
intime du *Da-sein* à laquelle l'homme historique
est abandonné. L'errance est l'espace de jeu de
cette agitation au sein de laquelle l'ek-sistence
in-sistante, non sans souplesse, s'oublie elle-même
et se manque toujours à nouveau. La dissimulation
de l'étant en totalité, lui-même obnubilé, s'affirme
dans le dévoilement de l'étant particulier qui,
comme oubli de la dissimulation, constitue l'errance.

L'errance est l'anti-essence fondamentale de l'essence originaire de la vérité. L'errance s'ouvre en domaine ouvert pour toute antidémarche *(Widerspiel)* de la vérité essentielle. L'errance est le théâtre et le fondement de l'*erreur*. Non pas une faute occasionnelle, mais l'empire de cette histoire où s'entremêlent, confondues, toutes les modalités de l'errance, telle est l'erreur.

Tout comportement possède sa manière d'errer, correspondant à son apérité et à son rapport à l'étant en totalité. L'erreur s'étend depuis les méprises, les bévues et les mécomptes les plus ordinaires, jusqu'aux égarements et aux outrances de nos attitudes et de nos décisions essentielles. Ce que l'habitude et les doctrines philosophiques appellent l'erreur, c'est-à-dire la non-conformité du jugement et la fausseté de la connaissance, n'est qu'une manière, et encore la plus superficielle, d'errer. L'errance, dans laquelle l'humanité historique doit se mouvoir pour que sa marche puisse être aberrante, est une composante essentielle de l'ouverture du *Dasein*. L'errance domine l'homme en tant qu'elle le pousse à s'égarer[1]. Mais par l'égarement, l'errance contribue aussi à faire naître cette possibilité que l'homme a le moyen de tirer de son ek-sistence et qui consiste à *ne pas* succomber à l'égarement. Il n'y succombe pas s'il est susceptible d'éprouver l'errance comme telle et de ne pas méconnaître le mystère du *Da-sein*.

Comme l'ek-sistence in-sistante de l'homme se meut dans l'errance et que l'errance en tant qu'égarement menace toujours l'homme de quelque

---

1. Nous traduisons *beirren* par égarer, nous avons donc : *die Irre* — l'errance; *das Irren* — l'errer; *der Irrtum* — l'erreur; *die Beirrung* — l'égarement.

manière, l'ek-sistence, par cette menace, est lourde
de mystère, encore que d'un mystère oublié; voilà
pourquoi l'homme est dans l'ek-sistence de son
Dasein assujetti *du même coup* au règne du mystère
et à la menace issue de l'errance. L'un et l'autre le
maintiennent dans *la détresse de la contrainte*[1].
La pleine essence de la vérité, incluant sa propre
anti-essence, garde le *Dasein* dans la détresse par
le fait de cette oscillation perpétuelle entre le mystère et la menace de l'égarement. Le *Dasein* est
[soumis] à la contrainte. Du *Da-sein* de l'homme
et de lui seul, surgit le dévoilement de la nécessité[2];
et par là, l'existence humaine peut se placer dans
l'inéluctable.

Le dévoilement de l'étant comme tel est en
même temps et en soi la dissimulation de l'étant en
totalité. C'est dans cette simultanéité du dévoilement et de la dissimulation que s'affirme l'errance.
La dissimulation de l'obnubilé et l'errance appartiennent à l'essence originaire de la vérité. La
liberté, comprise à partir de l'ek-sistence in-sistante
du *Dasein*, n'est l'essence de la vérité (comme
conformité de l'apprésentation) que parce que la
liberté découle elle-même de l'essence originaire de
la vérité, du règne du mystère dans l'errance. Le
laisser-être de l'étant s'accomplit par notre comportement au sein de l'ouvert. Toutefois, le laisser-être
de l'étant comme tel et en totalité ne se fait authen-

---

1. Le texte allemand porte : *die Not der Nötigung.*
2. Le terme allemand *Notwendigkeit*, ici employé, est
compris par Heidegger dans son acception étymologique,
c'est-à-dire comme union des idées de *Not* (détresse) et de
Wende (que nous avons traduit par oscillation). Il définit
donc la nécessité comme une manière de se débattre dans la
contrainte. Nous n'avons pu rendre ces diverses nuances
que très approximativement dans le texte français.

tiquement (*wesensgerecht*) que lorsque, de temps
à autre, il est assumé dans son essence originaire. A
ce moment, l'acceptation ré-solue[1] du mystère
commence à s'accomplir au sein de l'errance aperçue
comme telle. Dès ce moment, la question de
l'essence de la vérité se trouve posée dans son originalité radicale. Dès ce moment, se dévoile l'origine
de l'imbrication de l'essence de la vérité avec la
vérité de l'essence. La vue du mystère à partir de
l'errance pose le problème de la question unique :
qu'est-ce que l'étant comme tel dans sa totalité?
Une telle interrogation pense le problème essentiellement déconcertant et dont l'équivocité n'est
pas encore maîtrisée : la question de l'*être* de l'étant.
La pensée de l'Être, dont cette interrogation dérive
originairement, se conçoit depuis Platon comme
« philosophie » et a reçu plus tard le nom de « métaphysique ».

VIII. — LA QUESTION DE LA VÉRITÉ
ET LA PHILOSOPHIE

C'est dans la pensée de l'Être que la libération
de l'homme pour l'ek-sistence, libération qui fonde
l'histoire, accède à la parole. La parole n'est pas
en premier lieu l' « expression » d'une opinion,
mais, d'emblée, l'articulation protectrice de la vérité
de l'étant en totalité. Le nombre de ceux qui
entendent cette parole importe peu. La qualité de
ceux qui peuvent y prêter attention, décide de la
position de l'homme dans l'histoire. Mais à ce
même moment de l'histoire du monde, où s'accomplit

---

1. Le terme *Entschlossenheit* employé ici, unit les idées
d'ouverture et de résolution.

le début de la philosophie, commence aussi la domination *expresse* du sens commun (de la sophistique).

Le sens commun fait appel à l'évidence *(Fraglosigkeit)* de l'étant révélé et qualifie toute interrogation philosophique d'attentat contre lui-même et son ombrageuse susceptibilité.

Mais ce que le bon sens, d'abord justifié dans son domaine propre, estime de la philosophie, n'atteint pas l'essence de celle-ci, qui ne se laisse déterminer que relativement à la vérité originaire de l'étant comme tel en totalité. La pleine essence de la vérité incluant toutefois sa non-essence et règnant originairement sous la forme de la dissimulation, la philosophie, en tant qu'elle pose la question de cette vérité, est divisée en elle-même. Sa pensée est la souple douceur qui ne se refuse pas à l'obnubilation de l'étant en totalité. Mais elle est aussi la ré-solution rigoureuse qui, sans détruire la dissimulation, amène celle-ci, en préservant sa nature, à la clarté de l'intellection et ainsi la contraint [à se manifester] dans sa propre vérité.

La philosophie, dans la douce rigueur et la rigoureuse douceur du laisser-être de l'étant comme tel en totalité, se développe en une interrogation qui, si elle ne peut pas s'en tenir exclusivement à l'étant, ne tolère non plus aucune injonction extérieure. Cette détresse intérieure de la pensée, Kant l'a soupçonnée, car il dit de la philosophie : « Nous voyons ici la philosophie placée dans une situation critique : il faut qu'elle trouve une position ferme sans avoir, ni dans le ciel ni sur terre, de point d'attache ou de point d'appui. Il faut que la philosophie manifeste ici sa pureté, en se faisant la gardienne de ses propres lois, au lieu d'être le héraut de celles que lui suggère un sens inné ou je ne sais quelle nature tutélaire... » (Kant, *Fondement de la méta-*

physique des mœurs; trad. V. Delbos, p. 145 sq.).

En interprétant ainsi l'essence de la philosophie, Kant, dont l'œuvre introduit la dernière phase de la métaphysique occidentale, regarde vers un domaine que, conformément à sa position métaphysique, fondée sur la subjectivité, il ne pouvait comprendre qu'à partir de cette dernière. La philosophie devait donc être interprétée par Kant comme gardant ses propres lois. Cette conception essentielle de la destination de la philosophie est cependant assez large pour rejeter tout asservissement de la pensée. La forme la plus dénuée de cet asservissement se dissimule sous le prétexte d'admettre encore la philosophie comme « expression » de la « culture » (Spengler) ou comme le luxe d'une humanité adonnée au travail.

Si cependant la philosophie réalise son essence telle qu'elle fut originairement posée comme « gardienne de ses propres lois », ou si, au contraire, elle n'est pas soutenue et déterminée dans son attitude de gardienne par la vérité de ce à quoi ses lois se réfèrent, c'est ce qui se décide par l'originalité *(Anfänglichkeit)* avec laquelle l'essence première de la vérité deviendra fondamentale pour l'interrogation philosophique.

L'essai ici présenté conduit la question de la vérité au-delà des bornes traditionnelles de la conception commune et aide la réflexion à se demander si la question de l'essence de la vérité ne doit pas être, en même temps et d'abord, la question de la vérité de l'essence. Mais sous le concept d' « essence », la philosophie pense l'Être. En ramenant la possibilité interne de la conformité d'un jugement à la liberté ek-sistante du laisser-être reconnu comme son « fondement », en situant d'emblée l'origine de l'essence de ce fondement dans la dissimulation et l'errance, nous avons voulu indiquer que l'essence de la vérité n'est point la « généralité » vide d'une universalité « abstraite » mais, au contraire, l'Unique dissimulé de l'histoire, unique elle-même, qui dévoile le « sens » de ce que nous appellons l'Être et de ce que nous sommes accoutumés depuis longtemps à penser comme l'étant dans sa totalité.

NOTE

La présente communication sur l'essence de la vérité a été développée sous la forme d'une conférence publique (faite en automne et en hiver 1930 à Brême, à Marbourg-sur-Lahn, à Fribourg-en-Brisgau et en été 1932 à Dresde).

La question fondamentale de la conférence est née d'une méditation sur la vérité de l'essence et fut revue plus tard à diverses reprises, tout en maintenant inchangés le point de départ, la position fondamentale et la structure du travail.

La question décisive (*Sein und Zeit*, 1927) du « sens » de l'Être, c'est-à-dire (*Sein und Zeit*, p. 151) de la portée de la projection, c'est-à-dire de l'ouverture, ou encore de la vérité de l'Être et non pas seulement de l'étant, n'y est intentionnellement pas développée. La pensée s'y tient apparemment dans la voie de la métaphysique mais n'en réalise pas moins dans ses démarches décisives — lorsqu'elle passe de la vérité comme conformité à la liberté ek-sistante et de celle-ci à la vérité comme dissimulation et errance — une révolution de l'interrogation qui entraîne un *dépassement* de la métaphysique.

Le savoir acquis ici culmine dans cette expérience décisive : c'est seulement à partir du *Da-sein*, dans lequel peut s'engager l'homme, que se prépare pour l'homme historique la proximité de la vérité de l'Être. Non seulement toute espèce d' « anthropologie » et toute conception de l'homme comme subjectivité se trouvent abandonnées, comme c'était déjà le cas dans *Sein und Zeit*, non seulement la vérité de l'Être est poursuivie comme « fondement » d'une nouvelle position historique, mais encore le cours de l'exposé entreprend-il de penser à partir de ce nouveau « fondement » (du *Da-sein*). Les phases de l'interrogation constituent en elles-mêmes le cheminement d'une pensée qui, au lieu de nous offrir des représentations et des concepts, s'éprouve et se raffermit comme une révolution de la relation à l'Être.

Contribution
à la question de l'être

Traduit de l'allemand par Gérard Granel.

AVERTISSEMENT

Le texte donné ici reproduit sans changement —
si ce n'est l'addition de quelques lignes — l'article
par lequel j'ai contribué à l'hommage qui fut rendu
à Ernst Jünger en 1955. Ce qui a été modifié,
c'est le titre. L'ancien titre était : « Über "die
Linie" »[1]. Le nouveau titre voudrait indiquer que
la méditation sur l'essence du nihilisme a son
origine dans un effort pour situer l'être en tant
qu'être. Selon la tradition la philosophie comprend,
sous le titre de question de l'être, celle de l'étant en
tant qu'étant. C'est là *la* question de la métaphysique. La réponse à cette question en appelle chaque
fois à une lecture de l'être qui reste hors de question
et qui prépare, qui pose les fondements et le terrain
de la métaphysique. Celle-ci ne revient pas sur ses

---

[1]. « De "la ligne" ». Cet ancien titre étant lui-même déjà
la modification de celui de l'œuvre d'Ernst Jünger : *Über
die Linie* (« Au-delà de la ligne »). L'expression allemande
peut en effet se traduire soit par *trans lineam*, soit par *de
linea*. C'est dans le premier sens qu'Ernst Jünger entendait
le titre de son œuvre; Heidegger, lui, le comprend dans le
second sens, ce qu'il rend visible graphiquement en mettant
"die Linie" entre guillemets.

fondements. C'est un tel retour qui est éclairci dans l'introduction à « Qu'est-ce que la métaphysique? », introduction ajoutée au texte de cette conférence depuis la 5ᵉ édition (1949, 7ᵉ édition, 1955, p. 7-23).

DE "LA LIGNE"

Cher Jünger,

En vous offrant mes vœux pour votre soixantième anniversaire je reprends à mon compte, à une légère modification près, le titre de l'opuscule que vous m'aviez dédié dans la même occasion. Entre-temps *Au-delà de la ligne*, augmenté en plusieurs endroits, a paru en un volume à part. Il s'agit d'un « bilan de la situation », établi dans la perspective d'un « franchissement » de la ligne, qui pourtant ne se réduit pas à une simple description. La ligne s'appelle aussi le « méridien zéro » (p. 29). Vous parlez (p. 22 et 31) du « point zéro ». Le zéro indique le néant, et précisément le néant vide. Où tout se presse vers le néant, là règne le nihilisme. Le méridien zéro est celui où le nihilisme approche de son accomplissement. Reprenant une interprétation de Nietzsche, vous comprenez le nihilisme comme le processus dans lequel « les plus hautes valeurs se dévalorisent » *(La Volonté de puissance,* n° 2, 1887).

En tant que méridien la ligne zéro possède sa zone. Le domaine du nihilisme accompli trace la frontière entre deux âges du monde. La ligne qui

le définit est la ligne critique. C'est là qu'il se décide
si le mouvement du nihilisme se termine dans le
nihil negativum, ou bien si ce mouvement est celui
d'un passage dans le domaine d'un « nouvel atour
de l'être » (p. 32). Le mouvement du nihilisme doit
donc, d'après cela, être soumis par lui-même à des
possibilités différentes, et c'est dans son essence
qu'il doit être plurivoque.

Votre bilan de la situation relève les signes qui
permettent de reconnaître si, et dans quelle mesure,
nous franchissons la ligne, quittant ainsi la zone
du nihilisme accompli. Dans le titre de votre ouvrage
Über die Linie, « über » signifie : au-delà, trans, μετά.
Au contraire les remarques qui vont suivre entendent le « über » seulement dans la signification du
« de », περί. Elles traiteront « de » la ligne elle-même,
de la zone du nihilisme accompli. En demeurant
attachés à l'image de la ligne, nous découvrons
qu'elle parcourt un espace, lui-même déterminé
par un site. Le site rassemble. Le rassemblement
recèle le rassemblé dans son essence. C'est le site
de la ligne qui donne la provenance de l'essence
du nihilisme et de son accomplissement.

Ma lettre voudrait esquisser la pensée du site
de la ligne, et en ce sens la « situer ». Votre bilan
de la situation sous le titre *trans lineam* et ma recherche du site sous le titre *de linea* appartiennent l'un
à l'autre : celui-là implique celle-ci, celle-ci continue
à renvoyer à celui-là. En quoi je ne vous apprends
rien de bien particulier, puisque vous savez qu'un
bilan de la situation de l'homme dans son rapport
au mouvement du nihilisme et à l'intérieur de ce
mouvement exige une détermination d'essence qui
soit suffisante. Ce savoir manque en bien des lieux,
et c'est là ce qui trouble notre vue lorsque nous
faisons le bilan de notre situation. On juge du nihi-

lisme à la légère et on s'aveugle sur la présence
« de cet hôte, le plus étrange de tous » (Nietzsche,
La Volonté de puissance, Esquisse du plan, *Œuvres
complètes*, XV, p. 141 [1]). Nietzsche dit : « le plus
étrange » parce que ce qu'il veut, en tant que volonté
inconditionnée du vouloir, c'est l'étrangeté, l'apa-
tridité comme telle. C'est pourquoi il est vain de
vouloir le mettre à la porte, puisqu'il est déjà partout
depuis longtemps, invisible et hantant la maison.
Ce qu'il faut c'est regarder cet hôte et le dévisager.
Vous-même écrivez (p. 11) : « Une bonne définition
du nihilisme serait à comparer avec la mise en évidence de la cause du cancer. Elle ne signifierait
pas la guérison, mais bien sa condition préalable
dans la mesure où il se trouve des hommes pour y
mettre du leur. Il s'agit là bel et bien d'un processus
qui embrasse largement l'histoire. »

Ainsi donc « une bonne définition du nihilisme »,
c'est ce qu'on pourrait attendre d'une recherche
du site *(de linea)*, s'il était bien vrai que les efforts
de guérison dont l'homme est capable se laissent
comparer à un passage *(trans lineam)*. Certes vous
insistez vous-même sur le fait que le nihilisme n'est
pas assimilable à une maladie, et pas davantage
au chaos ni au mal. Le nihilisme n'est pas plus en
lui-même quelque chose de pathologique que la
cause du cancer. En ce qui concerne l'*essence* du
nihilisme il n'y a pas d'espoir de guérison, et aucun
sens à l'exiger. Cependant votre travail reste
d'allure *médicale*, ce que laisse voir déjà la division
en pronostique, diagnostique et thérapeutique. Le
jeune Nietzsche eut ce mot pour qualifier le philosophe : « médecin de la civilisation » *(Œuvres*

---

1. Les références à Nietzsche sont données d'après la
grande édition complète de Leipzig (Naumann, 1894).

complètes, **X**, p. 225). Mais il ne s'agit plus seulement maintenant de la civilisation. Vous dites avec justesse : « C'est le tout qui est en jeu », « Il y va de la planète » (p. 38). Guérir ne se rapporte qu'aux séquelles funestes de ce processus planétaire et aux phénomènes menaçants qui l'accompagnent. Le besoin que nous avons de fixer la cause du cancer et de la connaître n'en est que plus urgent — du cancer, c'est-à-dire de l'essence du nihilisme. D'autant plus aussi la pensée est-elle ce dont nous avons besoin, si l'on admet qu'une expérience suffisante de l'essence ne se prépare que dans la pensée qui lui répond. Cependant, dans la même mesure où les possibilités d'une guérison immédiatement efficace disparaissent, s'est déjà resserré aussi le pouvoir de la pensée. L'essence du nihilisme n'est ni ce qu'on pourrait assainir, ni ce qu'on ne pourrait pas assainir. Elle est l'in-sane, mais en tant que telle elle est une indication vers l'in-demne. La pensée doit-elle se rapprocher du domaine de l'essence du nihilisme, alors elle se risque nécessairement en précurseur, et donc elle change.

Pour une pensée qui se risque ainsi il est devenu douteux que la recherche du site de la ligne puisse apporter « une bonne définition du nihilisme », et même qu'il faille vouloir y tendre. Une recherche du site de la ligne doit essayer autre chose. La renonciation à toute définition, qui s'exprime ici, semble faire bon marché de la rigueur de la pensée. Mais il pourrait se faire aussi que seule cette renonciation mette la pensée sur le chemin d'une certaine astreinte, qui lui permette d'éprouver de quelle nature est la rigueur requise d'elle par la chose même. C'est là ce qui ne se laisse jamais décider par les arrêts qui tombent du tribunal de la raison. Celle-ci n'est d'aucune façon un juge équitable.

Elle précipite inconsidérément tout ce qui ne se plie pas à *sa* mesure dans les prétendus marécages de l'irrationalité, dont elle a de surcroît défini elle-même les contours. La raison et sa représentation sont seulement *une* sorte de pensée et nullement déterminée par soi-même : elle est en effet déterminée par ce qui a appelé la pensée à penser sur le mode de la *ratio*. Que l'hégémonie de la raison s'établisse comme la rationalisation de tous les ordres, comme la normalisation, comme le nivellement, et cela dans le sillage du nihilisme européen, c'est là quelque chose qui donne autant à penser que la tentative de fuite vers l'irrationnel qui lui correspond.

Mais le plus inquiétant c'est encore le processus selon lequel le rationalisme et l'irrationalisme s'empêtrent identiquement dans une convertibilité réciproque, dont non seulement ils ne trouvent pas l'issue, mais dont ils ne veulent plus l'issue. C'est pourquoi l'on dénie à la pensée toute possibilité de parvenir à une vocation qui se tienne en dehors du « ou bien ou bien » du rationnel et de l'irrationnel. Une telle pensée, pourtant, pourrait être préparée par ce que recherchent en tâtonnant, selon différentes modalités, l'éclaircissement historial, la méditation, la recherche du site.

Ce que je désire en proposant ici une recherche du site, c'est venir à la rencontre du bilan de la situation dont vous avez donné un exposé médical. Vous regardez et vous allez au-delà de la ligne; je me contente de considérer d'abord cette ligne que vous avez représentée. L'un aide l'autre, et réciproquement, quant à la portée et à la clarté de l'expérience. L'un et l'autre pourrait aider à éveiller la « force suffisante de l'esprit » (p. 28) que requiert un franchissement de la ligne.

Pour que nous puissions considérer le nihilisme dans sa phase d'accomplissement, il faut que nous scrutions son mouvement dans toute l'ampleur de son action. La description de cette action est encore plus marquante quand elle participe elle-même, en tant que description, à l'action. Mais par là même la description s'expose à un danger inordinaire et porte une responsabilité très étendue. Qui prend sa part d'une telle *responsabilité* doit rassembler celle-ci dans une *réponse* telle, qu'elle jaillisse d'un questionnement ancré dans ce qui fait le plus largement possible et le plus dignement question dans le nihilisme, et telle qu'elle soit reprise et soutenue jusqu'au bout comme ce qui correspond à ce centre.

Votre ouvrage *Le Travailleur* (1932) a entrepris la description du nihilisme européen dans la phase qui a suivi la Première Guerre mondiale. Il est le développement de votre essai sur *La Mobilisation totale* (1930). *Le Travailleur* appartient à la phase du « nihilisme actif » (Nietzsche). L'action de cet ouvrage consistait — et consiste encore, sous une forme modifiée de sa fonction — en ce qu'il rend visible le « total caractère de travail » de tout réel à partir de la figure du travailleur. C'est ainsi que le nihilisme, au début seulement européen, apparaît dans sa tendance planétaire. Cependant il n'y a pas de description qui, en elle-même, soit capable de montrer le réel en lui-même. Toute description se meut à sa manière propre — et cela d'autant plus sûrement que sa démarche est plus stricte — dans un horizon déterminé. La façon de voir et l'horizon (vous dites : « l'optique ») sont pour la représentation humaine le résultat des expériences fondamentales qu'elle a faites de l'étant en totalité. Or ce qui précède celles-ci c'est une lumière, qui ne se fait

jamais par l'homme, sur la façon dont l'étant « est ».
L'expérience fondamentale qui fait toute l'arma-
ture de votre représentation et de votre exposition grandit dans les grands engagements de matériel de la Première Guerre mondiale. Mais l'étant
en totalité se montre à vous dans la lumière et dans
l'ombre de la métaphysique de la volonté de puissance, que Nietzsche déploie sous la forme d'une
doctrine des valeurs.

Durant l'hiver 1939-1940 j'expliquai *Le Travailleur* devant un petit cercle de professeurs d'université. On s'étonna de ce qu'un livre si clairvoyant
ait paru déjà depuis des années sans qu'on en ait
encore compris la leçon, c'est-à-dire sans qu'on ait
osé faire l'essai suivant : laisser le regard que l'on
porte sur le présent se mouvoir librement dans
l'optique du *Travailleur* et penser planétairement.
On flairait que là encore les considérations histo-
rico-universelles étaient insuffisantes, appliquées
à l'histoire du monde. On lut alors avidement les
Falaises de marbre, mais, à ce qu'il me sembla,
cette lecture manquait d'un horizon suffisamment
vaste, c'est-à-dire planétaire. Pourtant on ne fut pas
non plus surpris de ce qu'une tentative d'explication du *Travailleur* ait été surveillée, et finalement
qu'elle ait été interdite. Car il appartient à l'essence
de la volonté de puissance de ne pas laisser le réel
sur lequel elle établit sa puissance apparaître dans
cette réalité qu'elle est elle-même essentiellement.

Permettez-moi de reprendre ici les termes d'une
notice qui fut tirée de cette tentative d'explication
dont je parle. Si je le fais, c'est que j'espère pouvoir
parler dans cette lettre un peu plus clairement
et plus librement. Cette notice déclare : « L'œuvre
d'Ernst Jünger *Le Travailleur* est une œuvre de
poids parce qu'elle entreprend, d'une autre façon

que Spengler, ce dont jusqu'ici toute la littérature nietzschéenne s'est montrée incapable; elle entreprend de rendre possible une expérience de l'étant et de la façon dont il est, à la lumière du projet nietzschéen de l'étant comme volonté de puissance. Il est vrai que la métaphysique de Nietzsche n'est aucunement saisie par là d'une façon pensante; les chemins d'une telle pensée ne sont même pas indiqués; au contraire, au lieu de devenir problématique au vrai sens du mot — c'est-à-dire digne de question — cette métaphysique devient évidente et apparemment superflue. »

Vous le voyez, la question critique pense dans une certaine perspective, dont l'adoption ne fait du reste pas partie des devoirs de la description accomplie dans *Le Travailleur*. Pour une bonne part ce que vos descriptions ont révélé et dont elles ont inventé le langage est aujourd'hui ce que tout le monde voit et dont tout le monde parle. Outre cela, *La Question de la technique* est redevable aux descriptions du *Travailleur* d'un soutien qui s'exerça tout au long de mon travail. Il faut encore remarquer, en ce qui concerne vos « descriptions », qu'elles ne se contentent pas de dépeindre un réel déjà connu, mais qu'elles ouvrent l'accès d'une « nouvelle réalité », en quoi « il s'agit fort peu de nouvelles idées ou de nouveau système... » (*Le Travailleur*, préface.)

Aujourd'hui encore — comment en serait-il autrement? — c'est dans la « description » bien comprise que se rassemble ce qu'il y a de fructueux dans votre parole. Cependant l'optique et l'horizon qui guident la description ne sont plus, ou pas encore, déterminés comme autrefois. Car vous ne prenez plus part maintenant à cette action du nihilisme actif qui, déjà dans *Le Travailleur* et conformément à la signification nietzschéenne, est pensée dans le sens d'un dépassement. Cependant « ne-plus-prendre-part » ne veut nullement dire déjà : « se-tenir-en-dehors » du nihilisme, et cela d'autant moins que l'essence du nihilisme n'est rien de nihiliste et que l'Histoire de cette essence reste quelque chose de plus ancien et de plus jeune que les phases « historiquement » déterminables des différentes formes du nihilisme. C'est pourquoi aussi ni votre ouvrage *Le Travailleur*, ni non plus le traité *De la souffrance* (1934), qui fait un saut encore plus grand, n'appartiennent à de quelconques « archives » du mouvement nihiliste. Au contraire, il me semble que ces œuvres *demeurent* parce qu'à elles, dans la mesure où elles parlent le langage de notre siècle, peut s'allumer de nouveau le dialogue avec l'*essence* du nihilisme, dialogue qui n'est encore nullement entrepris.

En écrivant cela je me souviens des paroles que nous échangions — c'était vers la fin de la dernière décennie. Nous marchions sur un chemin forestier et nous avions fait halte en un endroit d'où un sentier partait se perdre. A cette époque je vous encourageais à faire paraître une nouvelle édition du *Travailleur*, sans rien y changer. Vous ne suiviez ce projet qu'avec hésitation, pour des raisons qui tenaient moins au contenu du livre qu'à l'opportunité de sa réédition. Notre dialogue sur *Le Travailleur* s'arrêta là. Je n'étais pas moi-même assez recueilli pour exposer à la discussion avec une suffisante clarté les raisons de mon opinion. Depuis lors le temps a dû mûrir assez pour que j'en puisse dire quelque chose.

D'un côté le mouvement du nihilisme, dans sa dimension planétaire, dans sa multiformité, dans sa hâte dévorante est devenu davantage une évidence. Il n'y a pas aujourd'hui d'esprit pénétrant qui voudrait nier que le nihilisme, sous les formes les plus diverses et les plus cachées, soit l' « état normal » de l'humanité (voy. Nietzsche, *La Volonté de puissance*, n° 23). La meilleure preuve en sont les tentatives exclusivement ré-actionnaires qui sont faites contre le nihilisme et qui, au lieu de se laisser conduire à un dialogue avec son essence, travaillent à la restauration du bon vieux temps. C'est chercher son salut dans la fuite, en ce sens que l'on fuit devant ce qu'on ne veut pas voir : la problématicité de la position métaphysique de l'homme. La même attitude de fuite a envahi jusqu'aux lieux où, en apparence, on renonce à la métaphysique pour la remplacer par la logique, la sociologie et la psychologie. La volonté de savoir qui fait irruption ici, avec son organisation d'ensemble que l'on peut maîtriser, indique un renforcement de la volonté de puissance, laquelle est d'une autre nature que celle que Nietzsche caractérisait comme nihilisme actif.

D'un autre côté vos propres efforts de réflexion ont maintenant pour souci de nous aider à sortir de la zone du nihilisme accompli, sans que vous abandonniez les grands traits de la perspective que *Le Travailleur* avait ouverte à partir de la métaphysique de Nietzsche.

Vous écrivez (*Au-delà de la ligne*, p. 36) : « La mobilisation totale est parvenue à un stade dont les menaces dépassent celles du passé. Assurément l'Allemand n'en est plus le sujet, et c'est pourquoi le risque grandit de le voir saisi comme son objet. » Maintenant encore vous voyez la mobilisation totale — et vous avez raison — comme un caractère marquant du réel. Mais la réalité de ce réel n'est plus déterminée pour vous par la « *volonté de* mobilisation totale » (c'est moi qui souligne) [*Le Travail-*

leur, p. 148] et elle n'est plus déterminée de telle façon que cette volonté doive valoir comme l'unique source de toute justification, de toute « donation de sens ». C'est pourquoi vous écrivez (*Au-delà de la ligne*, p. 30) : « Il n'y a pas de doute que toute notre substance (c'est-à-dire d'après la page 31 : « les personnes, les œuvres et les organisations ») en tant que totalité ne se meuve sur la ligne critique. Du même coup les dangers et la sécurité changent de sens. » Dans la zone de la ligne le nihilisme s'approche de son accomplissement. L'ensemble de l' « humaine substance » ne pourra franchir cette ligne que si elle échappe à la zone du nihilisme accompli.

Il s'ensuit qu'une recherche du site de la ligne passe par la question suivante : En quoi consiste l'accomplissement du nihilisme? La réponse paraît facile. Le nihilisme est accompli quand il s'est emparé de toute substantialité, qu'il fait partout son entrée, que rien ne peut plus prétendre y faire exception puisqu'il est devenu l'état normal. Cependant l'état normal n'est que la *réalisation* de l'accomplissement. Celui-là est une suite de celui-ci. L'accomplissement signifie le rassemblement de toutes les possibilités essentielles du nihilisme, qu'il reste difficile de pénétrer dans leur ensemble comme dans leur singularité. Les possibilités essentielles du nihilisme ne se laisseront penser que lorsque nous aurons ramené la pensée à la considération de son essence. Je dis « ramener » parce que l'essence du nihilisme précède les manifestations nihilistes particulières, qu'elle est donc antérieure à elles, et qu'elle les rassemble dans l'accomplissement. Cependant l'accomplissement du nihilisme n'est pas déjà sa fin. Avec l'accomplissement du nihilisme, *commence* seulement la phase finale du nihilisme, dont la zone sera probablement d'une largeur inaccoutumée parce qu'elle aura été dominée totalement par un « état normal » et par la consolidation de cet état. C'est pourquoi la ligne zéro, où l'accomplissement touchera à sa fin, n'est à la fin pas encore visible le moins du monde.

Mais qu'en est-il alors de l'espérance d'un franchissement de la ligne? Est-ce que l'humaine substance est déjà dans le passage *trans lineam*, ou bien ne fait-elle qu'entrer dans le vaste pays qui la précède? Mais peut-être aussi sommes-nous victimes d'une illusion d'optique inévitable. Peut-être la ligne zéro, sous la forme d'une catastrophe planétaire, est-elle là, à nos pieds. Qui alors la franchirait encore? Et que peuvent les catastrophes? Les deux guerres mondiales n'ont pas arrêté le mouvement du nihilisme, ni ne l'ont détourné de sa direction. Ce que vous dites (p. 36) de la mobilisation totale en donne la confirmation; qu'en est-il maintenant de la ligne critique? Ce qui est clair en tout cas c'est qu'une recherche du site de cette ligne pourrait éveiller la réflexion à cette question : faut-il, et dans quelle mesure, que nous pensions à un franchissement de la ligne?

Il reste que la tentative de dire quelque chose *de linea* dans un dialogue de forme épistolaire se heurte à une difficulté particulière. La raison en est que, s'agissant du franchissement de la ligne « d'ici à là », c'est-à-dire dans l'espace de ce côté-ci de la ligne et dans l'espace de l'autre côté, vous parlez le même langage. Il semble que la position du nihilisme soit de quelque façon déjà abandonnée du fait du franchissement de la ligne, mais *son langage est demeuré*. Je n'entends pas ici le langage comme un simple moyen d'expression qu'on peut ôter et dont on peut changer comme de vêtements, sans que ce qui est venu au langage en soit atteint. Ce n'est que dans le langage qu'apparaît tout premièrement et que demeure essentiellement ce qu'apparemment nous ne faisons que formuler après coup en employant certains mots clefs, et encore en les employant, croyons-nous, dans les expressions qui pourraient aussi bien disparaître et être remplacées à notre gré par d'autres. Le langage du *Travailleur* révèle, à ce qu'il me semble, ses traits principaux surtout dans le sous-titre : « La Domination et la Forme. » Ce sous-titre dessine le plan essentiel de l'œuvre. Vous entendez d'abord la forme au sens de l'ancienne psychologie de la forme, comme « un tout qui contient plus que la somme de ses parties ». On pourrait s'inquiéter de savoir dans quelle mesure cette caractérisation de la forme s'appuie encore et toujours — avec ce « plus » et cette « somme » — sur la représentation sommative, laissant dans l'indétermination le caractère de forme en tant que tel. Mais vous donnez à la forme un rang sacré et vous l'opposez ainsi à bon droit à la « simple idée ».

L' « idée » ici est prise de façon moderne, elle est prise au sens de la *perceptio* de la représentation par un sujet. D'autre part la forme aussi reste pour vous ce qui n'est accessible que dans un « voir ». Il s'agit de ce voir qui chez les Grecs se dit ἰδεῖν, mot que Platon emploie pour un regard qui considère non pas le changeant de la perception sensible, mais l'immuable, l'être, l'ἰδέα. Vous aussi caractérisez la forme comme l' « être calme ». La forme n'est certes pas une « idée » dans l'entendement au sens de la philosophie des modernes, et pas non plus par conséquent une représentation régulative au sens de Kant. L'être calme reste, pour la pensée grecque, purement différent de l'étant changeant auquel il s'oppose. Cette différence entre l'être et l'étant apparaît alors, vue à partir de l'étant et en regardant vers l'être, comme la transcendance, c'est-à-dire comme le méta-physique. Mais la différence n'est pas la scission absolue. Elle l'est si peu que dans l'être-présent (l'être) l'étant pré-sent (l'étant) est pro-duit, bien qu'il ne soit pourtant pas causé au sens de la causalité efficiente. Le pro-duisant est parfois pensé par Platon comme le Sceau (τύπος) (voy. *Théétète*, 192-194 b). Vous aussi vous pensez la relation de la forme à ce qu'elle met en forme comme celle du cachet à l'empreinte. Au reste vous entendez cette im-pression de façon moderne, comme le fait de prêter un *sens* à ce qui n'en a pas. La forme est « source de la donation de sens » (*Le Travailleur*, p. 148).

Cette référence historiale à l'entre-appartenance de la forme, de l'ἰδέα et de l'être n'a pas pour but de donner de votre œuvre un bilan historique, mais de montrer qu'*elle reste une œuvre dont la métaphysique est la patrie.* Conformément à celle-ci tout étant — le changeant, le mû, le mobile, le mobilisé — est représenté à partir d'un « être calme », et cela aussi bien là où l' « être » (la réalité du réel), comme chez Hegel et chez Nietzsche, est pensé comme pur devenir et absolue mobilité. La forme est « puissance métaphysique » (*Le Travailleur*, p. 113, 124, 146).

D'un autre point de vue cependant la représentation métaphysique qui est celle du *Travailleur* se distingue de celle de Platon et même de celle des modernes, à l'exception de celle de Nietzsche. La source de la donation de sens, la puissance présente au préalable et qui ainsi marque toute chose de son empreinte, c'est la forme en tant que forme d'une *humanité* : « la forme du travailleur ». La forme repose sur les traits essentiels d'une humanité, qui en tant que subjectum est au fondement de tout étant. Ce n'est pas l'égoïté d'un homme singulier, la subjectivité de l'égoïté, c'est la présence d'un type humain *(typus)* qui constitue la subjectité ultime dont l'accomplissement de la métaphysique moderne marque l'apparition et qui s'offre dans la pensée de cette métaphysique.

Dans la forme du travailleur et dans sa domination ce qui est visé n'est plus la subjectité subjective, encore moins la subjectité subjectiviste de l'être humain. La vue métaphysique de la forme du travailleur correspond au projet de la forme essentielle de Zarathoustra à l'intérieur de la métaphysique de la volonté de puissance. Que se cache-t-il dans cette apparition de la subjectité objective du subjectum (de l'être de l'étant), lequel est pensé en tant que forme humaine, non en tant qu'homme singulier?

Ce développement sur la subjectité (non la subjectivité) de l'être-humain en tant que fondement pour l'objectivité de tout subjectum (de tout étant-pré-sent) a toutes les apparences du paradoxe et de l'artifice. S'il en est ainsi c'est que nous avons à peine commencé à nous demander pourquoi, et de quelle façon, à l'intérieur de la métaphysique moderne, est devenue nécessaire une pensée qui représente Zarathoustra en tant que forme. L'indication que l'on donne souvent, que la pensée de Nietzsche serait tombée par une sorte de fatalité dans la poésie, est elle-même une façon de renoncer au questionnement de la pensée. D'autre part il n'est même pas nécessaire de remonter jusqu'à la déduction transcendantale des catégories chez Kant pour voir que, lorsqu'on envisage la forme comme source de la donation de sens, il s'agit de la *légiti-*

mation de l'être de l'étant. Ce serait une explication
par trop grossière que de dire que l'homme apparaît
ici, dans un monde sécularisé, en tant que susciteur
de l'être de l'étant à la place de Dieu. Certes, que
l'être humain *(Menschenwesen)* soit ici en jeu, cela
ne souffre aucun doute. Mais le maintien de l'homme
(das Wesen [verbal] *des Menschen)*, « le Dasein
dans l'homme » (voy. *Kant und das Problem der
Metaphysik*, 1ʳᵉ éd., 1929, § 43) n'est rien d'humain.
Afin que l'*idea* de l'être humain puisse parvenir
au rang de ce qui est déjà au fondement de tout
étant pré-sent en tant que la Présence même,
laquelle seule permet une « représentation » dans
l'étant et ainsi *légitime* celui-ci en tant qu'étant, il
faut avant tout que l'homme soit représenté au
sens de ce qui se tient au fondement d'une façon
déterminante. Mais déterminante pour quoi? Pour
la mise en sécurité de l'étant dans son être. Dans
quel sens apparaît l'*être*, s'il s'agit de la sécurité de
l'étant? Dans le sens de ce qui est toujours et partout fixable, c'est-à-dire représentable. Descartes,
qui comprenait l'être ainsi, trouva la subjectité
du subjectum dans l'ego cogito de l'homme fini.
L'apparition de la forme métaphysique de l'homme
comme source de la donation de sens est l'ultime
conséquence de l'acception de l'être-humain en
tant que subjectum déterminant. A la suite de quoi
la forme intrinsèque de la métaphyique se modifie,
forme qui consiste dans ce qu'on peut appeler la
transcendance. Celle-ci prend plusieurs sens à
l'intérieur de la métaphysique, et cela pour des
raisons d'essence. Là où cette pluralité de sens n'est
plus remarquée s'étend une confusion in-sane,
laquelle doit être prise comme le signe caractéristique de la représentation métaphysique encore
aujourd'hui usuelle.

La transcendance est premièrement la relation qui, partant de l'étant et grimpant jusqu'à l'*être*, est relation entre les deux. Mais la transcendance est en même temps la relation qui conduit de l'étant changeant à un *étant calme*. Transcendance signifie enfin, conformément à l'usage du titre « excellence », ce *plus haut étant lui-même*, qui est alors nommé également « Dieu », d'où résulte une étrange confusion avec la première signification.

Pourquoi vous importuner ainsi avec des distinctions, si grossièrement maniées aujourd'hui, c'est-à-dire à peine dévoilées dans leur différence et leur entre-appartenance? C'est pour faire voir à partir de là comment le méta-physique de la métaphysique — la transcendance — se modifie lorsque, dans le domaine des formes distinctes qu'elle reçoit, la *forme* de l'être humain apparaît comme source de la donation de sens. La transcendance comprise dans son sens multiple, se renverse dans la rescendance correspondante et disparaît en elle. Cette rescendance par la forme se produit de telle façon que sa présence se représente, qu'elle devient de nouveau présente dans ce qu'elle a empreint de son caractère. La présence de la forme du travailleur, c'est la puissance. La représentation de la forme est la domination du travailleur en tant que « nouvelle et particulière volonté de puissance » (*Le Travailleur*, p. 70).

Ce qu'il y a là de nouveau et de particulier, vous l'avez éprouvé et reconnu dans le « travail » en tant que caractère total de la réalité du réel. Par là la représentation métaphysique sous la lumière de la volonté de puissance est arrachée de façon décisive au domaine biologico-anthropologique qui a si exagérément fourvoyé la marche de Nietzsche, comme peut en témoigner une notation du genre de celle-ci : « Quels sont en cela ceux qui vont se montrer *les plus forts* (en cela, c'est-à-dire pour gravir la doctrine de l'éternel retour du même). Des hommes qui *sont sûrs de leur puissance* et qui représentent avec un orgueil conscient la force de l'homme qu'ils ont *atteinte* » (*La Volonté de puissance*, n° 55, fin). « La domination » (*Le Travailleur*, p. 192) n'est « possible aujourd'hui que comme représentation de la forme du travailleur, qui exige la validité universelle ». Le « travail » au sens le plus haut, qui domine totalement toute mobilisation, est « représentation de la forme du travailleur » (*loc. cit.*, p. 202). « Mais la façon dont la forme du travailleur commence à imprégner le monde, c'est le caractère total du travail » (*loc. cit.*, p. 99). Presque sur le même ton vient plus loin (*loc. cit.*, p. 150) cette phrase : « La technique est la façon dont la forme du travailleur mobilise le monde. »

Immédiatement avant se trouve la remarque décisive : « Pour entretenir une relation réelle avec la technique, il faut être quelque chose de plus qu'un technicien » (*loc. cit.*, p. 149). Phrase que je ne peux comprendre qu'ainsi : par relation « réelle » vous voulez dire relation « vraie ». Vrai est ce qui répond à l'essence de la technique. Cette relation essentielle n'est jamais atteinte dans l'exécution technique immédiate, c'est-à-dire dans le caractère chaque fois spécifié du travail. Cette relation repose sur le rapport au caractère total du travail. Or le « travail » ainsi compris est identique à l'être au sens de la volonté de puissance (*loc. cit.*, p. 86).

Quelle est la détermination de l'essence de la technique qui résulte de là? Elle est « le symbole de la forme du travailleur» (*loc. cit.*, p. 72). La technique « en tant que mobilisation du monde par la

forme du travailleur » *(loc. cit.,* p. 154) se fonde
manifestement dans ce renversement de la transcendance dans la rescendance de la forme du travailleur, par quoi la présence de celle-ci se déploie
dans la représentation de sa puissance. C'est pourquoi vous pouvez écrire *(loc. cit.) :* « La technique
est... comme la destructrice de toute foi en général,
par conséquent aussi comme la puissance antichré-
tienne la plus décisive qui se soit jamais montrée
à ce jour. »

Votre œuvre *Le Travailleur* esquisse déjà par
son sous-titre : « La domination et la forme », les
traits fondamentaux de cette nouvelle métaphysique de la volonté de puissance qui ressort maintenant dans sa totalité, dans la mesure où cette volonté
se présente partout et pleinement comme travail.
Déjà à la première lecture de cette œuvre m'assail-
lirent ces questions qu'il faut encore aujourd'hui
poser : D'où l'essence du travail prend-elle sa détermination? Est-ce le résultat de la forme du travailleur? Et d'où vient que la forme soit justement
celle du travailleur, si ce n'est que l'essence du travail est ce qui règne en elle? Est-ce donc que cette
forme reçoit la présence de type humain qui est la
sienne de l'essence même du travail? D'où vient que
le sens du travail et du travailleur accède à ce rang
élevé que vous accordez à la forme et à sa puissance?
Un tel sens provient-il de ce que le travail est
pensé ici comme empreinte de la volonté de puissance? Est-ce que le sort particulier qui lui est fait
découle de l'essence de la technique en tant que
mobilisation du monde par la forme du travailleur? Et finalement l'essence de la technique ainsi
déterminée renvoie-t-elle à des régions plus origi-
nelles encore?

Il serait trop facile de faire remarquer que dans

ce que vous dites sur le rapport entre le caractère
total du travail et la forme du travailleur il se produit un cercle, qui enferme en lui la relation réciproque du déterminant (le travail) et du déterminé (le travailleur). Au lieu d'ôter sa valeur à cette
remarque en y voyant la preuve d'une pensée illo-
gique, je prends un tel cercle pour un signe ; il signifie
qu'il reste ici pour la pensée à faire le tour d'une
totalité, j'entends une pensée qui pour autant ne
saurait jamais prendre comme règle une « logique »
elle-même réglée sur la liberté de se contredire.

Les questions accumulées plus haut atteindront
une acuité encore plus grande si je leur donne le
tour sous lequel j'ai voulu naguère vous les exposer
à l'issue de ma conférence de Münich (La question
de la technique). Si la technique est la mobilisation
du monde par la forme du travailleur, elle advient
par la présence prégnante de cette volonté de
puissance particulière de type humain. Dans la
présence et la représentation s'annonce le trait
fondamental de ce qui s'est dévoilé à la pensée
occidentale comme « être ». « Être » veut dire, de
l'aube du monde grec jusqu'au soir de notre siècle :
être présent. Toute sorte de présence *(Praesenz)*
et de présentation, quelle qu'elle soit, s'origine
dans l'Événement *(Ereignis)* de la Pré-sence
(Anwesenheit). Mais la « volonté de puissance »
est, en tant que réalité du réel, un mode d'apparition de l' « être » de l'étant. Le « travail », d'où la
forme du travailleur de son côté reçoit son sens, est
identique à l' « être ». Ce qui reste ici qui inquiète
la pensée, c'est de savoir si et dans quelle mesure
l'essence de l'« être » est en soi le rapport à l'être-
humain (cf. *Qu'appelle-t-on penser?* p. 73 sqq.).
Dans ce rapport devrait alors se fonder la relation
entre le « travail » entendu au sens métaphysique

et le « travailleur ». Il me semble qu'on ne peut guère éviter les questions suivantes : faut-il que nous pensions la forme du travailleur en tant que forme, l'ἰδέα de Platon en tant que εἶδος, encore plus originellement quant à leur provenance essentielle? Sinon, quelles sont les raisons qui nous en empêchent et qui veulent au contraire que nous acceptions tout simplement forme et ἰδέα comme terminus *ad quem* pour nous, et en soi comme terminus *a quo*? Si oui, quels sont les chemins où puisse cheminer la question de la provenance essentielle de l'ἰδέα et de la forme? Pour dire les choses formellement, est-ce que l'essence de la forme *(Gestalt)* jaillit dans le domaine d'origine de ce que j'appelle le *Ge-stell* [1]? Est-ce que, d'après cela, la provenance essentielle de l'ἰδέα appartient aussi au même domaine, d'où est issue l'essence de la forme, qui lui est apparentée? ou bien le Ge-stell n'est-il qu'une fonction de la forme d'une certaine humanité? Si c'est le cas, alors l'*essence* de l'être, et l'être de l'étant tout entier, resterait une puissance de la représentation humaine. L'époque où la pensée européenne a cru cela verse encore sur nous ses dernières ombres.

Au premier abord de telles questions sur la forme et le Ge-stell restent d'étranges questions. Ces réflexions ne sont pas là pour être imposées à personne, d'autant qu'elles-mêmes en sont encore aux fatigues que donne la précarité des commencements. Pas davantage les questions ne sont-elles proposées dans cette lettre comme celles qu'il eût fallu poser dans *Le Travailleur*. Une telle exigence

---

1. Sur *Ge-stell*, cf. M. Heidegger, « La question de la technique », in *Essais et conférences*, trad. Préau (Paris, N.R.F., 1958), particulièrement p. 26-29.

serait une méconnaissance du style de l'œuvre. Votre affaire est d'apporter une interprétation de la réalité du point de vue de son caractère total de travail, et ce de telle façon que l'interprétation elle-même ait part à ce caractère et manifeste le caractère spécifique du travail d'un auteur en cette époque. C'est pourquoi l'on trouve à la fin du livre, dans la « vue d'ensemble » (p. 296, remarque), les phrases suivantes : « Tous ces concepts (forme, type, construction organique, total, sont là — *nota bene* — comme concepts à concevoir. Nous ne tenons pas à eux. Ils peuvent sans plus être oubliés, ou relégués, puisqu'ils n'ont été utilisés que comme moyens de travail pour la saisie d'une réalité déterminée, qui subsiste au-delà de tout concept et malgré tout concept; la tâche du lecteur est de voir *à travers* la description comme à travers un système d'optique. »

Depuis lors, à chaque lecture de vos écrits, j'ai suivi les indications de ce *nota bene* et me suis demandé si pour vous les concepts, le sens des mots, et avant tout la langue, pouvaient n'être qu'un « système d'optique », si en face de ces systèmes se tenait une réalité en soi devant laquelle les systèmes pouvaient être enlevés et remplacés par d'autres, comme des appareils que l'on visse. N'est-il pas déjà impliqué dans le sens des « moyens de travail » qu'ils ne peuvent déterminer le caractère total de travail de tout réel que dans une co-détermination, c'est-à-dire de la façon dont ils sont eux-mêmes déjà déterminés par lui? Les concepts sans doute « sont là comme concepts à concevoir », c'est-à-dire à saisir. Mais la représentation moderne de la réalité, l'objectivation, en quoi se meut d'avance la saisie conceptuelle, reste toujours une attaque menée contre le réel, dans la mesure où celui-ci est provoqué à se montrer dans l'horizon de la saisie représentative. La conséquence de cette provocation dans le domaine de la saisie conceptuelle moderno-moderne [1], c'est que la réalité saisie passe à la contre-attaque d'une façon imprévue, et qui pourtant est restée d'abord longtemps inaperçue, contre-attaque qui, malgré Kant, a surpris soudain la science moderne. Celle-ci est contrainte de n'approcher cette surprise qu'à travers les découvertes qui lui sont propres, c'est-à-dire à l'intérieur du processus scientifique en tant que connaissance assurée.

La relation d'incertitude d'Heisenberg ne se laisse certes nullement déduire tout de go de l'interprétation transcendantale de la connaissance physique de la nature selon Kant. Mais il est aussi peu possible que cette relation soit jamais représentée, c'est-à-dire pensée, sans que cette représentation ne renvoie d'emblée au domaine transcendantal de la relation sujet-objet. Si cela a eu lieu, alors (et alors seulement) commence la question de la provenance essentielle de l'objectivation de l'étant, c'est-à-dire celle de l'essence de la saisie conceptuelle.

Dans votre cas comme dans le mien il ne s'agit cependant nullement des seuls concepts d'une science, il s'agit des mots fondamentaux comme forme, domination, représentation, puissance, volonté, valeur, sécurité; il s'agit de la présence (être-présent) et du néant, qui, en tant qu'absence, ruine la présence sans jamais pourtant l'anéantir. Dans la mesure où le néant ruine l'Être, il se

---

1. *Neuzeitlich-moderne* — Neuzeitlich désigne la « philosophie des modernes », comme on disait au xviie siècle; *moderne*, la forme récente de cette « modernité » au sens vaste.

confirme plutôt comme une présence insigne, il se
voile en tant qu'il est cette présence même. Dans
les mots fondamentaux que je viens de nommer
règne un autre dire que la prédication scientifique.
Certes la représentation métaphysique connaît
elle aussi des concepts. Mais ceux-ci sont différents
— et non seulement par le degré de généralité — des
concepts scientifiques. C'est ce que Kant est le
premier à avoir vu en toute clarté (*Critique de la
raison pure*, A 843, B 871). Les concepts métaphysiques sont dans leur essence d'une autre nature,
dans la mesure où ce qu'ils saisissent et cette saisie
elle-même restent en un sens originel « la même
chose ». C'est pourquoi, dans le domaine métaphysique moins encore qu'ailleurs, il n'est pas indifférent qu'on les tienne en oubli ou qu'obstinément on
en prolonge l'usage sans les examiner, éminemment
si l'on en use là même où nous devrions sortir de la
zone dans laquelle les concepts dont vous parlez
donnent la mesure, celle du nihilisme accompli.

Votre écrit *Au-delà de la ligne* parle du nihilisme
comme d'une « puissance fondamentale » (p. 60);
il pose la question de la future « valeur fondamentale » (p. 31); il nomme de nouveau « la forme »
et « également la forme du travailleur » (p. 41).
Celle-ci n'est plus, si je vois bien, la seule forme
« où habite le calme » *(loc. cit.).* Vous dites plutôt
(p. 10) que le domaine de la puissance du nihilisme
est de telle nature qu'il y « manque l'apparence
princière de l'homme ». Ou bien est-ce malgré
tout la forme du travailleur qui est cette « nouvelle »
forme, dans laquelle l'apparence princière se trouve
encore dissimulée? Même pour le domaine qui
s'ouvre après le franchissement de la ligne il s'agit
de « sécurité ». Même maintenant la souffrance
reste la pierre de touche. Le « métaphysique » règne

même dans le nouveau domaine. Ce mot fondamental : « souffrance » parle-t-il encore dans le même sens que celui que vous avez défini dans votre ouvrage *De la souffrance,* où la position du *Travailleur* est poussée le plus loin? Est-ce que la métaphysique conserve, même de l'autre côté de la ligne, le même sens que dans *Le Travailleur,* c'est-à-dire le sens de ce qui est « à la mesure de la forme »? Ou bien, au lieu de la représentation de la forme d'une essence de type humain qui était jusqu'ici l'unique forme de légitimation du réel, est-ce maintenant un « transcender » vers une « transcendance » et une « excellence » *non*-humaine, mais bien divine, qui fait son apparition? Ce qui perce ici, est-ce le théologique qui règne dans toute métaphysique? *(Au-delà de la ligne,* p. 32, 39, 41). Lorsque vous dites, dans *Le Livre du sablier* (1954, p. 106) : « Dans la souffrance s'éprouve la forme », vous conservez là, pour autant que je voie, l'articulation fondamentale de votre pensée, mais vous faites parler les mots fondamentaux de « souffrance » et de « forme » selon un sens qui a changé, mais qui n'a pas été expressément éclairci.

Ce serait le moment d'en venir à votre traité *De la souffrance* et de mettre en lumière l'implication réciproque intime du « travail » et de la « souffrance ». Cette implication renvoie aux relations métaphysiques de votre œuvre *Le Travailleur.* Pour pouvoir retracer plus clairement les relations maîtresses de l'implication intime du « travail » et de la « souffrance », il ne faudrait pas moins que pouvoir pénétrer l'unité qui forme le tracé fondamental de la métaphysique hégélienne en unifiant *La Phénoménologie de l'esprit* et la *Science de la logique.* Ce tracé fondamental est l' « absolue négativité » en tant que « force infinie » de la réalité, c'est-à-dire du « concept existant ». C'est dans la même appartenance — non dans une appartenance identique — à la négation de la négation, que Travail et Souffrance manifestent leur intime parenté métaphysique. Cette indication suffit déjà pour faire comprendre quelles « recherches du site », et de quelle étendue, seraient ici requises si l'on voulait répondre à la chose même. Et même si quelque penseur osait pénétrer les rapports entre le « Travail », en tant que trait fondamental de l'étant, et la « Souffrance », en remontant au-delà de la « Logique » de Hegel, c'est alors que le mot grec pour souffrance, à savoir ἄλγος viendrait pour nous pour la première fois au langage. Il est vraisemblable que ἄλγος est de la même famille que ἀλέγω, lequel en tant qu'intensif de λέγω, signifie l'assemblement intime. La souffrance serait alors ce qui assemble dans le plus intime. Le concept hégélien de « concept » et son « astreinte » bien comprise disent, le terrain ayant changé et étant celui de la métaphysique absolue de la subjectivité, la même chose.

Que, par d'autres chemins, vous ayez été conduit aux relations métaphysiques entre travail et souffrance, c'est un beau témoignage de la façon dont vous vous efforcez d'écouter, sur le mode qui est celui de votre représentation métaphysique, les voix que ces relations permettent d'entendre.

En quelle langue parle la pensée dont le plan fondamental ébauche un franchissement de la Ligne? Faut-il que la langue de la métaphysique de la volonté de puissance, de la Forme et de la Valeur soit encore sauvée de l'autre côté de la ligne critique? Et si la langue, précisément, de la métaphysique, et cette métaphysique elle-même (que ce soit celle du Dieu vivant ou du Dieu mort) constituait *en tant que* métaphysique cette barrière qui interdit le passage de la Ligne, c'est-à-dire l'assomption du nihilisme? S'il en était ainsi, le franchissement de la Ligne ne devrait-il pas nécessairement devenir une mutation du Dire et n'exigerait-il pas une mue dans la relation à l'essence de la parole? Et votre propre rapport à la langue n'est-il pas d'une telle nature, qu'il exige de vous aussi une autre caractérisation du langage conceptuel des sciences? Qu'on représente souvent ce langage comme un nominalisme, c'est encore et toujours une façon de rester empêtré dans la conception logico-grammaticale de l'essence de la parole.

J'écris tout ceci en forme de questions; car je ne vois pas qu'aujourd'hui une pensée puisse faire plus que de méditer sans relâche ce qui provoque ces questions-là. Peut-être le moment viendra-t-il où, sur d'autres chemins, nous verrons s'éclairer d'une lumière plus vive l'essence du nihilisme. Jusque-là je me contente de présumer que la seule façon dont nous puissions réfléchir à l'essence du nihilisme, c'est d'abord d'emprunter le chemin qui conduit à situer la demeure de l'Être. Ce n'est que sur ce chemin que la question du néant se laisse situer. *Mais la question de la demeure de l'Être dépérit si elle n'abandonne pas la langue de la métaphysique, parce que la représentation métaphysique interdit de penser la question de la demeure de l'Être.*

Que la mutation du Dire qui recherche la demeure de l'Être soit soumise à d'autres exigences qu'à échanger une vieille terminologie contre une neuve, c'est ce qui devrait éclater aux yeux. Et que l'effort d'une telle mutation doive probablement rester longtemps encore un effort maladroit, ce n'est pas une raison suffisante pour y renoncer. C'est une tentation plus proche de nous aujourd'hui que jamais, de mésestimer la lenteur de la pensée en jugeant d'elle d'après le rythme du Calcul et de la Planification, qui justifient immédiatement aux yeux de chacun leurs découvertes techniques par les succès économiques qu'elles entraînent. Cette façon de juger de la pensée l'éreinte, par l'emploi de critères qui lui sont étrangers. Dans le même temps on exige abusivement de la pensée qu'elle résolve les énigmes et qu'elle apporte le salut. Vous méritez au contraire qu'on vous approuve pleinement lorsque vous montrez la nécessité où nous sommes de laisser couler toutes les sources de force qui ne sont pas encore corrompues et de leur apporter toute l'aide effective possible, afin de demeurer debout « dans le tourbillon du nihilisme ».

Là-dessus nous ne devons pourtant pas moins veiller à situer l'*essence* du nihilisme, ne serait-ce que parce qu'il appartient au nihilisme de masquer sa propre essence et de se dérober par là à un débat totalement décisif. Ce n'est qu'ainsi qu'on pourrait aider à ouvrir et à préparer un libre domaine où faire l'épreuve de ce que vous appelez « un nouvel Atour de l'Être » *(Au-delà de la ligne*, p. 32) vous écrivez : « Le moment où la ligne sera franchie nous révélera un nouvel Atour de l'Être; alors commencera de poindre ce qui réellement est. »

La phrase est facile à lire et pourtant lourde à penser. Avant tout j'aimerais demander si ce n'est pas plutôt au contraire le nouvel Atour de l'Être qui nous révélera seulement le moment propice au passage de la Ligne. Question qui semble ne faire que retourner votre proposition. Mais retourner purement et simplement une proposition, c'est toujours un mauvais procédé. La solution qu'on voudrait apporter ainsi reste tributaire de la question qu'elle a retournée. Votre proposition dit : « ce qui réellement est », par conséquent le Réel, c'est-à-dire l'Étant, commence à poindre, parce que l'Être de nouveau s'atourne. C'est pourquoi nous demanderions plus justement maintenant si « l'Être » est quelque chose en soi et si, outre cela, et par intermittence, il s'atourne aussi vers les hommes. Probablement l'Atour est-il lui-même, mais d'une façon encore voilée, cela que nous nommons, avec assez de peine et d'indétermination, l' « Être ». Mais un tel Atour ne se produit-il pas lui-même encore, et d'une étrange façon, sous la domination du nihilisme — à savoir de telle façon que l' « Être » se détourne et se retire dans l'absence? Détour et Retrait ne sont pourtant pas rien. Ils ont presque pour l'homme une force plus contraignante, de telle sorte qu'ils l'entraînent, qu'ils aspirent ses pensées, ses actions, et finalement dans le retrait du tourbillon les engloutissent, au point que l'homme puisse croire qu'il ne rencontre plus que lui-même. En vérité son « même » n'est plus rien d'autre que la consommation de son Ek-sistence dans la domination de ce que vous caractérisez comme l'empreinte totalitaire du travail.

Cependant l'Atour et le Détour de l'Être, si nous y prêtons suffisamment attention, ne se laissent jamais représenter comme s'ils atteignaient l'homme seulement de temps en temps et seulement pour un instant. L'être de l'homme consiste bien plutôt en ce qu'il dure et demeure toujours, d'une façon ou de l'autre, dans l'Atour et le Détour. Nous disons de l' « Être lui-même » toujours *trop peu* lorsque, en disant l' « Être » nous laissons de côté l'être pré-sent à l'être-de-l'homme et méconnaissons ainsi que cet *être* de l'homme constitue lui aussi lui-même l' « Être ». De l'homme également nous disons toujours *trop peu* lorsque, en disant l' « Être » (non l'être-homme), nous posons l'homme à part pour lui-même, et ne le mettons en relation avec l' « Être » qu'après l'avoir ainsi posé. Mais nous disons aussi *trop*, lorsque nous prenons l'Être comme l'*omnitudo realitatis* et par conséquent l'homme comme un étant particulier parmi d'autres (plantes, animaux), puis que nous les mettons tous deux en relation; car il y a déjà dans l'être de l'homme la relation à ce qui est déterminé comme « Être » par le recours à... la réquisition de... au sens de l'Usage [1], et qui par conséquent est arraché à son prétendu « en soi et pour soi ». La doctrine de l' « Être » chasse la représentation d'une difficulté dans l'autre, sans que la source de cette aporie veuille se montrer.

Il semble pourtant que tout s'arrange le mieux possible si nous cessons de laisser délibérément de côté une pensée déjà ancienne, celle de la relation sujet-objet. Elle dit qu'à tout sujet (homme) appartient un objet (être), et réciproquement. Certes. Malheureusement tout cet ensemble — la relation le sujet, l'objet — repose déjà dans l'essence de ce que nous nous représentons (bien insuffisamment, nous l'avons vu) comme relation entre l'Être et l'homme. Subjectivité et Objectivité se fondent déjà pour leur part dans une évidence particulière de l' « Être » et de l' « Être-de-l'homme », qui attache la représentation à la distinction de l'un et de l'autre comme Objet et Sujet. Cette distinction vaut dès lors comme un absolu et condamne la pensée à une situation sans issue. Une invocation de l' « Être » qui voudrait nommer l' « Être » à partir de la relation sujet-objet ne prend pas garde à ce qu'elle

---

1. « ... *was durch den Bezug, das Beziehen im Sinne des Brauchens, als "Sein" bestimmt...* ». Voir également la note p. 232.

a d'avance laissé impensé et qui mérite question. C'est pourquoi parler d'un « Atour de l'Être » reste un moyen de fortune, et des plus problématiques; car l'Être repose dans l'Atour, en sorte que celui-ci ne peut jamais venir seulement s'ajouter à l'Être.

Être-présent (« Être ») est, en tant qu'être-présent, chaque fois être-présent à l'être-de-l'homme, dans la mesure où Être-présent est le Rappel qui appelle chaque fois l'être-de-l'homme. L'être-de-l'homme est en tant que tel obédient, parce qu'il appartient au Rappel qui l'appelle, à l'Être-présent. Ce qui ainsi est chaque fois le Même et la Fois même, cette entr'appartenance d'Appel et d'Obédience, serait-ce donc l' « Être »? Que dis-je? « Être », cela ne l'est absolument plus — si nous essayons de penser jusqu'au bout l' « Être » tel qu'il règne par destin, à savoir comme Être-présent, ce qui est la seule façon pour nous de correspondre au destin de son Essence. Nous devrions donc abandonner le mot : l' « Être », source d'isolement et de scission, aussi décidément que ce nom : « l'homme ». Si la question de la relation entre eux s'est dévoilée comme insuffisante, c'est que jamais elle ne parvient dans le domaine de ce qu'elle voudrait mettre en question. En vérité nous ne pouvons donc pas même dire que l' « Être » et l' « homme » « soient » la même chose, en ce sens qu'*ils* s'entr'appartiendraient; car en disant les choses *ainsi*, nous les laissons toujours à nouveau être l'un et l'autre pour soi.

Mais pourquoi mentionner dans une lettre sur l'essence du nihilisme accompli ces questions embarrassées et abstraites? C'est d'abord pour faire entendre qu'il n'est aucunement plus facile de dire l' « Être » que de parler du Néant; mais c'est aussi pour montrer à nouveau combien il est impossible d'empêcher que tout ici dépende du juste Dire, de ce Logos dont la Logique, ni la Dialectique, issues de la Métaphysique, ne peuvent éprouver l'essence.

Cela tient-il à l' « Être » — le mot nommant pour un instant ce Même digne de question, où l'essence de l'Être et l'essence de l'homme s'entr'appartiennent —, cela tient-il à l' « Être » que, dans l'effort d'y correspondre, notre Dire dé-dise et qu'il ne reste plus que ce qu'on est trop pressé de rendre suspect par l'étiquette de : « mystique ». Ou bien cela tient-il à notre Dire, s'il ne parle pas encore, parce qu'il n'est pas encore capable de correspondre à l'Essence de l'Être? Est-ce laissé au bon plaisir des Disants, quelle langue ils parleront pour dire les mots fonciers au moment qu'ils franchiront la ligne, c'est-à-dire traverseront la zone critique du nihilisme accompli? Suffit-il que cette langue soit généralement compréhensible, ou règne-t-il ici d'autres Lois et Mesures, d'une nature aussi unique que ce moment d'histoire-de-Monde que constituent l'accomplissement planétaire du nihilisme et la Dis-putation de son essence?

Ce sont là des questions qui commencent à peine à devenir pour nous suffisamment dignes de question, pour qu'en elles nous trouvions une demeure et que nous n'en partions plus, fût-ce au risque de devoir liquider ces vieux locataires que sont les habitudes de la pensée au sens de la représentation métaphysique, et de nous exposer au mépris de toute saine raison.

Ce sont là des questions qui, dans la marche « au-delà de la ligne », manifestent une plus grande acuité encore; car cette marche se meut dans le domaine du Néant. Est-ce qu'avec l'accomplissement, ou tout au moins avec l'assomption du Nihilisme, disparaît le Néant? Probablement n'en vient-on à cette assomption qu'à la condition qu'au lieu de l'apparence du *nihil negativum* l'essence du Néant, détournée depuis toujours dans la représentation de l' « Être », puisse advenir et trouver abri auprès de nous, mortels.

D'où vient-elle, cette essence? Où avons-nous à la chercher? Quel est le Lieu du Néant? Nous ne questionnons pas *trop*, sans y prendre garde, quand nous cherchons le lieu, et que nous voulons une topique de l'essence de la ligne. Mais alors, s'agit-il de quelque chose d'autre que de tenter d'accomplir ce que vous demandez : « Une bonne définition du nihilisme »? On dirait que la pensée est entraînée, menée même par le bout du nez, toujours davantage dans un cercle enchanté autour du Même, sans pouvoir pourtant s'en rapprocher jamais. Mais peut-être le cercle est-il une spirale cachée? Peut-être celle-ci s'est-elle entre-temps rétrécie? Ce qui veut dire : la façon dont nous nous rapprochons de l'essence du nihilisme, et la nature de l'approche elle-même, changent. Ce qui garantit la « bonté » de la définition que l'on a demandée (et à bon droit) « bonne », c'est que nous abandonnons la volonté de définir, pour autant que celle-ci doit s'emprisonner dans des propositions prédicatives où dépérit la pensée. Mais cela reste un gain bien modeste, parce que négatif seulement, d'apprendre à considérer avec attention ce fait, qu'au sujet du Néant, et de l'Être, et du Nihilisme, au sujet de leur essence et de la demeure de l'essence, nous ne disposons pas de renseignements, tout prêts et maniables sous la forme de propositions prédicatives.

Il y a tout de même gain, dans la mesure où nous éprouvons que ce dont il faudrait une « bonne définition » — l'essence du nihilisme — cela même nous renvoie en un domaine qui demande un autre Dire. Si l'Atour appartient à l' « Être », et de telle façon que celui-ci repose en celui-là, alors l' « Être » se résout dans l'Atour. C'est celui-ci maintenant qui devient le Questionnable par excellence, et c'est en tant que tel désormais qu'il sera pris garde à l'Être, qui est retourné dans son essence et s'y est résolu. Conformément à quoi le pré-regard de la pensée sur ce domaine ne peut écrire l' « Être » encore qu'en l'écrivant ainsi : l' E̶t̶r̶e̶. Cette biffure en croix ne fait d'abord que défendre en repoussant, à savoir : elle repousse cette habitude presque inextirpable, de représenter l' « Être » comme un En-face qui se tient en soi, et ensuite seulement qui advient parfois à l'homme. Selon cette représentation il semble alors que l'homme soit excepté de l' « Être ». Or non seulement il n'en est pas excepté, c'est-à-dire non seulement il est inclus dans l' « Être », mais l' « Être » est tenu, étant l'usage de l'homme (qu'il confie ainsi à son essence)[1], de rejeter l'apparence du Pour-soi, raison pour laquelle il est aussi d'une autre essence que celle que voudrait accréditer la représentation d'une Omnitude embrassant la relation Sujet-Objet. Le signe de la biffure en croix, cependant, ne peut après ce qui a été dit se résumer en un signe, en une rature simplement négative. Il indique plutôt les quatre Régions du Cadran et leur Assemblement dans le Lieu où se croise cette croix (cf. *Essais et conférences*, 1954, trad. Préau, p. 170-245, N. R. F.).

L'être pré-sent s'atourne en tant que tel à l'être de l'homme, et en cela l'Atour s'accomplit seulement dans la mesure où celui-ci, l'être de l'homme,

---

1. Sur « Brauchen », cf. « Qu'appelle-t-on penser? » (traduction A. Becker et G. Granel, P.U.F., Paris, 1959, p. 177).

le commémore. L'homme est dans son être la Mémoire de l'Être, mais de l'~~Être~~. Ce qui veut dire : l'être de l'homme est de l'obédience de ce qui, dans la biffure en croix de l'Être, place la pensée sous la requête d'un plus initial Rappel. Être pré-sent se fonde dans l'Atour, qui en tant que tel tourne à soi — emploie — l'être de l'homme, de sorte que celui-ci se dépense pour lui.

Comme l'~~Être~~, le Néant aussi devrait être écrit, c'est-à-dire devrait être pensé. Ce qui implique qu'au Néant appartient, et non accessoirement, l'être de l'homme commémorant. Si donc dans le Nihilisme le Néant parvient, d'une façon particulière, à la domination, l'homme alors n'est pas seulement atteint par le nihilisme, il y prend essentiellement part. Mais alors aussi toute la « substance » humaine ne se tient pas quelque part de ce côté-ci de la Ligne, dans le but de la franchir et de s'établir de l'autre côté, près de l'Être. L'être de l'homme appartient lui-même à l'essence du nihilisme, et ainsi à sa phase d'accomplissement. L'homme, en tant qu'un tel être pris dans l'Usage de l'~~Être~~, constitue lui aussi la Zone de l'~~Être~~, c'est-à-dire du même coup du Néant. L'homme ne fait pas que se tenir *dans* la *Zone* critique de la Ligne. Il *est* lui-même, mais non lui en soi, et absolument pas par soi seul, cette Zone et par conséquent la Ligne. D'aucune façon la Ligne, pensée comme le signe de la Zone du Nihilisme accompli, n'est quelque chose qui se tient là devant l'homme, quelque chose qu'on peut franchir. Alors s'effondre également la possibilité d'un *trans lineam* et celle d'une traversée pour y parvenir.

Plus nous méditons sur « la Ligne », plus cette image immédiatement accessible tend à s'effacer, sans que pour autant les pensées qui s'y sont allumées doivent perdre de leur signification. Dans votre écrit « Au-delà de la Ligne » vous décrivez le lieu du nihilisme, et vous rendez compte de la situation faite à l'homme, ainsi que de ses possibilités de mouvement par rapport au lieu décrit, que caractérise l'image de la Ligne. Et certes il faut une Topographie du nihilisme, de ses progrès, de son dépassement. Mais la topographie doit être précédée d'une topologie : d'un effort de situation de ce site, ou lieu, qui assemble Être et Néant dans leur essence, détermine l'essence du nihilisme et permet ainsi de reconnaître les chemins sur lesquels se dessinent les modalités d'un possible dépassement du nihilisme.

De quel site relèvent Être et Néant, entre lesquels jouant le nihilisme déploie son essence? Dans votre écrit *Au-delà de la ligne* (p. 22 sqq.) vous nommez « la Réduction » comme un trait essentiel des déferlements nihilistes : « La surabondance tarit : l'homme se retrouve comme un exploité à de nombreux points de vue, et non seulement au point de vue économique. » Mais vous ajoutez avec raison : « ce qui n'exclut pas qu'elle [la Réduction] ne s'accompagne dans d'importants secteurs d'un déploiement de puissance et d'une force de pénétration croissants », comme aussi bien le Dépérissement « n'est pas purement et simplement un Dépérissement » (p. 23).

Qu'est-ce à dire, sinon que le mouvement vers toujours moins de plénitude et moins d'originel à l'intérieur de l'Étant en totalité non seulement s'accompagne d'un accroissement de la volonté de puissance, mais encore est déterminé par lui? La volonté de puissance est la volonté qui *se* veut. Sous la forme d'une telle volonté, et selon ses règles, s'annonce esquissé dès longtemps, et comme un règne multiforme, cela même qui, représenté à partir de l'Étant, transcende l'Étant, et à l'intérieur de cette Transcendance se répercute sur l'Étant, soit comme le fondement de l'Étant, soit comme sa Cause. La Réduction qui se constate à l'intérieur de l'étant repose sur une Production de l'Être, à savoir sur le Déploiement de la volonté de puissance en volonté inconditionnée de la volonté. Le dépérissement, l'absence, cela est déterminé à partir d'une présence, et par elle. C'est elle qui précède tout le Dépérissant, qui le trans-cende. C'est pourquoi là même où l'étant disparaît de dépérissement, ce qui règne alors n'est pas seulement l'étant pour lui-même, mais d'abord et d'une façon décisive un Autre. Partout est la Transcendance qui re-vient sur l'étant, le « *transcendens* pur et simple » (*Sein und Zeit*, § 7), l' « Être » de l'étant. Transcendance est la Métaphysique elle-même, en quoi ce terme ne désigne plus maintenant une Doctrine et une Discipline de la Philosophie, mais ceci : « Il donne lieu » à une Transcendance (il y a une Transcendance) [*Sein und Zeit*, § 43 *c*]. Cette Transcendance reçoit lieu (a lieu) dans la mesure où elle est mise sur le chemin de sa domination, c'est-à-dire dans la mesure où elle est « destinée ». L'incalculable Plénitude, l'Abrupt de ce qui se déploie en tant que Transcendance s'appelle le Destin de (génitif objectif) la Métaphysique.

A la mesure d'un tel Destin la représentation humaine se fait elle-même représentation métaphysique. Certes les représentations métaphysiques de l'étant se laissent exposer historiquement dans leur enchaînement, comme une évolution. Mais cette évolution n'est pas l'Histoire de l'Être; celle-ci règne comme le Destin de la Transcendance. Que et comment « il » « donne lieu » à l'Être de l'étant

(que et comment il y a l'Être de l'étant), c'est
cela la Méta-physique, au sens que nous avons
indiqué.

Le Néant, même si nous le comprenons seulement
au sens du manque total de l'étant, appartient
abs-ent à la Présence, comme l'une des possibilités
de celle-ci. Si par conséquent c'est le Néant qui
règne dans l'essence du nihilisme et que l'essence
du Néant appartient à l'Être, si d'autre part l'Être
est le Destin de la Transcendance, c'est alors
l'essence de la Métaphysique qui se montre comme
le lieu de l'essence du nihilisme. Ce qui ne se laisse
dire qu'à la condition que nous éprouvions l'essence
de la Métaphysique comme le Destin de la Transcendance, et seulement aussi longtemps que nous
l'éprouvons.

En quoi consiste alors le dépassement *(Über-
windung)* du Nihilisme? Dans l'Appropriation
(Verwindung) de la Métaphysique [1]. C'est une
pensée choquante. On essaye de l'éviter. Plus on
l'essaye moins on trouve le moyen de l'adoucir.
Nous aurons moins de répugnance pourtant à
accepter cette pensée si nous remarquons qu'elle
implique que l'essence du nihilisme n'a rien de
nihiliste et que rien n'est enlevé à l'antique dignité
de la Métaphysique du fait que sa propre essence
protège en son sein le nihilisme.

La zone de la ligne critique, c'est-à-dire le lieu
de l'essence du nihilisme accompli, serait donc à
chercher là où l'essence de la Métaphysique déploie
ses possibilités extrêmes et se rassemble en elles.
Ce qui advient là où la volonté de volonté veut tout
étant-présent uniquement dans la disponibilité

---

1. Sur *Verwinden*, cf. *Essais et conférences*, trad. Préau,
p. 80, n. 3 (N. R. F., 1958).

constante et uniforme de sa consistance — le veut, c'est-à-dire que son exigence le pro-voque, le *pose* ainsi. En tant que rassemblement absolu d'une telle position, l'~~Être~~ ne disparaît pas. Il fait irruption avec une étrangeté effrayante et toute singulière. Dans la disparition (dépérissement) et la réduction ne se montre que l'ancien étant-présent, que la volonté de volonté n'a pas encore saisi, mais qu'elle a laissé encore à sa place dans la volonté de l'Esprit (et de l'autonomie de déploiement totale de l'Esprit), en quoi se meut la pensée de Hegel.

Le dépérissement de l'ancien étant-présent n'est pas l'évanouissement de l'être-présent. Mais il est bien vrai en revanche que celui-ci se retire. Ce retrait cependant reste caché à la représentation déterminée par le nihilisme. Il semble que l'étant-présent, au sens de la consistance, se suffise à lui-même. Et, si l'on vient à parler de cette « consistantialité » *(Beständigkeit)* puis de ce qui pose (l'étant) dans une telle permanence, une telle tenue *(Ständigkeit)*, c'est-à-dire de l'être-pré-sent de l'étant-présent tout cela fait figure d'invention de la pensée ; d'une pensée qui divague et qui, à force d'en remettre sur l' « Être », n'est plus capable de voir l'étant, la prétendue seule et unique « réalité ».

Dans la phase d'accomplissement du nihilisme il semble que quelque chose comme l' « *Être de* » l'étant, il n'y en ait pas, qu'il n'en soit rien (au sens du *nihil negativum*). Être reste absent d'une façon singulière. Il se voile. Il se tient dans un retrait voilé, qui se voile lui-même Or c'est dans un tel voilement que consiste l'essence de l'oubli, éprouvée comme les Grecs l'éprouvent. Ce n'est finalement (c'est-à-dire selon ce qu'est initialement son essence) rien de négatif, mais en tant que retrait c'est sans doute une retraite protectrice, qui sauvegarde l'encore Indécelé. Pour la représentation courante l'oubli prend aisément l'apparence de la simple lacune, du manque, de l'incertitude. L'habitude est de considérer qu'oublier, être oublieux, c'est exclusivement « omettre », et que l'omission est un état de l'homme (représenté pour soi-même) qui se rencontre assez fréquemment. Nous restons encore très éloignés d'une détermination de l'essence de l'oubli. Et là même où l'essence de l'oubli se découvre à nous dans toute son étendue, nous sommes encore trop facilement exposés au danger de ne comprendre l'oubli que comme un fait humain.

Ainsi a-t-on représenté, de mille façons, l' « oubli de l'être » comme si l'être, pour prendre une image, était le parapluie que la distraction d'un professeur de philosophie lui aurait fait abandonner quelque part.

Or l'oubli *n'attaque* pas seulement, en tant qu'il en est apparemment distinct, l'essence de l'être : il est consubstantiel à l'être, il règne en tant que Destin de son essence. L'oubli droitement pensé, le recèlement de ce comme quoi l'Être essentiellement demeure et qui est encore indécelé, cela cache des richesses inexhumées, c'est la promesse d'un trésor qui n'attend plus qu'une recherche à sa mesure. Pour faire une telle conjecture, il ne faut aucun don prophétique, ni les manières des annonciateurs de bonne nouvelle, mais il faut une attention qui se soit exercée durant plusieurs dizaines d'années sur ce qui « a été », c'est-à-dire sur le rassemblement de l'essence qui se déclare dans la pensée métaphysique de l'Occident. Ce rassemblement se tient sous le signe du non-cèlement de l'étant-présent. Le non-cèlement repose dans le cèlement de l'être-présent. C'est *ce* cèlement, en qui le non-cèlement ('Ἀλήθεια) se fonde, dont il convient se souvenir dans la pensée fidèle. Celle-ci [sous]-vient au rassemblement de l'essence de ce qui a été non point comme à ce qui est passé, car cela reste le non-passager en tout « durer », que sauvegarde chaque fois l'événement de l'Être.

L'Appropriation de la métaphysique est l'Appropriation de l'oubli de l'être. Cela consiste à se tourner vers l'essence de la métaphysique, c'est-à-dire l'entourer de cela même à quoi son essence aspire déjà lorsqu'elle invoque le pays où elle se lèvera libre, les grandes plaines de sa vérité. C'est pourquoi il faut que la pensée qui veut répondre à l'Appropriation de la métaphysique commence par éclaircir l'essence de la métaphysique. Pour une telle tentative l'Appropriation de la métaphysique prend d'abord l'apparence d'un dépassement de la métaphysique, qui se contente de laisser derrière soi la représentation exclusivement métaphysique afin de conduire la pensée dans les libres espaces qui s'ouvrent lorsqu'on « revient » de l'essence de la métaphysique. Mais ce qui se produit dans l'Appropriation, et en elle seule, c'est bien plutôt que la vérité de la métaphysique expressément revient, vérité durable d'une métaphysique apparemment répudiée, qui n'est autre que son *Essence* désormais réappropriée : sa *Demeure*.

Ce qui arrive ici est autre chose qu'une simple Restauration de la métaphysique. Du reste il n'y a non plus aucune Restauration qui pourrait se contenter de reprendre tel quel le contenu traditionnel, comme qui ramasserait les pommes tombées d'un arbre. Toute Restauration est interprétation de la métaphysique. Quiconque aujourd'hui s'imagine pénétrer l'interrogation métaphysique et la suivre dans la totalité de sa nature et de son histoire

avec plus de clarté, celui-là devrait se demander, lui
qui aime tant faire montre de son aisance supérieure
à se mouvoir ainsi dans des espaces lumineux, il
devrait réfléchir un jour à cette question : d'où a-t-il
donc reçu la lumière qui lui donne cette plus grande
clairvoyance? Il est d'un grotesque à peine surpas-
sable de proclamer que ma tentative de pensée est
la démolition de la métaphysique et dans le même
temps de se maintenir grâce à cette tentative sur
des chemins de pensée et dans des représentations
que l'on a empruntés (je ne dis pas dont on s'avoue
redevable) à cette prétendue démolition. La question ici n'est pas qu'il faille dire merci, mais qu'il
faut réfléchir. Or l'irréflexion a commencé déjà en
1927, avec la mécompréhension superficielle de la
Destruktion exposée dans *Sein und Zeit*, qui ne
connaît pas d'autre désir, en tant que Dé-construc-
tion de représentations devenues banales et vides,
que de regagner les épreuves de l'être qui sont à
l'origine celles de la métaphysique.

Cependant, pour sauver la métaphysique dans
son essence, la contribution des mortels à une telle
entreprise de salut doit consister à poser une
bonne fois la question : « Qu'est-ce que la métaphysique? » Au risque d'être long et de répéter ce
qui a été dit ailleurs, je voudrais saisir l'occasion
de cette lettre pour expliquer encore une fois le
sens et la portée de cette question. Pourquoi?
Parce que *votre* désir aussi a pour objet d'aider
à votre manière au dépassement du nihilisme. Mais
un tel dépassement se produit dans les limites de
l'Appropriation de la métaphysique. Nous y péné-
trons lorsque nous posons la question : « Qu'est-ce
que la métaphysique? » Cette question, si c'est la
pensée qui la pose, contient déjà de quoi éveiller le
soupçon que sa propre manière de questionner est

ébranlée par elle-même. « Qu'est-ce que... » indique la façon dont on met en question d'ordinaire l' « essence ». Mais si la question consiste à situer la métaphysique comme la transcendance de l'être au-dessus de l'étant, ce qui fait alors aussitôt question avec un tel « être » transcendant, c'est ce qu'a distingué cette distinction, en quoi se meuvent depuis toujours les doctrines de la métaphysique et en quoi elles puisent les traits fondamentaux de leur langage : la distinction de l'essence et de l'existence, le « ce que c'est » et le « que cela est ».

La question : « Qu'est-ce que la métaphysique? » fait d'abord ingénument usage de cette distinction. Bientôt cependant la réflexion sur la transcendance de l'être au-dessus de l'étant se révèle comme une de ces questions qui se frappent elles-mêmes au cœur nécessairement, sans que pour autant la pensée en meure, mais de sorte qu'elle vive métamorphosée. Lorsque je tentai de situer la question : « Qu'est-ce que la métaphysique? » — cela se produisit un an avant la parution de votre ouvrage, *La Mobilisation totale* — je ne partais pas de l'ambition de poursuivre la définition d'une discipline de la Philosophie d'école. Mais plutôt, eu égard à la détermination de la métaphysique selon laquelle il se produit en elle la transcendance au-dessus de l'étant comme tel, je situais une question qui s'inquiète de penser l'Autre de l'étant. Mais cette question elle non plus ne fut pas une question ramassée au hasard et poursuivie dans le vague.

Après un quart de siècle il pourrait être temps de faire remarquer un fait, qu'on ne connaît aujourd'hui encore que pour l'ignorer, comme si c'était une circonstance extérieure. La question : « Qu'est-ce que la métaphysique? » fut abordée dans une leçon inaugurale de philosophie devant toutes les facultés réunies. C'est pourquoi elle se place dans le cercle de toutes les sciences et s'adresse à elles. Mais comment? Non pas dans le but, qui eût été prétentieux, d'améliorer leur travail, ou pire, de le déprécier.

La représentation qui est celle des sciences concerne partout l'étant, et plus précisément elle concerne des régions de l'étant prises séparément. Il convenait de partir de cette représentation de l'étant, et, en la suivant, de s'attacher à une autre opinion familière aux sciences. Elles ont en effet l'opinion que toute la sphère du recherchable et du questionnable s'épuise avec la représentation de l'étant, qu'en dehors de l'étant il n'y aurait « rien de plus ». Cette opinion des sciences fut abordée — c'était une tentative — à partir de la question de l'essence de la métaphysique et fut, selon l'apparence, partagée avec elles. Cependant quiconque réfléchit doit au moins savoir qu'une question qui porte sur l'essence de la métaphysique ne peut avoir en vue qu'une seule chose, celle-là même qui caractérise la métaphysique — et c'est la Transcendance; l'*Être de* l'étant. Au contraire, dans l'horizon de la représentation scientifique, qui ne connaît que l'étant, ce qui n'est d'aucune façon un étant (à savoir l'Être) ne peut s'offrir que comme Néant. C'est pourquoi la leçon pose la question de « *ce* Néant ». Elle ne pose pas arbitrairement ni dans le vague la question « *du* » Néant, mais celle-ci : qu'en est-il de ce « Tout autre » que tout étant, de ce qui n'est pas un étant? Et alors il se montre que le *Da-sein* de l'homme est « compris » dans « *ce* » Néant, dans le Tout-Autre que l'étant. En d'autres termes cela signifie, et ne pouvait signifier que : « L'homme est Lieu-tenant du "Néant". » La phrase veut dire : l'homme tient, pour le tout autre que l'étant, le lieu libre, de sorte qu'il puisse y avoir, dans l'Apérité de ce tout-autre, quelque chose comme la Pré-sence (l'Être). Ce Néant, qui n'est pas l'étant et auquel pourtant il est « *donné* » lieu (que pourtant « il y a »), n'est rien qui soit un rien. Il appartient à la Pré-sence. Il n'est pas donné lieu séparément à l'Être et au Néant. L'un tourne à l'autre; ainsi ont-ils le même tour, parenté que nous soupçonnons à peine dans la plénitude de son essence. Et nous ne la soupçonnerons toujours pas, tant que nous omettrons de demander : Par quoi est-il « donné » lieu? Dans quel don est-il ainsi donné lieu? En quel sens appartient-il à ce « il est donné lieu à l'Être et au Néant » quelque chose qui s'en remet à un tel Don, en cela même qu'il le sauvegarde? Nous disons aisément : « il est donné lieu » (il y a). L'Être « est » aussi peu que le Néant. Mais « *il est donné* lieu » aux deux.

Léonard de Vinci écrit : « Le Néant n'a pas de milieu, et ses frontières sont le néant »; « Parmi les grandes choses qu'il y a à trouver autour de nous, c'est l'Être du Néant qui est la plus grande » (*Journal et notations.* Traduit d'après le manuscrit italien et publié par Theodor Lücke, 1940, p. 4 et suivante). Le mot de ce Grand homme ne peut ni ne doit rien démontrer, mais il montre en direction des questions suivantes : De quelle façon « y a-t-il » l'Être, « y a-t-il » le Néant? D'où nous vient le Don qui leur donne lieu? Dans quelle mesure ce don dispose-t-il de nous en tant que nous sommes comme êtres humains?

Parce que la leçon : « Qu'est-ce que la métaphysique? », se restreignant - délibérément et, conformément à l'occasion qui lui était offerte, posait du point de vue de la Transcendance, c'est-à-dire de l'*Être de* l'étant, la question de *ce* Néant qui en découle tout d'abord pour la représentation scientifique, on a extrait n'importe comment de cette conférence « Le » Néant, et l'on a fait d'elle un Document du Nihilisme. Maintenant que le temps de cette conférence est loin, il devrait être permis de poser une bonne fois la question : où, dans quelle proposition, dans quelle tournure de phrase fut-il jamais dit que le Néant dont il est question dans ce texte soit le Néant au sens du *nihil negativum*, et qu'il soit en tant que tel l'Alpha et l'Oméga de toute représentation et de toute existence?

La leçon se termine sur cette question : « Pourquoi y a-t-il absolument de l'étant, et non pas plutôt Néant? » « Néant » est écrit ici, volontairement et en dépit de l'habitude, avec une majuscule. C'est qu'il s'agit en effet, selon le texte même, de mettre en avant la question posée par Leibniz, reprise par Schelling, et comprise par l'un et l'autre penseur comme celle du Fondement suprême, de la Cause première de tout étant. Les tentatives actuelles de restauration de la métaphysique ont une préférence marquée pour la reprise de la question ainsi caractérisée.

Mais la leçon : « Qu'est-ce que la métaphysique? » suivant son chemin — qui est d'une autre sorte — pense cette question dans un autre contexte et selon un sens qui a « bougé ». Ce qui est demandé maintenant, c'est à quoi il tient que partout l'étant seul ait la préséance, à quoi il tient que ce ne soit pas plutôt le « Non-l'-étant » « *ce* Néant », c'est-à-dire l'Être qui soit médité du point de vue de son essence? Quiconque pense et parcourt la leçon comme une portion du chemin de « *Sein und Zeit* » ne peut comprendre la question que dans un tel sens. Une telle tentative était à première vue une exigence déconcertante. C'est pourquoi le changement de sens de la question fut expressément éclairci dans l'*Introduction* (p. 20 sqq.) qui fut ajoutée en tête de la cinquième édition de : *Qu'est-ce que la métaphysique?* (1949).

A quoi tendent ces indications? A rendre sensible avec quelle lenteur et quelles hésitations la pensée s'engage dans une méditation qui poursuit ce qui vous tient aussi à cœur et fait encore l'objet de votre écrit *Au-delà de la ligne* : l'essence du nihilisme.

La question : « Qu'est-ce que la métaphysique? » ne tente qu'une seule chose : conduire les Sciences à réfléchir sur le fait qu'elles rencontrent nécessairement, et par conséquent toujours et partout le Tout-Autre que l'étant, ce qui n'est Rien-d'-étant. Elles se tiennent déjà, à *leur* insu, en rapport à l'Être. C'est uniquement de la Vérité de l'Être chaque fois régnante, qu'elles reçoivent la Lumière qui leur permet d'abord de voir, de traiter *comme tel* l'étant représenté par elles. La pensée qui demande : « Qu'est-ce que la métaphysique? », c'est-à-dire la pensée qui dans tous les sens du mot, « sort » de la Métaphysique, n'est plus science. Mais pour la pensée la transcendance comme telle, c'est-à-dire l'*Être de* l'étant, devient alors *digne* de question quant à son essence, et non pas par conséquent « rien qui vaille », ni un negativum. « Être » — ce mot apparemment vide — est en l'occurrence constamment pensé dans la plénitude essentielle des déterminations qui, de la φύσις et du λόγος jusqu'à la « Volonté de Puissance », renvoient l'une à l'autre, montrant partout un trait fondamental que j'ai tenté de nommer du terme « Être pré-sent » (*Sein und Zeit*, § 6). C'est *seulement parce que* la question : « Qu'est-ce que la métaphysique? » pense d'avance à la Transcendance, au *transcen-*

dens, à l'*Être de* l'étant, qu'elle peut penser le
« Non-l'-étant », *ce* Néant qui est originellement le
Même que l'Être.

Il est vrai cependant que si l'on ne prend garde
ni à la direction fondamentale de la question qui
porte sur la Métaphysique, ni au commencement
de son chemin, ni à l'occasion de son déploiement
— c'est-à-dire le cercle des Sciences, auxquelles la
question s'adressait —, si l'on ne pense pas sérieusement à ces conditions et au rapport qu'elles entretiennent l'une avec l'autre, alors il faut qu'on
tombe au niveau des « renseignements culturels »,
d'après quoi c'est une philosophie du Néant — au
sens du Nihilisme négatif — qui est en cet endroit
exposée.

La mécompréhension, apparemment encore inextirpable, de la question : « Qu'est-ce que la métaphysique? » et la méconnaissance du lieu où elle
se tient ne sont pas le moins du monde de simples
conséquences d'une aversion à l'égard de la pensée.
Leur origine est plus profondément cachée. En
attendant elles font partie des symptômes qui
jettent une lumière sur la marche de notre histoire :
nous nous mouvons encore, avec toute notre
« substance », à l'intérieur de la Zone du nihilisme
— une fois posé, bien entendu, que l'essence du
nihilisme repose dans l'oubli de l'Être.

Que devient alors le franchissement de la Ligne?
Conduit-il hors de la Zone du nihilisme accompli?
La tentative de « franchir la ligne » reste condamnée
à une représentation qui relève elle-même de l'hégémonie de l'oubli de l'Être. C'est pourquoi aussi elle
s'exprime avec les concepts fondamentaux de la
métaphysique (Forme, Valeur, Transcendance).

L'image de la ligne peut-elle donner une intuition
suffisante de la Zone du nihilisme accompli?

Et l'image de la Zone est-elle bien meilleure?
Le doute s'élève, si de telles images sont propres
à donner l'intuition du dépassement du nihilisme,
c'est-à-dire de l'Appropriation de l'oubli de l'Être.
Quoique, sans doute, le même soupçon pèse sur
toute image. Cependant ce soupçon est incapable
de porter atteinte à la force d'éclairage des Images,
à leur originelle et incontournable présence. Des
réflexions de ce genre ne font que révéler combien
peu nous sommes versés dans le Dire de la Pensée,
et combien peu son essence nous est connue.

L'essence du nihilisme, qui à la fin s'accomplit
dans le règne de la volonté de volonté, repose dans
l'oubli de l'être. A cet oubli nous semblons correspondre le mieux lorsque nous l'oublions, c'est-à-dire
lorsque nous nous en moquons. Mais de cette façon
nous ne prenons pas garde à ce qu'oubli veut dire
lorsqu'il s'agit du voilement de l'Être. Y prêtons-
nous au contraire attention, nous éprouvons alors
cette renversante nécessité : au lieu de vouloir
dépasser le nihilisme, nous devons tenter d'entrer
enfin avec recueillement dans son essence. C'est
là le premier pas qui nous permettra de laisser le
nihilisme derrière nous. Le chemin d'une telle
entrée dans l'essence du nihilisme a tous les aspects
d'un retour. Il ne s'agit pourtant pas de rebrousser
le temps, de revenir au vécu ancien, pour tenter de
de la rafraîchir par des artifices de forme. « En
arrière » signifie ici la direction de ce lieu (l'oubli
de l'Être) qui a donné déjà et donne encore à la
Métaphysique sa provenance.

Conformément à une telle provenance il reste
interdit à la métaphysique de jamais pouvoir, en
tant que métaphysique, faire l'épreuve de son
essence; car pour la Transcendance et à l'intérieur
de celle-ci l'*Être de* l'étant se montre à la repré-

sentation métaphysique. Apparaissant de la sorte, il prend, il requiert expressément la représentation métaphysique. Ce n'est pas merveille que celle-ci s'insurge contre l'idée qu'elle se déploierait dans l'*oubli* de l'Être.

Une méditation suffisante et endurante finit pourtant par apercevoir que la Métaphysique, suivant en cela son essence, ne permet jamais à la Demeurance humaine de s'installer véritablement dans le Lieu, c'est-à-dire dans l'essence de l'oubli de l'être. C'est pourquoi il faut que Pensée et Poésie retournent là où d'une certaine façon elles ont toujours déjà été, et où malgré cela elles n'ont jamais bâti. Ce n'est pourtant qu'en bâtissant que nous pouvons préparer notre Demeurance en ce lieu. Il s'en faut qu'un tel Bâtir puisse déjà songer à ériger la Maison pour le Dieu et les habitations pour les mortels. Il doit se contenter de travailler au chemin qui ramène au lieu de l'Appropriation de la Métaphysique, et qui permet par là de parcourir les possibilités et la convenance d'un dépassement du nihilisme.

Qui ose une telle parole, et dans un écrit public, sait trop bien avec quelle rapidité et quelle facilité ce Dire, qui voudrait amorcer une méditation, se verra écarté comme simple ronron obscur, à moins encore qu'on ne repousse en lui le mauvais aplomb magistral. Sans s'arrêter à tout cela, l'éternel apprenti devra conduire sa pensée à faire avec plus de prudence, et d'une façon plus originelle, l'épreuve du Dire qui est celui de la Pensée fidèle. Un jour il parviendra à laisser ce dire, en qui il aura reconnu le Don le plus haut et le danger le plus grand, dont il aura vu le rare bonheur et l'abondante détresse, un jour il parviendra à laisser ce dire dans son plein secret.

Nous reconnaissons ici pourquoi la maladresse environne toujours les efforts d'un Dire de cette nature. Dans le mot, dans les tournures, il faut toujours qu'il s'avance à travers la multiplicité congénitale du sens. La multiplicité du sens dans le dire ne consiste nullement dans une simple accumulation de significations, surgies au hasard. Elle repose sur un Jeu qui reste d'autant plus étroitement retenu dans une règle cachée, qu'il se déploie plus richement. Cette règle veut que la multiplicité du sens reste en balance, et c'est le balancement en tant que tel, que nous éprouvons ou reconnaissons si rarement comme tel. C'est pourquoi le dire reste lié selon la loi la plus haute. Celle-ci est la liberté qui ouvre au Dire le libre champ de l'Ordre qui fait tout jouer; toute la Transformation sans repos.

La multiplicité de sens de ces paroles qui « naissent comme des fleurs » (Hölderlin, *Brot und Wein*), c'est le jardin sauvage, où la croissance propre des fleurs et les soins qu'on leur donne sont accordés l'un à l'autre selon une insaisissable intimité. Il ne saurait y avoir rien d'étonnant pour vous dans le fait que la situation de l'essence du nihilisme rencontre à chaque instant sur son chemin la provocation de ce « quelque chose » qui mérite pensée, et que nous nommons assez maladroitement le Dire de la Pensée. Ce Dire n'est pas l'expression de la Pensée, mais c'est elle-même, c'est sa marche et son chant.

Que vise cette lettre? Elle voudrait élever à une plus haute multiplicité de sens le titre *Über die Linie*, et du même coup tout ce que ce titre inscrit au sens où vous le prenez comme au sens où je le prends, tout ce qu'il permet d'indiquer dans le Dire de l'écriture. Cette plus haute multiplicité du sens laisse apercevoir dans quelle mesure le dépassement du nihilisme exige que l'on entre dans son essence, laquelle entrée rend caduque la volonté de dépasser. L'Appropriation de la Métaphysique appelle la Pensée à un plus initial Rappel.

Votre topographie *trans lineam* et ma topologie *de linea* renvoient l'une à l'autre. Elles demeurent toutes deux astreintes à ne pas relâcher leur effort pour apprendre la pensée planétaire, ne serait-ce qu'un bout de chemin, et si petit soit-il. Il ne faut, ici non plus, aucun don ni aucune grimace prophétique pour être capable de penser que s'annoncent, en vue de la construction planétaire, des Rencontres à la hauteur desquelles ne sont pas ceux qui aujourd'hui se rencontrent, de quelque côté qu'ils soient. Cela vaut pour la parole européenne et pour la parole est-asiatique de la même manière, et cela vaut avant tout pour le domaine d'un éventuel dialogue entre elles. Aucune des deux n'est capable d'ouvrir ni de fonder de soi-même ce domaine.

Nietzsche, à l'ombre et à la lumière de qui tout le monde aujourd'hui, avec un « je suis contre » ou un « je suis pour », pense et poématise, Nietzsche entendit un Appel qui exigeait la préparation de l'homme à l'entreprise d'une domination de toute la terre. Il vit et comprit le combat qui s'allumait pour la domination (XIV, p. 320; XVI, p. 337; XII, p. 208). Ce n'est pas une guerre, mais le Πόλεμος, qui seul fait apparaître les Dieux et les Hommes, les Libres et les Esclaves, dans leur essence respective, et qui conduit à une dis-putation de l'Être. En comparaison de cela, les guerres mondiales restent superficielles. Elles sont toujours d'autant moins capables d'apporter une décision, qu'elles se préparent de façon plus technique.

Nietzsche entendit cet Appel à la méditation de

l'essence d'une domination planétaire. Il suivit l'Appel sur le chemin de la pensée métaphysique qui lui était impartie, et s'abattit en chemin. C'est du moins ainsi que les choses apparaissent à la réflexion historique. Mais peut-être ne s'est-il pas abattu; peut-être est-il allé aussi loin que sa pensée le pouvait.

Qu'elle nous ait légué quelque chose de grave et de difficile, c'est ce que devrait nous rappeler avec plus de force que d'habitude, et d'une façon nouvelle, la combien lente naissance de la question qui commence à poindre en elle, celle de l'essence du nihilisme. La question n'est pas devenue plus facile pour nous. C'est pourquoi elle doit se ramener à ce qui est encore plus préalable : méditer les vieilles, les vénérables Paroles dont le Dire secourable nous indique le domaine de l'essence du nihilisme et de son Appropriation. Peut-on accomplir un effort plus grand que celui d'une telle Pensée fidèle pour le salut de ce qui nous est remis comme Destin, et, dans ce destin, comme Tradition? Je ne le vois pas. Mais cette pensée doit paraître proprement renversante à ceux pour qui ce qui est «reçu» n'est pourtant donné de nulle part, reste sans Provenance. Ceux-là prennent la candide Apparence pour ce qui vaut aussi bien absolument. Ils exigent que cet absolu apparaisse dans des Systèmes imposants. Là au contraire où la réflexion ne s'occupe jamais d'autre chose que de prêter attention à l'usage de la langue dans la pensée, cette réflexion n'apporte rien d'utile. Parfois, pourtant, elle sert à ce dont a besoin cela même qui est à penser.

Cela, que la lettre tente d'exposer, il se peut que cela s'avère très tôt — trop tôt — comme insuffisant.

Comment pourtant elle voudrait pratiquer la

méditation et la désignation du site, Gœthe le dit
en une phrase — qu'elle soit la conclusion de cette
lettre :

« Quand un homme considère parole et expression
comme des témoignages sacrés, et les veut non pas
utiliser, telle de la menuaille ou du papier monnaie,
seulement pour une circulation rapide et instan-
tanée, mais les veut savoir échangés dans le commerce de l'esprit comme de vraies équivalences,
alors on ne peut lui en vouloir s'il rend attentif à la
façon dont des expressions traditionnelles dans
lesquelles plus personne ne voit de mal, cependant
exercent une influence nuisible, embrument les
façons de voir, altèrent le concept et donnent à
toutes les disciplines une fausse direction. »

Je vous salue cordialement.

Identité et différence

Traduit par André Préau.

Le Principe d'Identité reproduit sans changements le texte d'une conférence prononcée le 27 juin 1957 devant les facultés réunies de l'université de Fribourg-en-Brisgau, à l'occasion du cinq centième anniversaire de la fondation de cette université.

Dans *La Constitution onto-théo-logique de la métaphysique* on trouvera, revues et modifiées par endroits, les considérations qui ont servi de conclusion à des travaux de séminaire du semestre d'hiver 1956-1957 sur *La Science de la Logique* de Hegel. Ces considérations ont été exposées dans une conférence prononcée à Todtnauberg le 24 février 1957.

Le Principe d'Identité regarde en avant et il regarde en arrière. En avant, il considère le domaine d'où procédaient les vues de la conférence sur *La Chose* (voir les *Références* [1]), en arrière, le domaine de l'origine essentielle de cette même métaphysique dont la constitution est caractérisée par la *Différence*.

Dans le présent travail, nous désignons l'apparte-

1. Ici, p. 309.

nance mutuelle de l'*Identité* et de la *Différence* comme étant le thème à méditer.

Comment la Différence procède-t-elle de l'essence de l'Identité? Le lecteur le découvrira lui-même, s'il écoute l'harmonie qui règne entre la *Copropriation*[1] et la *Conciliation*[2].

En ce domaine, où l'on ne peut rien démontrer, mainte chose peut être montrée.

Todtnauberg, le 9 septembre 1957.

---

1. *Ereignis.*
2. *Austrag.* Ce terme est une traduction étymologique un peu approximative du français *différence*, en allemand *Differenz (dis-fero = aus-tragen)*. Il marque à la fois la distinction de l'Être et de l'étant, et le milieu qui la rend possible en permettant leur confrontation. Il est ainsi différence et conciliation. Cf. *Der europäische Nihilismus*, p. 185 : « La différence *(Unterschied)* est mieux désignée par le terme *Differenz*, par lequel on voit que l'étant et l'Être sont de quelque manière *dis*-joints, séparés, et pourtant ré-*férés* l'un à l'autre, et ce de et par eux-mêmes et non par l'effet d'un "acte" qui les distinguerait. Différence *(Unterscheidung)* en tant que *Differenz* veut dire qu'il y a accord permanent *(Austrag)* entre l'Être et l'étant. » Cf. ci-après p. 299, note 2.

LE PRINCIPE D'IDENTITÉ

Le principe d'identité reçoit couramment la forme : A = A. Il est accepté comme loi suprême de la pensée. Nous allons essayer d'arrêter un temps notre attention sur ce principe, car nous voudrions apprendre de lui ce qu'est l'identité.

Quand la pensée, réclamée par une chose, se tourne vers elle et la suit, il peut lui arriver de se transformer chemin faisant. Aussi sera-t-il à propos, dans ce qui va être exposé, de prêter plus d'attention au chemin qu'au contenu. La progression de cette conférence s'opposera d'elle-même à ce que nous nous attardions sur le contenu.

Que dit la formule A = A, par laquelle on a coutume de représenter le principe d'identité? Cette formule pose l'égalité de A et de A. Or toute égalité requiert au moins deux termes. Un A est égal à un autre A. Est-ce bien là ce que veut dire le principe? Manifestement non. L'identique, en latin *idem*, traduit le grec τὸ αὐτό, soit en allemand *das Selbe*, en français *le même*. Si quelqu'un répète la même chose, par exemple : la plante est la plante, il profère une tautologie. Pour qu'une chose puisse être «la même», un seul terme suffit toujours. Nul besoin d'en avoir deux comme dans l'égalité.

La formule A = A indique une égalité. Elle ne présente pas A comme étant le même. La formule courante du principe d'identité voile précisément ce que le principe voudrait dire, à savoir que A est A, en d'autres termes, que tout A est lui-même le même.

Pendant que nous définissons ainsi l'identité, une parole ancienne se réveille au fond de notre mémoire, celle par laquelle Platon nous fait entendre ce qu'est l'identique, et cette parole en évoque elle-même une plus ancienne. Dans le *Sophiste*, 254 d, Platon parle de στάσις et de κίνησις, d'arrêt et de changement, et il fait dire à l'Étranger, en ce même passage : οὐκοῦν αὐτῶν ἕκαστον τοῖν μὲν δυοῖν ἕτερόν ἐστιν, αὐτὸ δ'ἑαυτῷ ταὐτόν.

« Maintenant chacun d'eux est différent des deux autres, mais il est lui-même à lui-même le même. » Platon ne dit pas seulement : ἕκαστον αὐτὸ ταὐτόν, « chacun est lui-même le même », mais bien : ἕκαστον... αὐτὸ δ'ἑαυτῷ ταὐτόν, « chacun est lui-même à lui-même le même ».

Le datif ἑαυτῷ veut dire que chaque chose est elle-même restituée à elle-même, qu'elle-même est la même — à savoir pour elle-même avec elle-même. La langue allemande, comme la langue grecque, offre ici l'avantage qu'elle désigne et éclaire l'identité par un seul et même mot[1], mais en le variant dans des formes différentes[2].

Il est donc préférable de donner au principe d'identité la forme : A est A, et cette forme ne dit pas seulement : Tout A est lui-même le même, mais bien plutôt : Tout A est lui-même le même avec lui-même. L'identité implique la relation marquée

---

1. *Selb.*
2. *Selber, das Selbe, selbst, Selbstheit,* etc.

par la préposition « avec », donc une médiation, une liaison, une synthèse : l'union en une unité. De là vient que, d'un bout à l'autre de l'histoire de la pensée occidentale, l'identité se présente avec le caractère de l'unité. Cette unité, toutefois, n'est aucunement le vide de ce qui, privé en soi de toute relation, persiste et s'obstine dans une fade uniformité. Mais, pour qu'apparût nettement la relation du même avec lui-même, pour que cette relation, qui domine au sein de l'identité et qui a de bonne heure donné quelques signes de sa présence, fût bien caractérisée comme médiation, pour qu'on réussît à assigner une place à cette médiation transparaissant au sein de l'identité, il a fallu plus de deux mille ans à la pensée occidentale. Car c'est seulement la philosophie de l'idéalisme spéculatif qui, préparée par Leibniz et Kant, élaborée par Fichte, Schelling et Hegel, a assuré une place à l'être, en soi synthétique, de l'identité. Quelle est cette place? Il ne saurait être question de l'indiquer ici; mais il est un point qu'il faut retenir : depuis l'époque de l'idéalisme spéculatif, nous n'avons plus le droit de nous représenter l'unité de l'identité comme la simple uniformité et de négliger la médiation qui s'affirme au sein de l'unité. Le faire, c'est concevoir l'identité d'une façon purement abstraite.

Même dans la formule amendée *A est A*, c'est l'identité abstraite qui seule apparaît. Peut-on même dire qu'elle apparaît? Le principe d'identité nous apprend-il quelque chose au sujet de l'identité? Non, du moins pas directement. Il présuppose au contraire qu'on sait ce que le mot d'identité veut dire et quels sont ses tenants et aboutissants. Où nous renseigner touchant cette présupposition? Auprès du principe d'identité lui-même, si nous écoutons attentivement sa basse fondamentale et si nous y accordons notre pensée, au lieu de réciter au petit bonheur la formule « A est A ». A proprement parler, il faudrait dire : A *est* A. Qu'entendons-nous alors? En ce « est » le principe nous révèle la manière d'être de tout ce qui est, à savoir : Lui-même le même avec lui-même. Le principe d'identité nous parle de l'être de l'étant. S'il est valable comme loi de la pensée, c'est seulement dans la mesure où il est une loi de l'être, une loi qui statue : à tout étant comme tel appartient l'identité, l'unité avec lui-même.

Ce qu'énonce le principe d'identité, entendu dans sa basse fondamentale, est précisément ce que toute la pensée occidentale ou européenne pense, à savoir que l'unité propre à l'identité forme un trait fondamental de l'être de l'étant. Partout où nous entretenons un rapport, quel qu'il soit, avec un étant de n'importe quelle sorte, nous nous trouvons placés sous un appel de l'identité. Sans cet appel, l'étant ne pourrait jamais apparaître dans son être. Partant, il n'y aurait pas non plus de science. Car la science ne pourrait être ce qu'elle est, si l'identité de son objet ne lui était chaque fois garantie d'avance. C'est cette garantie qui assure à la recherche la possibilité de son travail. Et pourtant cette représentation fondamentale de l'identité de l'objet n'apporte jamais aux sciences aucun avantage tangible. Il se trouve ainsi que la fécondité et les succès de la connaissance scientifique reposent partout sur quelque chose qui ne lui est d'aucune utilité. L'appel de l'identité de l'objet *parle*, que les sciences l'entendent ou non, qu'elles s'en moquent ou qu'elles en soient au contraire troublées et déconcertées.

L'appel de l'identité parle à partir de l'être de l'étant. Maintenant là où, dans l'histoire de la pensée occidentale, l'être de l'étant a trouvé un langage le plus tôt et le plus ouvertement, à savoir chez Parménide, là τὸ αὐτό, l'identique, parle dans un sens qui est presque excessif. Relisons une des propositions de Parménide :

τὸ γὰρ αὐτὸ νοεῖν ἐστίν τε καὶ εἶναι.

« Le même, en effet, est percevoir (penser) aussi bien qu'être. »

Deux choses différentes, la pensée et l'être, sont ici appréhendées comme étant « le même ». Qu'entendre par là ? Quelque chose d'entièrement différent de ce que nous connaissons déjà comme étant la doctrine de la métaphysique, pour laquelle l'identité fait partie de l'être. Parménide dit : L'être a sa place dans une identité. Que veut dire ici « identité »? Dans la phrase de Parménide, que signifie le mot τὸ αὐτό, « le même »? Parménide n'apporte aucune réponse à cette question. Il nous place devant une énigme, à laquelle nous n'avons pas le droit de nous soustraire. Il faut reconnaître qu'à l'aube de la pensée, longtemps avant qu'on n'en vînt à formuler un principe d'identité, l'identité elle-même avait parlé, dans une sentence qui affirmait : la pensée et l'être ont place dans le même et se tiennent l'une l'autre à partir de ce même.

Sans y avoir pris garde, nous venons d'interpréter τὸ αὐτό, le même. Nous expliquons l'identité comme étant une appartenance mutuelle. Il est tentant de se représenter cette coappartenance comme identité, telle que l'identité a été pensée plus tard et qu'elle est généralement connue. Qu'y a-t-il qui puisse nous en empêcher? Rien de moins que la sentence même de Parménide. Car elle dit autre chose, à savoir que l'être — ainsi que la pensée — a sa place dans le même. L'être est défini à partir d'une identité et comme un trait de cette identité. Plus tard, au contraire, la métaphysique a représenté l'identité comme un trait de l'être. Nous ne pouvons donc pas partir de l'identité de la métaphysique pour interpréter celle de Parménide.

L'identité de la pensée et de l'être, qui parle dans la sentence de Parménide, nous arrive de plus loin que l'identité définie par la métaphysique à partir de l'être et comme un trait de l'être.

Le terme directeur de la sentence de Parménide, τὸ αὐτό, le même, demeure obscur. Laissons-lui son obscurité. Mais demandons en même temps un signe, une indication, à la phrase dont il est le premier terme.

Dans l'intervalle nous avons arrêté le sens de l'identité de la pensée et de l'être en la définissant comme coappartenance de l'une et de l'autre. Ce qui était prématuré, mais peut-être inévitable. Il nous faut maintenant retirer à cette définition son caractère prématuré. Aussi bien le pouvons-nous, si nous nous abstenons de considérer ladite coappartenance comme l'interprétation définitive, faisant seule autorité, de l'identité de la pensée et de l'être.

Si nous comprenons la *co*appartenance en cédant à nos habitudes de pensée, alors — comme le suggère déjà l'accentuation du mot allemand [1] — le sens de l'appartenance se détermine à partir du *co-*, c'est-à-dire de l'unité qu'il implique. Dans ce cas « appartenance » équivaut à : être assigné à

---

1. *Zusammengehörigkeit*, accentué sur *zusammen* (« co- »).

l'ordre d'un ensemble et mis à sa place en cet ordre, intégré dans l'unité d'une diversité, rassemblé en l'unité d'un système, bénéficier de la médiation du centre unifiant d'une synthèse déterminante. La philosophie présente cette coappartenance comme *nexus* et *connexio*, comme le lien nécessaire qui rattache un terme à un autre.

La coappartenance, toutefois, peut être aussi pensée comme co*appartenance* : on part alors de l'appartenance pour déterminer le « co- ». Sans doute faudrait-il demander ici ce que l' « appartenance » veut dire et comment il se fait que ce soit seulement à partir d'elle que le « co- » qui lui est propre se laisse déterminer. La réponse à ces questions est plus proche de nous que nous ne le pensons, mais elle n'est pas sous notre main. Qu'il nous suffise d'entrevoir, grâce à cette indication, la possibilité d'appréhender le « co- » en partant de l'appartenance, au lieu de nous représenter l'appartenance à partir de l'unité du « co- ». Seulement, attirer l'attention sur cette possibilité, est-ce là plus qu'un jeu de mots futile, artificiel et qui ne s'appuie sur aucune donnée vérifiable?

Sans doute. Telle est du moins l'apparence, aussi longtemps que nous n'y regardons pas de plus près et que nous ne laissons pas les choses parler d'elles-mêmes.

Penser la coappartenance comme co*apparte-nance*, c'est là se laisser conduire par la considération d'un état de choses dont nous avons déjà parlé. A vrai dire, il est difficile de maintenir sous le regard cet état de choses, vu sa simplicité. Mais il nous devient aussitôt plus proche, si nous observons qu'en interprétant la coappartenance comme co*appartenance*, nous pensions déjà, suivant l'indication de Parménide, aussi bien à la pensée qu'à l'être, donc à ce qui s'appartient l'un à l'autre dans le même.

Si nous considérons la pensée comme le privilège de l'homme, nous sommes tournés vers une *coappartenance* qui concerne l'homme et l'être. Alors, en un clin d'œil, nous nous trouvons assaillis de questions : Que veut dire être? Qui est l'homme? ou : Qu'est-il? Il est facile de voir que, faute d'une réponse satisfaisante à ces questions, tout terrain nous manque sur lequel nous pourrions fonder quelque certitude touchant la *coappartenance* de l'homme et de l'être. Mais, aussi longtemps que nous questionnons de cette manière, nous persistons à vouloir nous représenter le « co- », la conjonction de l'homme et de l'être, comme un rattachement[1] et à vouloir constituer et expliquer ce rattachement en partant, soit de l'homme, soit de l'être. Les notions traditionnelles de l'homme et de l'être fournissent alors les points d'appui servant au rattachement de l'un à l'autre.

Mais, au lieu de persister à nous représenter une coordination[2] de l'homme et de l'être comme la source de leur unité, pourquoi ne pas faire une fois attention à ceci : avant tout, dans leur conjonction[3], une appartenance n'est-elle pas en jeu, et comment? Eh bien! cette coappartenance de l'homme et de l'être peut déjà être aperçue, quoique de loin seulement, dans les définitions traditionnelles de leur essence. Comment cela?

L'homme est manifestement un étant. Comme tel, ainsi que la pierre, l'arbre, l'aigle, il a sa place dans le tout de l'être. Ici encore, « avoir sa place » veut dire : être intégré dans l'ordonnance de l'être. Or, le

---

1. *Zuordnung.*
2. *Zusammenordnung.*
3. *In diesem Zusammen.*

trait distinctif de l'homme, c'est qu'en sa qualité d'être pensant il est ouvert à l'être, placé devant lui, qu'il demeure rapporté à l'être et qu'ainsi il lui correspond. L'homme *est* proprement ce rapport de correspondance, et il n'est que cela. « Que cela » : ces mots n'indiquent pas une restriction, mais bien une surabondance. Ce qui domine en l'homme, c'est une appartenance à l'être, et cette appartenance *(Gehören)* est aux écoutes *(hört auf...)* de l'être, parce qu'elle lui est transpropriée.

Et l'être? Pensons l'être en son sens initial, comme présence. L'être est présent à l'homme d'une façon qui n'est ni occasionnelle, ni exceptionnelle. L'être n'est et ne dure que parlant à l'homme et allant ainsi vers lui. Car c'est l'homme qui, ouvert à l'être, laisse d'abord celui-ci venir à lui comme présence. Pareille approche, pareille présence a besoin de l'espace libre d'une éclaircie et ainsi, par ce besoin même, demeure transpropriée à l'être de l'homme. Ce qui ne veut aucunement dire que l'être soit posé d'abord par l'homme et par lui seul. En revanche on voit clairement que l'homme et l'être sont transpropriés l'un à l'autre. Ils s'appartiennent l'un à l'autre. Cette appartenance mutuelle n'a jamais été considérée d'un peu près et pourtant c'est d'elle en tout premier lieu que l'homme et l'être tiennent les déterminations essentielles par lesquelles la philosophie les a interprétés en mode métaphysique.

Cette co*appartenance* qui prédomine en l'homme et en l'être, nous la méconnaissons obstinément, aussi longtemps que nous nous représentons toutes choses, avec ou sans dialectique, simplement sous les aspects de l'ordre et de la médiation. Ainsi nous ne découvrons jamais rien d'autre que des connexions, qui sont nouées à partir de l'être ou à partir de l'homme et qui font apparaître la coappartenance de l'homme et de l'être comme un entrecroisement de relations.

Nous ne sommes pas encore arrivés à la *coappartenance*. Mais comment peut-on y arriver? En abandonnant l'attitude de la pensée représentative. Cet abandon est un saut. Un saut qui nous fait rompre avec la représentation courante de l'homme comme d'un *animal rationale*, lequel, aux temps modernes, est devenu sujet pour ses objets. En même temps le saut nous écarte de l'être. Or, depuis l'aube de la pensée occidentale, l'être a été interprété comme le fond où tout étant comme tel est fondé.

Ce saut qui nous fait quitter le fond, où nous fait-il retomber? Est-ce dans un abîme? Oui, certes, aussi longtemps que nous nous bornons à nous représenter le saut, ce que nous faisons dans la perspective de la pensée métaphysique. Non, si nous sautons vraiment et nous laissons aller. Aller où? Là où nous sommes déjà admis : dans l'appartenance à l'être. Mais l'être est lui-même dans notre appartenance : car c'est seulement près de nous qu'il peut se déployer comme être, c'est-à-dire être présent [1].

Un saut est donc nécessaire pour appréhender comme telle la *coappartenance* de l'homme et de l'être. Pareil saut est la soudaineté abrupte du retour [2], lequel, sans aucun intermédiaire, donne accès à cette même appartenance qui est la première chose à pouvoir nous faire appréhender un rapport mutuel de l'homme et de l'être et rendre ainsi visible leur constellation. Le saut est l'arrivée

---

1. *Denn nur bei uns kann es als Sein wesen, d. h. an-wesen.*
2. *Einkehr*, avec la nuance de « rentrée en soi-même ».

subite dans le domaine à partir duquel l'homme et l'être se sont, depuis toujours, déjà atteints l'un l'autre dans leur essence : c'est, en effet, par la vertu d'un seul et même don *(Zureichung)* que tous deux sont transpropriés l'un à l'autre. C'est l'entrée dans le domaine de cette transpropriation qui, dès le début, donne le ton à l'expérience de la pensée et lui confère ses déterminations.

Saut étrange, qui semble bien nous révéler que nous ne nous arrêtons pas encore suffisamment là où déjà, véritablement, nous sommes. Où sommes-nous? Dans quelle constellation de l'être et de l'homme?

Il fut un temps où des explications détaillées eussent encore été nécessaires pour faire apercevoir la constellation où l'homme et l'être sont tournés l'un vers l'autre. Il n'en est plus de même aujourd'hui, du moins le semble-t-il. On voudrait penser qu'il suffit de parler d'âge atomique pour que nous sentions comment l'être nous est aujourd'hui présent dans le monde technique. Mais avons-nous le droit d'identifier sans plus être et monde technique? Manifestement non, même pas si nous nous représentons ce monde comme le tout où sont rassemblés l'énergie atomique, les calculs et les plans de l'homme, l'automation. Pourquoi une telle évocation du monde technique, si précise et détaillée qu'elle soit, ne nous ouvre-t-elle aucun aperçu sur la constellation de l'homme et de l'être? Parce que toute analyse de la situation reste en deçà du but, pour autant que, dès le début, elle interprète ce tout du monde technique à partir de l'homme et comme son œuvre. La technique, entendue au sens le plus large et dans toute la diversité de ses manifestations, est alors considérée comme un plan que l'homme établit et qui finalement met l'homme en demeure de décider s'il veut devenir l'esclave du plan ou en rester le maître.

Dans cette conception du tout du monde technique, il n'est rien qui ne soit ramené à la mesure de l'homme; c'est tout au plus si l'on aboutit à réclamer une morale convenant au monde technique. Enfermé dans cette conception, on se confirme soi-même dans l'opinion que la technique n'est rien de plus qu'une chose humaine. On est sourd à l'appel de l'être, qui nous parle dans l'essence de la technique[1].

Cessons donc de concevoir la technique d'une façon purement technique, c'est-à-dire à partir de l'homme et de ses machines. Écoutons l'appel sous lequel à notre époque se trouvent placés, quant à leur être, non seulement l'homme, mais encore tout ce qui est, nature et histoire.

De quel appel voulons-nous parler? Notre existence, dans tous les domaines, se trouve amusée, pressée, harcelée, poussée, et par tous ces moyens, mise en demeure de tourner son effort vers une planification et un calcul universels. Qu'y a-t-il qui nous parle dans cette mise en demeure? Procède-t-elle d'un pur caprice de l'homme? Ou bien est-ce l'étant lui-même qui vient déjà vers nous et nous parle de sa capacité à être soumis au plan et au calcul? Dans ce cas, l'être lui-même aurait-il été touché par une mise en demeure de faire apparaître l'étant dans la perspective de la calculabilité? Effectivement. Et non seulement l'être. Tout autant que l'être, l'homme est mis en demeure, c'est-à-dire sommé[2], de placer en sûreté l'étant

---

1. Cf. *L'Essence de la technique*, premier morceau des *Essais et conférences*.
2. *Gestellt*.

qui lui parle, comme le fonds [1] sur lequel portent
ses plans et ses calculs, et d'étendre sans fin cette
mainmise ordonnatrice [2].

Das Ge-Stell, l'Arraisonnement : tel est le nom
que nous avons proposé pour désigner le mode
rassemblé de cette mise en demeure qui place
l'homme et l'être l'un par rapport à l'autre de
telle façon qu'ils s'interpellent l'un l'autre. On a été
choqué par cet emploi du mot *Gestell* [3]. Mais si, au
lieu du verbe *stellen* (« placer »), nous choisissons le
verbe *setzen* (« poser »), nous trouvons tout naturel
d'employer le mot *Ge-setz* au sens de « loi ». Pourquoi
donc refuser notre *Ge-Stell*, s'il s'impose une fois
la situation présente aperçue telle qu'elle est?

Ce en quoi et à partir de quoi, dans le monde
technique, l'homme et l'être vont l'un vers l'autre,
c'est cela qui nous parle dans le mode de l'Arraisonnement. Dans cette interpellation réciproque
de l'homme et de l'être, nous entendons l'appel
qui donne sa figure à la constellation de notre
époque. L'Arraisonnement, partout, nous concerne
directement. L'Arraisonnement a plus d'être, s'il
est encore permis de s'exprimer ainsi, que toutes les
énergies atomiques et que toutes les machines du
monde, plus d'être que la masse écrasante de l'organisation, de l'information et de l'automation. Ce
que désigne le mot d'Arraisonnement, nous ne le
rencontrons plus dans la perspective de la pensée
représentative, laquelle nous fait concevoir l'être
de l'étant comme une présence — alors que l'Arraisonnement ne nous touche plus comme une chose

1. *Der Bestand.*
2. *Dieses Bestellen.* — Pour les termes techniques de cet
alinéa et du suivant : *Bestand, stellen, bestellen, Ge-Stell,*
cf. *loc. cit.*, p. 20-26.
3. Dont le sens courant est tréteau, piédestal, châssis.

présente — : aussi l'Arraisonnement est-il d'abord ressenti comme étrange. S'il demeure étrange, c'est surtout parce qu'il n'est pas un aboutissement de la pensée, mais qu'il nous donne lui-même le premier accès à Ce qui proprement domine et régit la constellation de l'être et de l'homme.

La *coappartenance* de l'homme et de l'être en mode de mise en demeure réciproque conduit vers une observation déconcertante : nous voyons plus facilement que, et comment, l'homme, dans ce qu'il a de propre, dépend de l'être *(dem Sein... vereignet ist)*, alors que l'être, dans ce qu'il a de propre, est tourné *(zugeeignet)* vers l'essence de l'homme. Dans l'Arraisonnement règne une étrange rencontre de dépendance, d'un côté, d'attention, de l'autre. Il s'agit pour nous de percevoir dans sa simplicité cette « propriation » *(Eignen)*, par laquelle l'homme et l'être sont « propriés » l'un à l'autre; c'est-à-dire qu'il s'agit d'accéder à ce que nous nommons *das Ereignis*, la *Copropriation*[1]. Le mot *Ereignis* est une forme de l'allemand moderne. Le verbe *er-eignen* vient de *er-äugen*, qui voulait dire : saisir du regard, appeler à soi du regard, ap-proprier. Le mot *Ereignis*, pensé à partir de ce qu'il nous découvre, doit maintenant nous parler comme un terme directeur au service de la pensée. Comme tel, il est aussi intraduisible que le λόγος grec ou le *Tao* chinois. *Ereignis* ne signifie plus ici un événement, une chose qui arrive[2]. Nous employons maintenant ce mot comme *singulare tantum*. Ce qu'il désigne ne se manifeste qu'au singulier, dans le nombre de l'unité, ou plutôt même pas dans un nombre, mais d'une manière unique. Ce

1. Cf. *op. cit.*, p. 348-349.
2. Sens moderne unique de *Ereignis*.

qu'aujourd'hui le monde technique nous fait entre-voir dans l'Arraisonnement, entendu comme la constellation de l'homme et de l'être, est un *prélude* à ce que nous désignons par le terme de Co-propria-tion *(Er-eignis)*. Toutefois cette copropriation ne s'en tient pas nécessairement à son prélude. Car en elle se dévoile la possibilité qu'elle dépasse [1] le simple règne de l'Arraisonnement, pour arriver à une Copropriation *(Ereignen)* plus initiale. Dépasser ainsi l'Arraisonnement par la vertu de la Co-pro-priation et pour revenir à elle, ce serait là un événement qui, étroitement lié à la Copropriation, ne pourrait être le fait de l'homme seul : le monde technique serait ramené de la condition de maître à celle de serviteur, et cela au sein du domaine que l'homme doit traverser pour trouver un accès plus authentique à la Co-propriation.

Où le chemin que nous suivons nous a-t-il conduits? Nous avons atteint cette chose simple qu'au sens rigoureux du terme, nous appelons *das Er-eignis*, la Co-propriation. Nous courons ici, semble-t-il, un danger : celui de diriger notre pensée, avec trop d'insouciance, vers quelque Universel assez lointain, alors que ce qui se dit immédiatement à nous par le mot de Co-propriation, ou plutôt par ce qu'il tente de désigner, c'est seulement ce qui est le plus près de nous, de tout ce qui nous est proche et où nous nous trouvons déjà. Qu'y a-t-il en effet qui pourrait être plus près de nous que ce qui nous rapproche de ce à quoi nous appartenons, en quoi nous avons notre place? et ce qui nous en rapproche est la Co-propriation.

La Co-propriation est le domaine aux pulsations internes, à travers lequel l'homme et l'être s'attei-

---

1. *Verwindet.* Cf. *op. cit.,* p. 80, 3.

gnent l'un l'autre dans leur essence et retrouvent leur être, en même temps qu'ils perdent les déterminations que la métaphysique leur avait conférées.

Penser l'émergence de l'être propre comme Co-propriation[1], c'est travailler à construire ce domaine en soi, vivant et pulsant. Les matériaux de cette construction, qui ne repose que sur elle-même, la pensée les reçoit du langage. Car le langage, dans cette construction, à fondations internes, de l'Appropriation, est la pulsation la plus délicate et la plus fragile, mais aussi celle qui retient tout. Pour autant que notre être propre est dans la dépendance du langage, nous habitons dans la Copropriation.

Nous sommes arrivés maintenant à un point de notre chemin où s'impose à nous une question sans doute un peu grosse, mais inévitable : Qu'est-ce que la Copropriation a à faire avec l'identité? Réponse : rien. En revanche, l'identité a beaucoup, sinon tout à faire avec la Copropriation. Comment cela? Pour répondre, nous ferons quelques pas en arrière sur le chemin parcouru.

La Copropriation est la conjonction essentielle de l'homme et de l'être, unis par une appartenance mutuelle de leur être propre. Dans l'Arraisonnement, nous percevons un premier et insistant éclair de la Copropriation. L'Arraisonnement constitue l'essence du monde technique contemporain. En lui nous entrevoyons une co*appartenance* de l'homme et de l'être, où c'est le « laisser-appartenir[2] » qui détermine, dès l'origine, le mode du « co- » et de

---

1. *Das Ereignis als Er-eignis denken.*
2. *Das Gehören-lassen*, où *lassen* est « laisser *quā* faire » (M. H.), donc « laisser appartenir en faisant appartenir, les deux sens possibles *(laisser...* et *faire...)* ne s'excluant pas.

son unité. Pour nous conduire vers une coappartenance où l'appartenance aurait le pas sur le « co- », nous avons choisi comme guide une sentence de Parménide : « Le même, en vérité, est la pensée aussi bien que l'être. » Demander ce qu'est « le même », c'est demander quelle est l'essence de l'identité. La métaphysique enseigne que l'identité est un trait fondamental de l'être. Il apparaît maintenant que l'être, comme la pensée, a sa place dans une identité dont l'essence procède de ce « laisser-coappartenir[1] » que nous appelons la Copropriation. L'essence de l'identité appartient en propre à la Co-propriation.

Supposons qu'il y ait quelque chose à retenir de notre tentative pour diriger la pensée vers le lieu de l'origine essentielle de l'identité : que devient alors le titre de notre conférence? Le sens du titre *Le Principe d'identité* n'a-t-il pas changé?

Ce principe *(Satz)* se présente tout d'abord sous la forme d'une proposition de fond *(Grundsatz)*, laquelle présuppose que l'identité est un trait de l'être, c'est-à-dire du fond de l'étant. Chemin faisant, ce principe, ce *Satz* au sens d'une énonciation, est devenu pour nous un *Satz* au sens d'un saut : d'un saut qui part de l'être comme fond *(Grund)* de l'étant pour sauter dans l'abîme, dans le sans-fond *(Abgrund)*. Cet abîme, toutefois, n'est pas un néant vide et pas davantage une obscure confusion, mais bien la Co-propriation elle-même. En elle se fait sentir, dans sa pulsation, l'essence de ce qui nous parle comme langage, comme ce langage que nous avons appelé un jour « la demeure de l'être ». Les mots « principe d'identité » désignent maintenant un saut qui est exigé

---

1. *Zusammengehörenlassen.* Voir note précédente,

par l'essence de l'identité, parce qu'il lui est nécessaire, si la co*appartenance* de l'homme et de l'être
doit parvenir jusqu'à la lumière essentielle de la
Copropriation.

Chemin faisant, alors que nous allions ainsi du
principe, du *Satz* comme affirmation concernant
l'identité, au *Satz* comme saut dans l'origine essentielle de l'identité, la pensée aussi s'est transformée.
C'est pourquoi, regardant en face le temps présent,
mais voyant au-delà de la situation de l'homme,
elle aperçoit la constellation de l'être et de l'homme
à partir de ce qui les ap-proprie l'un à l'autre : à
partir de la Co-propriation *(Er-eignis)*.

N'est-il pas possible que l'Arraisonnement, cette
mise en demeure, que l'être et l'homme se signifient
l'un à l'autre, de se livrer au calcul du calculable,
que l'Arraisonnement, donc, se dise à nous comme
la Copropriation, comme ce qui, tout d'abord,
exproprie l'homme et l'être pour les diriger vers
ce qu'ils ont en propre? Au cas où cette possibilité
s'offrirait à nous, l'homme disposerait alors d'un
chemin le conduisant à appréhender en mode plus
originel l'étant, le tout du monde technique contemporain, la nature et l'histoire, et avant tout leur
être.

La méditation de l'âge atomique, toute consciente
qu'elle soit de ses responsabilités, ne vise souvent
qu'à faire progresser l'utilisation pacifique de
l'énergie atomique, mais en même temps recherche
là, et là seulement, le sentiment tranquillisant
qu'elle a atteint son but : aussi longtemps qu'il en
est ainsi, la pensée demeure à mi-chemin. Par ce
demi-résultat, le monde technique voit encore
consolidée sa prédominance métaphysique; et
c'est même alors seulement que celle-ci est vraiment consolidée.

Mais où est-il décrété que la nature comme telle doive, pour tous les âges futurs, demeurer la nature de la physique contemporaine et que l'histoire [1] ne puisse se dévoiler que comme un objet de l' « histoire [2] »? Il est vrai que nous ne sommes autorisés, ni à rejeter comme œuvre du diable le monde technique d'aujourd'hui, ni à le détruire, à supposer qu'il ne s'en charge pas lui-même.

Encore moins pouvons-nous nous attacher à l'opinion suivant laquelle le monde technique est ainsi fait que nous ne saurions aucunement le quitter par un saut. Cette opinion tient pour seule réelle, la réalité de fait, « actuelle », dont elle est obsédée. Pareille opinion est à vrai dire fantastique; mais ce qui ne l'est pas, c'est une pensée qui pense en avant et tend l'oreille vers la parole qui vient vers nous, message que nous envoie l'essence de l'identité de l'homme et de l'être.

Il a fallu à la pensée plus de deux mille ans pour dégager et comprendre une relation aussi simple que la médiation intérieure à l'identité. Pouvons-*nous* supposer qu'en un jour notre pensée aille opérer le retour à l'origine essentielle de l'identité? Justement parce que ce retour exige un saut, il a besoin de temps, à savoir du temps de la pensée. Le temps de la pensée n'est pas le temps de ce calcul qui aujourd'hui de tous côtés tire à lui notre pensée. De nos jours une machine à penser calcule en une seconde des milliers de relations; et celles-ci, malgré leur utilité technique, sont vides de substance.

Quoi que ce soit que nous essayions de penser et de quelque manière que nous nous y prenions,

---

1. *Die Geschichte.*
2. *Die Historie,* la science historique. Sur le mot « histoire », placé ou non entre guillemets, cf. *Essais et conférences,* p. 348, *sub.* 3.

nous pensons dans l'atmosphère de la tradition. La tradition nous dirige, quand elle nous libère de la pensée conformiste pour nous apprendre à penser en avant de nous, ce qui ne veut pas dire à faire des plans.

Quand notre méditation se tourne vers le déjà-pensé, c'est alors seulement que nous sommes au service de ce qui reste encore à penser.

LA CONSTITUTION
ONTO-THÉO-LOGIQUE
DE LA MÉTAPHYSIQUE

Dans nos exercices de séminaire[1], nous avons essayé d'engager un dialogue avec *Hegel*. Un dialogue avec un penseur ne peut porter que sur la « cause » de la pensée. « Cause[2] », d'après la définition qu'on en donne, désigne le cas litigieux, le litige, et celui-ci ne peut être pour la pensée que *le* cas qui la concerne. Dans ce cas litigieux, le litige n'est aucunement imputable à la pensée, laquelle, pour le créer, aurait saisi le premier prétexte venu. La « cause » ou l' « affaire » de la pensée est un différend dans ce qu'il a de litigieux. Le sens principal de *Streit*, « litige », (vieux haut-allemand *strit*), n'est pas « discorde », mais « pression », « contrainte ». Le cas litigieux de la pensée contraint la pensée en ce sens qu'il conduit celle-ci d'abord à son propre cas et, de ce cas, à elle-même.

Pour Hegel, l' « affaire » de la pensée est la pensée comme telle. Afin de ne pas fausser cette définition de l'affaire de la pensée, à savoir « la pensée comme telle », par des interprétations psychologiques ou

---

1. Voir l'Avant-propos, p. 255.
2. *Sache*, « chose » et aussi « cause », au sens d' « affaire » judiciaire. — Nous traduisons ce mot, suivant le contexte, par « cause », « affaire », « cas », « propos » ou enfin « chose ».

relevant de la théorie de la connaissance, il faut que
nous l'éclairions en ajoutant : La pensée comme telle,
dans le plein épanouissement de la « pensé-ité » du
pensé [1]. Que veut dire ici « pensé-ité du pensé »?
Kant seul peut nous le faire comprendre, à partir
de l'essence de la connaissance « transcendantale »,
que Hegel, toutefois, pense en mode absolu, c'est-à-
dire pour lui spéculatif. C'est à cette essence que
songe Hegel, lorsqu'il dit de la « pensée de la pensée »
comme telle qu'elle se développe « dans le seul
élément de la pensée » *(Encycl., Introd.,* § 14). Ce
qui veut dire — pour utiliser une appellation
concise, mais difficile à penser fidèlement dans toute
sa portée — : L'affaire de la pensée est pour Hegel
« la Pensée totale » *(der Gedanke).* Et celle-ci,
déployée jusqu'à réaliser sa liberté suprême et
essentielle, est « l'Idée absolue ». De cette dernière
Hegel dit, vers la fin de la *Science de la Logique*
(Éd. Lasson, II, 484) : « Seule l'Idée absolue est
Être, Vie impérissable, *Vérité qui se connaît elle-
même,* seule elle est *toute vérité.* » Ainsi Hegel lui-
même donne-t-il expressément au propos [2] de sa
pensée le nom qui domine tout le propos de la
pensée occidentale, le nom d'*Être.*

(Au cours du séminaire, nous avons examiné
l'acception multiple et pourtant une du mot
être. Pour Hegel, « être » signifie d'abord, mais
jamais exclusivement, l' « immédiateté indéterminée ». L'être est ici considéré du point de vue de la
médiation déterminante, c'est-à-dire à partir du
Concept absolu, donc avec visée vers celui-ci.
« La vérité de l'être est l'essence », c'est-à-dire la
Réflexion absolue. La vérité de l'Essence est le

---

1. ... *in der entwickelten Fülle der Gedachtheit des Gedach-
ten.*
2. *Sache.*

Concept au sens d'un Savoir in-fini qui se sait lui-même. L'Être est l'acte absolu de la Pensée qui se pense elle-même. La Pensée absolue est seule la vérité de l'Être, elle seule « est » l'Être. Ici « vérité » veut toujours dire : la connaissance sûre d'elle-même par laquelle le connaissable est connu comme tel.)

Hegel, toutefois, lorsqu'il pense le propos de sa pensée, a raison de ne pas le séparer d'un dialogue avec l'histoire de la pensée antérieure. Il est le premier qui ait pu et qui ait dû penser ainsi. Le rapport qui l'unit à l'histoire de la philosophie est le rapport spéculatif et c'est seulement comme tel qu'il est historique. Le mouvement de l'histoire se caractérise comme quelque chose qui a lieu, qui se produit, au sens du processus dialectique. Hegel écrit (*Encycl.*, § 14) : « Ce même développement de la pensée qui se manifeste dans l'histoire de la philosophie se manifeste aussi dans la philosophie elle-même, mais libéré de cette extériorité historique et *dans le seul élément de la pensée.* »

Nous butons sur cette phrase et ne savons plus que penser. La philosophie elle-même et l'histoire de la philosophie devraient, suivant les propres paroles de Hegel, se trouver entre elles dans un rapport d'extériorité! Mais l'extériorité à laquelle pense Hegel n'est pas « extérieure » au sens grossier de ce qui est simplement superficiel et indifférent. « Extériorité » évoque ici cet extérieur où se tiennent, en face du mouvement de l'Idée absolue, toute histoire et tout déroulement réel. L'extériorité de l'histoire par rapport à l'Idée résulte de l'aliénation par laquelle l'Idée se rend étrangère à elle-même. L'extériorité est elle-même une détermination dialectique. On reste donc très en deçà de la pensée authentique de Hegel si l'on observe que, dans la philosophie, Hegel a ramené à une unité la représentation fournie par l' « histoire », et la pensée systématique. Car pour Hegel il ne s'agit, ni de science historique, ni de système au sens d'une construction doctrinale.

A quoi tendent de pareilles remarques sur la philosophie et sur son rapport à l'histoire? Elles voudraient laisser entendre que pour Hegel le propos de la pensée est en lui-même historique, au sens toutefois d'un « avoir-lieu[1] ». « Avoir-lieu » dont le caractère de processus est déterminé par la dialectique de l'être. Le propos de la pensée, pour Hegel, est l'Être, entendu comme la Pensée qui se pense elle-même; cette Pensée ne parvient à elle-même que dans le processus de son développement spéculatif et elle passe ainsi par des degrés correspondant à des formes inégalement développées, donc, à l'origine, nécessairement non-développées.

Ainsi compris, le propos de la pensée, est la source première d'où découle pour Hegel une maxime caractéristique, déterminante pour la façon dont il conduit un dialogue avec les penseurs qui l'ont précédé.

Si donc nous tentons d'engager avec Hegel un dialogue de pensée, nous ne devons pas seulement parler avec lui de la même chose, mais bien de la même chose de la même manière. Toutefois, le même n'est pas l'égal. Dans l'égal, toute différence s'abolit, alors que, dans le même, les différences apparaissent. Elles apparaissent et s'imposent d'autant plus qu'une pensée est réclamée plus résolument par la même chose de la même façon. Hegel pense l'être de l'étant en mode spéculatif et

---

1. ... *geschichtlich ist, dies jedoch im Sinne des Geschehens.*

historique. Or la pensée de Hegel appartient maintenant à une certaine époque de l'histoire (non pas certes qu'elle appartienne au passé!) et nous essaierons, en considérant l'être pensé par Hegel, de le penser nous-mêmes de la même façon, c'est-à-dire historiquement.

La pensée ne peut s'attacher à l'affaire, au propos *(Sache)* qui la concerne que si elle s'y conforme toujours davantage, si cette affaire, de son côté, devient pour elle toujours plus litigieuse. Ainsi l'affaire, le propos exige-t-il de la pensée que celle-ci l'endure telle qu'il est, qu'elle lui tienne tête en lui répondant et s'y adaptant, en même temps qu'elle conduit l'affaire litigieuse vers son règlement *(Austrag)*. La pensée fidèle à son propos doit, si ce propos est l'être, tendre vers un règlement de l'être. Aussi sommes-nous tenus, lors d'un dialogue avec Hegel et dans l'intérêt de ce dialogue, de faire dès le début, mieux ressortir l'identité d'un même propos. Suivant ce qui précède, pareille obligation exige que nous mettions en lumière non seulement la diversité du propos de la pensée, mais en même temps dans un dialogue avec l'histoire de la philosophie, la diversité du dévoilement historique [1]. Nous ne pouvons le faire ici que d'une façon brève et sommaire.

Pour éclairer les différences qui séparent la pensée de Hegel de celle dont nous faisons l'essai, nous considérerons trois points, c'est-à-dire que nous demanderons :

1º Là et ici, quel est le propos de la pensée?

2º Là et ici, quelle est la loi de tout dialogue avec l'histoire de la pensée?

3º Là et ici, quel est le caractère de ce dialogue?

---

1. *Die Verschiedenheit des Geschichtlichen.*

Première question.

Pour Hegel, le propos de la pensée est l'être vu dans la perspective où l'étant est pensé au sein de la Pensée absolue et comme cette dernière. Pour nous, le propos de la pensée est le même, donc l'être, mais l'être dans la perspective où il diffère de l'étant. Plus précisément : Pour Hegel, le propos de la pensée est la Pensée totale *(der Gedanke)* comme Concept absolu. Pour nous, le propos de la pensée est, en termes provisoires, la différence *en tant que* différence.

Deuxième question.

Pour Hegel, la loi d'un dialogue avec l'histoire de la philosophie est de pénétrer dans la vigueur et dans toute l'étendue de ce qu'on a pensé avant nous. Ce n'est pas par hasard que Hegel présente sa maxime au cours d'un dialogue avec Spinoza et avant un dialogue avec Kant *(Science de la Logique,* liv. III; Lasson, vol. II, p. 216 et suiv.). Chez Spinoza, Hegel découvre, à son degré d'achèvement, le « point de vue de la substance », qui pourtant ne peut être le point de vue suprême, parce que l'être, dès le début, n'est pas encore pensé, tout autant et résolument, comme Pensée qui se pense elle-même. Perçu comme substance et substantialité, l'être ne s'est pas encore déployé pour devenir le sujet dans son absolue subjectivité. Toutefois, la pensée tout entière de l'idéalisme allemand est sans cesse attirée par Spinoza, et en même temps rendue par lui contradictoire, parce qu'il fait commencer la pensée avec l'absolu. En revanche, le chemin suivi par Kant est différent et, pour la pensée de l'idéalisme absolu et même pour la philosophie en général, il est d'une importance beaucoup plus décisive encore que celle du système de Spinoza. Dans la théorie kantienne de la synthèse originelle de l'aperception, Hegel voit « l'un des principes les plus profonds du développement spéculatif » (*loc. cit.*, p. 227). Quant à la vigueur des penseurs, Hegel la trouve dans ce qu'ils ont pensé, pour autant que leur pensée peut être engloutie (*aufgehoben*), à titre d'autant de degrés, dans la Pensée absolue. Cette Pensée n'est elle-même absolue que parce qu'elle se meut dans son processus dialectico-spéculatif, ce qui requiert une gradation.

Pour nous, la loi d'un dialogue avec la tradition historique est la même, pour autant qu'il s'agit de pénétrer dans la vigueur de la pensée d'autrefois. Seulement nous ne cherchons pas cette vigueur dans ce qui a été déjà pensé, mais dans un impensé d'où le pensé reçoit le lieu de son essence. Mais le déjà-pensé est seul à pouvoir préparer l'encore-impensé qui, toujours à nouveau, retourne à sa surabondance. La loi qui nous vient de l'impensé ne conduit pas à intégrer la pensée d'autrefois dans un développement qui la dépasse en ne cessant pas de s'élever, et dans la systématisation qui le représente. Elle requiert au contraire que la pensée qui nous a été transmise soit libérée et qu'elle puisse ainsi revenir à ce qui pour elle est encore en réserve : à ce qui n'a jamais cessé d'être[1] — à ce qui régit entièrement la tradition dès les débuts de celle-ci et qui lui est toujours antérieur, sans être, toutefois, pensé expressément, ni reconnu comme l'origine.

---

1. *Die Freilassung... in sein noch aufgespartes Gewesenes.* — Sur *Gewesen*, cf. *Essais et conférences*, p. 6 et 348.

Troisième question.

Pour Hegel, le dialogue avec l'histoire antérieure de la philosophie offre le caractère de l'engloutissement *(Aufhebung)*, c'est-à-dire de la saisie
(Begreifen) médiatrice au sens de la fondation
absolue.

Pour nous le dialogue avec l'histoire de la pensée
n'est pas caractérisé par l'engloutissement, mais
par le pas en arrière.

L'engloutissement conduit dans un domaine où
la pensée se trouve surélevée et rassemblée : c'est
celui de la Vérité posée absolument, au sens de la
certitude entièrement déployée de la Science qui
se sait.

Le pas en arrière nous dirige vers un domaine
jusqu'ici négligé et qui est le tout premier domaine
à partir duquel l'être de la vérité mérite d'être
pensé [1].

Les différences de la pensée hégélienne et de la
nôtre étant ainsi caractérisées sommairement quant
au propos de la pensée, quant à la loi et au caractère
d'un dialogue avec l'histoire de la pensée, nous essaierons maintenant de faire progresser, un peu plus
clairement, le dialogue commencé avec Hegel. Ceci
veut dire que nous allons tenter de faire le pas en
arrière. Ces mots « le pas en arrière » ouvrent la porte
à de multiples malentendus. Ils ne désignent pas une
démarche isolée de pensée, mais un mode de mouvement de la pensée et un long chemin à parcourir.
Pour autant que le pas en arrière caractérise notre
dialogue avec l'histoire de la pensée occidentale,
il nous fait en quelque manière sortir de ce que les
philosophes ont pensé jusqu'ici. La pensée recule

1. *Denkwürdig wird.*

devant le propos qui est le sien, l'être ; et ainsi, ce qui a été pensé, elle le place dans un vis-à-vis [1], où nous apercevons la totalité de cette histoire : nous l'apercevons, disons-nous, dans la perspective de ce qui constitue la source de toute cette pensée, en même temps que, d'un façon générale, la « source » prépare à la pensée la région qu'elle occupera. Nous différons de Hegel en ce que nous n'avons pas affaire à un problème reçu, déjà formulé, mais bien à ce qui, d'une bout à l'autre de cette histoire de la pensée, n'a été interrogé par personne. Pour lui donner un nom nous aurons recours provisoirement, mais inévitablement, au langage de la tradition. Nous parlerons de la *différence* [2] qui sépare l'être de l'étant. Le pas en arrière va de l'impensé : de la différence comme telle, vers ce qu'il faut penser et qui est l'*oubli* de la différence. L'oubli qu'il faut ici penser est le voilement de la différence comme telle, voilement pensé à partir de la Λήθη (occultation) et qui de son côté s'est soustrait dès l'origine à notre vue. L'oubli fait partie intégrante de la différence, parce que celle-ci est liée à l'oubli. Non pas que l'oubli vienne obscurcir après coup la différence, simplement parce que la pensée humaine serait oublieuse.

La différence de l'étant et de l'être définit la région à l'intérieur de laquelle la métaphysique, la pensée occidentale dans la totalité de son essence, peut être ce qu'elle est. Le pas en arrière part ainsi de la métaphysique pour atteindre à l'essence de la métaphysique. La remarque au sujet de l'emploi que fait Hegel du terme recteur à sens multiples « être » montre que nos observations sur l'être et

---

1. *In ein Gegenüber.* Cf. *Le Principe de raison*, p. 185.
2. *Differenz.*

l'étant ne peuvent jamais être restreintes à *une* certaine époque de l'histoire de l'éclairement de l' « être ». Lorsque nous discourons sur l'être, nous n'entendons pas non plus ce terme au sens d'un genre, à la généralité vide duquel se laisseraient ramener, comme autant de cas particuliers, les doctrines « historiquement » connues de l'étant. L' « être » parle toujours suivant sa dispensation [1], donc d'une manière pénétrée de tradition.

Le pas en arrière, qui va de la métaphysique à son essence, exige toutefois une durée et une endurance dont la mesure nous est inconnue. Un seul point émerge clairement : le pas en arrière a besoin d'une préparation, qu'il nous faut tenter ici même et en ce moment, mais qui doit avoir égard à l'étant comme tel dans sa totalité comme il *est* aujourd'hui et comme il nous apparaît déjà et de plus en plus clairement Ce qui *est* aujourd'hui est marqué par la domination de l'essence de la technique moderne, domination qui, dans tous les domaines de la vie, se manifeste déjà par des caractéristiques aux noms multiples, telles que la fonctionnalisation, la perfection, l'automation, la bureaucratisation, l'information. De même que nous appelons biologie la représentation de ce qui est vivant, nous pouvons appliquer le terme de technologie à la description et à l'organisation complète de l'étant dominé par l'essence de la technique. La même expression peut servir à désigner la métaphysique de l'âge atomique. Considéré dans la perspective de l'époque présente et accompli à partir de la compréhension que nous en avons, le pas en arrière, qui va de la métaphysique à l'essence de la métaphysique, est alors le pas qui part de la technologie, de la description et

---

1. ... *spricht je und je geschicklich.*

interprétation technologiques de notre époque, pour atteindre l'*essence* de la technique moderne, cette essence qu'il s'agit de penser en premier lieu.

Cette indication vise à écarter une autre interprétation des mots « le pas en arrière » qui s'offre d'elle-même à nous, mais qui est fausse : celle d'après laquelle le pas en arrière serait un retour « historique » aux plus anciens penseurs de la philosophie occidentale. Où nous conduit le pas en arrière, c'est, à vrai dire, ce qui ne se découvre et ne devient bien visible que si on fait le pas.

Lors de nos travaux de séminaire, pour arriver à une vue d'ensemble de la métaphysique de Hegel, nous avons recouru à un expédient : nous avons expliqué le morceau sur lequel s'ouvre le premier livre de *La Science de la Logique*, livre qui traite de *La Doctrine de l'être*. Le titre du morceau donne déjà, dans chacun de ses termes, suffisamment à penser; ce titre est le suivant : *Par quoi la Science doit-elle commencer?* Hegel répond à cette question en montrant que le commencement est « de nature spéculative ». Ce qui veut dire que le commencement n'est ni quelque chose d'immédiat ni quelque chose de médiat Nous avons essayé d'indiquer cette nature du commencement par une phrase spéculative : « Le commencement est le résultat. » Phrase qui veut dire plusieurs choses, conformément à la multiplicité dialectique des sens du mot « est ». Tout d'abord ceci : Le commencement est — pour prendre à la lettre le latin *resultare* — le ressaut qui fait sortir de l'achèvement du mouvement dialectique de la Pensée qui se pense elle-même. L'achèvement de ce mouvement, l'Idée absolue, est le Tout déployé et d'un seul tenant, la Plénitude de l'Être. Le ressaut hors de cette Plénitude donne le Vide de l'être. C'est par ce Vide que la Science (la Science

absolue, qui se sait elle-même) doit commencer.
Commencement et fin du mouvement et, avant la fin,
le mouvement lui-même, demeurent partout l'Être.
Il se déploie [1] comme le mouvement circulaire qui
va de la Plénitude à l'extrême aliénation, et de
celle-ci à la Plénitude qui se parfait. Le propos de
la pensée est ainsi pour Hegel la Pensée qui se pense,
c'est-à-dire l'Être qui tourne en cercle intérieurement à lui-même. Renversons la phrase spéculative
sur le commencement — renversement qui est,
non seulement licite, mais nécessaire — : elle prend
la forme : « Le résultat est le commencement. »
C'est par le résultat qu'il faut proprement commencer, puisque c'est de lui que le commencement
résulte.

Cette observation a même sens que la remarque
entre parenthèses ajoutée incidemment par Hegel,
vers la fin du morceau sur le commencement
(Lasson, I, 63) : « (et c'est *Dieu* qui aurait le droit
le plus incontestable qu'on commence par lui). »
D'après la question qui sert de titre au morceau, il
s'agit ici du « commencement de la Science ». Si
la Science doit commencer par Dieu, elle est Science
de Dieu : théologie. Nous entendons ce mot en son
sens tardif, comme ce que dit sur Dieu la pensée
représentative. A l'origine θεόλογος, θεολογία
désignaient les récits mythiques ou poétiques sur
les dieux, sans référence à des articles de foi ou à la
doctrine d'une Église.

Pourquoi « la Science » — puisque tel est depuis
Fichte le nom donné à la métaphysique — pourquoi
la Science est-elle une théologie? Réponse : Parce
que la Science est le développement systématique
du Savoir : or l'être de l'étant se connaît lui-même

1. *West.*

comme ce Savoir et c'est ainsi qu'il est vraiment. Au tournant du Moyen Age et des temps modernes apparaît l'appellation scolastique donnée à la science de l'être, c'est-à-dire de l'étant comme tel en général : ontosophie ou ontologie. Mais, dès son début chez les Grecs et avant d'être liée à ces appellations, la métaphysique occidentale était à la fois une ontologie et une théologie. En conséquence, dans mon cours inaugural *Was ist Metaphysik?* (1929)[1], la métaphysique a été définie comme la question visant l'étant comme tel *et* dans son tout. La totalité de ce tout est l'unité de l'étant, laquelle unit en sa qualité de fond producteur. Pour qui sait lire, cette remarque signifie : La métaphysique est une onto-théo-logie. Quiconque a de la théologie, qu'elle soit chrétienne ou philosophique, une connaissance directe puisée là où elle est pleinement développée, préfère aujourd'hui se taire, dès qu'il aborde le domaine de la pensée concernant Dieu. Car le caractère onto-théologique de la métaphysique est devenu pour la pensée un point délicat, non pas en raison d'un quelconque athéisme, mais à cause de l'expérience faite par une pensée à laquelle s'est dévoilée, dans l'onto-théo-logie, l'unité encore *impensée* de l'essence de la métaphysique. Cette essence de la métaphysique, cependant, demeure toujours. Ce qui mérite le plus d'être pensé, aussi longtemps que nous ne brisons pas arbitrairement, donc inopportunément le dialogue avec la tradition qui nous a été dispensée[2].

L'introduction ajoutée à la 5e édition allemande (1949) de *Was ist Metaphysik?* se réfère expressé-

1. *Qu'est-ce que la métaphysique?* dans le présent volume, p. 21.
2. *...das Gespräch mit seiner geschickhaften Ueberlieferung, nicht... unschicklich abbricht.*

ment à la constitution onto-théologique de la métaphysique (p. 17 *sq.*; 7ᵉ éd. : p. 18 *sq.*¹). Il serait
toutefois prématuré d'affirmer que la métaphysique est une théologie parce qu'elle est une ontologie. Il faut dire d'abord : la métaphysique est
une théologie, un discours sur Dieu, parce que Dieu
entre dans la philosophie. Ainsi la question du caractère onto-théologique de la métaphysique se précise
et devient celle de savoir comment Dieu entre dans
la philosophie, non seulement dans la philosophie
moderne, mais dans la philosophie comme telle. On
ne peut y répondre avant qu'elle ait pris suffisamment de consistance comme question.

Comment Dieu entre-t-il dans la philosophie?
Nous ne pouvons atteindre le fond de cette question que si d'abord une région a été suffisamment
éclairée, celle *où* Dieu doit arriver : la philosophie
elle-même. Aussi longtemps que nous nous contentons de passer en revue, par des méthodes dites
« historiques », l'histoire de la philosophie, nous
trouverons partout que Dieu s'y trouve déjà. Mais,
à supposer que la philosophie entendue comme
pensée soit la démarche libre, accomplie spontanément, par laquelle on s'engage dans la considération de l'étant comme tel, Dieu ne peut alors entrer
dans la philosophie que dans la mesure où celle-ci,
d'elle-même et conformément à son essence, exige
que Dieu entre en elle et précise comment il le fera.
La question de savoir comment Dieu entre dans
la philosophie revient ainsi à la question : D'où
procède la constitution onto-théologique propre à
l'essence de la métaphysique? Accepter, toutefois,
la question ainsi posée, c'est faire le pas en arrière.

Faisons donc ce pas et considérons alors l'origine

---

1. Ici p. 39 et suiv.

essentielle de la structure onto-théologique de toute
métaphysique. Nous demandons : comment Dieu,
et à sa suite la théologie, et avec elle la structure
onto-théologique, entrent-ils dans la métaphysique? Nous posons cette question dans un dialogue
avec toute l'histoire de la philosophie, mais aussi
avec un regard tourné particulièrement vers Hegel.
Et ceci nous amène à considérer tout d'abord un
fait singulier.

Hegel pense l'être dans sa vacuité la plus vide,
donc dans ce qu'il a de plus universel. Il le pense
en même temps dans sa plénitude parfaite et
achevée. Pourtant à la philosophie spéculative,
c'est-à-dire à la philosophie proprement dite, il ne
donne pas le nom d'onto-théologie, mais celui de
Science de la Logique. Par cette appellation Hegel
met en lumière un point décisif. On pourrait sans
doute expliquer en deux mots la désignation de la
métaphysique comme « logique », en faisant valoir
que pour Hegel le propos de la pensée est « la
Pensée (totale) » *(der Gedanke),* cette expression
entendue comme *singulare tantum.* Avec ou sans
majuscule, la pensée [1] est manifestement, et suivant
un ancien usage, le thème de la logique. Sans aucun
doute. Mais il est également incontestable que Hegel,
fidèle à la tradition, découvre le propos de la pensée
dans l'étant comme tel et dans son tout, dans le
mouvement de la pensée qui la conduit de sa
vacuité à l'épanouissement de sa plénitude.

Comment « l'être » peut-il s'aviser toutefois de se
présenter comme « la Pensée » *(der Gedanke)?*
Comment, sinon parce que l'être est marqué
d'avance comme fond *(Grund)* et que la pensée
(das Denken) de son côté — parce qu'elle fait corps

---

1. *Der Gedanke, das Denken, ist...*

avec l'être — vise l'être comme fond et se rassemble
alors dans les modes de l'approfondissement et de
la fondation-en-raison [1]? L'être se manifeste comme
la Pensée. En d'autres termes, l'être de l'étant se
dévoile comme le fond qui s'approfondit et se fonde
lui-même en raison. Suivant leur origine essentielle,
le fond, la *ratio* sont le Λόγος entendu comme ce qui
rassemble et laisse étendu-devant : l'῞Εν Πάντα.
Si donc pour Hegel « la Science », c'est-à-dire la
métaphysique, est une « logique », ce n'est pas en
vérité parce que la Science a pour thème la pensée,
mais parce que le propos de la pensée demeure
l'*être* et que celui-ci, depuis le début de son dévoilement comme Λόγος, comme fond qui fonde [2],
réclame la pensée en tant qu'elle fonde en raison.

La métaphysique pense l'étant comme tel, c'est-
à-dire dans sa généralité. La métaphysique pense
l'étant comme tel, c'est-à-dire dans sa totalité.
La métaphysique pense l'être de l'étant, aussi bien
dans l'unité approfondissante de ce qu'il y a de
plus universel, c'est-à-dire de ce qui est également
valable partout, que dans l'unité, fondatrice en raison,
de la totalité, c'est-à-dire de ce qu'il y a de plus haut
et qui domine tout. Ainsi d'avance l'être de l'étant
est pensé comme le fond qui fonde. C'est pourquoi
toute métaphysique est, dans son fond et à partir
de son fond, la Fondation qui rend compte du fond,

---

1. *In der Weise des Ergründens und Begründens.* —
Ergründen (« approfondir ») : sonder, atteindre le fond par
sondage. — *Begründen :* « fonder en raison, donner une assise
à..., justifier ce qui est déjà par retour à ce qui a été fondé »
*(etwas, was schon ist, durch den Rückgang auf das Gestiftete
rechtfertigen* — M. H.).
2. « Fonder » *(gründen) :* « constituer ce qui n'est pas
encore » *(das, was noch nicht ist, stiften* — M. H.).

qui lui rend raison et qui finalement lui demande raison.

Pourquoi cette remarque? Pour que nous sentions tout le poids des appellations usées : ontologie, théologie, onto-théologie. A vrai dire, les termes d'ontologie et de théologie ne paraissent se distinguer, ni à première vue, ni dans l'usage que nous en faisons, d'autres termes bien connus, tels que psychologie, biologie, cosmologie, archéologie. Leur élément commun *-logie* a un sens courant, mais vague : il fait savoir qu'il s'agit ici de la science de l'âme, de la vie, du cosmos ou des antiquités. Mais ce qui se cache sous la forme *-logie*, ce n'est pas seulement le « logique » au sens du bien déduit et, d'une façon générale, de l'énonciation, de ce qui articule et meut, met en sûreté et communique tout le savoir des sciences. La *-logia* désigne chaque fois un ensemble de rapports rationnels de fondation par lesquels les objets des sciences sont représentés, c'est-à-dire compris, dans la perspective de leur fond. Mais l'ontologie et la théologie sont des « logies » pour autant qu'elles approfondissent l'étant comme tel et qu'elles le fondent en raison dans le Tout. Elles rendent compte de l'être entendu comme le fond, la raison, de l'étant. Elles rendent raison au Λόγος et sont, en un sens essentiel, conformes au Λόγος, c'est-à-dire qu'elles sont la logique du Logos. Il serait, en conséquence, plus exact de les désigner comme onto-logique et théologique. La métaphysique, pensée d'une façon plus vraie et plus claire, est une onto-théo-logique.

Nous donnons ici au mot « logique » cette signification essentielle qui vaut aussi pour la *Logique* de Hegel et qui seule peut l'éclairer : à savoir celle d'une pensée qui partout approfondit l'étant comme tel et le fonde en raison dans le Tout, à partir de l'être comme fond (Λόγος). Le trait fondamental de la métaphysique s'appelle l'onto-théo-logique. Nous sommes désormais, semble-t-il, en état d'expliquer comment Dieu entre dans la philosophie.

Dans quelle mesure une explication de ce genre réussit-elle? Dans la mesure où nous considérons que le propos de la pensée est l'étant comme tel, c'est-à-dire l'être. Celui-ci nous apparaît dans le mode essentiel du fond. En conséquence le propos de la pensée, l'être comme fond, n'est pensé à fond que si le fond est conçu comme le premier fond, πρώτη ἀρχή. Le propos originel[1] de la pensée se présente à nous comme la Chose primordiale[2], la *causa prima*, qui correspond à cette fondation en raison qu'est le retour à l'*ultima ratio*, au dernier compte à rendre. L'être de l'étant, au sens du fond, ne peut être conçu — si l'on veut aller au fond — que comme *causa sui*. C'est là nommer le concept métaphysique de Dieu. Il faut que la métaphysique pense loin et vise Dieu, parce que le propos de la pensée est l'être et que ce dernier se déploie comme fond de façons multiples, comme Λόγος, comme ὑποκείμενον, comme substance, comme sujet.

Cette explication côtoie vraisemblablement quelque vérité, mais elle reste absolument insuffisante, s'il s'agit de scruter l'essence de la métaphysique. Car celle-ci n'est pas seulement une théo-logique, mais aussi une onto-logique. Et surtout la métaphysique n'est pas seulement l'une ou l'autre *aussi*. Elle est bien plutôt une théo-logique parce qu'elle est une onto-logique. Elle est ceci parce qu'elle est cela. La constitution essentiellement onto-théolo-

---

1. *Die ursprüngliche Sache.*
2. *Die Ur-Sache.*

gique de la métaphysique ne peut être expliquée, ni à partir de la théologique, ni à partir de l'ontologique, à supposer qu'une explication suffise jamais pour ce qui est et demeure le point à considérer.

Reste encore impensée, en effet, la question de savoir à partir de quelle unité l'ontologique et la théologique se tiennent et font corps, impensée l'origine de cette unité, impensée la différence des termes qu'elle unit. Car manifestement il ne s'agit pas ici de la simple réunion de deux disciplines de la métaphysique, dont chacune aurait son existence indépendante, mais bien de l'unité de *ce qui* est interrogé et pensé dans l'ontologique et la théologique : l'étant comme tel, dans ce qu'il a d'universel et de premier, *conjointement avec* l'étant comme tel, dans ce qu'il a de suprême et de dernier. L'unité de cette conjonction est d'une nature telle qu'en raison ce qui est dernier fonde à sa façon ce qui est premier et que ce qui est premier fonde à sa façon ce qui est dernier. La diversité des deux façons de fonder en raison s'inclut elle-même dans la différence, toujours impensée, que nous avons mentionnée.

La constitution essentielle de la métaphysique repose sur l'unité de l'étant comme tel, considéré à la fois dans ce qu'il a d'universel et dans ce qu'il a de suprême.

Il s'agit ici d'examiner la question de l'essence onto-théologique de la métaphysique, mais tout d'abord seulement comme une question. Comment parvenir au lieu visé par cette question[1] de la constitution onto-théologique de la métaphysique? Seule la chose en question peut nous en montrer

---

1. *In den Ort, den die Frage... erörtert...*

le chemin, et de telle sorte que nous nous efforcions de penser le propos, la « chose » *(Sache)* de la pensée d'une façon plus conforme à la chose *(sachlicher)*. Le propos de la pensée a été transmis sous le nom d' « être » à la pensée occidentale. Examinons-le d'un peu plus près, considérons avec plus de soin le côté litigieux de cette chose ou de cette « cause », il apparaît alors qu'*être* veut dire, toujours et partout : être *de l'étant*, expression où le génitif doit être entendu comme un *genitivus obiectivus*. Partout et toujours, l'*étant* veut dire : étant *de l'être*, et ici le génitif est un *genitivus subiectivus*. A vrai dire, ce n'est pas sans réserves que nous parlons d'un génitif tourné vers l'objet ou vers le sujet : car ces termes, sujet et objet, résultent eux-mêmes d'une qualification de l'être. Une seule chose est claire : qu'on parle de l'être de l'étant ou de l'étant de l'être, il s'agit chaque fois d'une différence.

En conséquence, nous ne pensons l'être tel qu'il est que si nous le pensons dans la différence qui le distingue de l'étant et si nous pensons l'étant dans la différence qui le distingue de l'être. C'est ainsi que la différence nous devient proprement visible Si nous essayons de nous la représenter, nous sommes aussitôt tentés de la concevoir comme une relation que notre représentation a ajoutée à l'être et à l'étant. La différence est par là rabaissée à n'être plus qu'une distinction, une fabrication de notre entendement.

Mais supposons un moment que la différence soit une adjonction de notre entendement. La question se pose aussitôt : une adjonction à quoi? On répond : à l'étant. Bien. Mais que veut dire « l'étant »? Quoi d'autre que : « ce qui *est* »? La prétendue adjonction, la représentation de la différence, est ainsi ramenée à l'être. Mais « l'être », de son côté,

veut dire : l'être, que *l'étant* est. Ici ou là, partout
où nous croyons arriver les premiers et apporter
la différence comme prétendue adjonction, nous
rencontrons déjà l'étant et l'être dans leur différence.
Tout se passe comme dans le conte de Grimm *Le
Lièvre et le Hérisson :* « Je suis là [1]! » Maintenant
cet étrange état de choses — que l'étant et l'être
soient toujours découverts à partir de la différence
et en elle — pourrait faire l'objet d'une interprétation massive, qui l'expliquerait ainsi : notre pensée
représentative est agencée et constituée de telle
sorte que, par un processus qui, si l'on peut dire,
se déroule au-dessus de sa tête, mais a son origine
dans sa tête, d'emblée, entre l'étant et l'être, elle
installe partout la différence. Sur cette explication
en apparence évidente, mais vite trouvée, il y aurait
beaucoup à dire et plus encore à questionner, et
avant tout ceci : D'où vient cet « entre », dans lequel
la différence doit être pour ainsi dire glissée et
insérée?

Mais laissons là les opinions et les explications
et, à leur place, observons ceci : Partout et à tout
moment, dans le propos de la pensée, dans l'étant
comme tel, nous rencontrons la différence en question, et cela d'une façon si évidente que nous ne
prenons même pas connaissance de ce fait en tant
que tel. Rien non plus ne nous oblige à le faire.
Notre pensée est libre de passer outre à la différence
ou de la considérer expressément comme telle.
Mais cette liberté n'existe pas dans tous les cas.

---

1. Ruse du hérisson, qui prétend battre le lièvre à la course,
mais installe secrètement au but sa hérissonne, indiscer-
nable de lui pour le lièvre. Lui-même fait seulement semblant
de courir et reste au point de départ. Qu'il aille dans un sens
ou dans l'autre, le lièvre trouve toujours au bout du champ
un hérisson qui lui crie : « Je suis là! »

Il peut arriver que subitement la pensée se sente appelée à demander : Que dit donc cet « être » dont on a tant parlé? Alors, si l'être se montre aussitôt comme « l'être de... », avec un génitif qui implique une différence, notre interrogation se fait plus pénétrante : Que penser de la différence, s'il est vrai que l'être aussi bien que l'étant apparaissent, chacun à sa façon, *à partir de la différence?* Si nous voulons donner à cette question une réponse satisfaisante, il faut d'abord que nous nous placions bien en face de la différence. Position de vis-à-vis qui devient possible quand nous faisons le pas en arrière : car c'est seulement grâce au recul[1] qu'il nous donne que ce qui est proche se livre à nous comme tel et que pour la première fois la proximité nous devient sensible. Par le pas en arrière, nous libérons le propos de la pensée, l'être comme différence, nous lui permettons de se présenter à nous dans un vis-à-vis qui peut demeurer entièrement vide d'objets.

Ne perdons toujours pas de vue la Différence, mais, grâce au pas en arrière, laissons-la occuper la position de ce qu'il faut penser. Nous pouvons alors ajouter : « l'être de l'étant » veut dire « l'être qui est l'étant ». Ici le verbe « est » a un sens transitif, il marque un passage. Ici l'être se déploie dans le mode d'un passage vers l'étant. Toutefois l'être ne quitte pas son lieu pour aller vers l'étant, comme si celui-ci, originellement séparé de l'être, dût être d'abord rejoint par lui. L'être passe au-delà et au-dessus de ce qu'il dé-couvre, il sur-vient à ce qu'il

---

1. *Ent-Fernung*, forme ambiguë qui peut signifier « dés-éloignement », donc « rapprochement », mais aussi « éloignement qui nous détache ». Les deux sens conviennent ici, puisque c'est par le pas en arrière que nous atteignons ce qui nous est le plus proche.

dé-couvre et qui, par cette Sur-venue seulement,
arrive comme ce qui de soi se dévoile « Arriver »
veut dire : s'abriter dans la non-occultation : ainsi
à l'abri, durer dans une présence : être un étant.

L'être se montre à nous comme la Survenue qui
découvre. L'étant comme tel apparaît dans le mode
de cette Arrivée qui s'abrite dans la non-occultation

Si l'être, au sens de la Survenue qui découvre,
et l'étant comme tel, au sens de l'Arrivée qui
s'abrite, s'accomplissent comme étant ainsi différents, ils le font par la vertu du Même, de la Dimension [1]. Cette dernière seule fournit et tend
l'entre-deux *(das Zwischen)*, où Survenue et Arrivée
sont maintenues en rapport, écartées l'une de
l'autre et tournées l'une vers l'autre. La différence
de l'être et de l'étant, comprise comme la Di-mension de la Survenue et de l'Arrivée, est la *Conciliation* [2], *dé-couvrante et abritante*, de l'une et de l'autre.
Dans la Conciliation prédomine l'éclairement de ce
qui se ferme et se voile ; et c'est par cette prédominance que la Survenue et l'Arrivée sont à la fois
écartées l'une de l'autre et référées l'une à l'autre.

1. *Unter-Schied*, construit sur *Unterschied*, « différence ».
La différence *(Unterschied)* de l'être et de l'étant naît de la
Di-mension *(Unter-Schied)*. Cf. *Unterwegs zur Sprache*
(« En chemin vers le langage ») (1959), p. 25 : « L'*Unter-
Schied* n'est ni une distinction ni une relation. Elle est tout
au plus une dimension pour le monde et la chose. Mais alors
"dimension" ne désigne plus un district subsistant par soi
et où telle ou telle chose trouve sa place. L'*Unter-Schied*
est *la* Dimension, pour autant que, mesurant le monde et
la chose, il les réalise *(er-misst)* dans leur être propre.
C'est par là qu'il tient le monde et la chose écartés l'un de
l'autre et rapportés l'un à l'autre. »
2. *Austrag*, que nous rendons parfois par « règlement »,
qui est un de ses sens les plus courants. Ici l'*Austrag* est
« la conciliation du différend » *(die Versöhnung des Streites*,
M. H.).

Si nous essayons ainsi de considérer la Différence comme telle, nous ne la faisons pas disparaître, nous la suivons jusqu'à son origine essentielle. Chemin faisant, nous pensons la Conciliation de la Survenue et de l'Arrivée. Ce n'est rien d'autre que le propos même de la pensée, examiné de plus près : d'un pas en arrière plus près : c'est l'être pensé à partir de la Différence.

A vrai dire, il nous faut ouvrir ici une parenthèse au sujet de nos précédentes remarques sur le propos de la pensée, parenthèse qui sans cesse réclame à nouveau notre attention. En disant « l'être », nous employons ce mot dans son universalité la plus large et la plus indéterminée. Mais ne parler que d'universalité, c'est avoir déjà pensé l'être d'une façon inappropriée. Nous nous représentons l'être d'une manière qui n'est jamais celle dont Lui, l'Être, se présente. Le mode, l'état du propos ou de la « chose » de la pensée, c'est-à-dire de l'être, demeure un état de chose unique en son genre. En restant attachés à nos habitudes de pensée, nous ne pouvons d'abord éclairer cet état de chose que dans une mesure qui est toujours insuffisante. Essayons de le montrer sur un exemple, mais notons au préalable que nulle part nous ne trouverons dans l'étant un exemple valable pour l'essence de l'être, vraisemblablement parce que l'essence de l'être est le Jeu lui-même[1].

Pour caractériser l'universalité de l'universel,

---

1. *Das Spiel selber*, « le Jeu lui-même », hors de pair et inimaginable, auquel on ne peut arriver par des exemples *(Beispiele)* supposés à tort des jeux secondaires *(Bei-Spiele)* — pas plus que *Beispiel* (« exemple »), malgré l'apparence, n'est un dérivé de *Spiel*. Sur le Jeu, cf. *Essais et conférences*, p. 214-217, et *Le Principe de raison*, p. 240-243.

Hegel mentionne quelque part le cas suivant. Quelqu'un désire acheter des fruits et entre dans une boutique où il demande des fruits. On lui offre des pommes, des poires, on lui présente des pêches, des cerises, du raisin. Mais l'acheteur refuse tout ce qu'on lui offre. Il veut à toute force avoir des fruits. Pourtant ce qu'on lui offre, ce *sont* bien chaque fois des fruits et néanmoins il apparaît qu'il n'y a pas de « fruits » à vendre.

L'impossibilité est infiniment plus grande lorsqu'on veut se représenter « l'être » comme l'universel opposé à n'importe quel étant. Il n'y a jamais d'être si ce n'est chaque fois marqué de telle empreinte à lui dispensée : Φύσις, Λόγος, Ἕν, Ἰδέα, Ἐνέργεια, substantialité, objectivité, subjectivité, volonté, volonté de puissance, volonté de volonté. Mais ces figures dispensationnelles de l'être ne sont pas rangées comme des pommes, des poires et des pêches, chacune à sa place sur l'éventaire des représentations « historiques ».

Hegel cependant ne parle-t-il pas de l'être comme engagé dans la suite et l'ordre historiques du processus dialectique tel qu'il le pense? Certainement. Mais, là aussi, l'être ne se laisse apercevoir que dans la lumière qui a brillé pour Hegel et pour sa pensée. Ce qui veut dire : la façon dont l'être s'offre à nous dépend toujours elle-même de la façon dont il s'éclaire. Or cette façon est la marque d'une certaine dispensation de l'être, la marque d'une époque, et comme telle elle n'existe pour nous que si nous la laissons libre de réintégrer ce qui a toujours constitué son être propre[1]. Pour pouvoir nous approcher de ce qui a été dispensé, il nous faut

---

1. ... *nur west, wenn wir sie in das ihr eigene Gewesen freilassen.* Sur *Gewesen,* cf. *Essais et conférences,* p. 6 et 348.

l'éclair subit d'une pensée qui se souvient. Il en va de même, quant à la perception que nous en avons, du caractère reçu à chaque époque par la différence de l'être et de l'étant et auquel correspond chaque fois une interprétation nouvelle de l'étant comme tel. Il en va encore de même, avant tout, pour notre essai visant à surmonter, par le pas en arrière, l'oubli de la différence comme telle et à penser celle-ci comme la Conciliation de la Survenue qui dé-couvre et de l'Arrivée qui s'abrite. A vrai dire, si nous écoutons mieux, nous observons qu'en parlant ainsi de Conciliation, nous laissons déjà Ce qui n'a cessé d'être [1] prendre la parole, pour autant que nous pensons au dé-couvrement et à la mise à l'abri, au dépassement (transcendance) et à l'arrivée (présence). Peut-être même cette localisation [2] de la différence de l'être et de l'étant dans la Conciliation, entendue comme le préambule de l'essence de la différence, fait-il apparaître quelque chose de commun et de général qui se rencontre dans toute la dispensation de l'être, depuis son début jusqu'à son achèvement. Mais la difficulté demeure, d'expliquer comment cette généralité doit être pensée si elle n'est, ni quelque chose d'universel, valable pour tous les cas, ni une loi garantissant la nécessité d'un processus au sens « dialectique » du mot.

Ce qui seul importe maintenant à notre dessein, c'est d'apercevoir une possibilité qui concerne notre conception de la différence comme Conciliation : ne pouvons-nous penser cette différence d'une façon telle que nous voyions mieux comment la constitution onto-théologique de la métaphysique a son origine essentielle dans la Conciliation?

1. *Das Gewesene.*
2. *Erörterung.*

Conciliation par laquelle commence l'histoire de la métaphysique et qui régit ses différentes époques, mais qui, cependant, demeure partout cachée *en tant que* Conciliation, cachée et ainsi oubliée dans un oubli qui lui-même nous échappe encore.

Pour rendre plus facile d'apercevoir cette possibilité, nous considérerons l'être, et en lui la Différence, et en celle-ci la Conciliation, à partir de cette empreinte qu'a reçue l'être et par laquelle il s'est éclairé comme Λόγος, comme le fond. Dans la Survenue dé-couvrante, l'être nous apparaît comme laissant s'étendre devant nous ce qui arrive, comme fondant dans les modes variés de l'apport et de la présentation [1]. L'étant comme tel, l'Arrivée qui s'abrite dans la non-occultation, est la chose fondée qui, en tant que fondée et, partant, opérée, fonde à sa manière, nous voulons dire opère, c'est-à-dire cause. La Conciliation de ce qui fonde et de ce qui est fondé (en tant que fondé) ne les tient pas seulement écartés l'un de l'autre, il les tient tournés l'un vers l'autre. Ils sont écartés, mais en même temps pris et retenus dans la Conciliation de telle sorte que non seulement l'être comme fond fonde l'étant, mais que l'étant de son côté fonde à sa manière l'être et le cause. L'étant ne le peut, toutefois, que pour autant qu'il « est » la plénitude de l'être : l'Étant maximum.

Ici notre méditation débouche sur un jeu troublant de relations. L'être se déploie comme Λόγος au sens de fond, comme licence donnée aux choses de s'étendre devant nous. Le même Λόγος, en tant que rassemblement, est l'Unissant, l'῞Εν. Toutefois l'῞Εν est double : d'un côté l'Un Unissant au sens de ce qui est partout le Premier, donc le plus Universel,

---

1. ... *des Her- und Vorbringens.*

— et, en même temps, l'Un Unissant au sens du Suprême (Zeus). En fondant [1], le Λόγος rassemble tout dans l'Universel; fondant en raison [2], il rassemble tout à partir de l'Unique. En outre, soit dit en passant, le Λόγος recèle en lui-même l'origine essentielle de cette grappe qui marque et crée le langage et détermine ainsi le mode du dire en tant que « logique » *lato sensu.*

Quand l'être se déploie comme être de l'étant, comme Différence, comme Conciliation, alors et dans la même mesure, l'écart et la relation mutuelle de la fondation *(Gründen)* et de la fondation en raison *(Begründen)* sont et durent, alors l'être fonde l'étant, et l'étant, comme Étant maximum, fonde l'être en raison. L'un sur-vient à l'autre, et l'un arrive dans l'autre. Survenue et Arrivée apparaissent comme se reflétant l'une dans l'autre. Ce qui, du point de vue de la différence, veut dire : la Conciliation est une roue qui tourne, l'être et l'étant gravitant l'un autour de l'autre. Dans la lumière de la Conciliation, la fondation apparaît elle-même comme une chose qui *est* et qui requiert ainsi, en sa qualité d'étant, une fondation correspondante par un étant, c'est-à-dire une causation, à savoir par la Cause suprême.

Touchant cet état de choses, l'un des documents classiques, que nous offre l'histoire de la métaphysique nous est fourni par un texte peu connu de Leibniz, que nous appellerions brièvement *Les Vingt-quatre Thèses de la métaphysique* (Gerh., *Phil.*, VII, 289 sq.; cf. *Der Satz vom Grund*, 1957, p. 51 sq. [3]).

La métaphysique correspond à l'être comme Λόγος, elle est donc une « logique » dans toute sa ligne

1. *Gründend.*
2. *Begründend.*
3. Trad. fr. *(Le Principe de raison)*, p. 85 et suiv.

principale, mais c'est une logique qui pense l'être de l'étant, donc une logique marquée par ce qu'il y a de différent dans la Différence : une onto-théo-logique.

Dans la mesure où la métaphysique pense l'étant comme tel dans sa Totalité, elle se représente l'étant dans la perspective de ce qu'il y a de différent dans la Différence, sans avoir égard à la Différence comme telle.

Ce qu'il y a de différent se révèle à nous comme l'être de l'étant dans l'Universel et comme l'être de l'étant dans le Suprême.

Parce que l'être apparaît comme fond, l'étant est ce qui est fondé, alors que l'Étant suprême est ce qui fonde en raison au sens de la première Cause. Quand la métaphysique pense l'étant dans la perspective de son fond, qui est commun à tout étant comme tel, elle est alors une logique en tant qu'onto-logique. Quand la métaphysique pense l'étant comme tel dans son Tout, c'est-à-dire dans la perspective de l'Étant suprême qui fonde en raison toutes choses, elle est alors une logique en tant que théo-logique.

Parce que la pensée métaphysique demeure engagée dans la Différence et que celle-ci n'est pas alors pensée comme telle, la métaphysique, en vertu de l'unité unissante de la Conciliation, est à la fois, et en mode d'unité, ontologie et théologie.

La constitution onto-théologique de la métaphysique procède de la puissance supérieure de la Différence, qui tient écartés l'un de l'autre et rapportés l'un à l'autre l'être comme fond et l'étant comme fondé et fondant-en-raison. Fonction qui est remplie par la Conciliation.

Ce que nous appelons ainsi renvoie notre pensée à une région où n'atteignent pas les termes recteurs de la métaphysique : être et étant, fond et fondé. Car ce que ces mots désignent, ce que nous représente le mode de pensée qu'ils régissent, c'est-à-dire « ce qui diffère », provient comme tel de la Différence. L'origine de celle-ci ne peut plus être pensée dans l'horizon de la métaphysique.

Apercevoir la constitution onto-théologique de la métaphysique, c'est comprendre qu'il serait possible de trouver, dans l'essence de la métaphysique, de quoi répondre à la question : Comment Dieu entre-t-il dans la philosophie?

Dieu entre dans la philosophie par la Conciliation, que nous avons pensée d'abord comme le préambule introduisant à l'essence de la Différence de l'être et de l'étant. La Différence constitue le plan général suivant lequel l'essence de la métaphysique s'est édifiée. La Conciliation nous révèle l'être comme le fond qui apporte et qui présente; et ce fond a lui-même besoin d'une fondation-en-raison appropriée, à partir de ce qu'il fonde lui-même en raison : c'est-à-dire qu'il a besoin d'une causation par la Chose la plus originelle, par la Chose primordiale *(Ursache)* entendue comme *Causa sui*. Tel est le nom qui convient à Dieu dans la philosophie. Ce Dieu, l'homme ne peut ni le prier ni lui sacrifier. Il ne peut, devant la *Causa sui*, ni tomber à genoux plein de crainte, ni jouer des instruments, chanter et danser.

Ainsi la pensée sans-dieu, qui se sent contrainte d'abandonner le Dieu des philosophes, le Dieu comme *Causa sui*, est peut-être plus près du Dieu divin. Mais ceci veut dire seulement qu'une telle pensée lui est plus ouverte que l'onto-théo-logique ne voudrait le croire.

Peut-être cette remarque projettera-t-elle un peu de lumière sur le chemin vers lequel est en marche une pensée faisant le pas en arrière, le pas qui va de la métaphysique à l'essence de la métaphysique, le pas qui nous ramène, de l'oubli de la Différence comme telle, à ce destin qui nous voile la Conciliation, par un voilement qui lui-même nous échappe.

Personne ne peut savoir si, quand, où ni comment ce pas de la pensée s'affermira jusqu'à devenir chemin véritable, passage, construction de voies : « véritable » veut dire qu'il s'agit du chemin où fulgure l'être propre [1]. Il n'est pas impossible que la suprématie de la métaphysique se consolide plutôt, à savoir sous la forme de la technique contemporaine, avec ses développements immenses et d'une effrayante rapidité. Il n'est pas impossible non plus que tout ce qui se rencontrera sur le chemin du pas en arrière soit simplement utilisé par la métaphysique toujours vivante et qu'elle l'élabore à sa façon pour en faire le produit d'une pensée représentative.

Ainsi le pas en arrière resterait lui-même inaccompli et le chemin qu'il ouvre et indique resterait inutilisé.

De pareilles considérations viennent facilement nous assaillir, mais elles sont sans poids en comparaison d'une tout autre difficulté, que le pas en arrière doit surmonter.

Le nœud de la difficulté réside dans le langage. Nos langues occidentales, chacune à leur façon, sont des langages de la pensée métaphysique. La substance des langues occidentales n'a-t-elle reçu qu'une empreinte, celle de la métaphysique, est-elle, en d'autres termes, définitivement marquée

---

1. ... *zu einem eigentlichen (im Ereignis gebrauchten) Weg...*

par l'onto-théo-logique, ou bien ces langues nous offrent-elles d'autres possibilités de la parole, y compris celles du non-dire qui parle? Ces questions ne peuvent qu'être posées. Les difficultés que rencontre le dire de la pensée nous sont apparues maintes fois au cours de nos exercices de séminaire. Le petit mot « est », qui parle partout dans notre langue et qui nous parle de l'être, là même où ce dernier n'est pas expressément en cause, ce petit mot — depuis l'ἔστιν γὰρ εἶναι de Parménide jusqu'à l'*ist* (« est ») de la proposition spéculative de Hegel et jusqu'à la dissolution de l'*ist*, réduit chez Nietzsche à n'être plus qu'une « position » de la volonté de puissance — ce petit mot renferme toute la dispensation de l'être.

Cet aperçu des difficultés dues au langage devrait nous mettre en garde contre la tentation de convertir immédiatement le langage du présent essai de pensée en une monnaie courante, en une simple terminologie, et de discourir dès demain sur la Conciliation, au lieu de consacrer tous nos efforts à pénétrer jusqu'au cœur de l'exposé. Car ce qui a été dit l'a été au cours d'exercices de séminaire. Un séminaire est ce que le mot indique : un lieu et une occasion de jeter ici et là une semence, un germe de méditation qui peut un jour à sa manière s'ouvrir et fructifier.

RÉFÉRENCES

Pour un essai tendant à penser la « chose », cf. *Vorträge und Aufsätze*, Neske, Pfullingen, 1954, p. 163-181 [1]. La conférence sur *La Chose* a été prononcée pour la première fois en décembre 1949 à Brême, au cours d'une série de conférences intitulées *Regards sur ce qui est*. Elle fut refaite au printemps de 1950 à Bühlerhöhe et, encore une fois, le 6 juin 1950, devant l'Académie bavaroise des Beaux-Arts. Publiée dans les *Annales* de l'Académie (Rédaction : Clemens comte Podewils), t. I, « Forme et Pensée », 1951, p. 128 et suiv.

Pour l'interprétation de la sentence de Parménide, cf. *op. cit.*, p. 231-256 [2].

Sur l'essence de la technique contemporaine et de la science moderne, cf. *op. cit.*, p. 13-70 [3].

Sur la qualification de l'être comme fond, cf. *op. cit.*, p. 207-229 [4], et *Der Satz vom Grund*, Neske, Pfullingen, 1957 [5].

1. Trad. fr. : *Essais et conférences* Paris, 1958, p. 194-218.
2. Trad. fr., p. 279-310.
3. Trad. fr., p. 9-79.
4. Trad. fr., p. 249-278.
5. Trad. fr. : *Le Principe de raison* Paris, 1962.

Pour l'étude de la Différence, cf. *Was heisst denken?* Niemeyer, Tübingen, 1954 [1], et *Zur Seinsfrage*, Klostermann, Francfort-sur-le-Main, 1956 [2].

Sur l'interprétation de la métaphysique de Hegel, cf. *Holzwege*, Klostermann, Francfort-sur-le-Main, 1950, p. 105-192 [3].

C'est seulement après lecture de la présente étude et de celles qui viennent d'être indiquées que la *Lettre sur l'Humanisme* (1947) [4], si l'on y revient et la repense, elle qui ne parle jamais qu'à mots couverts, peut devenir un choc déclenchant un examen du « propos » de la pensée.

1. Trad. fr. : *Qu'appelle-t-on penser?* Paris, 1959.
2. Trad. fr. : *Contribution à la question de l'être.* Dans le présent volume.
3. Trad. fr. : *Chemins qui ne mènent nulle part,* Paris, 1962, p. 101-172.
4. Trad. fr. dans *Questions III,* Paris, 1966.

Questions II

Conférence prononcée à Cerisy-la-Salle, Normandie, en août 1955, pour l'ouverture d'un entretien.

La présente traduction suit le texte publié, sous le titre *Was ist das — die Philosophie?* aux Éditions Günther Neske, Pfullingen, 1956.

Qu'est-ce que la philosophie?

Traduit par Kostas Axelos et Jean Beaufret.

Titre original :

WAS IST DAS — DIE PHILOSOPHIE?

© *Günther Neske, Pfullingen, 1956.*
© *Éditions Gallimard, 1957, pour la traduction française.*

Qu'est-ce que la philosophie[1]? *(Was ist das — die Philosophie?)* Avec cette question nous touchons à un thème très vaste; parce que ce thème est vaste, il demeure indéfini; parce qu'il est indéfini, nous pouvons le traiter d'après les points de vue les plus différents. En cela, nous atteindrons toujours quelque chose de juste. Mais comme, dans le vaste espace de ce thème, toutes les considérations possibles vont s'enchevêtrant, nous courons le danger que notre entretien reste étranger au recueillement dû.

C'est pourquoi nous devons essayer de définir la question d'une manière plus exacte. De cette manière, nous conduirons notre entretien dans une direction bien assurée. L'entretien sera par là amené sur un chemin. Je dis : sur *un* chemin. Ainsi nous concédons que ce chemin n'est certainement pas le seul chemin. Un problème doit même rester ouvert : le chemin vers lequel je voudrais faire signe est-il en vérité un chemin qui rend possible une position de la question et une réponse à la question?

Prenons cependant pour accordé que nous puissions trouver un chemin qui nous amène à définir

---

1. En français dans le texte.

la question d'une manière plus exacte : à ce moment,
s'élève aussitôt, contre le thème de notre entretien,
une objection de poids. Quand nous demandons :
qu'est-ce que la philosophie? — alors nous parlons
sur la philosophie. Questionnant ainsi, nous demeu-
rons manifestement en un lieu qui se trouve au-
dessus, c'est-à-dire en dehors de la philosophie. Mais
le but de notre question est au contraire : entrer *dans*
la philosophie, trouver séjour en elle, nous comporter
suivant sa guise, c'est-à-dire « philosopher ». Le
chemin de notre entretien ne doit donc pas seulement avoir une direction claire, mais cette direction
doit nous offrir en même temps l'assurance que nous
nous mouvons à l'intérieur de la philosophie, au
lieu de tourner autour en restant dehors.

Ainsi le chemin de notre entretien doit être d'une
espèce et avoir une direction telles que ce dont la
philosophie traite nous aborde et nous touche [1], et
cela dans notre être même.

Mais la philosophie ne devient-elle pas par là
chose de l'affectivité et des sentiments?

« C'est avec les beaux sentiments qu'on fait la
mauvaise littérature [2]. » Ce mot d'André Gide
ne vaut pas seulement pour la littérature, il vaut
bien plus encore pour la philosophie. Les sentiments,
même les plus beaux, n'appartiennent pas à la
philosophie. Les sentiments, dit-on, sont quelque
chose d'irrationnel. La philosophie, au contraire,
n'est pas seulement quelque chose de rationnel,
mais la véritable gérante de la raison [3]. Par cette
affirmation, n'avons-nous pas, à notre insu, décidé
en quelque façon de ce qu'est la philosophie? Nous

---

1. Dans le texte : *uns berührt* (nous touche).
2. André Gide, *Dostoïevski*, Paris, 1923, p. 247.
3. Nous remplaçons ici et dans ce qui suit le latin *Ratio*
par le français raison.

avons déjà distancé notre question en une réponse hâtive. Cette affirmation que la philosophie est une affaire de la raison, le premier venu la tiendra pour juste. Pourtant, c'est là peut-être une réponse brutalement précipitée à la question : qu'est-ce que la philosophie? Car, à cette réponse, nous pouvons immédiatement opposer de nouvelles questions : qu'est-ce que cela — la raison? Où et par qui a-t-il été décidé de ce qu'est la raison [1]? Est-ce la raison elle-même qui s'est rendue maîtresse de la philosophie? Si oui, de quel droit? Sinon, d'où reçoit-elle sa mission et son rôle? Si ce qui est reconnu comme raison n'a été fixé d'abord que par la philosophie et intérieurement à la marche de son histoire, il n'est peut-être pas raisonnable de donner dès le départ la philosophie comme chose de la raison. Au moment où nous révoquons en doute que la philosophie puisse être caractérisée comme un comportement rationnel, il devient de la même manière douteux que la philosophie appartienne au domaine de l'irrationnel. Car celui qui veut déterminer la philosophie comme irrationnelle, celui-là prend, ce faisant, comme étalon de délimitation, le rationnel, et ceci d'une façon telle que, derechef, il présuppose comme allant de soi ce qu'est la raison.

Si en revanche, nous signalons la possibilité que ce à quoi la philosophie se rapporte, cela même nous aborde et nous touche, nous autres hommes, dans notre être propre, alors il pourrait se faire que cette manière d'être affecté n'ait absolument rien à voir avec ce que l'on appelle habituellement affections et sentiments, bref avec l'irrationnel.

De ce qui vient d'être dit, nous ne dégagerons

---

1. Dans le texte : *die Ratio, die Vernunft.*

d'abord que ce seul point : une attention plus scru-
puleuse doit être de mise, si nous nous risquons à
inaugurer un entretien portant comme titre :
qu'est-ce que la philosophie?

Une telle attention exige d'abord que nous ten-
tions d'amener la question sur un chemin clairement orienté, afin de ne pas vagabonder parmi des
représentations arbitraires et occasionnelles au sujet
de la philosophie. Mais comment nous y prendre
pour trouver un chemin sur lequel nous puissions
déterminer notre question en toute confiance?

Le chemin vers lequel je voudrais maintenant
faire signe se trouve immédiatement devant nous.
C'est seulement parce qu'il est là, au plus proche,
que nous avons de la peine à le découvrir. Et même,
l'ayant trouvé, ce n'en est pas moins sans secours
que nous nous déplaçons sur lui. Nous demandons :
qu'est-ce que la philosophie? Le mot « philosophie »,
nous l'avons déjà prononcé assez souvent. Mais si
nous n'utilisons plus le mot « philosophie » comme
une rubrique usagée, si, au contraire, nous l'entendons depuis son origine, alors il résonne ainsi :
φιλοσοφία. Le mot « philosophie » maintenant parle
grec. Le mot grec, c'est en tant que mot *grec* qu'il
est un chemin. Ce chemin, en un sens, se situe devant
nous, car le mot, depuis bien longtemps, nous a
parlé en nous devançant. En un autre sens, le chemin
se situe déjà derrière nous, car le mot « philosophie »,
c'est depuis toujours que nous l'avons ouï et dit. Le
mot grec φιλοσοφία est donc un chemin sur lequel
nous cheminons. Cependant nous ne connaissons ce
chemin que d'une manière très confuse, bien que, sur
la philosophie grecque, nous possédions et puissions
diffuser maintes connaissances historisantes[1].

---

1. *Historisch.*

Le mot φιλοσοφία nous dit que la philosophie est quelque chose qui, d'abord et avant tout, détermine l'existence du monde grec. Il y a plus — la φιλοσοφία détermine aussi en son fond le cours le plus intérieur de notre histoire occidentale-européenne. La locution rebattue de « philosophie occidentale-européenne » est en vérité une tautologie. Pourquoi? Parce que la « philosophie » est grecque dans son être même — grec veut dire ici : la philosophie est, dans son être originel, de telle nature que c'est d'abord le monde grec et seulement lui qu'elle a saisi en le réclamant pour se déployer — elle.

Mais l'être originellement grec de la philosophie, à l'époque de son règne moderne et européen, se trouve gouverné et dominé par des représentations relevant du christianisme. La prédominance de ces représentations est médiatisée par le Moyen Age. Toutefois, on ne peut pas dire que la philosophie devienne par là chrétienne, c'est-à-dire chose de la foi en la révélation et en l'autorité de l'Église. L'affirmation : la philosophie est grecque dans son être propre ne dit rien d'autre que : l'Occident et l'Europe sont, et eux seuls sont, dans ce qu'a de plus intérieur leur marche historique, originellement « philosophiques ». C'est ce qu'attestent la naissance et la domination des sciences. C'est parce qu'elles prennent source dans ce qu'a de plus intérieur la marche historique de l'Occident européen, entendons le cheminement philosophique, c'est pour cela qu'elles sont aujourd'hui en état de donner à l'histoire de l'homme sur toute la terre l'empreinte spécifique.

Méditons un instant ce que signifie que l'on caractérise une ère de l'histoire humaine comme « ère atomique ». L'énergie atomique, découverte

et libérée par les sciences, est représentée comme
la puissance même qui doit déterminer la marche
de l'histoire. Il n'y aurait assurément jamais eu
de sciences si la philosophie ne les avait précédées
et devancées. Mais la philosophie est : ἡ φιλοσοφία.
Ce mot grec lie notre entretien à une tradition
historiale [1]. Parce que cette tradition reste unique,
elle est pour cela, tout aussi bien, univoque. La
tradition que nomme pour nous le nom grec φιλοσοφία, celle que nomme le mot historial φιλοσοφία,
nous libère la direction d'un chemin, celui sur lequel
nous posons la question : qu'est-ce que la philosophie? La tradition ne nous livre cependant pas
à la contrainte d'un passé résolu et irrévocable.
Überliefern, délivrer [2], est une libération conduisant
vers la liberté du dialogue avec ce qui fut. Le nom
de « philosophie » nous convoque, si nous entendons
vraiment le mot et méditons ce que nous avons
entendu, à l'histoire qu'est la provenance grecque
de la philosophie. Le mot φιλοσοφία coïncide pour
ainsi dire avec l'acte de naissance de notre propre
histoire; nous pouvons aller jusqu'à dire : avec
l'acte de naissance de l'époque présente de l'histoire
universelle qui se nomme ère atomique. En conséquence, nous ne pouvons poser la question : qu'est-
ce que la philosophie? — que si nous nous adonnons
à un dialogue avec la pensée du monde grec.

Mais ce n'est pas seulement *ce* qui est en question, la philosophie, qui est de provenance grecque,
mais aussi le *comment* de la question; la manière
dont même encore aujourd'hui nous questionnons
est grecque.

Nous posons la question : qu'est-ce que...? Cela

---

1. *Geschichtlich.*
2. Délivrer : en français dans le texte.

sonne en grec : τί ἐστιν. La question qui recherche ce qu'est quelque chose demeure toutefois plurivoque. Nous pouvons demander : qu'est-ce que cela qui est là-bas au loin? Nous recevons la réponse : un arbre. La réponse consiste en ceci qu'à une chose imparfaitement reconnue nous donnons son nom.

Nous pouvons cependant questionner plus outre : qu'est-ce que cela que nous nommons — « arbre »? Avec la question ainsi posée nous arrivons déjà dans la proximité du τί ἐστιν grec. C'est cette manière de questionner que Socrate, Platon et Aristote ont déployée. Ils demandent par exemple : qu'est-ce que cela — le beau? Qu'est-ce que cela — la connaissance? Qu'est-ce que cela — la nature? Qu'est-ce que cela — le mouvement?

Il nous faut maintenant porter notre attention sur le fait suivant : dans les questions que nous venons de mentionner, ce qui est visé, ce n'est pas seulement une délimitation plus exacte de *ce* qu'est la nature, de *ce* qu'est le mouvement, de *ce* qu'est la beauté, mais en même temps il est aussi donné une interprétation de ce que signifie le « quoi » (*Was*), du sens auquel est à comprendre le τί. Ce que signifie le « quoi », le *quid est,* τὸ quid, on le nomme : la *quidditas* — en allemand *die Washeit.* Cependant, la quiddité, aux différentes époques de la philosophie, est déterminée de manière différente. Par exemple, la philosophie de Platon est une interprétation spécifique de ce que le τί signifie. Il signifie précisément l'ἰδέα. Que, cherchant par des questions à déterminer le τί, le *quid*, nous ayons par là même en vue l'*idea*, cela ne va pas de soi. Aristote donne une interprétation du τί différente de celle de Platon. Kant en donne une autre. Hegel encore une autre. Ce qui, à chaque fois, est mis en question en prenant pour fil conducteur le τί, le *quid*, reste constamment à définir à nouveau. Un point, en tout cas, est acquis : quand nous demandons, nous référant à la philosophie, qu'est-ce que cela? — alors nous posons une question originellement grecque.

Faisons ici bien attention : aussi bien le thème de notre question, « la philosophie », que la modalité selon laquelle nous demandons : « qu'est-ce que cela...? » — ces deux questions demeurent grecques de provenance. Nous appartenons nous-mêmes à cette provenance, ne prononcerions-nous pas même une seule fois le mot « philosophie ». Nous sommes expressément rappelés à cette provenance, nous sommes réclamés par elle et pour elle, aussitôt que nous posons la question : qu'est-ce que la philosophie? — à condition de ne pas nous contenter de faire résonner les mots, mais en en poursuivant le sens.

[La question : qu'est-ce que la philosophie? n'est pas une question visant à mettre sur pied une espèce de connaissance axée sur elle-même (philosophie de la philosophie). Cette question n'est pas non plus une question historisante pour laquelle l'intéressant serait de tirer au clair comment ce qu'on appelle « philosophie » a débuté et évolué. La question est une question historiale, c'est-à-dire qu'il y va en elle de notre sort [1]. Disons plus : elle n'est pas « une », elle est *la* question historiale de notre être [2] occidental-européen.]

Quand nous nous adonnons au sens total et originel de la question : qu'est-ce que la philosophie? — alors notre interrogation a trouvé, de par

---

1. *Eine geschichtliche, d. h. geschick-liche Frage.*
2. *Dasein.*

sa provenance historiale, une direction conduisant à un avenir historial. Nous avons trouvé un chemin. La question elle-même est un chemin. Il conduit de ce que furent[1] les Grecs jusqu'à nous-mêmes, si ce n'est au-delà de nous-mêmes. Nous sommes — si nous persistons dans la question — en chemin sur une route clairement orientée. Néanmoins, nous n'avons, de ce fait, encore aucune assurance d'être immédiatement en état de suivre cette route du pas qu'il faut. Nous ne pouvons même pas fixer tout de suite à quel endroit de la route nous nous tenons aujourd'hui. On a depuis longtemps l'habitude de caractériser la question qui demande ce qu'est quelque chose, comme la question de l'essence. La question concernant l'essence s'éveille à chaque fois que ce sur l'essence de quoi nous nous interrogeons s'obscurcit et se brouille, quand en même temps le rapport de l'homme à ce sur quoi il questionne en est venu à vaciller ou même se trouve ébranlé.

La question de notre entretien concerne l'essence de la philosophie. Si cette question provient d'une détresse dont elle demeure nourrie, si elle ne reste pas seulement une question de pure apparence servant de thème de conversation, alors la philosophie, en tant que philosophie, doit nous être devenue problématique. Est-ce exact? Et si oui, dans quelle mesure la philosophie est-elle devenue pour nous problématique? Manifestement nous ne pouvons avancer cela que si nous avons déjà pris regard dans la philosophie. Pour ce faire, il est nécessaire que nous sachions préalablement ce qu'est la philosophie. Nous voilà ainsi étrangement poursuivis à l'intérieur d'un cercle. La philosophie

1. *Dasein.*

elle-même apparaît comme étant ce cercle. A supposer que nous ne puissions pas nous libérer immédiatement de l'anneau d'un tel cercle, il nous est
néanmoins permis de diriger notre regard sur
le cercle. Vers quoi doit s'orienter notre regard?
Le mot grec φιλοσοφία nous indique la direction.

Ici s'impose une remarque fondamentale. Quand
nous entendons maintenant — quand nous enten-
drons plus tard — des mots de la langue grecque,
c'est dans un domaine privilégié que nous péné-
trons. Lentement en effet pour notre méditation
commence à poindre que la langue grecque n'est
pas simplement une langue comme les langues euro-
péennes en ce qu'elles ont de bien connu. La langue
grecque, et elle seule, est λόγος. Au cours de nos
entretiens, nous aurons à traiter ce point d'une
manière plus approfondie. Pour le moment, que
cette indication suffise : dans le cas de la langue
grecque, ce qui est dit en elle est en même temps,
d'une manière privilégiée, ce que le dit appelle par
son nom. Un mot grec, quand nous l'entendons
d'une oreille grecque, alors nous sommes dociles à
son λέγειν, à ce qu'il expose sans intermédiaire.
Ce qu'il expose est ce qui est là devant nous. De
par le mot entendu d'une oreille grecque, nous
sommes directement en présence de la chose même,
là devant nous, et non d'abord devant une simple
signification verbale.

Le mot grec φιλοσοφία fait retour au mot φιλόσοφος. Ce mot est originellement un adjectif, comme
le mot φιλάργυρος, ami de l'argent, le mot φιλότιμος,
ami de l'honneur. Le mot φιλόσοφος a été vraisemblablement frappé par Héraclite. Cela signifie que,
pour Héraclite, il n'y a pas encore de φιλοσοφία. Un
ἀνὴρ φιλόσοφος n'est pas un homme « philosophique ». L'adjectif grec φιλόσοφος dit quelque chose

de tout autre que les adjectifs philosophique, *philosophisch*. Un ἀνὴρ φιλόσοφος est celui ὅς φιλεῖ τὸ σοφόν, qui aime le σοφόν; φιλεῖν, aimer, signifie ici, au sens d'Héraclite, ὁμολογεῖν, parler comme parle le Λόγος, c'est-à-dire correspondre au Λόγος. Cette correspondance est en accord avec le σοφόν. Accord, c'est ἁρμονία. Ceci, qu'un être s'ajointe à l'autre dans la réciprocité, que les deux sont l'un et l'autre originellement ajointés parce qu'il leur est dévolu d'être ensemble, cette ἁρμονία est ce qui caractérise le φιλεῖν tel que le pense Héraclite — ce qu'est aimer.

L'ἀνὴρ φιλόσοφος aime le σοφόν. Ce que ce mot dit selon Héraclite est difficile à traduire. Mais nous pouvons l'élucider en suivant l'interprétation propre d'Héraclite lui-même. Conformément à quoi τὸ σοφόν dit ceci : Ἕν Πάντα, « Un (est) Tout ». « Tout » veut dire ici : Πάντα τὰ ὄντα, l'ensemble, la totalité de l'étant. Ἕν, l'Un, veut dire : ce qui est un, l'unique, ce qui unit tout. Mais, uni, est tout l'étant en l'être. Le σοφόν dit : tout l'étant est en l'être. Dit avec plus d'acuité : l'être *est* l'étant. Ici « est » parle au sens transitif et ne veut pas moins dire que « recueille ». L'être recueille l'étant en cela qu'il est l'étant. L'être est le recueil — Λόγος [1].

Tout l'étant est en l'être. Voilà qui résonne à notre oreille d'une manière triviale, sinon offensante. Car de cela que l'étant a son appartenance dans l'être, nul n'a besoin d'avoir cure. Tout le monde le sait bien : étant est ce qui est. Quelle autre issue y a-t-il pour l'étant que celle-ci : être? et pourtant :

[1]. Cf. *Vorträge und Aufsätze*, 1954, p. 207-229. [L'article *Logos* de ce recueil a été traduit par Jacques Lacan dans le numéro 1 de *La Psychanalyse*, P.U.F., 1956 *(N.d.T.)*.]

justement ceci que l'étant demeure recueilli en
l'être, que l'étant apparaît dans la lumière de l'être,
voilà ce qui plaça les Grecs, et eux d'abord, et eux
seuls, dans la dimension de l'étonnement. L'étant
(recueilli) dans l'être, voilà ce qui devint, pour les
Grecs, le plus étonnant.

Cependant même les Grecs durent sauver et
préserver en quoi est source d'étonnement ce qu'il
y a de plus étonnant — contre l'attaque de l'entendement sophistique qui avait pour tout une explication que tout un chacun pouvait immédiatement
comprendre et qui l'apportait au marché. La sauvegarde du plus étonnant, l'étant (recueilli) dans
l'être — advint grâce à quelques-uns qui prirent le
chemin conduisant en direction de ce qu'il y a de
plus étonnant, c'est-à-dire le σοφόν. Ils devinrent
ainsi ceux qui *étaient tendus* vers le σοφόν et qui,
par leur propre quête, réveillèrent et maintinrent
éveillée chez d'autres la nostalgie du σοφόν. Le
φιλεῖν τὸ σοφόν, cet accord avec le σοφόν précédemment nommé, l'ἁρμονία, devint ainsi une ὄρεξις,
devint une *tension* vers le σοφόν. Le σοφόν —
l'étant (recueilli) dans l'être — est maintenant
expressément cherché. Parce que le φιλεῖν n'est plus
un accord originel avec le σοφόν, mais une recherche
spécifique tendue *vers* le σοφόν, le φιλεῖν τὸ σοφόν
devient « φιλοσοφία ». Cette tension inquisitive est
déterminée par l'Éros.

Une telle recherche qui se tend vers le σοφόν,
vers l'Ἕν Πάντα, vers l'étant dans l'être, devient
maintenant la question suivante; qu'est-ce que
l'étant en tant qu'il est? C'est seulement à ce
moment que la pensée en vient à être « philosophie ». Héraclite et Parménide n'étaient pas encore
des « philosophes ». Et pourquoi non? Parce qu'ils
étaient les plus grands penseurs. « Plus grands »

ne signifie pas ici l'estimation d'un exploit, mais fait signe vers une tout autre dimension de la pensée. Héraclite et Parménide étaient « plus grands » au sens où ils étaient encore à l'unisson du Λόγος, c'est-à-dire de Ἕν Πάντα. Le pas vers la « philosophie », préparé par la Sophistique, ne fut accompli que par Socrate et Platon.

C'est presque deux cents ans après Héraclite qu'Aristote a caractérisé ce pas dans la phrase suivante : καὶ δὴ καὶ τὸ πάλαι τε καὶ νῦν καὶ ἀεὶ ζητούμενον καὶ ἀεὶ ἀπορούμενον, τί τὸ ὄν; (*Mét.*, Ζ 1, 1028 b 2 sqq.). Traduit, cela nous dit : « Ainsi ce vers quoi (la philosophie) s'est mise en marche déjà depuis longtemps, maintenant et sans cesse, et vers quoi elle n'a jamais trouvé accès (est ce qui est ainsi mis en question) : qu'est-ce que l'étant? (τί τὸ ὄν). »

La philosophie recherche ce qu'est l'étant en tant qu'il est. La philosophie est en route vers l'être de l'étant, c'est-à-dire vers l'étant visé dans son être. Aristote explicite cela en faisant succéder à la phrase citée τί τὸ ὄν, qu'est-ce que l'étant? — l'éclaircissement suivant : τοῦτό ἐστι τίς ἡ οὐσία; traduisons en disant : « ceci (c'est-à-dire τί τὸ ὄν) signifie : qu'est-ce que l'étantité [1] de l'étant? » L'être de l'étant repose dans l'étantité. Mais celle-là — l'οὐσία — Platon la détermine comme ἰδέα, Aristote comme étant l'ἐνέργεια.

Il n'est pas encore besoin pour le moment de situer d'une manière plus précise ce qu'Aristote entend par ἐνέργεια et dans quelle mesure l'οὐσία se laisse déterminer par l'ἐνέργεια. Ce qui importe ici, c'est seulement de diriger notre attention sur la manière dont Aristote circonscrit la philosophie

1. *Seiendheit.*

dans son essence : Il dit au premier livre de la
« Métaphysique » (*Mét.*, A 2, 982 b 9 sq.) ce qui suit :
la philosophie est ἐπιστήμη τῶν πρώτων ἀρχῶν
καὶ αἰτιῶν θεωρητική. On traduit volontiers ἐπιστήμη par « science ». Voilà qui induit en erreur, car
nous permettons beaucoup trop aisément à la
représentation moderne de la « science » de déployer
son influence. La traduction du mot ἐπιστήμη par
« science » est non moins erronée si nous comprenons « science » au sens philosophique, qui est celui
de Fichte, Schelling et Hegel. Le mot ἐπιστήμη
dérive du participe ἐπιστάμενος. Ainsi est appelé
l'homme dans la mesure où il est compétent et
expert, au sens de celui à qui il revient de, lui-
même appartenant à [1]. La philosophie est ἐπιστήμη
τις, un certain mode d'appartenance, θεωρητική,
qui est capable du θεωρεῖν, c'est-à-dire capable de
diriger le regard vers quelque chose et, ce vers quoi
elle tient le regard dirigé, de le prendre en vue et de
le maintenir en vue. La philosophie est par là
ἐπιστήμη θεωρητική. Mais qu'est au juste ce qu'elle
prend en vue ?

Aristote le dit en nommant les πρῶται ἀρχαὶ
καὶ αἰτίαι. On traduit : les premiers principes et les
causes premières — à savoir de l'étant. Les premiers principes et les causes premières constituent
d'après cela l'être de l'étant. Il serait enfin temps,
après deux millénaires et demi, de méditer le problème suivant : qu'est-ce que l'être de l'étant peut
bien avoir à faire avec quelque chose de tel que
« principe » et que « cause » ?

*En quel sens est pensé ici l'être, pour que des choses
telles que « principe » et que « cause » soient appro-*

---

1. Suit dans le texte : (*Zuständigkeit im Sinne von* appartenance).

priées à frapper d'une empreinte et à prendre à leur
compte l'étant-Être de l'étant [1]*?*

Mais c'est à autre chose que nous allons être
attentifs. La phrase d'Aristote citée ici nous dit
en direction de quoi ce que, depuis Platon, on
appelle « philosophie » est en route. Elle donne
une indication sur ce qu'est la philosophie. La
philosophie est un certain mode d'appartenance
qui rend capable de prendre en vue l'étant en
tournant le regard vers *ce* qu'il *est*, en tant qu'il
est étant.

La question qui doit donner à notre entretien
inquiétude féconde et mouvement et lui indiquer
la voie, la question : qu'est-ce que la philosophie?
— a déjà reçu réponse d'Aristote. Notre entretien
n'est donc plus nécessaire. Il a pris fin avant
d'avoir commencé. On va répliquer tout de suite
que l'énoncé d'Aristote sur ce qu'est la philosophie
ne peut, en aucune manière, être l'unique réponse
à notre question. Il s'agit, en mettant les choses
au mieux, d'*une* réponse parmi beaucoup d'autres.
En faisant fond sur la définition aristotélicienne
de la philosophie, on peut aussi bien se représenter
et interpréter la pensée d'avant Aristote et Platon
que la philosophie post-aristotélicienne. Cependant,
on remontrera non sans légèreté que la philosophie
elle-même et la manière dont elle se représente son
être propre ont pris des formes multiples au cours
des deux millénaires suivants. Qui en disconvien-
drait? Mais nous ne devons pas non plus éluder que
la philosophie, depuis Aristote jusqu'à Nietzsche,
sur la base précisément de ces mutations et à travers
elles, reste même [2]. Car les mutations sont préci-

1. *Das seiend-Sein des Seienden.*
2. *Dieselbe.*

sément la sauvegarde de la parenté dans le Même [1].

Ce disant, nous ne prétendons nullement que la définition aristotélicienne de la philosophie ait valeur absolue. Elle n'est en effet, à l'intérieur déjà de l'histoire de la pensée grecque, qu'une certaine interprétation de la pensée grecque et de ce qui lui a été commis. La définition aristotélicienne de la philosophie ne se laisse en aucun cas transférer rétroactivement à la pensée d'Héraclite et de Parménide; tout au contraire, la définition aristotélicienne de la philosophie est, sans contredit, une libre suite de l'aurore de la pensée et en constitue l'achèvement. Je dis : une libre suite, parce qu'on ne peut d'aucune manière rendre évident que les philosophies prises isolément sortent les unes des autres au sens de la nécessité d'un processus dialectique.

Que résulte-t-il de ce qui précède pour notre tentative de traiter dans un entretien la question : qu'est-ce que la philosophie? Tout d'abord un premier point : nous ne devons pas nous en tenir à la seule définition d'Aristote. De là nous tirons une deuxième proposition : nous devons nous rendre présentes les définitions antérieures et ultérieures de la philosophie. Et après? Après, nous ferons ressortir, par une abstraction comparative, ce qu'il y a de commun dans toutes ces définitions. Et après? Après, nous arriverons à une formule vide qui conviendra à n'importe quelle espèce de philosophie. Et après? Après, d'une réponse à notre question, nous serons aussi éloignés que possible. Pourquoi en arrive-t-on là? Parce que, en nous y prenant ainsi, nous n'avons fait que rassembler d'une manière historisante les définitions déjà

1. *Im Selben.*

données et les dissoudre en une formule générale. Tout cela se laisse pratiquement mener à terme, à grand renfort d'érudition et à l'aide de constatations pleines de justesse. Ce faisant, nous n'avons pas besoin le moins du monde de nous adonner à la philosophie au point de méditer l'essence de la philosophie. En procédant ainsi, nous acquérons des connaissances variées, approfondies et même utiles sur la façon dont on s'est représenté la philosophie au cours de son histoire, mais, sur ce chemin, nous n'arriverons jamais à une réponse authentique, c'est-à-dire légitime, à la question : qu'est-ce que la philosophie? La réponse ne peut être qu'une réponse philosophante, une réponse qui, en tant que réponse faisant face, philosophe par elle-même. Mais comment comprendre cette affirmation? Dans quelle mesure une réponse, et dans la mesure précisément où elle est une réponse qui fait face, peut-elle philosopher? Je vais essayer ici, d'une manière provisionnelle, d'éclairer la chose par quelques indications. Ce qui est là en vue apportera à notre entretien une inquiétude toujours renouvelée. Et ce sera même précisément la pierre de touche qui permettra de décider s'il lui sera donné de devenir véritablement philosophique. C'est là une chose qui n'est absolument pas en notre pouvoir.

Quand la réponse à la question : qu'est-ce que la philosophie? — est-elle une réponse philosophante? Quand philosophons-nous? Ce n'est visiblement qu'à partir du moment où nous entrons en dialogue avec les philosophes. Cela implique que nous débattions avec eux ce dont ils parlent. Ce débat en forme de colloque, où il y va de ce qui toujours de nouveau concerne les philosophes comme étant le Même, est le Parler, le λέγειν, au sens du διαλέγεσθαι — la parole en tant que dialogue. Le dialogue est-il nécessairement une dialectique et quand? Laissons la question ouverte.

C'est une chose de constater et de décrire les opinions des philosophes. C'en est une toute différente de débattre avec eux ce qu'ils disent, c'est-à-dire ce à partir de quoi ils parlent.

Étant donc posé que les philosophes sont interpellés par l'être de l'étant, en ce sens qu'ils en viennent à dire ce que peut bien être l'étant en tant qu'il est, alors notre dialogue avec les philosophes doit être lui aussi interpellé par l'être de l'étant. Il nous faut nous-mêmes aller, de par notre pensée, à la rencontre de ce vers quoi la philosophie s'achemine. Il faut que notre parole corresponde à ce par quoi les philosophes sont interpellés. Quand cette correspondance nous réussit, alors nous répondons authentiquement, en faisant face, à la question : qu'est-ce que la philosophie? Le mot allemand *antworten*, répondre, ne signifie en vérité pas moins que *ent-sprechen*, correspondre. La réponse à notre question ne s'épuise pas en un énoncé qui répliquerait à la question par une constatation portant sur ce qu'il y aurait lieu de se représenter dans le concept de « philosophie ». La réponse n'est pas un énoncé en retour, n'est pas une réponse [1]; la réponse est bien plutôt l'*Entsprechung*, la correspondance [2] qui parle en faisant face à l'être de l'étant. Toutefois, nous aimerions bien savoir en même temps ce qui constitue l'élément caractéristique de la réponse au sens de : correspondance. Mais une condition doit d'abord

---

1. N'est pas une réponse : en français dans le texte.
2. La correspondance : *ibid.*

être remplie : parvenir à une correspondance avant d'en faire la théorie.

La réponse à la question : qu'est-ce que la philosophie? — consiste en ceci que nous correspondions à ce vers quoi est en chemin la philosophie. Et ce vers quoi elle est en chemin, c'est l'être de l'étant. Dans une telle correspondance, nous prêtons l'oreille, dès le départ, à ce que la philosophie nous a déjà intenté — la *philosophie*, c'est-à-dire la φιλοσοφία entendue au sens grec. C'est pourquoi nous ne parviendrons à la correspondance, c'est-à-dire à la réponse à la question, que *si* nous gardons demeure dans le dialogue avec ce en direction de quoi la tradition de la philosophie nous livre, c'est-à-dire nous délivre. Nous trouverons la réponse à la question : qu'est-ce que la philosophie? — non pas dans des énoncés historisants sur les définitions de la philosophie, mais à travers le dialogue avec ce qui s'est traditionnellement livré à nous comme être de l'étant.

Ce chemin vers la réponse à notre question n'est pas rupture avec l'histoire, n'est pas reniement de l'histoire, mais au contraire appropriation et métamorphose de ce que livre la tradition. C'est une telle appropriation de l'histoire qui est en vue dans le mot « destruction ». Dans *Sein und Zeit* (§ 6) le sens de ce mot est clairement circonscrit. Destruction ne signifie pas anéantissement, mais démantèlement, déblaiement et mise à l'écart — des énoncés purement historisants sur l'histoire de la philosophie. Détruire signifie ouvrir notre oreille, la rendre libre pour ce qui, dans la tradition qui délivre, nous est intenté comme être de l'étant. C'est en oyant un tel appel que nous parvenons à la correspondance.

Mais, parlant ainsi, un scrupule déjà s'est fait

jour à l'encontre de ce que nous disons. Il se formule ainsi : nous faut-il donc préalablement faire effort, pour parvenir à une correspondance avec l'être de l'étant? Ne sommes-nous pas, nous autres hommes, d'ores et déjà dans une telle correspondance, et cela non pas seulement *de facto*, mais de par notre essence? Cette correspondance ne constitue-t-elle pas le trait fondamental de notre être?

Il en est ainsi en vérité. Mais s'il en est ainsi, alors nous ne pouvons plus dire que nous ayons d'abord à accéder à cette correspondance. Et cependant, nous le disons à bon droit. Car c'est en vérité toujours et partout que nous nous tenons dans la correspondance à l'être de l'étant, bien que nous ne soyons que rarement attentifs à l'appel de l'être. La correspondance à l'être de l'étant, il est bien vrai qu'elle demeure sans cesse notre séjour. Mais ce n'est toutefois qu'à de rares moments qu'elle devient une tenue assumée en propre par nous et ouverte à un déploiement. C'est seulement quand il en advient ainsi, c'est alors seulement que nous correspondons à proprement parler avec ce qui concerne la philosophie qui est en route vers l'être de l'étant. La correspondance à l'être de l'étant est la philosophie; mais cela, elle ne l'est que dès le moment où, et alors seulement que la correspondance s'accomplit en propre du fait qu'elle se déploie et institue ce déploiement. Cette correspondance advient de différentes manières, selon que l'appel de l'être parle, selon qu'il est entendu ou que l'oreille lui reste sourde, selon que ce qui est entendu est dit ou demeure tu. Notre entretien peut donner des occasions de méditer sur ce point.

Ce que je tente maintenant, c'est seulement de

donner un avant-propos à l'entretien. J'aimerais ramener ce qui a été exposé jusqu'ici à ce que nous avons esquissé en citant le mot d'André Gide sur les « beaux sentiments ». Est φιλοσοφία accomplie en propre, la correspondance qui parle, dans la mesure où elle prend en garde l'appel de l'être de l'étant. La correspondance prête oreille à la voix de l'appel. Ce qui s'adresse à nous comme la voix de l'être nous convoque à correspondre. « Correspondre » signifie dès lors : être convoqué, être disposé [1] — à partir de l'être de l'étant. Dis-posé [2] signifie ici à la lettre, ex-posé, éclairé et ainsi transposé dans l'appartenance à ce qui est. L'étant en tant qu'étant convoque la parole selon une modalité telle que le dire s'accorde [3] à l'être de l'étant. C'est toujours et de toute nécessité, et non pas seulement d'une manière occasionnelle et de temps à autre que la correspondance est accordée à l'appel. Elle est dans une disposition. Et c'est seulement sur la base de la disposition [4] que le dire de la correspondance reçoit sa précision, sa vocation.

En tant qu'accordée à l'appel et motivée dans sa vocation, la correspondance se déploie essentiellement dans une disposition [5]. Par là notre tenue est, à chaque fois, de telle ou telle manière, ajointée. La disposition ainsi entendue n'est pas du tout une musique de sentiment qui n'émergerait qu'à l'occasion et ne servirait à la correspondance que d'accompagnement. Quand nous caractérisons la philosophie comme correspondance accordée à l'appel, alors nous ne voulons nullement abandonner

1. Être disposé : en français dans le texte.
2. Dans le texte : dis-posé.
3. Dans le texte : *abstimmt* (accorder).
4. Dans le texte : *Gestimmtheit* (disposition).
5. *Stimmung.*

la pensée aux changements accidentels et aux oscillations des états de sentiment. Ce dont il s'agit
ici et exclusivement, c'est beaucoup plus d'indiquer
que toute précision du dire se fonde dans une disposition de la correspondance, de la correspondance [1],
dis-je, qui prend garde à l'appel.

Mais, d'abord et avant tout, la référence à l'état
d'accord essentiel qu'est la correspondance ne se
réduit pas à n'être qu'une invention moderne.
Déjà les penseurs grecs, Platon et Aristote, ont
attiré l'attention sur ce point que la philosophie
et philosopher appartiennent à cette dimension
de l'homme que nous nommons disposition (au
sens de l'état d'accord et de la vocation déterminante).

Platon dit (*Théétète*, 155 d) : μάλα γὰρ φιλοσόφου
τοῦτο τὸ πάθος, τὸ θαυμάζειν· οὐ γάρ ἄλλη ἀρχή
φιλοσοφίας ἢ αὕτη. « Il est vraiment tout à fait
d'un philosophe, ce πάθος — s'étonner; car il n'y
a pas d'autre départ régissant la philosophie que
celui-ci. »

L'étonnement est comme πάθος, l'ἀρχή de la
philosophie. Le mot grec ἀρχή c'est dans la plénitude de son sens qu'il nous faut le comprendre.
Il nomme ce à partir de quoi quelque chose prend
issue. Mais cet « à partir de quoi » n'est pas, dans
l'issue qui est prise, laissé en arrière. L'ἀρχή en
vient bien plutôt à ce que dit le verbe ἄρχειν —
à ce qui ne cesse de dominer. Le πάθος de l'étonnement ne se tient pas tout simplement au début de
la philosophie, comme par exemple le fait de se
laver les mains précède l'intervention chirurgicale.
L'étonnement porte et régit d'un bout à l'autre la
philosophie.

---

1. Correspondance : en français dans le texte.

Aristote dit le même [1] (*Mét.*, A 2, 982 b 12 sq.) : διὰ γὰρ τὸ θαυμάζειν οἱ ἄνθρωποι καὶ νῦν καὶ τὸ πρῶτον ἤρξαντο φιλοσοφεῖν. « C'est par et à travers l'étonnement que les hommes sont parvenus, aussi bien maintenant qu'à l'origine, au départ qui ne cesse de régir l'acte de philosopher » (à ce d'où philosopher prend issue et qui en régit continûment la marche).

Prétendre que Platon et Aristote se bornaient ici à constater que l'étonnement soit la cause du philosopher serait bien superficiel, et ce serait par-dessus tout penser d'une manière bien étrangère au grec. Si telle était leur opinion, alors il faudrait dire : un beau jour, les hommes se sont étonnés, et cela à propos de l'étant, du fait qu'il est et de ce qu'il est. Stimulés par cet étonnement, ils ont commencé à philosopher. Mais aussitôt que la philosophie se fut mise en marche, l'étonnement en tant qu'impulsion devint superflu; ainsi disparut-il. Il pouvait disparaître puisqu'il n'était qu'une incitation. Mais l'étonnement est ἀρχή — il régit d'un bout à l'autre chaque pas de la philosophie. L'étonnement est πάθος. Nous traduisons d'ordinaire πάθος par passion, bouillonnement affectif. Mais πάθος est en connexion avec πάσχειν, souffrir, patienter, supporter, endurer, se laisser porter par, céder à l'appel de. Il est téméraire, comme toujours en pareilles occurrences, de traduire πάθος par disposition, en quoi nous avons en vue la convocation accordante et la vocation déterminante. Mais il nous faut toutefois risquer cette traduction, parce qu'elle seule nous préserve de nous représenter le πάθος au sens de la psychologie moderne. C'est seulement si nous comprenons

---

1. *Dasselbe.*

le πάθος comme dis-position [1] que nous pouvons aussi caractériser d'une manière plus précise le θαυμάζειν, l'étonnement. Dans l'étonnement, nous sommes en arrêt [2]. C'est comme si nous faisions recul devant l'étant — devant le fait qu'il est, et qu'il est ainsi, et qu'il n'est pas autrement. Mais l'étonnement ne s'épuise pas dans ce retrait devant l'être de l'étant. L'étonnement est, en tant qu'un tel retrait et qu'un tel arrêt, en même temps arraché vers et pour ainsi dire enchaîné par ce devant quoi il fait retraite. Ainsi l'étonnement est cette dis-position dans laquelle et pour laquelle s'ouvre l'être de l'étant. L'étonnement est la disposition à l'intérieur de laquelle, pour les philosophes grecs, la correspondance à l'être de l'étant se trouvait accordée.

D'une tout autre espèce est la disposition qui a déterminé la vocation de la pensée à poser d'une nouvelle manière la question traditionnelle : qu'est-ce donc que l'étant en tant qu'il est, et à inaugurer ainsi une nouvelle époque de la philosophie. Dans ses *Méditations*, Descartes ne pose pas seulement, il ne pose pas dès l'abord la question τί τὸ ὄν — : qu'est-ce que l'étant en tant qu'il est ? Descartes demande : quel est cet étant qui est, au sens de l'*ens certum*, le véritablement étant. Pour Descartes, l'essence de la *certitudo* a, entre-temps, subi une métamorphose. Car au Moyen Age, *certitudo* ne signifie pas certitude assurée, mais dit la ferme délimitation d'un étant en ce qu'il est. *Certitudo* a ici encore le même sens qu'*essentia*. Mais, pour Descartes, ce qui véritablement *est* se mesure à une tout autre toise. Pour lui, le doute devient cette disposition dans laquelle vibre la vocation détermi-

---

1. Dans le texte : *Stimmung* (dis-position).
2. Dans le texte : *halten wir an uns* (être en arrêt).

nante à l'*ens certum*, à ce qui est en toute certitude. La *certitudo* devient cette fixation de l'*ens qua ens* qui se produit à partir de l'indubitabilité du *cogito (ergo) sum* pour l'*ego* de l'homme. Par là l'*ego* devient le *sub-jectum* par excellence, et ainsi l'essence de l'homme entre pour la première fois dans le domaine de la subjectivité au sens de l'egoïté. C'est à partir de l'accord orienté sur cette certitude que le dire de Descartes reçoit la détermination d'un *clare et distincte percipere*. La disposition du doute est l'assentiment positif à la certitude. Dès lors la certitude devient la forme et la mesure déterminantes de la vérité. La vocation de la confiance en la certitude absolue de la connaissance, certitude en tous temps accessible, demeure le πάθος et par là l'ἀρχή de la philosophie moderne.

Mais en quoi réside le τέλος, l'achèvement de la philosophie moderne, au cas où il nous est permis d'en parler? Ce terme est-il déterminé par une autre disposition? Où avons-nous à chercher l'achèvement de la philosophie moderne? Dans Hegel ou plutôt dans la dernière philosophie de Schelling? Et que se passe-t-il avec Marx et Nietzsche? Sont-ils déjà dévoyés de la philosophie moderne? Sinon comment déterminer leur lieu?

Nous avons l'air ici de ne poser que des questions historisantes. Mais ce qu'en vérité nous méditons, c'est l'être à venir de la philosophie. Nous essayons de prêter l'oreille à la voix de l'être. A quelle disposition amène-t-elle la pensée d'aujourd'hui? A cette question, il est malaisé de donner une réponse univoque. Vraisemblablement une disposition fondamentale est à l'œuvre. Mais, pour nous, elle demeure encore en retrait. Voici peut-être un signe nous indiquant que notre pensée actuelle n'a pas, sans ambiguïté, encore trouvé sa voie. Ce que nous

rencontrons, c'est seulement ceci : diverses dispositions de la pensée. Doute et désespoir d'un côté
et de l'autre aveugle possession par des principes
non soumis à l'examen se dressent les uns contre
les autres. Crainte et angoisse se mêlent à l'espoir
et à la confiance. Souvent et jusqu'à perte de vue,
l'apparence règne que la pensée, en suivant la modalité de la représentation raisonnante et du calcul,
serait pleinement libre de toute disposition. Mais
même la froideur du calcul, même la sobriété pro-
saïque de la planification sont des caractéristiques
d'un accord en l'appel. Non seulement cela : même
la raison, elle qui se tient quitte de toute influence
des passions, est, en tant que raison, accordée à la
confiance en l'évidence logico-mathématique de
ses principes et de ses règles.

La correspondance qui, assumée en propre et
se déployant, parle selon l'appel de l'être de l'étant,
cette correspondance est la philosophie. Ce qu'est
la philosophie, nous n'apprenons à le connaître
et à le savoir que lorsque nous éprouvons comment,
selon quelle modalité, la philosophie est. La philosophie est dans la modalité du correspondre qui
s'accorde à la voix de l'être de l'étant.

Ce correspondre est un parler. Il se tient au
service du *langage*. Ce que cela signifie est pour
nous aujourd'hui difficile à comprendre. Car notre
représentation du langage a éprouvé d'étranges
métamorphoses. C'est à la suite de ces métamorphoses que le langage apparaît comme un instrument de l'expression. En conséquence de quoi on
trouve plus juste de dire : le langage se tient au service de la pensée, que de dire : la pensée, comme
correspondance, se tient au service du langage. Mais
d'abord et avant tout, l'actuelle représentation du
langage est aussi loin que possible de l'expérience

grecque du langage. Aux Grecs, l'être du langage se manifeste comme étant le λόγος. Toutefois que signifient λόγος et λέγειν? C'est à peine si nous commençons, à travers les interprétations si diverses du λόγος, à nous frayer lentement un regard débouchant sur son être originellement grec. Cependant, nous ne pouvons ni revenir jamais à cet être grec du langage, ni tout simplement le reprendre. Mais, en revanche, il nous faut entrer en dialogue avec l'expérience grecque du langage en tant que λόγος. Pourquoi? Parce que sans une méditation suffisante du langage, nous ne saurons jamais vraiment ce qu'est la philosophie en tant qu'elle a été caractérisée comme correspondance, ce qu'est la philosophie en tant qu'une modalité privilégiée du dire.

Mais parce que maintenant la poésie, si nous la comparons avec la pensée, se tient au service du langage d'une manière tout autre et non moins privilégiée, notre entretien qui médite la philosophie est amené nécessairement à situer le rapport de la Pensée et de la Poésie. Entre elles deux, pensée et poésie, règne une parenté profondément retirée, parce que toutes deux s'adonnent au service du langage et se prodiguent pour lui. Entre elles deux pourtant persiste en même temps un abîme profond, car elles « demeurent sur les monts les plus séparés [1] ».

On pourrait maintenant réclamer à bon droit que notre entretien se restreigne à la question portant sur la philosophie. Cette restriction ne deviendrait possible — devenant même alors nécessaire — que si, dans notre entretien, devait être établi que la philosophie n'est pas ce par quoi elle vient d'être caractérisée : une correspondance

---

1. Hölderlin : *Patmos. (N.d.T.)*

qui porte au langage l'appel de l'être de l'étant.

En d'autres termes : notre entretien ne se propose pas la tâche de dérouler un programme fixe. Mais il voudrait être un effort pour préparer tous ceux qui y prennent part à un recueillement dans lequel nous soyons appelés par ce que nous nommons l'être de l'étant. En le nommant, pensons à ce que dit déjà Aristote :

« L'étant-Être arrive en manières multiples à l'éclat du paraître [1]. »

Τὸ ὄν λέγεται πολλαχῶς.

---

1. Cf. *Sein und Zeit*, § 7 B.

Notes des traducteurs

Les pages qui précèdent ne constituent nullement une interprétation — historico-philosophique — de l'histoire de la philosophie d'un point de vue qui serait celui de Heidegger. Elles ne laissent pas même apparaître dans toute son ampleur la méditation heideggerienne de la *vérité de l'Être* (à laquelle se rattache l'assignation de la philosophie comme métaphysique). Destinées exclusivement à ouvrir un libre entretien, elles se bornent à proposer l'explicitation de ce qu'est la philosophie en tant que philosophie dans la tradition philosophique : « une correspondance qui porte au langage l'appel de l'être de l'étant » — étant entendu que cet *étant-Être* « arrive en manières multiples à l'éclat du paraître ».

Nous traduisons par *étantité* le mot *Seiendheit* qui est la transcription du terme grec οὐσία. Comme le grec οὐσία l'allemand *Seiendheit* reste fidèle à la forme du participe en faisant retentir, selon le *temps* majeur du présent, l'accentuation verbale dans un *mode* ambigu où domine aussi bien l'orientation nominale. La traduction « classique » d'οὐσία par *substance* est l'éclipse presque totale de ces rapports. Peut-être *élantité* est-il plus étrange en français que *Sciendheit* en allemand.

Nous avons traduit *historisch* par *historisant* et *geschichtlich*, comme Corbin l'avait déjà fait, par *historial*. Les deux mots sont d'ordinaire rendus indifféremment par *historique*. Si toutefois *historisch* se borne à désigner un réseau d'informations et de relations chronologiques, *geschichtlich* — où l'on peut percevoir plus profondément que le sens ordinaire de *geschehen* (advenir, arriver) la résonance singulière de *Geschick* (μοῖρα) — ne dit pas moins que *geschicklich :* ce qui constitue notre partage et où il y va de notre sort. Historisante reste toute exploration archéologique du passé, mais la dimension historiale est celle de la futurition.

A cette différence se rattache l'opposition du passé révolu et irrévocable (*das Vergangene*) et de ce qui fut sans cesser d'être et qui sera (*das Gewesene*).

Dasselbe, das Selbe, le Même, n'est pas l'indifférenciation de l'identique où tout sombrerait dans l'indifférence (*das Gleiche*), mais maintient les différences fondées dans l'unité de l'Un.

Hegel et les Grecs

Traduit par Jean Beaufret et Dominique Janicaud.

Titre original :

HEGEL UND DIE GRIECHEN

Conférence faite en séance plénière de l'Académie des Sciences de Heidelberg le 26 juillet 1958. *(N.d.A.)*

Cette conférence a été publiée dans *Die Gegenwart der Griechen im neueren Denken, Festschrift für Hans-Georg Gadamer zum 60. Geburtstag*, Tübingen, J.C.B. Mohr (Paul Siebeck), 1960, p. 43-57. Une première version de ce texte, traduite par Jean Beaufret et Pierre-Paul Sagave, a paru dans les *Cahiers du Sud*, t. XLVII, n⁰ 349, janvier 1959, p. 355-368 : il s'agit de la conférence prononcée par M. Heidegger à Aix-en-Provence le 20 mars 1958 dans le grand amphithéâtre de la nouvelle Faculté. *(N.d.T.)*

Le titre de cette conférence peut se transformer en une question. La voici : comment Hegel présente-t-il la philosophie des Grecs dans l'horizon de sa philosophie? Nous pouvons répondre à cette question en étudiant historiquement la philosophie de Hegel à partir d'un point de vue actuel et, par là, en emboîtant le pas à Hegel dans sa présentation historique de la philosophie grecque. Cette méthode donne lieu à une recherche historique sur des connexions historiques. Un tel projet a sa justification propre et son utilité.

Cependant autre chose est en jeu. En disant « les Grecs » nous pensons au commencement de la philosophie, en disant « Hegel » à son accomplissement. Hegel lui-même comprend sa philosophie en la déterminant ainsi.

Avec le titre *Hegel et les Grecs*, c'est l'ensemble de la philosophie dans son histoire (*Geschichte*) qui nous parle, et cela en un temps où l'écroulement de la philosophie devient flagrant; car elle émigre dans la logistique, la psychologie et la sociologie. Ces domaines autonomes de recherche s'assurent importance croissante et influence polymorphe comme formes fonctionnelles et instruments de

réussite du monde politico-économique, c'est-à-dire
— en un sens radical — du monde technique.

Toutefois, l'écroulement déterminé de loin —
irrésistible — de la philosophie n'est pas — sans
plus — la fin de la pensée, mais plutôt autre chose
qui se dérobe pourtant à la constatation courante.
C'est ce que les paroles qui vont suivre pourraient
un temps s'attarder à méditer, comme une tentative d'appeler le regard à plus d'éveil pour
l'affaire de la pensée. L'affaire de la pensée est
en jeu. Affaire veut dire ici : ce qui de soi-même
réclame d'être situé. Pour pouvoir répondre à
une telle requête, il est nécessaire que nous
nous laissions regarder par l'affaire de la pensée
et engager dans ce qui nous préparera à laisser la
pensée, en tant que déterminée par son affaire à
elle, se transformer.

Ce qui suit se borne à montrer un domaine de
possibilité à partir duquel l'affaire de la pensée
peut être prise en vue. Mais alors pourquoi, s'il
s'agit d'atteindre l'affaire de la pensée, le détour par
Hegel et les Grecs? Parce que nous avons besoin de
chemin qui, à coup sûr, n'est essentiellement pas un
détour; car seule une juste expérience de la tradition
nous fait don du présent qui — en tant qu'il est
l'affaire de la pensée — se présente à nous et de
cette façon est en jeu. La tradition authentique
consiste si peu à traîner le fardeau du passé qu'elle
nous libère au contraire en nous engageant dans
ce qui nous attend : elle est ce qui montre l'affaire
de la pensée en nous y portant.

Hegel et les Grecs — cela sonne comme Kant
et les Grecs, Leibniz et les Grecs, la scolastique
médiévale et les Grecs. Cela sonne de manière semblable et c'est pourtant autre. Car Hegel pense
pour la première fois la philosophie des Grecs

comme un tout et ce tout philosophiquement.
Comment cela est-il possible? En ceci que Hegel
détermine l'Histoire comme telle de telle manière
que, dans son fond, elle doit être philosophique.
L'histoire de la philosophie est pour Hegel le processus portant en soi son unité et, pour cette raison,
nécessaire, du progrès de l'Esprit jusqu'à lui-même.
L'histoire de la philosophie n'est pas une pure suite
d'opinions et de doctrines disparates qui se rempla-
cent les unes les autres sans cohérence.

Hegel dit dans l'introduction à ses cours de
Berlin sur l'histoire de la philosophie : « L'histoire
dont nous nous proposons l'étude est l'histoire de
l'autodécouverte de la pensée » (*Leçons sur l'histoire de la philosophie*, éd. Hoffmeister, 1940, vol. I,
p. 81, remarque; trad. Gibelin, Gallimard, 4e éd.,
1954, p. 79, n. 1). « Car l'histoire de la philosophie
n'est que le développement de la philosophie elle-
même » (Hoffmeister, *op. cit.*, p. 235 sq.; trad.
Gibelin, p. 208). Par conséquent, pour Hegel, la
philosophie comme autodéveloppement de l'Esprit
jusqu'au Savoir absolu et l'histoire de la philosophie sont identiques. Aucun philosophe *avant*
Hegel n'est parvenu à une telle assignation de la
philosophie, qui rend possible et exige que le philosopher *(das Philosophieren)* se meuve du même
coup dans son histoire et qu'en même temps ce
mouvement soit la philosophie même. Mais d'après
un mot de Hegel, tiré de l'introduction à son premier cours ici à Heidelberg, la philosophie a pour
« but » « la vérité » (Hoffmeister, *op. cit.*, p. 14;
trad. Gibelin, p. 22).

La philosophie, en tant qu'elle est son histoire,
est, comme Hegel le dit dans une note marginale du
manuscrit de son cours, le « *royaume de la pure
vérité* — non pas les réalisations *de l'effectivité*

extérieure, mais l'intime séjour de l'Esprit auprès de soi » (*op. cit.*, p. 6, remarque; trad. Gibelin, p. 15, n. 1). « La vérité », cela veut dire ici : le vrai dans sa pure effectuation qui, du même coup, porte à la présentation la vérité du vrai dans son essence.

Pouvons-nous maintenant nous servir de la détermination hégélienne du but de la philosophie, qui est la vérité, comme d'une indication pour une méditation sur l'affaire de la pensée? Vraisemblablement oui, dès que nous aurons suffisamment éclairci le sujet *Hegel et les Grecs*, c'est-à-dire à présent la philosophie dans l'ensemble de son destin et du point de vue de son but, la vérité.

Aussi demandons-nous d'abord : dans quelle mesure l'histoire de la philosophie doit-elle, comme histoire, avoir pour trait fondamental d'être philosophique? Que signifie ici « philosophique »? Que signifie ici « histoire »?

Les réponses doivent vite encourir le danger de dire des choses apparemment connues. Mais en même temps il n'est rien, pour la pensée, qui soit d'une telle notoriété. Hegel précise : « Avec lui (c'est-à-dire avec Descartes) nous entrons à proprement parler dans une philosophie autonome... Ici, pouvons-nous dire, nous sommes chez nous, et nous pouvons, comme le navigateur après un long périple sur la mer démontée, crier *terre...* » (*Œuvres complètes*, XIX, p. 328 [1]). Par cette image, Hegel veut dire : l'*ego cogito sum*, le *je pense, je suis*, est

---

1. Nous donnons les références aux *Œuvres complètes* d'après l'édition dite du Jubilé, par Hermann Glockner plus facile d'accès que l'édition Michelet à laquelle renvoie l'auteur. On peut d'ailleurs constater que la pagination ne diffère que pour le premier des trois volumes des *Leçons sur l'histoire de la Philosophie*. *(N.d.T.)*

le sol ferme sur lequel la philosophie peut s'installer dans sa vérité et sa plénitude. Dans la philosophie de Descartes l'*ego* devient le *subjectum* qui donne à tout sa mesure, c'est-à-dire ce qui, dès le départ et avant tout, déploie son être. Un tel sujet, cependant, ne sera pris en possession de la manière qu'il faut, au sens kantien du transcendantal, et ne le sera complètement, c'est-à-dire au sens de l'idéalisme spéculatif, que lorsque l'ensemble de la structure et du mouvement de la subjectivité du sujet sera développé, et celle-ci élevée à l'absolue connaissance de soi. Dans la mesure où le sujet se *sait* lui-même comme étant ce savoir qui conditionne toute objectivité, il *est* en tant qu'un tel savoir : l'Absolu lui-même. L'être dans sa vérité est la pensée se pensant elle-même absolument. Pour Hegel l'être et la pensée sont le même, et ceci au sens que tout est repris dans la pensée et déterminé à ce que Hegel appelle sans plus : *der Gedanke.*

La subjectivité, en tant qu'*ego cogito*, est la conscience qui représente quelque chose, rapporte en retour à elle-même ce qui est représenté et ainsi le recueille chez elle. Recueillir se dit en grec λέγειν. Recueillir le multiple pour le moi, dans le moi, se dit, exprimé au moyen, λέγεσθαι. Le moi pensant rassemble le représenté dans la mesure où il trouve passage à travers lui, où il le parcourt représentativement. Parcourir à la traverse, c'est ce que dit le grec : διά.

Διαλέγεσθαι, dialectique, signifie ici que le sujet dans la marche en avant (processus) dont il est question, et en tant qu'il est cette marche, fait ressortir sa subjectivité : il la produit.

La dialectique est le processus de la production de la subjectivité du sujet absolu et comme tel son « action nécessaire ». Selon la structure de la subjec-

tivité, ce processus de production comporte trois
degrés. Tout d'abord le sujet, en tant que conscience, se rapporte immédiatement à ses objets.
Ce représenté immédiat et pourtant indéterminé,
Hegel le nomme aussi « l'être », l'universel, l'abstrait.
Car on fait encore ici abstraction du rapport de
l'objet au sujet. C'est seulement par ce rapport
régressif, par la réflexion, que l'objet est représenté
comme objet pour le sujet et celui-ci pour lui-même,
c'est-à-dire en tant que lui-même se rapportant à
l'objet. Cependant, tant que nous nous bornons à
différencier l'un de l'autre l'objet et le sujet, l'être
et la réflexion, et que nous en restons à cette différenciation, le mouvement de l'objet au sujet n'a
pas encore produit l'ensemble de la subjectivité
pour celle-ci. L'objet, l'être est évidemment médiatisé avec le sujet par la réflexion, mais la médiation
elle-même n'est pas encore représentée *comme*
le mouvement le plus intime du sujet *pour* celui-ci.
C'est seulement lorsque la thèse de l'objet et l'antithèse du sujet sont guettées dans leur synthèse
nécessaire que le mouvement de la subjectivité de
la relation objet-sujet est tout à fait en marche. La
marche *(Gang)* est sortie *(Ausgang)* de la thèse,
progression *(Fortgang)* jusqu'à l'antithèse, passage
(Übergang) dans la synthèse et, à partir de celle-ci
comme étant le tout, elle est retour *(Rückgang)*
à elle-même de la position ainsi posée. Cette marche
recueille l'ensemble de la subjectivité dans son unité
développée. C'est ainsi qu'elle croît en assemblant,
concrescit, qu'elle se concrétise. C'est de cette façon
que la dialectique est spéculative. Car *speculari* veut
dire épier, avoir la vue frappée, saisir, comprendre
(be-greifen). Hegel dit dans l'introduction à la
Science de la logique (éd. Lasson, vol. I, p. 38;
trad. S. Jankélévitch, t. I, p. 43) : la spéculation

consiste en « la saisie de l'opposé dans son unité ». La façon dont Hegel caractérise la spéculation s'éclaire si nous prenons garde au fait que, dans la spéculation, les choses ne dépendent pas seulement de la saisie de l'unité, de la phase de la synthèse, mais antérieurement et toujours de la saisie de « l'opposé » comme tel. C'est à cela qu'appartient la saisie des opposés dans leur reflet l'un face à l'autre et l'un dans l'autre. Tel est le règne de l'antithèse dont la modalité est exposée dans la *Logique de l'essence* (c'est-à-dire la logique de la ré-flexion). De ce jeu de reflets, c'est-à-dire de ce miroitement, le *speculari* (*speculum :* miroir) reçoit sa détermination suffisante. Ainsi pensée, la spéculation est la totalité positive de ce que le mot « dialectique » doit signifier ici : non une manière de penser soit transcendantale, c'est-à-dire délimitant en mode critique, soit même polémique, mais le miroitement du côté opposé et son rappel à l'unité comme le processus de production de l'Esprit lui-même.

La dialectique spéculative, Hegel l'appelle aussi tout simplement « la méthode ». Par ce titre, il ne désigne ni un instrument de la représentation, ni une façon particulière d'aller de l'avant en philosophie. « La méthode » est le mouvement le plus intime de la subjectivité, « l'âme de l'être », le processus de production par lequel le tissu de l'effectivité de l'absolu dans son tout est ouvré. « La méthode » : « l'âme de l'être » — nous voilà en pleine fantasmagorie. On s'imagine que notre temps a dépassé de tels égarements de la spéculation. Mais nous vivons au beau milieu de cette prétendue fantasmagorie.

Lorsque la physique moderne s'efforce d'établir la formule qui exprime le monde, ce qui s'annonce là c'est que l'être de l'étant s'est résolu dans la

méthode de la calculabilité totale. Le premier écrit
de Descartes, grâce auquel, selon Hegel, la philosophie et avec elle la science moderne accèdent à la
terre ferme, porte le titre : *Discours de la méthode*
(1637). La méthode, c'est-à-dire la dialectique spéculative, est pour Hegel le trait fondamental de
toute effectivité. Ainsi la méthode détermine, en
tant qu'elle est un tel mouvement, tout ce qui
arrive, c'est-à-dire l'Histoire.

Maintenant on voit clairement à quel point
l'histoire de la philosophie est le mouvement le
plus intime dans la marche de l'Esprit, c'est-à-dire
de l'absolue subjectivité, jusqu'à elle-même. La
sortie, la progression, le passage, le retour de cette
marche sont déterminés dans le mouvement de la
dialectique spéculative.

Hegel dit : « Dans la philosophie comme telle,
dans la philosophie contemporaine, dans la plus
récente, est contenu tout ce qui a été produit par
un travail millénaire; elle est le résultat de tout ce
qui l'a précédée » (Hoffmeister, *op. cit.*, p. 118;
trad. Gibelin, p. 109). Dans le système de l'idéalisme spéculatif la philosophie est accomplie, ce qui
veut dire qu'elle a atteint son comble et, à partir
de là, sa conclusion. On se choque du principe hégélien de l'accomplissement de la philosophie. On le
tient pour présomptueux et on le signale comme
une erreur qui depuis longtemps aurait été réfutée
par l'Histoire. Car depuis le temps de Hegel il y a
eu de la philosophie et, en outre, il y en a encore.
Seulement le principe de l'accomplissement de la
philosophie ne veut pas dire que la philosophie ait
atteint sa fin au sens d'une cessation ou d'une
rupture. Bien plutôt l'accomplissement donne justement pour la première fois la possibilité de métamorphoses diverses jusqu'en leurs formes les plus

élémentaires : le retournement brutal et l'opposition massive. Marx et Kierkegaard sont les plus grands des hégéliens. Ils le sont malgré qu'ils en aient. L'accomplissement de la philosophie n'est pas sa fin; il ne consiste pas non plus dans le système isolé de l'idéalisme spéculatif. L'accomplissement n'*est* que comme la marche entière de l'histoire de la philosophie, marche dans laquelle le début demeure aussi essentiel que l'accomplissement : Hegel et les Grecs.

Maintenant, comment se détermine, à partir de ce trait fondamental — spéculatif et dialectique — de l'Histoire, la philosophie des Grecs? Dans la marche de cette histoire, le système métaphysique de Hegel est le suprême degré, celui de la synthèse. Celle-ci est précédée par le degré de l'antithèse qui commence avec Descartes, parce que, dans la pensée de ce dernier, le sujet est posé pour la première fois *comme* sujet. Du même coup les objets deviennent représentables pour la première fois *comme* objets. La relation sujet-objet apparaît en pleine lumière comme op-position, comme antithèse. En revanche, toute philosophie avant Descartes se limite à une pure représentation de l'objectif. Même l'âme et l'esprit sont représentés sur le mode de l'objet, quoi qu'ils ne le soient pas *comme tels*. En conséquence, selon Hegel, même ici c'est déjà le sujet pensant qui est partout à l'œuvre, mais il n'est pas encore compris *en tant que* sujet, comme ce qui fonde toute objectivité. Hegel dit dans ses *Leçons sur l'histoire de la philosophie:* « L'homme [du monde grec] n'était pas encore de retour en soi comme de nos jours. Certes, il était sujet, mais il ne s'était pas posé en tant que tel » (Hoffmeister, *op. cit.*, p. 144; trad. Gibelin, p. 130). Dans la philosophie antérieure à Descartes, l'anti-

thèse du sujet à l'objet n'est pas encore la terre
ferme. Ce degré qui précède l'antithèse est celui de
la thèse. Avec lui *débute* la philosophie « en ce qu'elle
a de propre ». Le déploiement complet de ce début
est la philosophie des Grecs. Ce qui concerne les
Grecs et fait débuter la philosophie est, selon Hegel,
l'objectif à l'état pur. C'est la première « manifestation », la première « sortie » de l'Esprit, ce au
sein de quoi tous les objets s'accordent. Hegel
l'appelle « l'universel en général ». Aussi longtemps
qu'il n'est pas encore rapporté au sujet en tant que
tel, n'est pas encore compris comme le résultat de
la découverte et de la médiation de ce dernier,
c'est-à-dire n'est pas encore rassemblé par une
croissance, concret, l'universel demeure « l'abstrait ».
« La première sortie est nécessairement la plus
abstraite; c'est la plus simple, la plus pauvre, à
laquelle le concret est opposé. » Hegel remarque en
outre : « Et ainsi les plus anciens philosophes sont
les plus pauvres de tous. » Le degré de la « conscience » grecque, le degré de la thèse est « le degré
de l'abstraction ». Mais en même temps Hegel
caractérise « le degré de la conscience grecque »
comme « degré de la beauté » (*Œuvres complètes*,
XVII, p. 191).

Comment les deux choses vont-elles de pair?
Le beau et l'abstrait ne sont pourtant pas identiques.
Ils le sont, si nous comprenons l'un et l'autre au
sens de Hegel. L'abstrait est la première manifestation demeurant purement auprès de soi, le caractère le plus universel de tout étant, l'être comme
immédiat, simple paraître. Mais un tel paraître
décide du trait fondamental du beau. Ce paraître
rayonnant en lui-même dans sa pureté provient
bien sûr aussi de l'Esprit, c'est-à-dire du sujet
entendu comme l'idéal, seulement l'Esprit « ne s'est

pas encore révélé lui-même en tant que *médium* pour se représenter en lui-même et par là fonder son monde » (*Œuvres complètes*, XVII, p. 191).

Comment Hegel enchaîne-t-il et présente-t-il l'histoire de la philosophie grecque dans l'horizon qui s'ouvre avec la beauté comme degré de l'abstraction? Il n'est pas question de le reproduire ici. Au lieu de cela, contentons-nous d'une succincte indication sur l'interprétation hégélienne de quatre mots fondamentaux de la philosophie grecque. Ils parlent la langue du mot clef « être », εἶναι (ἐόν, οὐσία). Ils ne cessent de parler dans la philosophie postérieure de l'Occident et jusqu'à nos jours.

Dans l'énumération qu'il en fait, les quatre mots fondamentaux veulent dire selon la traduction de Hegel : 1. Ἕν, le Tout; 2. Λόγος, la Raison; 3. Ἰδέα, le concept; 4. Ἐνέργεια, l'effectivité. Ἕν est le mot de Parménide. Λόγος est le mot d'Héraclite. Ἰδέα est le mot de Platon. Ἐνέργεια est le mot d'Aristote.

Pour comprendre comment Hegel interprète ces paroles fondamentales, nous devons prêter attention aux deux points suivants : d'une part, à ce qui, pour Hegel, dans l'interprétation qu'il donne des quatre philosophes déjà nommés, est l'élément décisif, par opposition à ce qu'il se borne à mentionner en passant; d'autre part, à la manière dont Hegel détermine son interprétation des quatre mots fondamentaux dans l'horizon du mot clef « être ».

Dans l'introduction à ses *Leçons sur l'histoire de la philosophie* (Hoffmeister, *op. cit.*, p. 240; trad. Gibelin, p. 212), Hegel explique : « Le premier universel est l'universel encore immédiat, c'est-à-dire l'être. Le contenu, l'objet est donc la pensée objective, la pensée qui se borne à être. » Hegel veut dire : l'être est le pur état de pensée de ce qui est immédia-

tement pensé, encore sans égard à la pensée qui
pense celui-ci indépendamment de sa simple notification. La détermination du pur pensé est « l'indé-
terminité », sa notification l'immédiateté. L'être
ainsi compris est, d'une manière générale, le représenté immédiat indéterminé, de telle sorte que ce
premier objet de la pensée aille jusqu'à ignorer
encore le fait que la détermination et la médiation
lui manquent, s'insurgeant pour ainsi dire là contre.
Il en résulte l'éclaircissement suivant : l'être comme
première objectivité simple de l'objet est pensé à
partir de la relation au sujet pensant grâce à la pure
abstraction de ce dernier. Il faut prêter attention
à cela pour comprendre d'abord la direction selon
laquelle Hegel interprète la philosophie des quatre
philosophes dont il est question, mais aussi ensuite
pour apprécier le poids qu'à chaque fois Hegel
attribue aux paroles fondamentales.

Le mot fondamental de Parménide est Ἔν, l'Un,
ce qui unit tout et est ainsi l'universel. Parménide
explicite les σήματα, les signes, selon lesquels l'Ἔν
se montre, dans le grand fragment VIII que Hegel
connaissait. Cependant, *ce n'est pas* dans l'Ἔν,
l'être comme universel, que Hegel trouve la « pensée maîtresse » de Parménidè. Selon Hegel, la
« pensée maîtresse » de Parménide est bien plutôt
énoncée dans la proposition qui dit : « Être et
penser sont le même. » Cette proposition, Hegel
l'interprète en effet dans ce sens : l'être, en tant que
« la pensée qui est », est une production de la pensée.
Hegel voit dans la proposition de Parménide un
degré qui achemine vers Descartes en le préfigurant,
Descartes avec la philosophie de qui commence la
détermination de l'être à partir du sujet posé sciemment. C'est pourquoi Hegel peut expliquer : « Avec
Parménide la méditation à proprement parler philo-

sophique a commencé... Ce commencement est, bien sûr, encore nébuleux et indéterminé » (*Œuvres complètes*, XVII, p. 312-313).

Le mot fondamental d'Héraclite est Λόγος, le recueil qui laisse tout ce qui est s'étendre à l'encontre et apparaître dans son ensemble comme l'étant. Λόγος est le nom qu'Héraclite donne à l'être de l'étant. Mais l'interprétation hégélienne de la philosophie d'Héraclite *ne s'oriente justement pas* sur le Λόγος. Voilà qui est étrange, et d'autant plus que Hegel conclut la préface de son interprétation d'Héraclite par ces mots : « Il n'y a pas une proposition d'Héraclite que je n'aie reprise dans ma *Logique* » (*ibid.*, 344). Seulement, par cette *Logique* de Hegel, le Λόγος est la Raison au sens de la Subjectivité absolue, tandis que la *Logique* elle-même est la dialectique spéculative par le mouvement de laquelle l'universel immédiat et abstrait, l'être en tant qu'il est l'objectif, est réfléchi dans l'opposition au sujet et cette réflexion elle-même déterminée comme la médiation au sens du devenir : c'est dans le devenir que l'opposé se recueille, se concrétise et s'unifie. Saisir cette unité, c'est l'essence de la spéculation qui se déploie comme dialectique.

Au jugement de Hegel, Héraclite est le premier à reconnaître la dialectique comme principe; par là il dépasse Parménide et fait un pas en avant. Hegel explique : « L'être [tel que Parménide le pense] est l'un, le premier; le second est le devenir : c'est jusqu'à cette détermination qu'il [Héraclite] s'est avancé. C'est le premier concret, l'absolu en tant qu'en lui s'accomplit l'unité des opposés. Chez lui [Héraclite] nous rencontrons ainsi pour la première fois l'idée philosophique dans sa forme spéculative » (*ibid.*, p. 344). Aussi Hegel fait-il

porter principalement le poids de son interprétation d'Héraclite sur les propositions dans lesquelles viennent au langage l'élément dialectique,
l'unité et l'unification des contradictions.

Le mot fondamental de Platon est Ἰδέα. Pour
l'interprétation hégélienne de la philosophie platonicienne, l'élément décisif est que : Hegel conçoit
les idées comme « l'universel déterminé en soi »;
« déterminé en soi » veut dire : les idées sont pensées
dans leur appartenance réciproque; elles ne sont
pas de purs modèles existant en soi, mais sont
« l'étant en et pour soi-même » à la différence de
« l'existant sensible » (*Œuvres complètes*, XVIII,
p. 199). « En et pour soi », c'est là que trouve place
un devenir jusqu'à soi-même, c'est-à-dire l'acte
de se comprendre. Dans cette mesure, Hegel peut
expliquer : les idées ne sont pas « immédiatement
dans la conscience (à savoir comme intuitions),
mais elles sont (médiatisées dans la conscience)
dans l'acte de connaître ». « Aussi ne les *possède-
t-on* pas, mais elles sont mises au jour dans l'esprit
par l'acte de connaître » (*ibid.*, p. 201). Cette mise
au jour, cette production, est la conceptualisation
en tant qu'activité du savoir absolu, c'est-à-dire
de la « Science ». C'est pourquoi Hegel dit : « Avec
Platon commence la science philosophique comme
telle. » « Ce qu'il y a de spécifique dans la philosophie platonicienne, c'est l'orientation sur le
monde intellectuel, le monde suprasensible... » (*ibid.*,
p. 170).

Le mot fondamental d'Aristote est Ἐνέργεια, que
Hegel traduit par *Wirklichkeit* (en latin, *actus*).
L'ἐνέργεια est, « si l'on va encore plus loin dans la
détermination », l'*entéléchie* (ἐντελέχεια) « qui est
en elle-même but et réalisation du but ». L'ἐνέργεια
est « la pure efficacité prenant sa source en elle-

même ». « C'est avant tout l'énergie, la forme, qui est l'activité, l'agent effectuant, la négativité se rapportant à elle-même » (*ibid.*, p. 321).

Ici l'ἐνέργεια est pareillement pensée à partir de la dialectique spéculative en tant que pure activité du sujet absolu. Lorsque la thèse est niée par l'antithèse et que celle-ci est à son tour niée par la synthèse, alors règne dans cette ampleur de négation ce que Hegel appelle « la négativité qui se rapporte à elle-même ». Une telle négativité n'a rien de négatif. La négation de la négation est bien plutôt cette position dans laquelle l'Esprit se pose lui-même comme absolu grâce à son activité. Hegel voit dans l'ἐνέργεια d'Aristote le degré préliminaire à l'automouvement de l'Esprit, autrement dit de l'effectivité en et pour soi. Hegel montre dans la phrase suivante combien il estime l'ensemble de la philosophie d'Aristote : « Si la philosophie était prise au sérieux, rien ne serait plus honorable que de faire des cours sur Aristote » (*ibid.*, p. 314).

La philosophie devient « sérieuse » selon Hegel lorsqu'elle ne se laisse plus prendre aux objets et ne se perd plus dans la réflexion subjective sur eux, mais s'affaire comme étant l'activité de la volonté absolue.

L'éclaircissement des quatre paroles fondamentales fait comprendre ceci : Hegel pense Ἕν, Λόγος, Ἰδέα, Ἐνέργεια dans l'horizon de l'être qu'il comprend comme l'universel abstrait. L'être, et par suite ce qui est représenté dans les paroles fondamentales, n'est *pas encore* déterminé, *pas encore* médiatisé par et dans le mouvement dialectique de la subjectivité absolue. La philosophie grecque est le degré de ce « pas encore ». Elle n'est pas encore l'accomplissement, mais pourtant elle n'est comprise qu'à partir de cet accomplissement qui s'est déterminé comme le système de l'idéalisme spéculatif.

C'est, selon Hegel, la plus intime « tendance », le « besoin » de l'Esprit que de se délivrer de l'abstrait en s'absolvant dans le concret de la subjectivité absolue, et en se libérant lui-même jusqu'à son être propre. C'est pourquoi Hegel peut dire : « ... La philosophie est à l'extrême opposé de l'abstrait, elle est précisément le combat contre l'abstrait, la guerre incessante faite à la réflexion de l'entendement » (Hoffmeister, *op. cit.*, p. 113; trad. Gibelin, p. 105). Dans le monde grec, l'Esprit entre évidemment pour la première fois dans son libre face à face avec l'être. Mais l'Esprit n'atteint pas encore expressément à l'absolue certitude de soi-même en tant que sujet se sachant lui-même. C'est seulement où cela arrive, dans le système de la métaphysique spéculativo-dialectique, que la philosophie devient ce qu'elle est : « le sanctuaire le plus intime de l'Esprit lui-même » (*op. cit.*, p. 125; trad. Gibelin, p. 115).

Hegel détermine comme « but » de la philosophie : « la vérité ». Celle-ci ne sera atteinte qu'au degré de l'accomplissement. Le degré de la philosophie grecque demeure dans le « pas encore ». En tant que degré de la beauté, il n'est pas encore celui de la vérité.

Voilà qui nous donne à penser, si nous traversons du regard l'ensemble de l'histoire de la philosophie, Hegel et les Grecs, l'accomplissement et le début de cette histoire; et nous demandons : l'Ἀλήθεια, la vérité, ne domine-t-elle pas, avec Parménide, le début même du chemin de la philosophie? Pourquoi Hegel ne *la* porte-t-il pas au langage? Entend-il par « vérité » autre chose que le non-retrait? Bien sûr. Vérité, c'est pour Hegel la certitude absolue du sujet absolu se connaissant. Mais, d'après son interprétation, pour les Grecs le sujet n'apparaît pas encore *comme* sujet. Aussi l''Αλήθεια ne peut-elle pas être ce qui est déterminant pour la vérité au sens de certitude.

Il en va ainsi pour Hegel. Mais si l''Αλήθεια, quoique toujours voilée et impensée, règne sur le début de la philosophie grecque, nous devons poser la question : est-ce que la certitude n'est pas renvoyée dans son essence à l''Αλήθεια, à supposer que nous entendions celle-ci non pas de manière imprécise et arbitraire comme vérité au sens de certitude, mais que nous la pensions comme désabritement? Si nous prenons le risque de penser ainsi l''Αλήθεια, alors deux choses restent à considérer attentivement : tout d'abord, l'expérience de l''Αλήθεια comme non-retrait et désabritement ne se fonde nullement sur l'étymologie d'un mot pris au hasard, mais sur ce qui est ici l'affaire de la pensée, à quoi même la philosophie de Hegel ne peut pas se dérober tout à fait. Lorsque Hegel caractérise l'être comme la première sortie et la première manifestation de l'Esprit, alors il reste à se demander si, dans cette sortie et cette révélation de soi, le désabritement ne doit pas déjà être en jeu : ici il ne s'agit de rien de moins que du pur apparaître de la beauté qui, selon Hegel, détermine le degré de la « conscience » grecque. Lorsque Hegel fait culminer le centre de référence fondamental de son système dans l'Idée absolue, dans la complète automanifestation de l'Esprit, il devient pressant de se demander si, même dans cet apparaître, c'est-à-dire dans la Phénoménologie de l'Esprit et donc l'absolue connaissance de soi et sa certitude, il ne faut pas que le *désabritement* soit *encore* en jeu. Mais aussitôt se présente à nous la question plus ample de savoir si le désabritement a son lieu dans l'Esprit conçu comme Sujet absolu, ou si le désabritement lui-même est le site et renvoie au site où quelque chose de tel qu'un sujet capable de représentation peut seulement « être » celui qu'il est.

Par là, nous faisons déjà halte auprès de cette autre chose à laquelle il faut bien veiller, dès que l''Aλήθεια vient au langage comme désabritement. Ce que cette parole nomme n'est pas le grossier passe-partout qui ouvrirait toute énigme de la pensée, mais l''Aλήθεια est l'énigme même — l'affaire de la pensée.

Mais ce n'est pas nous qui établissons une telle affaire comme étant l'affaire même de la pensée. Elle nous est dès longtemps adressée et c'est par toute l'histoire de la philosophie qu'elle nous est transmise. Il faut seulement se remettre à l'écoute de cette tradition et, par là même, faire l'examen des pré-jugés *(Vor-Urteile)* dans lesquels toute pensée, à sa manière propre, doit séjourner. Certes un tel examen peut aussi ne jamais avoir l'allure d'un jugement de tribunal décidant directement sur l'essence de l'Histoire et sur un rapport possible à l'Histoire; car cet examen a ses limites qui peuvent ainsi se circonscrire : plus une pensée est pensante, c'est-à-dire exigeante vis-à-vis de ce qui lui est question, plus décisif est pour elle le non-pensé, et même ce qui lui est impensable.

Lorsque Hegel interprète spéculativement et dialectiquement l'être à partir de la Subjectivité absolue comme l'immédiat indéterminé, l'universel abstrait, et explique dans *cet* horizon de la philosophie moderne les paroles fondamentales par lesquelles les Grecs disaient l'être — Ἕν, λόγος, Ἰδέα, Ἐνέργεια —, alors nous sommes tentés de juger que

son interprétation est historiquement incorrecte.
Mais toute proposition historique et sa légitimation se meuvent déjà dans un rapport à l'Histoire
(Geschichte). Avant de décider de la justesse
historique de la représentation, il faut donc méditer
pour savoir si et comment l'Histoire est expéri-
mentée, et à partir d'où elle est déterminée dans
ses traits fondamentaux.

Eu égard à *Hegel et les Grecs*, cela veut dire :
plus que toute interprétation historique, correcte
ou incorrecte, ce qui compte, c'est que Hegel a
pensé d'expérience l'essence de l'Histoire à partir
de l'essence de l'être au sens de la Subjectivité
absolue. A l'heure qu'il est, il n'y a aucune expérience de l'Histoire qui, du point de vue philosophique, puisse correspondre à cette expérience de
l'Histoire. Mais ce qu'entraîne justement la détermination spéculative et dialectique de l'Histoire,
c'est qu'il demeura interdit à Hegel de prendre en
vue l'Ἀλήθεια et son règne comme *l'affaire propre
de la pensée*, et cela précisément dans la philosophie
qui fixa « le royaume de la pure vérité » comme le
« but » de la philosophie. Car Hegel fait l'expérience
de l'être lorsqu'il le comprend comme l'immédiat
indéterminé, en tant que ce qui est posé par le sujet
déterminant et conceptualisant. Il *ne peut pas*,
en conséquence, détacher l'être au sens grec,
l'εἶναι, de la relation au sujet et l'affranchir dans
son essence propre. Celle-ci cependant est la présence *(das An-wesen)* qui, sortant du retrait, se
découvre devant nous telle qu'elle demeure. Dans
pré-sence joue le désabritement. Il joue dans
l'Ἔν et dans le Λόγος, dans le repos qui, devant
nous, unifie et rassemble, dans ce qui, au plus
proche, laisse être. L'Ἀλήθεια joue dans l'Ἰδέα
et dans la κοινωνία des Idées, dans la mesure où

celles-ci se font apparaître les unes les autres et ainsi composent l'être-étant, l'ὄντως ὄν. L''Ἀλήθεια joue dans l''Ἐνέργεια qui n'a rien à voir avec l'*actus* et avec l'activité, mais seulement avec l'ἔργον, dont les Grecs ont eu l'expérience, et avec sa manière d'être produit devant nous dans la pré-sence.

Mais l''Ἀλήθεια, le désabritement, ne joue pas seulement dans les paroles fondamentales de la pensée grecque, elle joue dans la totalité de la langue grecque qui parle autrement dès que — quand nous l'entendons — nous laissons de côté les représentations latines, médiévales, modernes et que nous n'allons quêter dans le monde grec ni des personnalités, ni l'Esprit, ni le sujet, ni la conscience.

Mais qu'en est-il alors de cette énigmatique Ἀλήθεια elle-même qui devient une gêne pour l'interprète du monde grec, aussi longtemps qu'on s'en tient uniquement à ce mot isolé et à son étymologie, au lieu de penser à partir de l'affaire à laquelle renvoient des choses telles que non-retrait et désabritement? Est-ce que l''Ἀλήθεια, en tant que désabritement, est le même que l'être, c'est-à-dire la pré-sence? En faveur de cette hypothèse témoigne le fait qu'Aristote, quand il dit τὰ ὄντα, l'étant, le présent, vise le même que τὰ ἀληθέα, le dévoilé. Toutefois, comment le non-retrait et la présence, ἀλήθεια et οὐσία, vont-ils ensemble? Sont-ils tous les deux essentiellement de même rang? Ou est-ce seulement la présence qui est renvoyée au non-retrait, et non inversement celui-ci à celle-là? Alors, à coup sûr, l'être serait l'affaire du désabritement, mais non le désabritement l'affaire de l'être [1]. Plus encore : si l'essence de la vérité dès

---

1. Cf. le passage (*Holzwege*, p. 322; *Chemins*, p. 284-285) où Heidegger précise que, loin que la vérité ne soit qu'une

qu'elle s'impose comme justesse et certitude ne peut se maintenir que dans la sphère du non-retrait, alors assurément la vérité a quelque chose à voir avec l'᾽Αλήθεια, mais non celle-ci avec la vérité.

De quoi relève l'᾽Αλήθεια elle-même si elle est délivrée de tout regard sur la vérité et sur l'être, et si elle doit être affranchie dans ce qui lui est propre? Est-ce que la pensée possède déjà le centre perspectif pour seulement présumer ce qui advient dans le désabritement et jusque dans l'*abritation (Verbergung)* qui pour tout désabri est ressource?

Tandis que l'énigme de l'᾽Αλήθεια se fait plus proche, du même coup se précise le danger de l'hypostasier en une entité imaginaire.

On a déjà aussi remarqué de diverses façons qu'il ne pourrait pas y avoir de non-retrait en soi, mais que le non-retrait serait toujours non-retrait « pour quelqu'un ». Par là, le non-retrait serait inéluctablement « subjectivé ».

Pourtant, est-ce que l'homme auquel on pense ici doit être déterminé nécessairement comme sujet? Est-ce que « pour l'homme » veut dire purement et simplement : posé *par* l'homme? Il nous faut répondre non dans les deux cas, et nous devons nous rappeler que l'᾽Αλήθεια, pensée en mode grec, se déploie évidemment pour l'homme, mais que l'homme reste déterminé par le λόγος. L'homme est celui qui dit. Dire — en haut allemand *sagan* — signifie montrer, laisser apparaître et voir. L'homme est l'être qui, de son dire, laisse reposer devant lui le présent en sa présence, dans l'entente de ce qui lui fait face. L'homme ne peut parler que dans la mesure où il est celui qui dit.

qualité de l'être, c'est tout au contraire l'être qui appartient en propre à la vérité. *(N.d.T.)*

Les plus vieux documents pour ἀληθείη et ἀληθής, non-retrait et non-retiré, nous les trouvons chez Homère, et certes en liaison avec les verbes du dire. On en a déduit assez légèrement : ainsi le non-retrait est « dépendant » des *verba dicendi* [1]. Que signifie ici « dépendant », si le dire est ce qui fait apparaître et, par suite aussi, ce qui déguise et recouvre? Ce n'est pas le non-retrait qui est « dépendant » du dire, mais tout dire jouit déjà du domaine du non-retrait. C'est seulement là où celui-ci se déploie déjà que quelque chose peut devenir dicible, visible, montrable, perceptible. Si nous prenons en vue le déploiement énigmatique de l'Ἀλήθεια, du désabritement, alors nous en venons à la supposition que c'est même l'essence entière du langage qui repose dans le désabritement, dans le déploiement de l'Ἀλήθεια. Cependant, parler du déploiement demeure aussi un moyen de fortune, à moins que la modalité de son jeu ne reçoive sa détermination du désabritement lui-

---

1. Ainsi P. Friedländer (*Platon*, t. I, 2ᵉ éd., 1954, p. 235), précédé en cela par W. Luther qui, dans sa dissertation (Göttingen, 1935, p. 8 sq.), discerne plus distinctement la chose. *(N.d.A.)* Au sujet de la thèse de P. Friedländer à laquelle l'auteur fait ici allusion, cf. J. Beaufret, *Le Poème de Parménide*, P.U.F., 1955, p. 12, n. 2. Dans la troisième édition de son *Platon* (1964, t. I, p. 242), M. Friedländer revient sur cette question en ces termes : « A l'occasion de mon débat avec Heidegger, j'ai appris en quoi était injustifiée ma première opposition à l'interprétation du vrai au sens du non-retrait, du désabritant. Ce qui n'a pas changé, c'est la critique que j'adresse à la construction heideggérienne de l'Histoire. » Cette critique ne porte plus sur le rapport philologique et ontologique entre Ἀλήθεια et Λήθη, mais sur le fait que, selon Heidegger, Platon aurait « corrompu » *(verdorben)* l'essence de la vérité. Signalons simplement que Heidegger, à notre connaissance, n'a jamais rien dit de tel. *(N.d.T.)*

même, c'est-à-dire de la clairière qu'ouvre : se retirer.

Hegel et les Grecs — nous avons paru, entre-temps, discuter de choses étranges, loin de notre sujet. Pourtant, nous sommes plus proches du sujet qu'auparavant. Dans l'introduction de la conférence nous avons dit :

Il y va de l'affaire de la pensée. On doit chercher, au travers d'un tel sujet, à faire venir cette affaire en vue.

Hegel détermine la philosophie grecque comme le début de « la philosophie en ce qu'elle a de propre ». Celle-ci demeure cependant, en tant que degré de la thèse et de l'abstraction, dans le « pas encore ». L'accomplissement dans l'antithèse et la synthèse fait défaut.

En méditant sur l'interprétation hégélienne de la doctrine grecque de l'être, nous avons essayé de montrer que l'être, avec quoi la philosophie commence, ne se déploie comme présence que dans la mesure où l'Ἀλήθεια règne déjà, et que l'Ἀλήθεια elle-même reste cependant impensée dans sa provenance essentielle.

Ainsi ce regard sur l'Ἀλήθεια nous fait expérimenter qu'avec elle notre pensée est interpellée par quelque chose qui, *avant* le début de la philosophie et à travers toute son histoire, a déjà fait venir à soi la pensée. L'Ἀλήθεια a devancé l'histoire de la philosophie, mais de telle façon qu'elle se réserve, vis-à-vis de la conceptualisation philosophique, comme ce qui réclame de la pensée sa situation. L'Ἀλήθεια est ce qui est le plus digne d'être pensé, cependant impensé, l'affaire *par excellence* de la pensée. Ainsi l'Ἀλήθεια demeure pour nous par-dessus tout ce qui est à penser — à penser délivré du regard rétrospectif sur la représentation apportée de la métaphysique : la vérité au sens de justesse et l' « être » au sens d'effectivité.

Hegel dit de la philosophie des Grecs : « On ne peut y trouver satisfaction que jusqu'à un certain degré » : il s'agit de la satisfaction de l'intime tendance de l'Esprit à la certitude absolue. Ce jugement de Hegel sur le caractère non satisfaisant de la philosophie grecque est porté du point de vue de la philosophie venue à son accomplissement. Dans l'horizon de l'idéalisme spéculatif, la philosophie des Grecs reste au stade du « pas encore » par rapport à l'accomplissement.

Mais si nous prêtons maintenant attention à ce qui demeure en réserve dans l''Αλήθεια, telle qu'elle règne sur le début de la philosophie grecque comme sur le cours de toute la philosophie, alors — pour notre pensée — la philosophie des Grecs se montre non moins dans un « pas encore ». Seulement, ce dernier est le « pas encore » de l'impensé, non un « pas encore » qui ne nous contente pas, mais un « pas encore » auquel c'est *nous* qui ne satisfaisons pas et sommes loin de satisfaire.

La thèse de Kant sur l'Être

Traduit par Lucien Braun et Michel Haar.

Titre original :

KANTS THESE ÜBER DAS SEIN

© *Vittorio Klostermann, Francfort-sur-le-Main, 1963.*

Comme le titre l'indique, l'exposé qui suit veut présenter un point de doctrine de la philosophie kantienne. Par là nous sommes instruits d'une philosophie passée. Cela peut avoir son intérêt; mais, à vrai dire, seulement si notre sens de la tradition est encore en éveil.

Précisément ce n'est plus guère le cas, et le moins là où il s'agit de la tradition de ce qui depuis toujours, sans cesse et partout, nous concerne, nous autres hommes, mais à quoi cependant nous ne sommes pas vraiment attentifs.

Nous le désignons par le mot « Être ». Le terme désigne ce que nous avons en vue quand nous disons « est » et « est passé » et « est en train de venir ». Tout — ce qui nous atteint et ce à quoi nous pouvons atteindre — passe, qu'il soit prononcé ou non, par le « il est ». Que les choses soient ainsi, nous ne pouvons nulle part et jamais l'éviter. Le « est » demeure connu de nous dans toutes ses formes manifestes et cachées. Et pourtant, dès que ce mot « Être » frappe notre oreille, nous affirmons qu'à son propos on ne peut rien se représenter, qu'à son sujet l'on ne peut rien concevoir.

Il est probable que cette constatation hâtive

est juste; elle rend légitime qu'on s'irrite du discours — pour ne pas dire du bavardage — sur
l'Être, et cela à tel point que l'on fait de l' « Être »
un sujet de dérision. Sans se donner la peine de
méditer sur l'Être, sans se soucier d'un chemin
de pensée vers lui, on s'arroge la prétention d'être
l'instance qui décide si le mot « Être » parle ou ne
parle pas. C'est à peine si quelqu'un se scandalise
encore de ce que l'absence de pensée soit ainsi
érigée en principe.

Quand on est arrivé au point où ce qui a été
jadis la source de notre existence historiale sombre
dans la dérision, il pourrait être opportun de se
livrer à une modeste réflexion. On ne peut se faire
aucune idée à propos du mot « Être ». Et si nous
supposions que c'est alors l'affaire des penseurs
de fournir une lumière sur ce que signifie « Être »?

Dans le cas où même les penseurs auraient un
certain mal à fournir une telle lumière, ceci du
moins pourrait demeurer leur affaire : de montrer
toujours à nouveau l'Être comme le digne-d'être-
pensé, et ce de sorte que ce digne-d'être-pensé
demeure en tant que tel dans l'horizon des hommes.

Nous suivons cette supposition et nous écoutons
ce qu'un penseur a à nous dire sur l'Être. Nous nous
mettons à l'écoute de Kant.

Pourquoi nous mettons-nous à l'écoute de Kant
pour apprendre quelque chose sur l'Être? Cela
tient à deux raisons. D'une part, dans ce débat sur
l'Être Kant a fait un pas de grande portée. D'autre
part, ce progrès de Kant naît de la fidélité à la tradition, c'est-à-dire en même temps d'une discussion
avec elle, par quoi elle accède à une lumière nouvelle. Ces deux raisons de nous reporter à la thèse
kantienne sur l'Être nous donnent une impulsion
à la méditation.

La thèse de Kant sur l'Être suivant la forme qu'elle prend dans son ouvrage principal, dans la *Critique de la Raison pure* (1781), s'énonce :

> « *Être* n'est manifestement pas un prédicat réel, c'est-à-dire un concept de quelque chose qui pourrait s'ajouter au concept d'une chose. C'est seulement la position d'une chose, ou de certaines déterminations en elles-mêmes » (A 598, B 626 [1]).

En regard de ce qui aujourd'hui *est*, de ce qui nous oppresse comme l'étant et nous menace comme non-être possible, la thèse de Kant sur l'Être nous paraît abstraite, pauvre et pâle. Car entre-temps on a exigé aussi de la philosophie qu'elle ne se contente plus d'interpréter le monde et de se perdre en spéculations abstraites ; il s'agirait, au contraire, de transformer pratiquement le monde. Toutefois la transformation du monde ainsi évoquée suppose d'abord que la pensée se modifie, tout comme derrière l'exigence en question se tient déjà une transformation de la pensée (cf. Karl Marx, *L'Idéologie allemande :* « A. *Thèses sur Feuerbach*, 11 » : « Les philosophes n'ont fait qu'*interpréter* diversement le monde, il s'agirait de le *transformer*. »

Mais de quelle façon la pensée peut-elle se modifier si elle ne se met pas sur le chemin qui conduit au digne-d'être-pensé ? Que ce soit précisément l'Être qui se donne comme le digne-d'être-pensé, cela n'est ni une hypothèse gratuite, ni une invention arbitraire. C'est le dire d'une tradition qui nous détermine encore aujourd'hui et cela d'une façon bien plus décisive qu'on ne voudrait le reconnaître

---

1. Cf. Tremesaygues et Pacaud, p. 429.

La thèse kantienne ne nous surprend et ne nous
paraît pauvre et abstraite que si nous nous dis-
pensons de réfléchir à ce que Kant en dit pour
l'éclaircir et à la façon dont il le dit. Il nous faut
suivre le chemin qu'il prend pour éclaircir sa thèse.
Il faut nous mettre sous les yeux le champ dans
lequel court le chemin. Il faut considérer le site *(Ort)*
auquel appartient ce que Kant situe *(erörtert)*
sous le terme d' « Être ».

Si nous tentons pareille entreprise, alors se montre
quelque chose d'étonnant. Kant, en effet, ne fournit des éclaircissements pour sa thèse qu' « épiso-
diquement », c'est-à-dire sous forme de supplé-
ments, de remarques, d'appendices à ses ouvrages
principaux. La thèse n'est pas établie, ainsi qu'il
conviendrait à son contenu et à sa portée, comme
la proposition de base d'un système, et n'est pas
développée systématiquement. Ce qui ressemble
ainsi à un défaut a pourtant l'avantage de laisser
se formuler chaque fois, aux différents endroits
épisodiques, une réflexion originelle de Kant qui
ne prétend jamais être la dernière.

L'exposé qui suit doit imiter la façon de procéder de Kant. Il est animé par l'intention de
laisser voir comment, à travers tous les éclaircissements de Kant, c'est-à-dire à travers sa position
philosophique fondamentale, transparaît partout
l'idée directrice de la thèse, même si celle-ci ne
constitue pas la charpente expressément bâtie
pour servir d'architectonique à son œuvre. C'est
pourquoi la démarche suivie ici consiste à mettre
en regard les textes appropriés de telle façon qu'ils
s'éclairent mutuellement et qu'ainsi apparaisse
tout de même ce qui ne peut être exprimé directement.

C'est seulement quand nous re-pensons ainsi la

thèse de Kant, que nous éprouvons ce qu'il y a de difficile, mais aussi ce qu'il y a de décisif et de digne-de-question dans la question de l'Être. C'est alors que s'éveille la réflexion cherchant à savoir si et jusqu'à quel point la pensée d'aujourd'hui est déjà habilitée à tenter un examen de la thèse kantienne, c'est-à-dire à se demander où la thèse kantienne sur l'Être prend son fondement, en quel sens elle admet un fondement, de quelle manière elle peut être « située ». Les tâches de la pensée ainsi définies dépassent les possibilités d'une première tentative pour l'exposer, et dépassent aussi les capacités de la pensée qui, aujourd'hui encore, est courante. D'autant plus urgente demeure donc une réflexion se mettant à l'écoute de la tradition, qui ne soit pas à la remorque du passé mais qui médite le présent. Répétons la thèse de Kant :

> « *Être* n'est manifestement pas un prédicat réel, c'est-à-dire un concept de quelque chose qui pourrait s'ajouter au concept d'une chose. C'est seulement la position d'une chose, ou de certaines déterminations en elles-mêmes. »

La thèse kantienne contient deux énoncés. Le premier est un énoncé négatif qui dénie à l'Être le caractère d'un prédicat réel, mais non toutefois celui d'un prédicat en général. En accord avec cela, l'énoncé affirmatif qui suit caractérise l'Être comme « seulement la position ».

Même maintenant que le contenu de la thèse se trouve réparti sur ces deux énoncés, nous nous défendons difficilement de l'opinion qu'à propos du mot « Être » on ne peut rien penser. Cependant l'embarras qui régnait diminue, et la thèse kantienne devient plus familière si, avant de pousser plus avant notre examen, nous sommes attentifs à la place où, à l'intérieur de la construction et de la démarche de la *Critique de la Raison pure*, Kant énonce sa thèse.

Rappelons en passant un événement indéniable : la pensée occidentale-européenne est dominée par la question : « Qu'est-ce que l'étant? » C'est de cette façon qu'elle questionne en direction de l'Être. Dans l'histoire de cette pensée Kant accomplit, et précisément par la *Critique de la Raison pure*, un tournant décisif. Nous nous « attendons », par conséquent, à ce que ce soit avec la « situation » de l'Être et l'élaboration de sa thèse que Kant introduise l'idée directrice de son ouvrage principal. Ce n'est pas le cas. Au contraire, nous ne rencontrons cette thèse qu'au dernier tiers de la *Critique de la Raison pure*, et cela dans la section qui est intitulée : « De l'impossibilité d'une preuve ontologique de Dieu » (A 592, B 620) [1].

Si cependant nous revenons une fois encore à l'histoire de la pensée occidentale-européenne, nous apprenons alors que la question de l'Être, en tant que question de l'Être de l'étant, a deux formes. Elle demande d'abord : qu'est-ce qu'en général l'étant en tant qu'étant? Les considérations relatives à cette question se rangent dans l'histoire de la philosophie sous la rubrique : ontologie. Mais la question : « qu'est-ce que l'étant? » demande aussi : quel est l'étant dans le sens de l'étant suprême et comment est-il? C'est la question relative au divin et à Dieu. Le domaine de cette question s'appelle théologie. Les deux formes de la question de l'Être de l'étant se laissent rassembler sous la rubrique : onto-théologie. La double ques-

1. Cf. T. et P., p. 425.

tion : qu'est-ce que l'étant? s'énonce d'une part : qu'est-ce que (en général) l'étant? et d'autre part elle s'énonce : qu'est-ce que (lequel) est (absolument) l'étant?

Le caractère double de la question de l'étant doit manifestement tenir à la façon dont l'Être de l'étant se montre. L'Être se montre dans le caractère de ce que nous appelons fondement *(Grund.)* L'étant en général est le fondement dans le sens de la base *(Boden)* sur laquelle s'appuie toute considération ultérieure de l'étant. L'étant en tant qu'étant suprême est le fondement dans le sens de ce qui conduit à l'Être tout étant.

Que l'Être soit défini comme fondement, c'est ce qui, jusqu'à présent, est considéré comme la chose la plus naturelle; et pourtant c'est ce qui est le plus digne-de-question. Jusqu'où s'étend la définition de l'Être comme fondement, sur quoi repose l'essence du fondement, il n'est pas possible de l'examiner ici. Toutefois, même à une réflexion apparemment extérieure s'impose le soupçon que, dans la définition kantienne de l'Être comme position, se cache une parenté avec ce que nous appelons fondement. *Positio, ponere,* veut dire : poser, placer, disposer, être disposé, être *pro*-posé, être posé à la racine.

Dans le déroulement de l'histoire du questionnement onto-théologique naît la tâche non seulement de montrer ce qu'est l'étant suprême, mais de démontrer que ce qu'il y a de plus étant dans l'étant *est* que Dieu existe. Les termes d'existence *(Existenz)*, d'être-là *(Dasein)*, de réalité *(Wirklichkeit)* désignent un mode de l'Être.

En l'année 1763, presque deux décades avant la parution de la *Critique de la Raison pure*, Kant publia un écrit sous le titre *De l'unique preuve*

possible de l'existence de Dieu. La « première considération » de cet écrit traite des concepts « d'existence en général » et d' « être en général ». Nous
rencontrons déjà ici la thèse kantienne sur l'Être
et cela également sous la double forme de l'énoncé
négatif et affirmatif. La formulation des deux
énoncés concorde d'une certaine façon avec celle
de la *Critique de la Raison pure.* L'énoncé négatif
dans l'écrit précritique se formule : « L'existence
n'est absolument pas un prédicat ou une détermination d'un quelconque objet. » L'énoncé affirmatif
dit : « Le concept de position [1] est parfaitement
simple et ne fait qu'un avec celui d'Être en
général. »

Il s'agissait uniquement jusqu'ici d'indiquer
que Kant exprime sa thèse dans le cadre des questions de la théologie philosophique. Celle-ci domine
la totalité de la question sur l'Être de l'étant, c'est-
à-dire la métaphysique dans son contenu essentiel.
On voit par là que la thèse sur l'Être n'est pas un
point de doctrine accessoire, abstrait, comme la
formulation pourrait facilement nous le laisser
croire d'abord.

Dans la *Critique de la Raison pure,* l'énoncé négatif
et restrictif est introduit par « manifestement ».
Par conséquent, ce qu'il dit doit aussitôt être clair
pour chacun : Être — « manifestement » ce n'est
pas un prédicat réel. Pour nous, hommes d'aujour-
d'hui, cette proposition n'est en aucune façon
immédiatement intelligible. Être — cela signifie
évidemment réalité. Comment Être peut-il alors
ne pas avoir la valeur d'un prédicat réel? C'est
que pour Kant le mot « réel » garde encore sa signi-

---

1. En allemand : « Der Begriff der *Position* oder *Setzung.* »
Les deux termes sont équivalents.

fication originelle. Il indique ce qui appartient à une *res*, à une chose, au contenu positif d'une chose. Un prédicat réel, une détermination qui appartient à la chose, est, par exemple, le prédicat « lourd » rapporté à la pierre, peu importe si la pierre existe effectivement ou non. Ainsi, dans la thèse kantienne, « réel » ne signifie pas ce que nous entendons aujourd'hui quand nous parlons de politique réaliste *(Realpolitik)*, qui tient compte des faits, de ce qui existe effectivement. Réalité *(Realität)* signifie pour Kant non point ce qui existe effectivement *(Wirklichkeit)*, mais ce qui appartient à la chose *(Sachheit)*. Un prédicat réel est celui qui fait partie du contenu positif d'une chose et qui peut lui être attribué. Et le contenu positif d'une chose nous nous le représentons dans son concept. Nous pouvons nous représenter ce que désigne le mot « une pierre » sans que ce qui est ainsi représenté doive exister réellement comme une pierre qui se trouve là devant nous.

Existence, être-là, c'est-à-dire Être, dit la thèse kantienne, n'est « manifestement pas un prédicat réel ». Ce qui est patent dans cet énoncé négatif apparaît dès que nous pensons le mot « réel » dans le sens de Kant. Être n'est rien de réel.

Comment cela? Nous disons pourtant d'une pierre qui se trouve devant nous : elle, cette pierre, existe. Cette pierre *est*. Ainsi le « est », c'est-à-dire l'Être comme prédicat, se montre tout aussi manifestement, à savoir dans l'énoncé où est prise cette pierre comme sujet. Et Kant ne nie pas, dans la *Critique de la Raison pure*, que l'existence affirmée à propos d'une pierre qui se trouve là soit un prédicat. Mais le « est » n'est pas un prédicat *réel*. A quoi attribuons-nous alors le « est »? Manifestement à la pierre qui se trouve là. Et que dit ce

« est » dans la proposition : « Cette pierre-ci est »?
Il ne dit rien de *ce que (was)* la pierre est en tant
que pierre; il dit toutefois *que (dass)*, ici, ce qui
appartient à la pierre existe, est. Que signifie
alors Être? Kant répond par l'énoncé affirmatif
de sa thèse : Être « est seulement la position d'une
chose, ou de certaines déterminations en elles-
mêmes ».

Les termes de cet énoncé conduisent facilement
à l'idée que l'Être en tant que « seulement la position d'une chose » concerne la chose au sens de
chose en soi et pour soi. Mais dans la mesure où cette
thèse est formulée dans la *Critique de la Raison
pure* elle ne saurait avoir cette signification. Chose
a ici le sens de : quelque chose, ce que Kant désigne
aussi par objet [1]. Kant ne dit pas non plus que la
position concerne la chose avec toutes ses déterminations réelles; mais il dit : seulement la position de la chose, ou de certaines déterminations en
elles-mêmes. Nous laissons pour le moment en
suspens la question de savoir comment il faut
interpréter l'expression « ou de certaines déterminations ».

La formule « en elles-mêmes » ne signifie pas :
quelque chose « en soi », quelque chose qui existe
sans relation avec une conscience. Il faut comprendre le « en elles-mêmes » comme la détermination
opposée à ce qui est représenté en tant que ceci ou
cela par rapport à autre chose. Ce sens de « en elles-
mêmes » s'exprime déjà dans le fait que Kant dit :
Être « est seulement la position ». Ce « seulement »
a l'air d'une restriction, comme si la position était
quelque chose de plus mince que la réalité, c'est-
à-dire que le contenu réel d'une chose. Le « seule-

1. En allemand : *Objekt oder Gegenstand.*

ment » indique toutefois que l'Être ne se laisse jamais expliquer à partir de *ce qu'*un étant est toujours, c'est-à-dire, selon Kant, à partir du concept. Le « seulement » n'exprime pas une restriction, mais assigne à l'Être un domaine à partir duquel seulement il est possible de le caractériser dans sa pureté. « Seulement » signifie ici : pur. « Être » et « est » appartiennent ainsi que toutes leurs significations et modalités à un domaine propre. Ils ne sont rien qui appartienne à la chose, c'est-à-dire, selon Kant, rien d'objectif.

Il faut par conséquent, pour penser « Être » et « est », un autre regard, un regard qui ne se laisse pas guider par la seule considération des choses et leur utilisation. Nous pouvons explorer et examiner sous tous ses angles une pierre qui se trouve là devant nous, et qui manifestement « est », jamais nous n'y découvrirons le « est ». Et pourtant cette pierre est.

Comment « Être » prend-il le sens de « seulement la position »? A partir de quoi et comment se définit le sens de l'expression : « pure position »? Cette interprétation de l'Être comme position ne demeure-t-elle pas pour nous étrange, voire arbitraire, et de toute façon plurivoque et par conséquent imprécise?

Kant lui-même traduit, il est vrai, « position » par *Setzung* [1]. Mais cela ne nous avance guère. Car notre mot allemand *Setzung* est tout aussi plurivoque que le *positio* latin. Cela peut signifier : 1. Poser, placer, disposer *(legen)* en tant qu'action. 2. Ce qui est posé *(das Gesetzte)*, le thème. 3. La qualité d'être posé *(die Gesetztheit)*, la situation, la composition *(die Verfassung)*. Mais nous pouvons comprendre encore les mots de position et de

---

1. Cf. plus haut, n. 3.

Setzung selon un sens unique : la position d'un posé en tant que tel dans sa qualité-d'être-posé.

Dans chacun des cas, la définition de l'Être comme position fait apparaître une plurivocité qui n'est pas accidentelle et qui ne nous est pas non plus inconnue. Car elle joue partout dans le domaine de cette position et de cette présentation *(Stellen)* que nous connaissons comme la re-pré-sentation *(Vorstellen)*. Le vocabulaire technique de la philosophie dispose pour cela de deux termes spécifiques : représenter, c'est *percipere, perceptio,* tirer quelque chose à soi, saisir; et c'est *repraesen-tare,* tenir quelque chose en face de soi, rendre présent à soi. Dans l'acte de la représentation nous présentons quelque chose en face de nous de façon à ce qu'ainsi présenté cela se tienne opposé à nous en tant qu'objet. Être comme position indique la qualité-d'être-posé de quelque chose dans la repré-sentation qui pose. Suivant ce qui est posé et la manière dont c'est posé, la position, la *Setzung,* l'Être ont un sens différent. C'est pourquoi, après avoir établi sa thèse sur l'Être, Kant poursuit, dans le texte de la *Critique de la Raison pure :*

> « Dans l'usage logique, il [à savoir l'Être en tant que « seulement la position »] n'est que la copule d'un jugement. La proposition : *Dieu est tout-puissant* renferme deux concepts qui ont leurs objets : Dieu et toute-puissance; le petit mot *est* n'est pas du tout encore par lui-même un prédicat, mais c'est seulement ce qui met le prédicat [accusatif] *en relation* avec le sujet[1]. »

Dans le *Beweisgrund,* la relation posée par le « est » de la copule entre le sujet de la proposition

1. T. et P., p. 429.

et le prédicat s'appelle le *respectus logicus*. L'expression kantienne « l'usage logique » de l'Être laisse supposer qu'il existe encore un autre usage de l'Être. En même temps ce passage nous apprend déjà quelque chose d'essentiel sur l'Être. L'Être est « utilisé » *(gebraucht)* dans le sens de « employé ». Et cet usage s'accomplit par l'entendement, par la pensée.

Quel autre usage de l' « Être » et du « est » y a-t-il encore en dehors de l'usage logique? Dans la proposition « Dieu est », aucun prédicat réel, à contenu réel, n'est rapporté au sujet. Bien plutôt, c'est le sujet, Dieu, avec tous ses prédicats, qui est posé « en lui-même ». Le « est » veut dire maintenant : Dieu existe, Dieu est là. « Être-là », « existence » signifient certes Être, mais non pas « Être » et « est » dans le sens de la position de la relation entre le sujet de la proposition et le prédicat. La position de « est » dans la proposition « Dieu est » dépasse le concept de Dieu et ajoute à ce concept la chose même, l'objet Dieu en tant qu'existant. Être est employé ici, à l'encontre de son usage logique, du point de vue de l'objet existant en lui-même. C'est pourquoi nous pourrions parler de l'usage ontique ou, mieux, de l'usage objectif de l'Être. Dans l'écrit précritique Kant dit :

> « Si l'on ne considère pas uniquement cette relation (à savoir celle entre le sujet de la proposition et le prédicat), mais la chose posée en elle-même et pour elle-même, alors dans ce cas, Être équivaut à existence. »

Et le titre de la section en question commence :

> « L'existence est la position absolue d'une chose. »

Dans une note non datée (W. W. Akademie-ausgabe, XVIII, n. 6276), Kant résume brièvement ce qui vient d'être exposé :

> « Avec le prédicat de l'existence, je n'ajoute rien à la chose, mais j'ajoute la chose elle-même au concept. Dans une proposition relative à l'existence, je dépasse donc le concept non pas vers un prédicat différent de ce qui est pensé dans le concept, mais vers la chose même avec exactement les mêmes prédicats, ni plus ni moins, simplement de telle manière qu'à la position relative la pensée ajoute en plus la position absolue. »

Mais dès lors, la question de savoir si et comment et dans quelles limites la proposition « Dieu est » comme position absolue est possible, devient et demeure pour Kant l'aiguillon secret qui met en branle toute la pensée de la *Critique de la Raison pure* et qui anime les principales œuvres qui suivent. L'affirmation de l'Être comme position absolue, à la différence de la position relative en tant que position logique, fait croire, il est vrai, que dans la position absolue aucune relation n'est posée. Mais quand, à propos de la position absolue, il s'agit de l'usage objectif de l'Être dans le sens d'existence et d'être-là, alors il devient non seulement clair pour la réflexion critique, mais encore d'une évidence contraignante pour elle, qu'ici aussi une relation est posée et que par conséquent le « est » acquiert le caractère d'un prédicat, même si ce n'est pas celui d'un prédicat réel.

Dans l'usage logique de l'Être (a est b), il est question de la position de la relation entre le sujet de la proposition et le prédicat. Dans l'usage ontique de l'Être — cette pierre-ci est (« existe ») — il s'agit de la position de la relation entre le je-sujet et l'objet, cela toutefois de telle manière que la relation sujet-prédicat s'intercale pour ainsi dire en travers de la relation sujet-objet. Cela implique : le « est » en tant que copule a dans l'énoncé d'une connaissance objective un sens tout autre et plus riche que le simple sens purement logique. Toujours est-il qu'on peut montrer que Kant n'arrive à cette idée qu'après une longue méditation, qu'il ne la formule que dans la deuxième édition de la *Critique de la Raison pure*. Six ans après la première édition, il est à même de dire ce qu'il en est du « est », c'est-à-dire de l'Être. C'est seulement la *Critique de la Raison pure* qui apporte à l'interprétation de l'Être comme position force et détermination.

Si quelqu'un avait interrogé Kant, à l'époque de la rédaction de son écrit précritique, le *Beweisgrund*, pour savoir comment il était possible de préciser davantage ce qu'il entendait par « existence » au sens de position absolue, alors Kant aurait renvoyé à son écrit où il est dit :

> « Ce concept [d'être-là et d'existence] est si simple qu'on ne peut rien dire pour l'expliciter. »

Kant ajoute même une remarque fondamentale qui nous donne un aperçu de sa position philosophique avant l'époque de la parution de la *Critique de la Raison pure :*

> « Si l'on se rappelle que l'ensemble de notre connaissance aboutit en fin de compte à des concepts irréductibles, on comprendra qu'il puisse y avoir des concepts presque irréductibles, c'est-à-dire des concepts dans lesquels les caractères sont à peine plus clairs et plus simples que la chose elle-même. Tel est le cas de notre explication

de l'existence. J'accorde volontiers que cette explication n'en éclaircit le concept que dans une très faible mesure. Mais, eu égard aux capacités de notre entendement, l'objet, de sa nature, ne comporte pas de plus grande clarté. »

La « nature de l'objet », c'est-à-dire ici l'essence de l'Être, ne permet pas un degré plus élevé de clarification. Toutefois, pour Kant, une chose est certaine d'avance : il envisage existence et Être « en relation avec les capacités de notre entendement ». Aussi dans la *Critique de la Raison pure* l'Être est-il défini encore et de nouveau comme position. Il est vrai que la réflexion critique n'atteint pas un degré plus élevé de clarification, dans le sens de la manière précritique d'expliciter et de décomposer en concepts. Mais la *Critique* parvient à un autre genre d'explication de l'Être et de ses différents modes que nous connaissons sous les noms d'Être-possible, d'Être-réel, d'Être-nécessaire.

Qu'est-il advenu? Que doit-il être advenu avec la critique de la Raison pure, du moment que la réflexion sur l'Être a été inaugurée comme une réflexion sur le rapport de l'Être « avec les capacités de notre entendement »? Kant lui-même nous donne la réponse dans la *Critique de la Raison pure* en constatant :

> « Personne n'a encore pu définir la possibilité, l'existence et la nécessité autrement que par une tautologie manifeste chaque fois qu'on a voulu en puiser la définition uniquement dans l'entendement pur » (A 244, B 302 [1]).

Il est vrai que Kant, dans sa période précritique, tente précisément encore une telle explication.

1. Cf. T et P., p. 220-221.

Entre-temps il acquit la conviction que le seul
rapport de l'Être et des modes d'Être « avec les
capacités de notre entendement » ne fournissait
pas un horizon suffisant à partir duquel pourrait
s'expliquer l'Être et les modes d'Être, c'est-à-dire
maintenant : à partir duquel pourrait se « justifier »
leur sens.

Que manque-t-il? Sous. quel rapport notre pensée
doit-elle envisager l'Être, en même temps que ses
modalités, pour pouvoir parvenir à une détermination satisfaisante de leur essence? Dans une remarque additionnelle de la deuxième édition de la
Critique de la Raison pure, il est dit (B 302) :

> La possibilité, l'existence et la nécessité « ne
> peuvent être *justifiées* par rien [c'est-à-dire éta-
> blies et fondées dans leur signification]... si l'on
> fait abstraction de toute intuition sensible (la
> seule que nous ayons [1]).

Sans cette intuition les concepts d'Être sont
privés de la relation à un objet, et c'est cette relation seule qui leur confère ce que Kant appelle leur
« signification ». Il est vrai que « Être » signifie la
position, la qualité d'être posé dans l'acte de poser
qu'accomplit la pensée comme opération de l'entendement. Mais cet acte de poser ne peut poser quelque chose comme objet, c'est-à-dire comme opposé,
et le faire surgir ainsi comme *ob*-stant, que dans
la mesure où quelque chose de posable est *donné*
à l'acte de poser par l'intuition sensible, c'est-à-
dire par l'affection des sens. Ce n'est que la position,
en tant que position d'une affection, qui nous permet de comprendre ce que signifie pour Kant
l'Être de l'étant.

---

1. Cf. T. et P., p. 221

Mais, dans l'affection par nos sens, c'est toujours une diversité de représentations qui nous est donnée. Pour que le donné « mouvant », le flux du divers, en vienne à se *stabiliser* et qu'ainsi un ob-*stant* puisse se montrer, il faut que le divers soit ordonné, c'est-à-dire qu'il soit lié. Toutefois cette liaison ne peut jamais venir des sens. Toute liaison provient selon Kant de ce pouvoir de représentation qui s'appelle entendement. Sa nature fondamentale réside dans l'acte de poser en tant que synthèse. La position a le caractère de la proposition, c'est-à-dire du jugement, par lequel quelque chose est proposé comme chose, par lequel un prédicat est attribué à un sujet par l'intermédiaire du « est ». Mais, dans la mesure où la position en tant que proposition se rapporte nécessairement à ce qui est donné dans l'affection, si un objet doit être connu par nous, alors le « est » en tant que copule acquiert, à partir de là, un sens nouveau. Kant ne définit ce sens que dans la deuxième édition de la *Critique de la Raison pure* (§ 19, B 140 sq. [1]). Il écrit au début du § 19 :

> « Je n'ai jamais pu être satisfait de l'explication que donnent les logiciens d'un jugement en général et qui est, à ce qu'ils disent, la représentation d'un rapport entre deux concepts. »

Eu égard à cette explication, Kant trouve « qu'ici reste indéterminé ce en quoi consiste ce *rapport* ». Kant déplore dans l'explication logique du jugement l'absence de ce sur quoi se fonde la position du prédicat par rapport au sujet. C'est seulement comme objet pour le je-sujet connaissant que le sujet

---

1. Cf. T. et P., p. 118.

grammatical de la proposition peut être un fondement. C'est pourquoi Kant poursuit, en commençant un nouveau paragraphe :

> « Mais, si je recherche plus exactement le rapport qui existe entre les connaissances données dans chaque jugement et si je les distingue, comme appartenant à l'entendement, du rapport qu'opèrent les lois de l'imagination reproductrice (lequel [rapport] n'a qu'une valeur subjective), je trouve alors qu'un jugement n'est pas autre chose que la manière de ramener des connaissances données à l'unité *objective* de l'aperception. Le rôle que joue la copule *est*, dans ces jugements, c'est de distinguer l'unité objective de représentations données de leur unité subjective. »

En essayant de réfléchir comme il se doit à ces propositions, nous devons être attentifs avant tout au fait que maintenant le « est » de la copule se trouve non seulement défini différemment, mais que par là le rapport du « est » avec l'unité de la liaison (du rassemblement) se manifeste.

L'appartenance réciproque de l'Être et de l'unité, de l'ἐόν et de l'ἕν, se manifeste déjà au grand commencement de la philosophie occidentale. Quand on nous cite aujourd'hui de but en blanc les deux expressions « Être » et « unité », nous sommes à peine capables de donner une réponse satisfaisante à propos de cette appartenance réciproque, ou même d'apercevoir la raison de cette appartenance; car nous ne pensons pas « unité » et unir à partir de l'essence rassemblante et dévoilante du λόγος, ni ne pensons « Être » comme présence se dévoilant, ni ne pensons l'appartenance, déjà laissée impensée par les Grecs, qui relie les deux.

Avant d'examiner comment, dans la pensée de

Kant, s'expose l'appartenance réciproque de l'Être
et de l'unité, et comment par là la thèse kantienne
sur l'Être révèle un contenu plus riche, et alors
seulement fondé, citons l'exemple donné par Kant,
qui nous fait comprendre le sens objectif du
« est » comme copule. Il s'énonce :

> « Si je considère la suite des représentations
> uniquement comme un processus subjectif, selon
> les lois de l'association, alors je pourrais dire
> seulement que, quand je porte un corps, je sens
> une impression de pesanteur; mais *non :* le corps
> lui-même *est* pesant; ce qui revient à dire que
> ces deux représentations sont liées dans l'objet,
> c'est-à-dire ne dépendent pas de l'état du sujet,
> et que ce n'est pas simplement dans la per-
> ception (aussi souvent qu'elle soit répétée) qu'elles
> sont accouplées [1]. »

Selon l'interprétation kantienne du « est »,
s'exprime là, dans l'objet, une liaison du sujet
de la proposition au prédicat. Chaque liaison
apporte avec elle une unité vers laquelle et en
laquelle elle lie le divers donné. Si toutefois l'unité
ne peut procéder de la liaison même, puisque
celle-ci a par avance besoin de celle-là, d'où vient
alors l'unité? Selon Kant, il faut la « chercher plus
haut », au-dessus de la position unifiante qu'opère
l'entendement. Elle est le ἕν (unité unifiante) à
partir duquel seulement surgit tout σύν (lié) de
chaque θέσις (position). C'est pourquoi Kant
l'appelle « l'unité originairement synthétique ».
Elle est d'avance déjà présente *(adest)* dans toute
représentation, dans la perception. Elle est l'unité
de la synthèse originaire de l'aperception. Comme

---

1. Cf. T. et P., p. 120.

elle rend possible l'Être de l'étant ou, en termes kantiens : l'objectivité de l'objet, elle est située plus haut, au-dessus de l'objet. Comme elle rend possible l'ob-jet en tant que tel, elle s'appelle « l'aperception transcendantale ». Kant dit à la fin du § 15 (B 131 [1]) qu'elle :

> « contient le principe même de l'unité de divers concepts dans les jugements et par suite [le principe] de la possibilité de l'entendement même dans son usage logique ».

Alors que dans son écrit précritique Kant se contente encore de dire qu'Être et existence, dans leur rapport aux capacités de l'entendement, ne peuvent pas être expliqués plus avant, il est parvenu par la critique de la Raison pure non seulement à clarifier plus spécialement les pouvoirs de l'entendement, mais encore à expliquer la possibilité même de l'entendement à partir de son fondement. En opérant ce retour vers le site de la possibilité de l'entendement, en faisant ce pas décisif menant de la réflexion précritique au questionnement critique, *une chose cependant demeure inchangée*. C'est le fil conducteur auquel Kant se tient dans l'établissement et dans l'élucidation de sa thèse sur l'Être : à savoir que l'Être et ses modalités sont à définir à partir de leur rapport à l'entendement.

Sans doute la définition critique plus originaire de l'entendement nous donne maintenant le moyen d'un éclaircissement également différent et plus riche de l'Être. Car les modalités, les types d' « existence » et leurs déterminations, entrent maintenant

1. Cf. T. et P., p. 109.

vraiment dans l'horizon de la pensée kantienne. Kant lui-même vit dans la certitude d'avoir atteint le site à partir duquel la définition de l'Être de l'étant peut être instituée. Ceci est de nouveau attesté par une citation qui ne se trouve que dans la deuxième édition de la *Critique de la Raison pure* (§ 16 B 134, remarque) [1] :

> « L'unité synthétique de l'aperception est donc ainsi le point le plus élevé où il faut nouer tout l'usage de l'entendement, même la logique entière et, après elle, la philosophie transcendantale; on peut dire que ce pouvoir [l'aperception en question] est l'entendement même. »

Aperception veut dire : 1. Participant d'avance à toute représentation en tant que l'unifiant; 2. Ce qui dans cette imposition de l'unité est en même temps tributaire de l'affection. Cette aperception ainsi comprise est « le point le plus élevé où *(an dem)* il faut nouer la logique entière ». Kant ne dit pas : auquel *(an den)* il faut nouer. Car ainsi toute logique serait nouée seulement après coup à quelque chose qui existerait sans cette « logique ». L'aperception transcendantale est plutôt le « point le plus élevé où » la logique dans son ensemble est déjà nouée et liée en tant que telle, point qu'elle accomplit dans la mesure où son essence entière dépend de l'aperception transcendantale; voilà pourquoi elle doit être pensée à partir de cette origine et seulement de cette façon.

Et que signifie ce « après elle » dans le texte? Cela ne veut pas dire que la logique entière soit posée en elle-même avant la philosophie transcendantale, mais veut dire : c'est uniquement et seule-

1 Cf. T. et P., p. 111

ment quand la logique dans son ensemble demeure cantonnée dans le site de l'aperception transcendantale qu'elle peut s'exercer à l'intérieur de l'ontologie critique, relative au donné de l'intuition sensible, à savoir comme fil conducteur de la détermination des concepts (catégories) et des principes de l'Être de l'étant. Il en est ainsi parce que le « premier acte pur de l'entendement [c'est-à-dire ce qui impose sa forme et sa norme à l'Être de l'étant] est le principe de l'unité *synthétique* et originaire de l'aperception » (§ 17, B 137)[1]. En ce sens ce principe est un principe d'unification, et l' « unité » n'est pas un simple être-ensemble, mais elle est unifiante et rassemblante, λόγος dans le sens initial, appliqué toutefois et adapté au Je-sujet. Ce λόγος tient en son pouvoir « la logique entière ».

Kant donne le nom de philosophie transcendantale à l'ontologie qui, transformée à la suite de la critique de la Raison pure, oriente la pensée vers l'Être de l'étant en tant qu'objectivité de l'objet de l'expérience. Elle a son fondement dans la logique. Mais la logique n'est plus logique formelle, mais logique définie à partir de l'unité synthétique et originaire de l'aperception transcendantale. L'ontologie trouve son fondement dans une telle logique. Et ce qui vient d'être exposé le confirme : Être et existence se définissent à partir de leur rapport à l'usage de l'entendement.

L'expression clef pour l'interprétation de l'Être de l'étant s'énonce encore maintenant : Être et Penser. Mais l'usage légitime de l'entendement repose sur le fait que la pensée en tant que représentation posante et jugeante se définit comme position et proposition à partir de l'aperception trans-

---

1. Cf. T. et P., p. 115.

cendantale et est relative à l'affection par les sens.
La pensée s'enfonce dans la subjectivité affectée
par la sensibilité, c'est-à-dire dans la subjectivité
finie de l'homme. « Je pense » veut dire : je lie une
diversité de représentations donnée par les sens
à partir de la visée préalable de l'unité de l'aperception qui s'articule en la multiplicité limitée des
concepts purs de l'entendement, c'est-à-dire des
catégories.

Ce qui va de pair avec l'analyse critique de
l'essence de l'entendement, c'est la limitation de
son usage, à savoir à la détermination de ce qui est
donné par l'intuition sensible et ses formes pures.
Inversement, la limitation de l'usage de l'entendement à l'expérience ouvre en même temps la voie à
une définition plus originaire de l'essence de l'entendement lui-même. Ce qui est posé dans la position
est le posé d'un donné qui, de son côté, par un tel
poser et un tel placer, devient pour cet acte le
posé-en-face-de-lui, l'ob-stant, le jeté-à-la-rencon-
tre-de-lui, l'ob-jet. La qualité d'être posé, c'est-à-
dire l'Être, se transforme en objectivité. Même si
Kant, dans la *Critique de la Raison pure*, parle
encore de chose, comme par exemple dans l'énoncé
affirmatif de sa thèse sur l'Être, alors « chose »
signifie toujours : ob-jet, ob-stant, dans le sens très
large d'un quelque chose de représenté, de l'X. C'est
pourquoi dans la préface à la deuxième édition de
la *Critique de la Raison pure*, Kant dit (B XXVII)[1]
que la critique

> « nous apprend à prendre l'objet dans deux sens,
> c'est-à-dire comme phénomène et comme chose en
> soi ».

[1]. Cf. T. et P., p. 23.

La critique distingue (A 235, B 294)[1] « tous les objets en général en phénomènes et en noumènes ». Ces derniers sont divisés en noumènes selon un sens négatif et un sens positif. Ce qui est représenté dans l'entendement pur en général sans être rapporté à la sensibilité, mais qui n'est et ne peut être connu, est considéré comme le X, qui n'est pensé que comme ce qui est à la base de l'objet phénoménal. Le noumène au sens positif, c'est-à-dire l'objet non sensible envisagé en lui-même, par exemple Dieu, demeure inaccessible à notre connaissance théorique parce que nous ne disposons d'aucune intuition non sensible à laquelle cet objet pourrait être immédiatement présent à lui-même.

La démarche de la *Critique de la Raison pure* n'abandonne ni la définition de l'Être comme position, ni en général le concept de l'Être. C'est pourquoi aujourd'hui encore se maintient l'erreur du néo-kantisme qui est de croire que par la philosophie kantienne a été « liquidé », comme on dit, le concept d'Être. Le sens de l'Être (présence constante) qui s'impose depuis les temps anciens se trouve, dans l'interprétation kantienne de l'Être comme objectivité de l'objet de l'expérience, non seulement maintenu, mais, par la définition « objectivité », il est de nouveau mis en lumière sous une forme remarquable, alors qu'il est comme caché, et même déformé, dans l'interprétation de l'Être comme substantialité de la substance qui prévaut ailleurs dans l'histoire de la philosophie. Ce faisant, Kant définit le « substantiale » tout à fait dans le sens de l'interprétation critique de l'Être comme objectivité : le substantiale ne signifie rien d'autre

---

1. Cf. T. et P., p. 216

« que le concept de l'objet en général, lequel
subsiste mais dans lequel on ne conçoit que le
sujet transcendantal indépendamment de tous
les prédicats » (A 414, B 441) [1].

Qu'il nous soit permis d'indiquer ici qu'il serait
bon de chercher à comprendre aussi selon son sens
littéral le mot d' « ob-jet [2] » dans le langage kantien,
dans la mesure où se fait entendre en lui la relation
au Je-sujet pensant, relation qui donne son sens à
l'Être comme position.

Pour autant que l'essence de la position se définit,
à partir de l'aperception transcendantale rapportée
à l'affection sensible comme proposition objective,
comme expression objective d'un jugement, il faut
aussi que le « point le plus élevé » de la pensée,
c'est-à-dire la possibilité même de l'entendement,
se révèle comme le fondement de toutes les propositions possibles et par conséquent comme *le principe fondamental*. Aussi le titre du paragraphe 17
(B 136) s'énonce-t-il ainsi :

*Le principe de l'unité synthétique de l'aperception
est le principe suprême de tout l'usage de l'entendement.*

En conséquence, l'interprétation systématique
de l'Être de l'étant, c'est-à-dire de l'objectivité
de l'objet de l'expérience, ne peut s'effectuer que
selon des principes. C'est dans cet état des choses
que se trouve posée la raison qui fait qu'avec Hegel,
en suivant le chemin qui passe par Fichte et Schelling, la *Science de la logique* devient la dialectique,
c'est-à-dire un mouvement de principes tournant
en cercle sur lui-même, qui est lui-même l'abso-
luité de l'Être. Kant introduit la *Représentation*

---

1. Cf. T. et P., p. 331.
2. En allemand : « *Gegen-stand* » *und* « *Ob-jekt.* »

systématique de tous les principes synthétiques de l'entendement pur par la proposition suivante (A 158/159, B 197/198) [1] :

> « Qu'en général il se trouve quelque part des principes, c'est uniquement à l'entendement pur qu'on le doit; car non seulement il est le pouvoir des règles par rapport à ce qui arrive, mais il est lui-même la source des principes et c'est lui qui oblige tout ce qui ne peut se présenter à nous qu'à titre d'objet à se soumettre à des règles, parce que, sans ces règles, les phénomènes ne fourniraient jamais la connaissance d'un objet qui leur correspondît. »

Les principes qui « expliquent » vraiment les modalités de l'Être s'appellent, selon Kant, « les postulats de la pensée empirique en général ». Kant remarque expressément, en ce qui concerne les « dénominations » des quatre groupes de la « Table des principes » (à savoir « *axiomes* de l'intuition », « *anticipations* de la perception », « *analogies* de l'expérience », « *postulats* de la pensée empirique en général »), qu'il « les a choisies avec soin pour qu'on remarque bien les différences qu'il y a entre l'évidence et la mise en pratique de ces principes » (A 161, B 200) [2]. Nous devons nous contenter ici d'indiquer les caractères du quatrième groupe, les postulats, et cela dans l'unique intention de faire voir comment se manifeste dans ces principes le concept clef de l'Être comme position.

Réservons l'éclaircissement du titre, « postulats », et rappelons toutefois que ce titre se retrouve au point le plus élevé de la métaphysique kantienne

---

1. T. et P., p. 162.
2. T. et P., p. 163-164

proprement dite, là où il s'agit des postulats de la raison pratique.

Les postulats sont des exigences. Qui ou qu'est-ce qui exige, et pourquoi? En tant que « postulats de la pensée empirique en général », ils sont exigés par cette pensée elle-même, à partir de sa source, à partir de l'essence de l'entendement, et cela pour rendre possible la position de ce que donne la perception sensible, par conséquent pour rendre possible la liaison de l'existence, c'est-à-dire de la réalité du divers des phénomènes. Le réel est toujours le réel d'un possible; et le fait que ce soit un réel renvoie en fin de compte à un nécessaire. « Les postulats de la pensée empirique en général » sont les principes qui expliquent l'Être-possible, l'Être-réel et l'Être-nécessaire, dans la mesure où se détermine par là l'existence de l'objet de l'expérience.

Le premier postulat s'énonce :

> « Ce qui s'accorde *(übereinkommt)* avec les conditions formelles de l'expérience [quant à l'intuition et aux concepts] est *possible.* »

Le deuxième postulat s'énonce :

> « Ce qui est en connexion *(zusammenhängt)* avec les conditions matérielles de l'expérience [de la sensation] est *réel.* »

Le troisième postulat s'énonce :

> « Ce dont la connexion avec la réalité est déterminée suivant les conditions générales de l'expérience est *nécessaire* [existe nécessairement]. »

Nous n'aurons pas la prétention de vouloir comprendre du premier coup le contenu de ces principes en toute transparence. Mais nous sommes tout de même déjà préparés pour une première compréhension, et cela parce que Kant déclare dans l'énoncé négatif de sa thèse sur l'Être :

> « *Être* n'est manifestement pas un prédicat réel. »

Cela implique : l'Être et par conséquent aussi les modes de l'Être — Être-possible, Être-réel, Être-nécessaire — n'expriment pas *ce qu'*est l'objet[1], mais le *comment* du rapport de l'objet au sujet. Eu égard à ce comment, ces concepts d'Être se nomment « modalités ». Kant lui-même commence en effet son éclaircissement des « postulats » par la phrase suivante :

> « Les catégories de la modalité contiennent ceci de particulier qu'elles n'augmentent pas le moins du monde, comme déterminations de l'objet, le concept [à savoir le concept du sujet de la proposition] auquel elles sont jointes comme prédicats, mais qu'elles n'expriment que le rapport au pouvoir de connaître » (A 219, B 266)[2].

Remarquons une nouvelle fois : Kant explique ici Être et existence non plus à partir du rapport au pouvoir *de l'entendement,* mais à partir du rapport au pouvoir *de connaître,* c'est-à-dire de toute façon à l'entendement, au pouvoir de juger, mais pourtant de telle sorte que ce pouvoir reçoit sa détermination du rapport à l'expérience (à la sensation). L'Être demeure, certes, position, mais il est maintenu dans la relation à l'affection. Dans les prédicats de l'Être-possible, de l'Être-réel et de l'Être-nécessaire réside une « détermination de l'objet », toutefois ce n'est qu'une « certaine » détermination, dans la mesure où quelque chose est

---

1. En allemand : *der Gegenstand, das Objekt.*
2. T. et P., p. 200.

affirmé de l'objet en lui-même, de lui en tant qu'objet, à savoir ce qui a rapport à son objectivité [1], ce qui a rapport à son existence propre et non point toutefois ce qui a rapport à sa réalité, c'est-à-dire à sa choséité [2]. Pour l'interprétation critique et transcendantale de l'Être de l'étant, la thèse précritique, que l'Être n'est « absolument pas un prédicat », n'est plus valable. L'Être en tant qu'Être-possible, Être-réel, Être-nécessaire, n'est certes pas un prédicat réel (ontique), mais un prédicat transcendantal (ontologique).

Nous comprenons seulement maintenant la tournure à première vue étrange qu'emploie Kant dans l'énoncé affirmatif de sa thèse sur l'Être dans le texte de la *Critique de la Raison pure*. « Être... est seulement la position d'une chose, ou de certaines déterminations en elles-mêmes. » « Chose » signifie ici, d'après le langage de la *Critique*, objet [3]. Les « certaines » déterminations de l'objet comme objet de la connaissance, ce sont les déterminations non réelles, les modalités de l'Être. En tant que telles, elles sont des positions. Dans quelle mesure cela se vérifie, c'est à partir du contenu des trois postulats de la pensée empirique en général que cela doit pouvoir s'éclaircir.

Nous ne sommes attentifs ici qu'à la question de savoir si et comment, dans l'interprétation kantienne des modes de l'Être, l'Être est pensé comme position.

L'*Être-possible* d'un objet consiste dans la qualité-d'être-posé de quelque chose, de telle sorte qu'il *s'accorde avec* ce qui se donne dans les formes

---

1. En allemand : *Objektivität, d. h. Gegenständigkeit.*
2. *Realität, d. h. Sachheit.*
3. *Objekt oder Gegenstand.*

pures de l'intuition, c'est-à-dire l'espace et le temps, et, en tant que se donnant ainsi, se laisse déterminer selon les formes pures de la pensée, c'est-à-dire les catégories.

L'*Être-réel* d'un objet est la qualité-d'être-posé d'un possible de telle façon que ce qui est posé soit *en connexion avec* la perception sensible.

L'*Être-nécessaire* d'un objet est la qualité-d'être-posé de ce qui *est enchaîné avec* le réel selon les lois générales de l'expérience.

> Possibilité, c'est : s'accorder avec...;
> réalité, c'est : être en connexion avec...;
> nécessité, c'est : s'enchaîner avec...

Dans chacune des modalités domine la position d'un rapport chaque fois différent avec ce qui est exigé pour l'existence d'un objet de l'expérience. *Les modalités sont des prédicats d'un rapport chaque fois exigé.* Les principes, qui expliquent ces prédicats, exigent ce qui est exigé pour l'existence possible, réelle, nécessaire d'un objet. C'est pourquoi Kant donne à ces principes le nom de postulats. Ils sont ceux de la pensée dans le double sens que, d'une part, les exigences procèdent *de* l'entendement comme de la source de la pensée, et que, d'autre part, ils valent également *pour* la pensée dans la mesure où par ses catégories elle doit déterminer le donné de l'expérience à être un objet qui existe. « Postulat de la pensée empirique en général » — ce « en général » signifie : les postulats sont, certes, nommés dans la table des principes de l'entendement pur, à la quatrième et dernière place seulement; toutefois, selon l'ordre, ils sont les premiers, dans la mesure où tout jugement relatif à un objet de l'expérience doit par avance s'accorder avec eux.

Les postulats désignent ce qui est par avance exigé pour la position d'un objet de l'expérience. Les postulats désignent l'Être qui appartient à l'existence de l'étant, qui en tant que phénomène est objet pour le sujet connaissant. La thèse de Kant sur l'Être est toujours valable : il est « seulement la position ». Mais l'on voit à présent que le contenu de la thèse est plus riche. Le « seulement » signifie la relation pure de l'objectivité des objets à la subjectivité de la connaissance humaine. Possibilité, réalité, nécessité sont les positions des différents modes de cette relation. Les différentes qualités de l'être-posé sont définies à partir de la source de la position originaire. Celle-ci est la synthèse pure de l'aperception transcendantale. Elle est l'acte originaire de la pensée connaissante.

Parce qu'Être n'est pas un prédicat *réel*, mais qu'il est néanmoins un prédicat, qu'il est donc attribué à l'objet sans toutefois pouvoir être tiré du contenu positif de l'objet, les prédicats ontologiques de la modalité ne peuvent pas procéder de l'objet; ils doivent bien plutôt (en tant que modes de la position) avoir leur origine dans la subjectivité. La position de l'existence et ses modalités se définissent à partir de la pensée. Ainsi résonne implicitement dans la thèse de Kant sur l'Être le mot clef :

Être et pensée.

Dans l' « élucidation » des postulats, et déjà auparavant dans l'exposition de la table des catégories, Kant distingue possibilité, réalité et nécessité, sans dire ni même seulement demander où gît le fondement de la distinction entre l'Être-possible et l'Être-nécessaire.

C'est seulement dix ans après la *Critique de la Raison pure* que Kant, vers la fin de la troisième de ses œuvres principales, la *Critique du jugement* (1790), soulève cette question, et de nouveau, il est vrai, « de façon épisodique » au paragraphe 76, qui porte le titre *Remarque*. Et c'est *Schelling* qui, à vingt ans, achève la remarque finale de sa première œuvre, parue cinq ans plus tard, en 1795, *Du moi comme principe de la philosophie ou de l'inconditionné dans le savoir humain*, par la phrase suivante :

> « Mais jamais peut-être tant de profondes pensées n'ont été rassemblées en si peu de pages que dans la *Critique du jugement* téléologique au paragraphe 76 » (*Œuvres philosophiques*, 1er volume, 1809, p. 114. W. W. I, 242).

Puisque ce que dit ici Schelling est juste, nous ne pouvons pas avoir la prétention de repenser suffisamment à fond ce paragraphe 76. Dans le cadre de cet exposé, il s'agit seulement de faire voir comment Kant continue de maintenir dans l'affirmation sur l'Être à laquelle nous faisons allusion la définition clef de l'Être comme position. Kant dit :

> « "Le fondement" de la distinction "nécessaire et inévitable pour l'entendement humain" entre la possibilité et la réalité des choses "se trouve dans le sujet et dans la nature de son pouvoir de connaître". »

Pour l'exercice de celui-ci « deux éléments tout à fait hétérogènes sont... requis » pour nous autres hommes. Comment cela? c'est que l'entendement et l'intuition sensible sont d'espèce tout à fait différente; l'un est exigé « pour les concepts », l'autre « pour les objets qui leur correspondent ». Notre

entendement ne peut jamais nous donner un objet.
Notre intuition sensible ne peut pas non plus poser
comme objet dans son objectivité ce qui est donné
par elle. Notre entendement, pris en lui-même,
peut penser à l'aide de ses concepts un objet uniquement selon sa possibilité. Pour reconnaître l'objet
comme réel, il lui faut l'affection par les sens. En
tenant compte de ces remarques, nous comprenons
la phrase décisive de Kant qui suit :

> « Or toute notre distinction entre ce qui est sim-
> plement possible et ce qui est réel repose sur ce que
> le premier signifie seulement la position de la repré-
> sentation d'une chose relativement à notre concept
> et en général [à] notre pouvoir de penser, mais le
> dernier [le réel] la position de la chose en elle-même
> (en dehors de ce concept) [1]. »

Il résulte des mots mêmes de Kant que possibilité et réalité sont des modes différents de la position. Cette distinction est inévitable pour nous
autres hommes, parce que la choséité d'un objet,
sa réalité, n'est objective pour nous que lorsque
l'objectivité en tant que donnée par les sens est
déterminée par l'entendement et lorsque inversement est donné à l'entendement ce qui est à déterminer par lui.

L'expression « réalité objective » — ce qui veut
dire la choséité posée comme objet — est employée
par Kant pour désigner l'Être de cet étant qui nous
est accessible comme objet de l'expérience. En
accord avec cela, Kant dit dans un passage décisif
de la *Critique de la Raison pure :*

> « Pour qu'une connaissance puisse avoir une
> réalité objective, c'est-à-dire se rapporter à un
> objet et avoir en lui sens et signification, il faut

1. Cf. trad. Gibelin, p. 204.

que l'objet puisse être donné de quelque façon »
(A 155, B 194)[1].

Renvoyer au caractère inévitable de la distinction entre possibilité et réalité et de son fondement,
cela fait apparaître ceci : dans l'essence de l'Être
de l'étant, dans la position, réside l'articulation de
la distinction nécessaire entre la possibilité et la
réalité. Avec cette perspective sur le fondement
de l'articulation de l'Être, semble être atteinte la
limite extrême de ce que Kant peut dire de l'Être.
En fait il semble en être ainsi, si nous n'avons en
vue que les résultats, au lieu de prêter attention
au chemin que parcourt Kant.

Toutefois Kant accomplit encore un pas supplé-
mentaire dans la détermination de l'Être, et cela
de nouveau d'une manière purement allusive, de
telle sorte qu'on n'aboutit pas à un exposé systématique de l'Être comme position.

Nous pouvons nous faire une idée claire de l'iné-
luctabilité de la démarche extrême de Kant en
faisant la réflexion suivante. Kant appelle ses énoncés sur l'Être « explication » et « éclaircissement ».
Tous deux doivent faire voir de façon claire et pure
ce qu'il entend par Être. Pour autant qu'il le définit
comme « seulement la position », il comprend l'Être
à partir d'un site délimité, savoir à partir de la
position comme acte de la subjectivité humaine,
c'est-à-dire de l'entendement humain dépendant du
donné sensible. Nous appelons « situation » la recon-
duction au site[2]. Expliquer et éclaircir ont pour
fondement « situer ». Par là se trouve d'abord fixé le
site, mais le réseau qui part du site *(Ortsnetz)* n'est
pas encore visible, c'est-à-dire ce à partir de quoi

1. T. et P., p. 160.
2. *Das Rückführen auf den Ort nennen wir Erörterung.*

se définit l'Être comme position, c'est-à-dire la position elle-même pour son propre compte.

Or Kant, à la fin de la partie positive de son interprétation de l'expérience humaine de l'étant et de son objet, c'est-à-dire à la fin de son ontologie critique, a ajouté un appendice sous le titre : *De l'amphibologie des concepts de la réflexion.* Il est à présumer que cet « appendice » a été intercalé très tard, seulement après l'achèvement de la *Critique de la Raison pure.* Du point de vue de l'histoire de la philosophie, il introduit le débat de Kant avec Leibniz. Considéré du point de vue de la pensée propre de Kant, cet « appendice » contient une méditation qui revient en arrière sur la démarche accomplie par sa pensée et sur le chemin ainsi parcouru. La méditation qui revient en arrière est elle-même un pas de plus, le pas extrême, que Kant a accompli dans l'interprétation de l'Être. Dans la mesure où cette interprétation consiste en une restriction de l'usage de l'entendement à l'expérience, il est question en elle de la délimitation de l'entendement. C'est pourquoi Kant dit dans la « remarque » à cet « appendice » (A 280, B 336)[1] que la « situation » des concepts de la réflexion est « d'une grande utilité pour déterminer de façon sûre et assurer les limites de l'entendement ».

L' « appendice » confirme l'assurance avec laquelle la *Critique de la Raison pure* kantienne garantit dans sa portée la connaissance théorique de l'homme. Nous devons nous contenter ici aussi d'une indication qui doit simplement montrer dans quelle mesure Kant dessine dans cet appendice les perspectives du réseau-du-site[2] auquel appartient

1. T. et P., p. 243.
2. *Ortsnetz.*

l'Être comme position. Dans l'interprétation de l'Être comme position, il est impliqué que la position et la qualité-d'être-posé de l'objet sont expliquées à partir des différentes relations au pouvoir de connaître, c'est-à-dire dans le rapport qui retourne à lui, dans le fléchissement en arrière, dans la ré-flexion. Que l'on prenne maintenant en considération ces différentes relations réflexives vraiment en tant que telles et qu'ainsi on les compare les unes aux autres, il devient alors manifeste que l'interprétation de ces relations réflexives doit se faire selon certains points de vue.

Cette considération se dirige alors « sur l'état de l'âme » *(Gemüt)*, c'est-à-dire sur le sujet humain. La considération ne porte plus directement sur l'objet de l'expérience, elle se fléchit en arrière vers le sujet qui fait l'expérience, elle est réflexion. Kant parle de *Überlegung*. Que maintenant la réflexion porte son attention sur ces états et relations de la représentation par lesquels la délimitation en général de l'Être de l'étant est rendue possible, alors la réflexion sur le réseau-du-site dans le site de l'Être devient une réflexion transcendantale. Conformément à cela, Kant écrit :

> « L'acte par lequel je rapproche la comparaison des représentations en général de la faculté de connaître où elles se placent, et par lequel je distingue si c'est comme appartenant à l'entendement pur ou à l'intuition sensible qu'elles sont comparées entre elles, cet acte je le nomme la *réflexion transcendantale* » (A 261, B 317)[1].

Avec l'élucidation de l'*Être-possible* comme position entrait en jeu le rapport aux conditions for-

---

1. T. et P., p. 232.

melles de l'expérience et par là le concept de *forme*.
Avec l'élucidation de l'*Être-réel* venaient les conditions matérielles de l'expérience et par là le concept
de *matière*. L'élucidation des modalités de l'Être
comme position s'accomplit par conséquent du
point de vue de la différence entre matière et forme.
Elle fait partie du réseau-du-site en vue du site de
l'Être comme position.

C'est parce qu'à l'aide de ces concepts la relation
réflexive est définie, qu'ils s'appellent concepts de
la réflexion. Cependant la façon et le mode selon
lesquels les concepts sont définis sont eux-mêmes
une réflexion. La définition extrême de l'Être comme
position s'accomplit pour Kant dans une réflexion
sur la réflexion — donc dans un mode remarquable
de la pensée. Cet état de choses rend plus légitime
de placer la méditation kantienne sous le titre : *Être
et pensée.* Ce titre semble parler sans ambiguïté. Néanmoins des éléments non éclaircis s'y dissimulent.

Il apparut, à propos de l'élucidation et de la justification de la différence entre possibilité et réalité,
que la position du réel allait au-delà du simple
concept du possible vers l'extériorité, face à l'inté-
riorité de l'étant subjectif du sujet. Par là entre en
jeu la distinction entre « interne » et « externe ».
L'interne désigne les déterminations internes d'une
chose, celles qui découlent de l'entendement *(qua-
litas-quantitas)*, à la différence de l'externe, c'est-à-
dire des déterminations qui apparaissent dans
l'intuition de l'espace et du temps comme les rapports extérieurs des choses entre elles en tant que
phénomènes. La différence entre ces concepts
(concepts de la réflexion) et ces concepts eux-mêmes
découlent de la réflexion transcendantale.

Avant les concepts transcendantaux de la
réflexion dont on vient de parler : « matière et

forme », « intérieur et extérieur », Kant cite encore
« identité et différence », « convenance et disconve-
nance ». Toutefois, à propos des concepts « matière
et forme », nommés en quatrième et dernier lieu,
Kant ajoute :

> « Ce sont là deux concepts qui servent de
> principes à toute autre réflexion, tant ils sont
> inséparablement liés à tout usage de l'entende-
> ment. Le premier [la matière] signifie le déter-
> minable en général, le second sa détermination »
> (A 266, B 322) [1].

Déjà la simple énumération des concepts de la
réflexion nous donne une indication en vue d'une
compréhension plus radicale de la thèse de Kant
sur l'Être comme position. La position apparaît
dans l'articulation de la forme et de la matière. Cela
est interprété comme la différence entre le déterminant et le déterminable, c'est-à-dire en fonction
de la spontanéité de l'action de l'entendement dans
son rapport avec la réceptivité de la perception
sensible. L'Être comme position est « situé », c'est-
à-dire soumis à l'articulation de la subjectivité
humaine comme site de sa provenance essentielle.

L'accès à la subjectivité est la réflexion. Dans la
mesure où la réflexion en tant que transcendantale
ne se dirige pas directement sur les objets, mais sur
la relation de l'objectivité des objets à la subjectivité du sujet, dans la mesure où, par conséquent,
le thème de la réflexion est déjà en lui-même, en
tant qu'il est une telle relation, un retour au je
pensant, la réflexion par laquelle Kant élucide et
« situe » l'Être comme position apparaît comme une
réflexion sur la réflexion, comme une pensée de la
pensée rapportée à la perception. Le mot clef déjà

1. T. et P., p. 235.

plusieurs fois mentionné à propos de l'interprétation kantienne de l'Être, le titre *Être et pensée*, parle
maintenant avec plus de clarté et montre un contenu
plus riche. Néanmoins ce titre clef demeure encore
obscur dans son sens décisif. Car il se dissimule
dans sa formulation lapidaire une ambiguïté qu'il
faut examiner, si l'on veut que le titre *Être et pensée*
ne caractérise pas uniquement l'interprétation kantienne de l'Être, mais qu'il indique le trait fondamental qui constitue la marche même de l'ensemble
de l'histoire de la philosophie.

Avant de mettre en lumière, pour finir, l'ambiguïté que nous indiquons, il pourrait être profitable
de montrer, même si ce n'est qu'à grands traits,
comment, dans l'interprétation kantienne de l'Être
comme position, parle la tradition. Nous retenons
déjà du premier écrit de Kant, du *Beweisgrund*, que
l'explication de l'Être s'effectue en fonction du
Dasein, parce que le thème de la méditation est la
« démonstration du *Dasein* de Dieu ». Au lieu de
Dasein, le langage de la métaphysique dit aussi
Existenz. Il suffit de considérer ce mot pour reconnaître dans le *sistere*, le placer, la liaison avec le
ponere et la position ; l'*existentia* est l'*actus, quo res
sistitur, ponitur extra statum possibilitatis* (cf. Heidegger, *Nietzsche*, 1961, vol. II, p. 417 et suiv.).

Il va de soi que nous devons renoncer dans de
pareils renvois au rapport instrumental et calcula-
teur avec le langage, rapport qui domine, et demeurer
ouverts à la force et à la portée de son dire, force
et portée qui viennent à nous de loin.

En espagnol, le mot pour Être se dit : *ser*. Il
dérive de *sedere*, être assis. Nous parlons de « résidence ». C'est ainsi que se nomme le lieu où séjourne
l'habiter. Séjourner c'est être présent auprès de...
Hölderlin voudrait « chanter les sièges des princes

et de leurs aïeux ». Mais il serait insensé de croire que la question de l'Être puisse se formuler à travers une analyse de significations de mots. Cependant l'écoute du dire du langage, si les précautions nécessaires sont prises et si nous sommes attentifs aux liaisons du dire, peut nous fournir des indications sur la chose de la pensée.

Cette dernière doit poser la question : que veut dire Être, pour qu'il se laisse définir, à partir de la représentation, comme position et qualité-d'être-posé? C'est là une question que Kant ne pose plus, pas plus qu'il ne pose les questions suivantes : que veut donc dire Être, pour que la position se laisse définir par l'articulation de la forme et de la matière? que veut donc dire Être, pour qu'avec la définition de la qualité-d'être-posé du posé, celui-ci se présente sous la double forme du sujet, d'une part en tant que sujet de la proposition en rapport avec le prédicat, d'autre part en tant que Je-sujet en rapport avec l'objet? Que veut donc dire Être, pour qu'il soit déterminable à partir du subjectum, c'est-à-dire en grec de l'ὑποκείμενον? Le subjectum est ce-qui-d'avance-est-déjà-posé-là, parce que constamment présent. Parce que l'Être est défini comme présence, l'étant est ce-qui-se-trouve-là et ce-qui-se-trouve-posé-là, ὑποκείμενον. Le rapport à l'étant est le laisser-être-posé-là comme mode du poser, du *ponere*. C'est là-dedans que réside la possibilité du poser et du présenter. Parce que l'Être s'éclaire comme présence, le rapport à l'étant comme à ce-qui-est-posé-là peut devenir le poser, le présenter, le représenter et le proposer. Dans la thèse de Kant sur l'Être comme position, mais aussi dans tout le domaine de son interprétation de l'Être de l'étant comme objectivité et réalité objective, prévaut l'Être au sens de présence qui dure.

L'Être comme seulement la position se développe dans les modalités. L'étant est posé dans sa position par la proposition rapportée à l'affection sensible, c'est-à-dire par le pouvoir empirique de juger dans l'usage empirique de l'entendement, dans la pensée ainsi déterminée. L'Être est élucidé et « situé » à partir du rapport à la pensée. Élucidation et « situation » ont le caractère de la réflexion, qui se fait jour comme pensée sur la pensée.

Qu'est-ce qui demeure, à présent, encore obscur dans le titre clef « Être et pensée » »? Si nous remplaçons, dans ce titre, ce qui a résulté de l'exposé de la thèse de Kant, alors nous dirons au lieu de Être : position, au lieu de pensée : réflexion de la réflexion. Alors le titre « Être et pensée » veut dire la même chose que : position et réflexion de la réflexion. Ce qui se trouve ici de part et d'autre de la conjonction « et » est, au sens kantien, élucidé.

Mais que signifie le « et » dans « Être et pensée » »? On n'est pas embarrassé pour répondre et on s'en acquitte facilement. On se réfère volontiers pour cela à une des plus vieilles propositions de la philosophie, à la parole de Parménide qui dit : τὸ γὰρ αὐτὸ νοεῖν ἐστίν τε καὶ εἶναι. « Car le même est penser et être. »

Le rapport entre pensée et Être est l'identité [1]. Le titre clef « Être et pensée » dit : Être et pensée sont identiques. Comme si la question de ce que signifie identique était résolue, comme si le sens de l'identité était évident, et cela justement dans le « cas » remarquable de la relation entre Être et pensée. Tous deux ne sont manifestement rien qui ressemble à des choses et à des objets, entre lesquels on pourrait impunément établir des relations calcu-

1. En allemand : *die Selbigkeit, die Identität.*

lées et réciproques. En aucun cas « identique » n'a le sens de « pareil ». Être *et* pensée : dans ce *et* se cache le digne-d'être-pensé aussi bien de la philosophie passée que de la pensée d'aujourd'hui.

Toutefois l'exposé de la thèse kantienne a montré de façon indubitable que l'Être comme position est déterminé à partir de la relation à l'usage empirique de l'entendement. Le « et » dans le titre clef indique cette relation qui, d'après Kant, a sa racine dans la pensée, c'est-à-dire dans un acte du sujet humain.

De quelle nature est cette relation? La dénomination de la pensée comme réflexion de la réflexion nous donne une indication, seulement approximative il est vrai, pour ne pas dire trompeuse. La pensée est en jeu d'une double façon : d'abord comme réflexion et ensuite comme réflexion de la réflexion. Mais que veut dire tout cela?

En admettant que caractériser la pensée comme réflexion suffise à définir le rapport à l'Être, cela signifie alors : la pensée comme simple acte de poser pro-pose l'horizon sur lequel quelque chose comme la qualité-d'être-posé, l'objectivité, peut être aperçu. La pensée fonctionne comme proposition de l'horizon en vue de l'élucidation de l'Être comme position et de ses modalités.

La pensée comme réflexion de la réflexion désigne par contre la méthode ainsi que l'instrument et l'organon grâce auxquels l'Être aperçu sur l'horizon de l'objectivité est interprété. La pensée comme réflexion désigne l'horizon, la pensée comme réflexion de la réflexion désigne l'organon de l'interprétation de l'Être de l'étant. Dans le titre clef « Être et pensée », la pensée, dans le sens essentiel qui vient d'être indiqué, demeure ambiguë, et cela à travers toute l'histoire de la pensée occidentale.

Mais qu'en est-il alors si nous entendons l'Être, dans le sens de la pensée grecque initiale, comme présence qui s'éclaire et qui dure du permanent, et non pas seulement et d'abord comme la qualité-d'être-posé dans la position par l'entendement? Est-ce que la pensée représentative est capable de dessiner l'horizon de cet Être dans son aspect initial? Manifestement non, s'il est vrai que la présence qui éclaire et qui dure est profondément différente de la qualité-d'être-posé, même si cette qualité-d'être-posé demeure dans une affinité avec cette présence, parce que c'est à la présence que la qualité-d'être-posé est redevable de l'origine de son essence.

S'il en va ainsi, ne faut-il pas que la *façon* d'interpréter l'Être, la manière de penser, ait un caractère différent, s'accordant avec cela? Depuis les temps anciens la théorie de la pensée s'appelle « logique ». Mais si désormais la pensée dans son rapport à l'Être est ambiguë en tant que pro-position d'horizon et en tant qu'organon, ce qui s'appelle « logique » ne demeure-t-il pas, dans la perspective indiquée, également ambigu? Est-ce que la « logique » en tant qu'organon et en tant qu'horizon de l'interprétation de l'Être ne devient pas foncièrement digne-de-question? Une méditation qui va dans ce sens ne se tourne pas contre la logique, mais s'applique à définir d'une façon suffisante le λόγος, c'est-à-dire la parole dans laquelle l'Être se porte au langage comme ce qui pour la pensée est *le* digne-d'être-pensé.

Dans le « est » sans apparence se cache tout le digne-d'être-pensé de l'Être. Le plus digne-d'être-pensé en cela demeure toutefois que nous nous demandions si « Être », si le « est », peut lui-même être, ou si Être n' « est » jamais, et que cependant demeure vrai : il se donne de l'Être *(Es gibt Sein)*.

Mais d'où vient, à qui s'adresse le don dans le « il se donne », et selon quelle forme du donner?

L'Être ne peut pas *être*. Serait-il, qu'il ne resterait plus l'Être, mais serait un étant.

Pourtant, le penseur qui pour la première fois pensa l'Être, Parménide, ne dit-il pas (fragment 6) : ἔστι γὰρ εἶναι, « Être c'est précisément ce qu'il y a » — « Être présent, c'est précisément ce qui est présent »? Si nous considérons que dans l'εἶναι, être-présent, s'exprime en vérité l'ἀλήθεια, le dévoilement, alors l'être-présent affirmé dans l'ἔστι et souligné par l'εἶναι dit : le *laisser-être-présent*. Être — en vérité : ce qui laisse être la présence.

Est-ce que l'Être, qui est, se trouve donné ici comme un étant, ou est-ce qu'ici l'Être, τὸ αὐτό (le Même), καθ'αὐτό, est affirmé par rapport à lui-même? Est-ce une tautologie qui parle ici? Certainement. Mais c'est la tautologie au sens le plus élevé, qui ne dit pas rien, mais tout : ce qui donne sa mesure à la pensée initialement et pour l'avenir. C'est pourquoi cette tautologie dissimule en elle du non-dit, du non-pensé, du non-questionné. « Être présent, c'est précisément ce qui est présent. »

Que signifie ici présence [1]? A partir de quoi se définit une telle chose? Est-ce que se montre ou, plus exactement, se dérobe le caractère impensé d'une essence cachée du Temps?

S'il en va ainsi, alors la question de l'Être doit se ranger sous le titre clef : *Être et Temps*.

Et la thèse de Kant sur l'Être comme pure position?

Si la qualité-d'être-posé, l'objectivité, se révèle comme une modalité de la présence, alors la thèse

---

1. En allemand : *Anwesenheit, Gegenwart*.

de Kant sur l'Être appartient à ce qui demeure impensé dans toute métaphysique.

Le titre clef de la définition métaphysique de l'Être de l'étant, « Être et pensée », n'est pas suffisant, pas même pour poser la question de l'Être, et encore moins pour y trouver une réponse.

Cependant la thèse de Kant sur l'Être comme pure position demeure un sommet, à partir duquel le regard s'étend en arrière jusqu'à la définition de l'Être comme ὑποκεῖσθαι et conduit en avant à l'interprétation spéculative et dialectique de l'Être comme concept absolu.

La doctrine de Platon sur la vérité

Traduit par André Préau.

Texte original :

PLATONS LEHRE VON DER WAHRHEIT

© *A. Francke A. G., Berne, 1947.*

Note de l'auteur.

Écrit en 1940 pour être lu devant un cercle restreint, le texte qui suit a été imprimé en 1942 dans la deuxième année de *Geistige Überlieferung* (« Tradition spirituelle »), publication annuelle dirigée par Ernesto Grassi; tout compte rendu et toute mention dans la presse furent alors interdits. Un tirage séparé fut également interdit. Cette étude avait été présentée tout d'abord en une suite de deux conférences publiques, au cours des semestres d'hiver 1930-1931 et 1933-1934.

Le savoir des sciences est habituellement énoncé sous forme de propositions et présenté à l'homme comme un ensemble de résultats bien saisissables et qu'il n'a plus qu'à utiliser. La « doctrine » d'un penseur est ce qui, dans ses paroles, est resté informulé, mais à quoi l'homme est ouvert, « exposé », afin qu'il s'y dépense sans compter.

Si nous voulons saisir, et connaître désormais, ce qu'un penseur n'a pas dit, quelle qu'en soit la nature, il nous faut considérer ce qu'il a dit. Satisfaire à cette exigence reviendrait à prendre tous les « dialogues » de Platon et à les examiner dans leurs rapports les uns avec les autres. Comme cela est impossible, nous demanderons à un autre chemin de nous conduire vers ce qui, dans la pensée de Platon, est resté informulé.

Ce qui est alors resté informulé est un mouvement tournant dans la détermination de l'essence de la vérité. Que ce mouvement tournant ait bien eu lieu, en quoi il a consisté, ce qui s'est fondé sur lui : c'est là ce que nous voudrions éclaircir par une interprétation du « mythe de la caverne ».

Le « mythe de la caverne » est présenté au début du livre VII du « dialogue » sur l'essence de la πόλις

(*Politeia*, VII, 514 a à 517 a, 7). Le « mythe » est une histoire, dont le récit progresse au cours d'un dialogue entre Socrate et Glaucon. Le premier raconte l'histoire, le second marque un étonnement qui s'éveille. La traduction que nous joignons au texte comprend des passages explicatifs étrangers à l'original et que nous avons placés entre crochets.

St. II
p. 514

a ἰδὲ γὰρ ἀνθρώπους οἷον ἐν καταγείῳ οἰκήσει σπηλαιώδει, ἀναπεπταμένην πρὸς τὸ φῶς τὴν εἴσοδον ἐχούσῃ μακρὰν παρὰ πᾶν τὸ σπήλαιον, ἐν ταύτῃ ἐκ παίδων ὄντας ἐν δεσμοῖς καὶ τὰ σκέλη καὶ τοὺς αὐχένας, ὥστε μένειν τε αὐ-

b τοὺς εἴς τε τὸ πρόσθεν μόνον ὁρᾶν, κύκλῳ δὲ τὰς κεφαλὰς ὑπὸ τοῦ δεσμοῦ ἀδυνάτους περιάγειν, φῶς δὲ αὐτοῖς πυρὸς ἄνωθεν καὶ πόρρωθεν καόμενον ὄπισθεν αὐτῶν, μεταξὺ δὲ τοῦ πυρὸς καὶ τῶν δεσμωτῶν ἐπάνω ὁδόν, παρ' ἣν ἰδὲ τειχίον παρῳκοδομη-μένον, ὥσπερ τοῖς θαυματο-ποιοῖς πρὸ τῶν ἀνθρώπων πρόκειται τὰ παραφράγματα, ὑπὲρ ὧν τὰ θαύματα δεικνύ-ασιν. — Ὁρῶ, ἔφη. —

« Considère ceci : des hommes séjournant sous terre dans une demeure en forme de caverne. Celle-ci possède en guise d'entrée un long passage menant vers le haut, vers la lumière du jour, et en direction duquel toute la caverne se rassemble. Les hommes sont dans la caverne depuis leur enfance, enchaînés par le cou et par les cuisses. C'est aussi pourquoi ils demeurent tous au même endroit, de sorte que la seule chose qu'ils puissent encore faire est de regarder en face d'eux ce qui se montre à eux : étant enchaînés, ils sont hors d'état de tourner la tête. Une lumière cependant leur est accordée : elle vient d'un feu qui brûle au loin, derrière eux et au-dessus d'eux. Entre le feu et les hommes enchaînés [dans leur dos par conséquent] un chemin court à une certaine hauteur. Représente-toi que le long de ce chemin un mur bas ait été construit, semblable aux barrières que les saltimbanques dressent devant les spectateurs et par-dessus lesquelles ils leur montrent leurs merveilles. — Je vois, dit-il. —

ὅρα τοίνυν παρὰ τοῦτο τὸ τειχίον φέροντας ἀνθρώπους c σκεύη τε παντοδαπὰ ὑπερέχοντα τοῦ τειχίου καὶ ἀνδρι- p. 515 άντας καὶ ἄλλα ζῷα λίθινά τε καὶ ξύλινα καὶ παντοῖα εἰργασμένα, οἷον εἰκὸς τοὺς μὲν φθεγγομένους, τοὺς δὲ σιγῶντας τῶν παραφερόντων.

Imagine donc comment, le long de ce petit mur, des hommes passent, portant toutes sortes de choses qui sont visibles au-dessus du mur, statues et autres figures de pierre ou de bois, et toutes sortes d'objets fabriqués par la main de l'homme. Comme on pouvait s'y attendre, de tous ces porteurs, les uns parlent entre eux et les autres se taisent.

— ἄτοπον, ἔφη, λέγεις εἰκόνα καὶ δεσμώτας ἀτόπους· — ὁμοίους ἡμῖν, ἦν δ'ἐγώ· τοὺς γὰρ τοιούτους πρῶτον μὲν ἑαυτῶν τε καὶ ἀλλήλων οἴει ἄν τι ἑωρακέναι ἄλλο πλὴν τὰς σκιὰς τὰς ὑπὸ τοῦ πυρὸς εἰς τὸ καταντικρὺ αὐτῶν τοῦ σπηλαίου προσπιπτούσας;

— Tu nous présentes là, dit-il, un tableau extraordinaire et des prisonniers extraordinaires. — Ils nous sont semblables, répondis-je. Qu'en penses-tu? Jamais encore de tels hommes n'ont vu, soit par eux-mêmes, soit par les yeux de leurs compagnons, autre chose que les ombres projetées [sans cesse] par le feu sur la paroi de la caverne qui leur fait face.

— πῶς γάρ, ἔφη, εἰ ἀκινήτους b γε τὰς κεφαλὰς ἔχειν ἠναγκασμένοι εἶεν διὰ βίου; —

— Comment en serait-il autrement, dit-il, s'ils sont contraints toute leur vie de conserver la tête immobile? —

— τί δὲ τῶν παραφερομένων; οὐ ταὐτὸν τοῦτο; — τί μήν; —

Or que voient-ils des choses qui sont transportées et qui passent [derrière eux]? Ne voient-ils pas justement ceci [les ombres]? — Effectivement. —

— εἰ οὖν διαλέγεσθαι οἷοί τ' εἶεν πρὸς ἀλλήλους, οὐ ταῦτα ἡγῇ ἂν τὰ ὄντα αὐτοὺς νομίζειν ἅπερ ὁρῷεν; — ἀνάγκη. —

Maintenant, s'ils pouvaient s'entretenir entre eux de ce qu'ils voient, ne penses-tu pas que, ce qu'ils voient, ils le prendraient pour ce qui est? — Nécessairement. —

— τί δ' εἰ καὶ ἠχὼ τὸ δεσμωτήριον ἐκ τοῦ καταντικρὺ ἔχοι; ὁπότε τις τῶν παριόντων φθέγξαιτο, οἴει ἂν ἄλλο τι αὐτοὺς ἡγεῖσθαι τὸ φθεγγόμενον ἢ τὴν παριοῦσαν σκιάν;
c — μὰ Δί' οὐκ ἔγωγ', ἔφη. — παντάπασι δή, ἦν δ'ἐγώ, οἱ τοιοῦτοι οὐκ ἂν ἄλλο τι νομίζοιεν τὸ ἀληθὲς ἢ τὰς τῶν σκευαστῶν σκιάς. — πολλὴ ἀνάγκη, ἔφη. —

Qu'en serait-il alors, si cette prison avait en outre un écho, venant de la paroi qui fait face aux captifs [paroi qu'ils regardent constamment et qui est la seule chose qu'ils puissent voir]? Chaque fois que l'un de ceux qui passent derrière les prisonniers [et qui portent les choses] dirait un mot, crois-tu bien que les captifs attribueraient ce mot à autre chose qu'à l'ombre qui passe devant eux? — A rien d'autre, par Zeus! dit-il. — Donc, pour les hommes ainsi enchaînés, repris-je, les ombres des objets seraient la vérité[1] et ils ne la verraient absolument que là. — De toute nécessité, dit-il. —

— σκόπει δή, ἦν δ'ἐγώ, αὐτῶν λύσιν τε καὶ ἴασιν τῶν

Considère alors, dis-je, comment ces hommes pourraient

---

1. *Das Unverborgene* (« le non-caché »), terme par lequel, comme on le sait, Heidegger rend l'ἀληθές grec.

τε δεσμῶν καὶ τῆς ἀφροσύνης,
οἷα τις ἂν εἴη φύσει, εἰ τοιάδε
συμβαίνοι αὐτοῖς· ὁπότε τις
λυθείη καὶ ἀναγκάζοιτο ἐξαίφνης ἀνίστασθαί τε καὶ περιάγειν τὸν αὐχένα καὶ βαδίζειν
καὶ πρὸς τὸ φῶς ἀναβλέπειν,
πάντα δὲ ταῦτα ποιῶν ἀλγοῖ
τε καὶ διὰ τὰς μαρμαρυγὰς
ἀδυνατοῖ καθορᾶν ἐκεῖνα ὧν
d   τότε τὰς σκιὰς ἑώρα, τί ἂν
οἴει αὐτὸν εἰπεῖν, εἴ τις αὐτῷ
λέγοι ὅτι τότε μὲν ἑώρα
φλυαρίας, νῦν δὲ μᾶλλόν τι
ἐγγυτέρω τοῦ ὄντος καὶ πρὸς
μᾶλλον ὄντα τετραμμένος
ὀρθότερον βλέποι, καὶ δὴ καὶ
ἕκαστον τῶν παριόντων δεικ-
νὺς αὐτῷ ἀναγκάζοι ἐρωτῶν
ἀποκρίνεσθαι ὅτι ἔστιν; οὐκ
οἴει αὐτὸν ἀπορεῖν τε ἂν καὶ
ἡγεῖσθαι τὰ τότε ὁρώμενα
ἀληθέστερα ἢ τὰ νῦν δεικνύμενα; — πολύ γ', ἔφη. —

être délivrés de leurs chaînes et guéris de leur égarement : quelle forme celui-ci prendrait-il, s'il leur arrivait ce que je vais dire? Chaque fois que l'un d'eux serait délivré de ses chaînes et obligé tout d'un coup de se lever, de tourner la tête, de se mettre en marche et de regarder en haut vers la lumière, tous ces actes le feraient [alors] souffrir et l'éclat de la lumière l'empêcherait de voir les choses dont il observait précédemment les ombres. [Si tout cela lui arrivait], que répondrait-il, à ton avis, si quelqu'un lui affirmait qu'il n'avait vu jusqu'alors que des riens sans consistance, mais qu'il était maintenant beaucoup plus près de ce qui est et que, tourné désormais vers des choses ayant plus d'être, il voyait aussi d'une façon plus exacte? Et si quelqu'un lui montrait [alors] chacune des choses transportées et l'obligeait à dire ce que c'est, ne crois-tu pas qu'il serait bien embarrassé et qu'il estimerait en outre que ce qu'il voyait auparavant [de ses propres yeux] était plus vrai [1] que ce qu'[un autre lui] montrerait à présent? — Je le

---

1. *Unverborgener*, « moins caché », « plus dévoilé »

crois, certes, fermement, dit-il. —

e Οὐκοῦν κἂν εἰ πρὸς αὐτὸ τὸ φῶς ἀναγκάζοι αὐτὸν βλέπειν, ἀλγεῖν τε ἂν τὰ ὄμματα καὶ φεύγειν ἀποστρεφόμενον πρὸς ἐκεῖνα ἃ δύναται καθορᾶν, καὶ νομίζειν ταῦτα τῷ ὄντι σαφέστερα τῶν δεικνυμένων; — οὕτως, ἔφη. —

Et si quelqu'un l'obligeait à regarder le feu lui-même, est-ce que les yeux ne lui feraient pas mal et ne voudrait-il pas se détourner, pour revenir à ce qu'il est dans ses forces de regarder? Et ne jugerait-il pas que cela [qui est pour lui visible d'emblée] est en fait plus clair que ce qui lui est maintenant montré? — Il en serait ainsi, dit-il.

εἰ δέ, ἦν δ'ἐγώ, ἐντεῦθεν ἕλκοι τις αὐτὸν βίᾳ διὰ τραχείας τῆς ἀναβάσεως καὶ ἀνάντους, καὶ μὴ ἀνείη πρὶν ἐξελκύσειεν εἰς τὸ τοῦ ἡλίου φῶς, ἆρα οὐχὶ ὀδυνᾶσθαί τε
p. 516 ἂν καὶ ἀγανακτεῖν ἑλκόμενον, καὶ ἐπειδὴ πρὸς τὸ φῶς ἔλθοι, αὐγῆς ἂν ἔχοντα τὰ ὄμματα μεστὰ ὁρᾶν οὐδ' ἂν ἓν δύνασθαι τῶν νῦν λεγομένων ἀληθῶν;

Si maintenant, repris-je, quelqu'un, saisissant [ce prisonnier libéré de ses chaînes], le traînait par force sur le chemin montant, raboteux et escarpé de la caverne et qu'il ne le lâchât pas avant qu'il l'eût amené à la lumière du soleil, est-ce que l'homme ainsi traité ne serait pas rempli de douleur et d'indignation? Et, une fois parvenu à la lumière du jour, et ses yeux pleins de son éclat, ne lui serait-il pas impossible de rien voir des objets qu'on lui présenterait maintenant comme véritables?

— οὐ γὰρ ἄν, ἔφη, ἐξαίφνης γε. —

— Il ne le pourrait aucunement, dit-il, du moins pas tout de suite. —

συνηθείας δὴ οἶμαι δέοιτ' ἄν, εἰ μέλλοι τὰ ἄνω ὄψεσθαι.

Il est clair, à mon avis, qu'une accoutumance serait

καὶ πρῶτον μὲν τὰς σκιὰς
ἂν ῥᾷστα καθορῷ, καὶ μετὰ
τοῦτο ἐν τοῖς ὕδασι τά τε
τῶν ἀνθρώπων καὶ τὰ τῶν
ἄλλων εἴδωλα, ὕστερον δὲ
αὐτά· ἐκ δὲ τούτων τὰ ἐν
τῷ οὐρανῷ καὶ αὐτὸν τὸν
οὐρανὸν νύκτωρ ἂν ῥᾷον θεά-
σαιτο, προσβλέπων τὸ τῶν
ἄστρων τε καὶ σελήνης φῶς,
ἢ μεθ᾽ ἡμέραν τὸν ἥλιόν τε
καὶ τὸ τοῦ ἡλίου. — πῶς
δ᾽οὔ;

nécessaire, s'il devait parvenir à voir ce qui est en
haut [hors de la caverne, à la
lumière du jour]. Et [cette
accoutumance une fois ac-
quise,] ce qu'il pourrait
regarder le plus facilement,
ce seraient d'abord les ombres et, après elles, les images, reflétées dans l'eau, des
hommes et des autres choses,
et seulement plus tard les
hommes et les choses elles-
mêmes [ce qui est, au lieu
de reflets affaiblis]. Et parmi
celles-ci, il contemplerait
sans doute plus facilement,
pendant la nuit, les choses
du ciel et le ciel lui-même,
tournant son regard vers la
lumière des astres et de la
lune, qu'il ne le ferait pendant le jour du soleil et de
son éclat. — Sans aucun
doute! —

τελευταῖον δὴ οἶμαι τὸν ἥλιον,
οὐκ ἐν ὕδασιν οὐδ᾽ ἐν ἀλλο-
τρίᾳ ἕδρᾳ φαντάσματα αὐτοῦ,
ἀλλ᾽ αὐτὸν καθ᾽ αὑτὸν ἐν τῇ
αὑτοῦ χώρᾳ δύναιτ᾽ ἂν κατι-
δεῖν καὶ θεάσασθαι οἷός ἐστιν.
— ἀναγκαῖον, ἔφη. —

Mais je pense aussi que finalement il se trouverait en
état de regarder le soleil lui-
même, non pas son reflet
dans l'eau ou dans d'autres
milieux, mais lui-même vu
en lui-même, en son lieu
propre, afin de considérer
comment il est. — Il en serait
ainsi nécessairement, dit-
il. —

καὶ μετὰ ταῦτ᾽ ἂν ἤδη συλ-
λογίζοιτο περὶ αὐτοῦ ὅτι
οὗτος ὁ τάς τε ὥρας παρέχων

Et, après toutes ces épreuves, il pourrait bien aussi
rassembler ses pensées à son

καὶ ἐνιαυτοὺς καὶ πάντα ἐπι-
c τροπεύων τὰ ἐν τῷ ὁρωμένῳ
τόπῳ, καὶ ἐκείνων ὧν σφεῖς
ἑώρων τρόπον τινὰ πάντων
αἴτιος.

sujet [au sujet du soleil] et
juger que c'est lui qui nous
accorde les saisons et les
années, qui gouverne tout
ce qui se trouve dans le lieu
[désormais] contemplé [à la
lumière du jour] et qui est
même en quelque manière
la cause de tout ce qu'ils
[les gens de la caverne] ont
devant eux.

— δῆλον, ἔφη, ὅτι ἐπὶ ταῦτα
ἂν μετ' ἐκεῖνα ἔλθοι. —

— Manifestement, dit-il, il
parviendrait à ces pensées
[sur le soleil et sur tout ce
qui est éclairé par lui], après
qu'il aurait laissé derrière
lui [ce qui n'est qu'ombre
ou reflet]. —

τί οὖν; ἀναμιμνησκόμενον
αὐτὸν τῆς πρώτης οἰκήσεως
καὶ τῆς ἐκεῖ σοφίας καὶ τῶν
τότε συνδεσμωτῶν οὐκ ἂν
οἴει αὐτὸν μὲν εὐδαιμονίζειν
τῆς μεταβολῆς, τοὺς δὲ ἐλεεῖν;
— καὶ μάλα. —

Qu'en dis-tu? S'il venait
à se rappeler sa première
demeure, et le « savoir » qui
y avait cours, et ses compagnons enchaînés comme lui,
ne crois-tu pas qu'il se félici-
terait pour lui-même du
changement [accompli] et
qu'il aurait pitié des autres?
— Certes, et dans une grande
mesure. —

τιμαὶ δὲ καὶ ἔπαινοι εἴ τινες
αὐτοῖς ἦσαν τότε παρ' ἀλλήλων καὶ γέρα τῷ ὀξύτατα
καθορῶντι τὰ παριόντα, καὶ
μνημονεύοντι μάλιστα ὅσα
τε πρότερα αὐτῶν καὶ ὕστερα
d εἰώθει καὶ ἅμα πορεύεσθαι,
καὶ ἐκ τούτων δὴ δυνατώτατα
ἀπομαντευομένῳ τὸ μέλλον
ἥξειν, δοκεῖς ἂν αὐτὸν ἐπιθυ-

Mais, si maintenant [parmi
les hommes demeurés] au
précédent lieu de séjour [dans
la caverne] certains hon-
neurs et certains éloges
avaient été fixés pour celui
qui discernerait le mieux
les choses qui passent [celles
qui arrivent chaque jour]
et qui en outre garderait le

μητικῶς αὐτῶν ἔχειν καὶ
ζηλοῦν τοὺς παρ' ἐκείνοις
τιμωμένους τε καὶ ἐνδυνα-
στεύοντας ἢ τὸ τοῦ Ὁμήρου
ἂν πεπονθέναι καὶ σφόδρα
βούλεσθαι, "ἐπάρουρον ἐόντα
θητευέμεν ἄλλῳ ἀνδρὶ παρ'
ἀκλήρῳ" καὶ ὁτιοῦν ἂν πεπονθέναι μᾶλλον ἢ 'κεῖνά τε δοξά-
ζειν καὶ ἐκείνως ζῆν;

mieux en mémoire celles d'entre elles qui ont coutume de se présenter les premières, ou à la suite, ou ensemble, celui enfin qui pourrait ainsi prédire les choses qui ont le plus de chances d'apparaître à l'avenir, crois-tu qu'il [le libéré] envierait ceux-là [les hommes de la caverne] et qu'il voudrait rivaliser avec les plus honorés et les plus puissants d'entre eux, ou bien ne préférerait-il pas prendre sur lui, comme dit Homère [1], « d'être valet de labour aux gages d'un étranger sans fortune » et ne supporterait-il pas n'importe quoi, plutôt que de s'abandonner aux opinions [admises dans la caverne] et d'être un homme à la façon de là-bas?

e — οὕτως, ἔφη, ἔγωγε οἶμαι,
πᾶν μᾶλλον πεπονθέναι ἂν
δέξασθαι ἢ ζῆν ἐκείνως. —

— Je crois, dit-il, qu'il souffrirait tous les maux plutôt que d'être un homme comme on l'est là-bas [dans la caverne]. —

καὶ τόδε δὴ ἐννόησον, ἦν
δ'ἐγώ, εἰ πάλιν ὁ τοιοῦτος
καταβὰς εἰς τὸν αὐτὸν θᾶκον
καθίζοιτο, ἆρ' οὐ σκότους
ἀνάπλεως σχοίη τοὺς ὀφθαλ-
μούς, ἐξαίφνης ἥκων ἐκ τοῦ
ἡλίου; — καὶ μάλα γ', ἔφη.

Et maintenant, considère encore ceci : si l'homme ainsi sorti de la caverne y redescendait pour s'y asseoir à nouveau à son ancienne place, est-ce que ses yeux, à lui qui vient de quitter le soleil, ne se rempliraient pas

1. *Odyssée*, XI, 489-490.

τὰς δὲ δὴ σκιὰς ἐκείνας
πάλιν εἰ δέοι αὐτὸν γνωμα-
τεύοντα διαμιλλᾶσθαι τοῖς ἀεὶ
δεσμώταις ἐκείνοις, ἐν ᾧ
ἀμϐλυώττει, πρὶν καταστῆναι
τὰ ὄμματα, οὗτος δ'ὁ χρόνος
μὴ πάνυ ὀλίγος εἴη τῆς συνηθείας, ἆρ' οὐ γέλωτ' ἂν
παράσχοι καὶ λέγοιτο ἂν
περὶ αὐτοῦ ὡς ἀναϐὰς ἄνω
διεφθαρμένος ἥκει τὰ ὄμματα
καὶ ὅτι οὐκ ἄξιον οὐδὲ πειρᾶσθαι ἄνω ἰέναι; καὶ τὸν ἐπιχει-
ροῦντα λύειν τε καὶ ἀνάγειν,
εἴ πως ἐν ταῖς χερσὶ δύναιντο
λαϐεῖν καὶ ἀποκτείνειν, ἀπο-
κτεινύναι ἄν;

de ténèbres? — Absolu-
ment, dit-il. —

S'il devait maintenant entrer
en compétition avec ceux
qui sont toujours enchaînés,
quant à l'appréciation de ce
qu'il faut penser des ombres,
et cela alors qu'il voit mal,
ses yeux n'étant pas encore
accoutumés à l'obscurité,
ce qui ne demande pas peu
de temps, ne serait-il pas
livré là-bas au ridicule et ne
lui ferait-on pas comprendre
que son voyage vers les
régions supérieures ne lui
a rien rapporté d'autre que
de revenir [dans la caverne]
avec des yeux ruinés et qu'il
ne vaut donc pas la peine
de chercher à s'élever sur
le chemin? Et si quelqu'un
entreprenait de les délivrer
de leurs chaînes et de les
conduire vers le haut, et
qu'il leur soit possible de
se saisir de lui et de le tuer,
ne le tueraient-ils pas vraiment?

σφόδρα γ', ἔφη. —

— Sans aucun doute, dit-
il. —

Que veut dire cette histoire? Platon nous répond
lui-même, car le récit est aussitôt suivi d'une interprétation (517 a, 8, jusqu'à 518 d, 7).

La demeure qui a la forme d'une caverne est
l' « image » de τὴν... δι' ὄψεως φαινομένην ἕδραν,
« du lieu de séjour qui se dévoile (journellement) à
qui regarde autour de soi ». Le feu qui brûle dans la

caverne, au-dessus de ses habitants, est l' « image » du soleil. La voûte de la caverne représente la voûte céleste. Sous cette voûte vivent les hommes, liés à la terre et dépendant d'elle. Ce qui, sur cette terre, les environne et les concerne est pour eux le « réel », c'est-à-dire ce qui est. Dans cette demeure en forme de caverne ils se sentent « dans le monde » et « chez eux », c'est là qu'ils trouvent ce à quoi ils se fient.

Les « choses » dont il est question dans le mythe et qui sont visibles hors de la caverne sont au contraire l'image de ce qui, dans les choses qui sont, *est* proprement. C'est-à-dire, suivant Platon, de ce par quoi l'étant se montre dans son « é-vidence » *(Aussehen)*. Cette « é-vidence », pour Platon, n'est pas un simple « aspect ». L' « é-vidence » a encore pour lui quelque chose d'une sortie, par laquelle une chose se présente[1]. Debout dans son « é-vidence », c'est l'étant lui-même qui se montre. *Aussehen* (« é-vidence ») se dit en grec εἶδος ou ἰδέα. Les choses qui sont à la lumière du jour, hors de la caverne, là où la vue est libre de tous côtés, figurent dans le mythe les « idées ». Si, d'après Platon, le regard de l'homme ne pouvait atteindre les idées, c'est-à-dire chaque fois l' « é-vidence » des choses, des êtres vivants, des hommes, des nombres, des dieux, il ne pourrait jamais percevoir ceci ou cela comme une maison, comme un arbre, comme un dieu. D'habitude l'homme s'imagine qu'il voit d'emblée cette maison, cet arbre, et de même tout ce qui est. Tout d'abord, et le plus souvent, l'homme ne soupçonne absolument pas que c'est seulement dans la lumière d' « idées » qu'il voit tout ce qui pour lui est courant, donc « réel ». Mais tout ce qui passe pour être

---

1. *Sich* « *präsentiert* ».

proprement réel et seul réel, tout ce qu'on peut immédiatement voir, entendre, saisir et calculer, n'est jamais pour Platon qu'un reflet obscur des idées : une ombre, par conséquent. Ces choses sans consistance, mais qui sont les plus proches de l'homme, le tiennent jour pour jour captif. Il vit dans une prison et laisse derrière lui toutes les « idées ». Et, comme il ne reconnaît pas cette prison comme telle, il considère le domaine quotidien situé sous la voûte céleste comme le lieu propre de cette expérience et de ce jugement qui, seuls, l'une et l'autre, donnent leur mesure à toutes les choses et à leurs rapports et fixent les règles de leur disposition et agencement.

Si maintenant l'homme, toujours d'après le mythe, doit soudainement, à l'intérieur de la caverne, regarder le feu qui se trouve derrière lui, et dont la lueur produit les ombres des choses transportées, il ressent aussitôt cette direction inhabituelle du regard comme une perturbation apportée à son comportement ordinaire et à la façon de penser qui est de règle dans la caverne. La simple demande d'avoir à prendre une attitude si insolite, et cela toujours à l'intérieur de la caverne, est aussitôt rejetée : car là, dans la caverne, on possède la réalité d'une possession pleine et évidente. Féru de son « opinion », le prisonnier de la caverne n'a pas le moindre soupçon que son « réel » puisse n'être qu'une ombre. Mais aussi, que pourrait-il savoir des ombres, lui qui ne veut même pas connaître le feu de la caverne et sa lumière, alors que pourtant ce feu n'est qu' « artificiel », et qu'il doit donc être familier à l'homme. Hors de la caverne, au contraire, la lumière du soleil n'est pas produite par l'homme. Dans sa clarté les choses formées et présentes sont directement visibles, sans avoir besoin d'ombres pour les représenter. Les choses visibles par elles-mêmes sont dans le mythe l' « image » des « idées ». Le soleil, toutefois, est présenté comme l' « image » de ce qui rend les idées visibles. Il symbolise l'Idée des idées. Platon désigne celle-ci comme ἡ τοῦ ἀγαθοῦ ἰδέα, appellation que l'on traduit, d'une façon « littérale », mais qui prête à beaucoup de malentendus, par « l'Idée du Bien ».

Les correspondances symboliques entre les ombres et le « réel » de notre expérience quotidienne, entre la lueur du feu de la caverne et la clarté dans laquelle se tient la réalité immédiate et familière, entre les choses qui sont hors de la caverne et les idées, entre le soleil et l'Idée suprême : ces correspondances, que nous n'avons fait qu'énumérer, n'épuisent pas le contenu du mythe. Elles en laissent même échapper le sens propre et original. Car le mythe raconte une histoire et n'est pas seulement une description des séjours et conditions de l'homme dans la caverne et hors d'elle. En fait, les événements rapportés sont des passages de la caverne à la lumière du jour ou, en sens inverse, de celle-ci à la caverne.

Qu'est-ce qui se manifeste au cours de ces passages? Par quoi ces événements sont-ils rendus possibles? D'où reçoivent-ils leur nécessité? Qu'est-ce qui est en cause dans ces passages?

Les passages de la caverne à la lumière du jour et, inversement, de celle-ci à la caverne requièrent une accoutumance des yeux, de l'obscurité à la lumière et de la lumière à l'obscurité. Chaque fois les yeux éprouvent un grand trouble, et cela pour des raisons opposées : διτταὶ καὶ ἀπὸ διττῶν γίγνονται ἐπιταράξεις ὄμμασιν (518 a, 2). « Deux troubles se produisent pour les yeux, et cela pour deux raisons. »

Cela veut dire qu'il existe pour l'homme deux possibilités. Il peut surmonter une ignorance à peine ressentie, pour arriver là où l'étant se montre à lui sous un jour plus essentiel : alors, dans les premiers temps, l'homme n'est pas adapté à ce qui a pleine consistance d'être. Il peut aussi déchoir et quitter une attitude accordée à un Savoir essentiel, pour échouer là où la réalité commune est prépondérante, mais sans qu'il soit encore en état d'admettre comme réel ce qui est courant et usuel dans cette région.

Et, comme l'œil corporel doit d'abord s'adapter, d'une façon lente et continue, soit à la lumière, soit à l'obscurité, de même l'âme doit s'accoutumer, patiemment et par une progression naturelle, au domaine de l'étant auquel elle se trouve livrée. Une telle accoutumance, cependant, exige avant tout un changement de direction, par lequel l'âme tout entière est placée dans la ligne de son nouvel effort, de même que l'œil ne peut bien voir ni regarder de tous côtés que si le corps entier a d'abord pris place en un lieu favorable.

Mais pourquoi est-il nécessaire que l'accoutumance à une région donnée soit lente et continue? Parce que le changement de direction concerne l'homme dans son essence et qu'il s'opère donc au fond de son être. Ce qui veut dire que l'attitude *(Haltung)* décisive résultant du changement de direction doit se préciser et devenir un comportement *(Verhalten)* bien établi, à partir d'une relation soutenant déjà l'essence de l'homme. Cette nouvelle orientation, cette adaptation de l'être de l'homme au domaine qui lui est chaque fois assigné, constitue l'essence de ce que Platon appelle la παιδεία. Ce mot n'est pas proprement traduisible. Suivant la définition même de Platon, la παιδεία est une περιαγωγὴ ὅλης τῆς ψυχῆς, un acheminement de l'homme vers un revirement de tout son être. Aussi la παιδεία est-elle essentiellement un passage, à savoir de l'ἀπαιδευσία à la παιδεία. Étant un passage, la παιδεία demeure toujours référée à l'ἀπαιδευσία. C'est encore le terme allemand de *Bildung* (« formation ») qui répond le mieux, quoique toujours incomplètement, au grec παιδεία. A vrai dire, nous devons rendre à ce terme sa valeur sémantique originelle et oublier le faux sens dont il a été victime vers la fin du xixe siècle. *Bildung* veut dire deux choses. D'abord un acte formateur *(ein Bilden)* qui imprime à la chose un caractère, suivant lequel elle se développe. Mais, si cette formation « informe » (imprime un caractère), c'est parce qu'en même temps elle conforme la chose à une vue déterminante qui pour cette raison est appelée modèle *(Vor-bild)*. La « formation » *(Bildung)* est à la fois impression d'un caractère et guidage reçu d'un modèle. L'opposé de παιδεία est ἀπαιδευσία, la non-formation. En elle, aucun développement de l'attitude fondamentale ne se trouve éveillé, aucun modèle déterminant n'est proposé.

La force symbolique du « mythe de la caverne » est centrée sur le dessein de rendre l'essence de la παιδεία visible et connaissable à travers les formes sensibles d'une histoire racontée. En même temps Platon veut écarter une fausse interprétation et montrer que l'essence de la παιδεία ne consiste pas à verser de simples connaissances dans une âme non préparée, comme dans le premier vase vide qui s'offre à nous. La vraie formation, au contraire, saisit et transfigure l'âme elle-même, l'âme tout entière, en conduisant d'abord l'homme au lieu de son essence et en l'y accoutumant. Que, dans le « mythe de la caverne », Platon veuille mettre en lumière l'essence de παιδεία, c'est là ce que déjà nous dit clairement la phrase d'introduction sur laquelle s'ouvre le livre VII : Μετὰ ταῦτα δή, εἶπον, ἀπείκασον τοιούτῳ πάθει τὴν ἡμετέραν φύσιν παιδείας τε πέρι καὶ ἀπαιδευσίας. « Après cela, sache découvrir, dans la nature des choses vécues et éprouvées [qui vont être décrites], une vue sur [l'essence de] la « formation », aussi bien que sur celle de la non-formation, lesquelles toutes deux [sont inséparables et] concernent le fondement même de notre condition humaine. »

Suivant les termes clairs de Platon, les images du « mythe de la caverne » nous ouvrent une vue sur l'essence de la « formation ». Au contraire, l'interprétation que nous allons tenter du « mythe » doit nous acheminer vers la « doctrine » de Platon sur la vérité. N'allons-nous pas imposer au « mythe » des spéculations qui lui sont étrangères? L'interprétation risque de faire violence au texte, de dégénérer en une fausse interprétation. Acceptons cette apparence, jusqu'au jour où la conviction se formera en nous que la pensée de Platon obéit à un changement concernant l'essence de la vérité et qui devient la loi cachée de ce qu'il nous dit. Suivant l'interprétation que nous impose aujourd'hui une détresse qui, au temps de Platon, appartenait à l'avenir, le « mythe » ne nous décrit pas seulement, en langage sensible, l'être de la formation, il nous ouvre aussi un aperçu sur le changement d'essence de la « vérité ». Mais, si le « mythe » fait l'un et l'autre, n'est-il pas nécessaire qu'un rapport essentiel unisse la « formation » et la « vérité »? Effectivement, ce rapport existe bien. Il consiste en ceci que c'est l'essence de la vérité et la nature de son changement qui ont d'abord rendu possible « la formation » et cela jusque dans sa structure fondamentale.

Mais qu'est-ce qui réunit « formation » et « vérité » dans une unité d'essence et une communauté d'origine?

Le mot παιδεία désigne le revirement de l'homme en rapport avec son transfert, du domaine de ce qui se présente d'abord à lui, dans un autre domaine où l'étant lui-même apparaît et auquel l'homme s'habitue et s'adapte. Ce transfert n'est possible que parce que les choses manifestées à l'homme se transforment, aussi bien que la façon dont elles se manifestaient. Doivent alors changer, et ce qui pour l'homme était apparent, non voilé, et le mode de son non-voilement. « Non-voilement » se dit en grec ἀλήθεια, mot que l'on traduit par « vérité ». Et depuis longtemps, pour la pensée occidentale, « vérité » signifie l'accord de la représentation pensante et de la chose, l'*adaequatio intellectus et rei*.

Ne nous contentons pas, cependant, de traduire « littéralement » les mots παιδεία et ἀλήθεια, essayons au contraire de penser, à partir du savoir grec, l'essence non adultérée de ce que nomment les deux mots choisis pour les traduire : alors « formation » et « vérité » s'unissent aussitôt en une unité d'essence. S'il devient nécessaire de prendre au sérieux le contenu sémantique essentiel du mot ἀλήθεια, on est alors amené à se demander quel est le point de départ d'où Platon parvient à sa conception de l'essence du non-voilement. Qui veut répondre à cette question se trouve renvoyé au contenu propre du « mythe de la caverne ». Et la réponse, à son tour, montre que, et comment, le « mythe » traite de l'essence de la vérité.

Le non-voilé[1] et son non-voilement désignent

---

1. Le « non-voilé » : *das Unverborgene*, que nous rendons aussi par « non-occulté » et « non-latent ». Ce dernier terme,

ce qui chaque fois, dans le lieu de séjour de l'homme, est ouvertement présent. Or le « mythe » nous raconte une histoire touchant des passages d'un séjour à l'autre. Ensuite, d'une façon générale, elle se divise suivant quatre séjours différents formant une gradation montante et descendante bien caractéristique. Les différences entre les séjours aussi bien que les degrés marquant les passages sont fondés sur une diversité qui est celle de l'ἀληθές faisant chaque fois autorité, celle du mode de « vérité » qui est chaque fois dominant. C'est pourquoi l'ἀληθές, le non-voilé, doit être aussi, d'une façon ou d'une autre, considéré et dénommé à chacun des degrés envisagés.

Au premier degré, les hommes vivent enchaînés dans la caverne et sont fascinés par ce qu'ils perçoivent immédiatement. La description de ce séjour se termine sur l'affirmation bien marquée : παντάπασι δή... οἱ τοιοῦτοι οὐκ ἂν ἄλλο τι νομίζοιεν τὸ ἀληθὲς ἢ τὰς τῶν σκευαστῶν σκιάς (515 c, 1-2). « Car les hommes ainsi enchaînés ne considéreraient comme le non-voilé absolument rien d'autre que les ombres des objets. »

Le second degré traite de l'enlèvement des chaînes. Les prisonniers sont maintenant libres en un certain sens, mais n'en restent pas moins enfermés dans la caverne. Ils peuvent sans doute s'y tourner désormais de tous côtés. Il leur devient possible

proposé par Jean Beaufret, a l'avantage d'être exactement calqué sur le grec ἀληθές puisque *lateo* = λανθάνω, mais il manque un peu de dérivés, ce pourquoi nous disons le plus souvent « non-voilé ». De même, pour *Unverborgenheit :* « non-occultation », « non-voilement » ou « non-latence », trois formes françaises pour un unique mot allemand, où apparaît seulement la qualification de « non-caché » *(unverborgen)*.

de voir les choses transportées elles-mêmes, qui précédemment passaient derrière eux. Ceux qui ne regardaient que des ombres arrivent ainsi μᾶλλόν τι ἐγγυτέρω τοῦ ὄντος (515 d, 2), « un peu plus près de l'étant ». Les choses elles-mêmes montrent leurs aspects d'une certaine manière, à savoir grâce à la lueur du feu artificiel de la caverne, et elles ne sont plus masquées par les ombres qu'elles projettent. Les ombres accaparent la vision de qui ne connaît rien d'autre qu'elles, elles se glissent ainsi devant les choses elle-mêmes. Mais si le regard est délivré de l'emprise des ombres, à l'homme ainsi libéré il devient possible d'accéder à la région des ἀληθέστερα (515 d, 6), « de ce qui est plus dévoilé ». Et pourtant il faut dire de lui : ἡγεῖσθαι τὰ τότε ὁρώμενα ἀληθέστερα ἢ τὰ νῦν δεικνύμενα *(ibid.) :* « Ce qu'il voyait [d'emblée] auparavant [les ombres], il le considérera comme mieux dévoilé que ce qui [lui] est à présent montré [expressément par d'autres]. »

Pourquoi? — La lueur du feu, à laquelle ses yeux ne sont pas habitués, l'éblouit. Cet éblouissement l'empêche de voir le feu lui-même et d'observer comment sa lumière illumine les choses et, tout d'abord, les fait apparaître. Aussi l'homme ébloui peut-il encore moins comprendre que ce qu'il voyait n'était rien d'autre que les ombres projetées par les choses, dans la lueur de ce même feu. Il est vrai que l'homme délivré voit maintenant autre chose que des ombres, mais il voit tout dans une confusion générale. Contrastant avec celle-ci, les ombres, perçues dans le reflet d'un feu qui n'est ni connu ni vu, se détachent en formes bien arrêtées. Elles possèdent ainsi une sorte de consistance qui est remarquée et qui, pour l'homme délivré, doit être aussi « mieux dévoilée », parce

qu'elle est nettement visible. C'est pourquoi le
mot ἀληθές réapparaît à la fin de la description du
deuxième degré, et cette fois au comparatif sous la
forme ἀληθέστερα, les choses « mieux dévoilées »[1].
Dans les ombres nous trouvons une « vérité » plus
digne de ce nom. Car même l'homme délivré de ses
chaînes se trompe encore dans l'estimation de ce
qui est « vrai », parce qu'il ne jouit pas de la liberté,
qui est une condition de la bonne estimation.
L'enlèvement des liens apporte sans doute une
certaine libération; mais la liberté de mouvements
n'est pas encore la véritable liberté.

Celle-ci n'est obtenue qu'au troisième degré. Ici
l'homme libéré de ses chaînes est en même temps
transféré hors de la caverne, « à l'air libre », là où,
durant le jour, toutes choses s'offrent à la vue. Ce
n'est plus désormais à la lueur artificielle et trouble
du feu de la caverne qu'il perçoit l'aspect de ce que
les choses sont. Les choses elles-mêmes sont là, dans
la certitude et la garantie de leur forme authentique.
L'espace libre, où l'homme libéré a été conduit,
n'est pas l'illimitation d'une simple étendue, mais
bien la dépendance limitative propre à tout ce
qui est clair et qui brille dans la lumière du soleil,
atteint, lui aussi, par le regard. Les aspects de ce
que sont les choses elle-mêmes, les εἴδη, constituent
l'essence, dans la lumière de laquelle chaque étant
particulier se montre à nous comme ceci ou cela;
et c'est seulement parce qu'elle se montre ainsi
que la chose apparaissante devient non voilée et
accessible.

Le niveau dès lors atteint sur l'échelle des séjours
est à nouveau déterminé suivant le « non-voilé »
qui est ici normal et caractéristique. C'est pour-

---

1. *Das « Unverborgenere ».*

quoi, au début même de la description du troisième degré, il est aussitôt question de τῶν νῦν λεγομένων ἀληθῶν (516 a, 3), « de ce qui est appelé maintenant le non-voilé ». Ce non-voilé est ἀληθέστερον, encore plus dévoilé que les choses artificiellement éclairées de la caverne comparées à leurs ombres. Le dévoilé alors atteint est ce qu'il y a de plus dévoilé, il est τὰ ἀληθέστατα. Sans doute Platon n'emploie-t-il pas ici cette appellation, mais, sous la forme τὸ ἀληθέστατον, le dévoilé au maximum, il l'utilise dans l'examen correspondant et non moins essentiel que l'on trouve au début du Livre VI de la *Politeia*. Il y mentionne (484 c, 5 sq.) οἱ... εἰς τὸ ἀληθέστατον ἀποβλέποντες, « ceux qui regardent vers ce qu'il y a de plus dévoilé ». Ce qui est le plus dévoilé se montre dans ce que, chaque fois, l'étant est. Si ce *quid est* (c'est-à-dire les idées) ne se montrait pas ainsi, ceci et cela, et tout ce qui est tel, d'une façon générale toutes les choses, demeureraient cachées. « Le dévoilé au maximum » est ainsi appelé parce qu'il apparaît le premier en toute chose qui apparaît et qu'il la rend accessible.

Si maintenant, à l'intérieur de la caverne, il était déjà difficile, et tout d'abord impossible, de détourner son regard des ombres pour le diriger vers la lueur du feu et vers les choses qu'elle révèle, alors c'est un effort suprême de patience qui requiert la libération en plein air hors de la caverne. La véritable libération ne résulte pas du simple détachement des chaînes, elle n'est pas une licence sans frein ni règle et commence seulement avec cette accoutumance constante, par laquelle le regard arrive à se fixer sur les limites stables de ces choses dont les aspects sont permanents. La véritable libération est la constance d'une orientation, par laquelle l'homme demeure tourné vers ce qui apparaît dans sa figure propre et qui, apparaissant ainsi, se dévoile au maximum. La liberté ne subsiste que si elle est une telle orientation. Or cette dernière est seule aussi à réaliser l'être de la παιδεία entendue comme revirement. La « formation » ne peut donc réaliser pleinement son être que dans le domaine et sur le terrain de ce qu'il y a de plus dévoilé, c'est-à-dire de l'ἀληθέστατον, de ce qu'il y a de plus vrai, donc de la vérité proprement dite. L'être de la « formation » est fondé sur l'être de la « vérité ».

Comme toutefois l'être de la παιδεία réside dans la περιαγωγὴ ὅλης τῆς ψυχῆς, elle demeure constamment, en tant que revirement, une victoire remportée sur l'ἀπαιδευσία. La παιδεία recèle en elle-même le rapport essentiel qui l'unit en arrière à l'absence de formation. Et, si le « mythe de la caverne », suivant les paroles mêmes de Platon, doit nous rendre sensible l'être de la παιδεία, pareille mise en évidence doit aussi faire ressortir un facteur essentiel, à savoir précisément cette victoire de tous les instants sur l'absence de formation. C'est pourquoi le récit de Platon ne se termine pas, comme on serait tenté de le supposer, sur la description du degré suprême correspondant à la sortie de la caverne. Au contraire, fait partie intégrante du « mythe » le récit d'une redescente de l'homme délivré dans la caverne, vers ceux qui sont encore enchaînés. L'homme délivré doit à présent conduire ces derniers, eux aussi, vers les régions d'en haut et les détacher de leur « non-voilé », pour les mettre en face du « dévoilé au maximum ». Mais le libérateur ne s'y reconnaît plus dans la caverne. Il court le danger de succomber à l'énorme puissance de la « vérité » qui y fait loi, c'est-à-dire de se plier aux prétentions de la « réalité » commune, acceptée comme la seule et unique réalité. Il court même le danger d'être tué, danger bien réel, comme on le voit par la destinée de Socrate, le « maître » de Platon.

La redescente dans la caverne et le combat à l'intérieur de celle-ci, entre le libérateur et les prisonniers s'opposant à toute libération, forment un degré propre du « mythe », le quatrième degré, par lequel il se complète et s'achève. A vrai dire, le mot ἀληθές ne se rencontre plus dans cette partie du récit. Pourtant, à ce degré aussi, il faut bien qu'il soit question de l'espèce de non-voilé qui caractérise la région souterraine à nouveau visitée. Déjà, au niveau du premier degré, les ombres n'ont-elles pas été désignées comme le « non-voilé » qui fait autorité à l'intérieur de la caverne? Sans aucun doute. Toutefois, ce qui demeure essentiel pour le non-voilé, ce n'est pas seulement que, de quelque manière, il rende accessible ce qui paraît et qu'il le maintienne ouvert dans son paraître, mais bien que le non-voilé surmonte constamment un voilement du voilé. Le non-voilé doit être arraché à son occultation, lui être pour ainsi dire enlevé et dérobé. Pour les Grecs, à l'origine, l'occultation, le fait de se voiler, domine entièrement l'essence de l'être; il marque donc aussi l'étant dans sa présence et son accessibilité (« vérité ») : c'est pourquoi le terme qui chez eux correspond à la *veritas* des Romains et à la *Wahrheit* des Allemands est caractérisé par un *a* privatif (ἀ-λήθεια). A l'origine vérité veut dire : ce qui a été arraché à une occultation. La vérité est cet arrachement, toujours en mode de dévoilement. L'occultation peut être ici de différentes espèces : claustration, mise en lieu sûr, enveloppement, recouvrement, voilement, déguisement. Comme, suivant le « mythe » platonicien,

le non-voilé suprême doit être arraché à une occultation basse et tenace, le passage de la caverne
à l'air libre et à la lumière du jour est le prix d'une
lutte sans merci. Que la « privation », cet arrachement qui fait conquérir le non-voilé, appartienne
à l'essence de la vérité, c'est ce que le quatrième
degré du « mythe » laisse proprement entendre.
C'est pourquoi il traite de l'ἀλήθεια, lui aussi,
comme chacun des trois précédents degrés du
« mythe de la caverne ».

D'une façon générale, ce « mythe » ne peut avoir
été construit sur l'image de la caverne que parce
qu'il a été inspiré d'avance, au moins partiellement,
par une expérience fondamentale qui pour les Grecs
allait de soi, celle de l'ἀλήθεια, de la non-latence de
l'étant. Qu'est-ce en effet que la caverne souterraine, sinon quelque chose qui est bien en soi ouvert,
mais en même temps voûté et qui, malgré son
entrée, demeure recouvert et emmuré par la terre?
Cette prison, imparfaitement close, sans doute, que
constitue la caverne et ce qu'elle renferme et cache
aux regards nous renvoient à un extérieur, à un non-
voilé qui se déploie tout le jour dans la clarté.
L'essence de la vérité, telle qu'à l'origine elle était
pensée par les Grecs au sens de l'ἀλήθεια, du non-
voilement rapporté à quelque chose de caché (de
voilé et rendu méconnaissable), cette essence de
la vérité et elle seule offre un rapport fondamental
à l'image de la caverne où le jour ne pénètre pas.
Là où la vérité a un autre sens, où elle a cessé d'être
un non-voilement ou du moins d'être codéterminée
par un non-voilement, le « mythe de la caverne »
ne repose plus sur rien et ne représente plus rien.

Et pourtant, si le « mythe de la caverne » témoigne
bien d'une expérience de l'ἀλήθεια comme telle, et s'il
nomme expressément l'ἀλήθεια dans des passages

d'un certain relief, une autre essence de la vérité cherche à évincer le non-voilement et à passer au premier rang. Ce qui veut dire aussi que le non-voilement, malgré tout, conserve encore un rang.

Dans l'exposé du « mythe » et dans l'interprétation même de Platon, il va pour ainsi dire de soi que la caverne et son extérieur forment le domaine où se jouent les événements rapportés. Toutefois, ce qui est ici essentiel, ce sont les passages d'un lieu à l'autre, la montée hors du souterrain, éclairé par le feu artificiel, vers le jour de la lumière solaire, et la redescente, de la source de toute lumière, dans l'obscurité de la caverne. Dans le « mythe de la caverne », la puissance de la description figurée ne provient ni du tableau d'une geôle souterraine ou de l'emprisonnement dans cette geôle, ni de la représentation d'un espace libre à l'extérieur de la caverne. Pour Platon, la pensée d'où jaillissent les images et leur interprétation se concentre bien plutôt autour du rôle du feu, de sa lueur et des ombres, de la clarté du jour, de la lumière du soleil et enfin du soleil lui-même. Tout dépend du paraître de la chose apparaissant et de ce qui lui permet d'être visible. Le non-voilement est sans doute mentionné, ainsi que ses différents degrés, mais alors la question est toujours de savoir comment grâce à lui la chose apparaissant devient accessible dans son évidence (εἶδος), comment il rend visible ce qui se montre ainsi (ἰδέα). L'effort propre de la pensée vise cette apparition de l'é-vidence, qui est accordée dans la clarté d'une luminosité [1]. Cette apparition ouvre une perspective sur ce comme quoi chaque étant est présent. Ce que la pensée recherche ici, c'est l'ἰδέα. L' « idée » est la vue-au-

---

1. *In der Helle des Scheins.*

dehors, l'é-vidence *(Aussehen)* qui ouvre une perspective *(Aussicht)* sur la chose présente. L'ἰδέα est le pur fait de briller, au sens où l'on dit que « le soleil brille ». Elle n'est pas sous la dépendance d'une autre chose qui se trouverait derrière elle et qui la ferait apparaître, elle est elle-même ce qui paraît, et qui n'a pas d'autre affaire que de paraître, de briller elle-même. L'ἰδέα est ce qui a pouvoir de briller [1]. L'être de l'idée consiste à pouvoir briller, à pouvoir être visible [2]. C'est cette luminosité de l'idée qui accomplit la présence, c'est-à-dire qui chaque fois rend présent ce qu'un étant est. C'est dans la quiddité [3] de l'étant que celui-ci est chaque fois présent. Or, d'une façon générale, « devenir présent » *(Anwesung)* est l'essence de l'être. Aussi, pour Platon, l'être est-il pleinement lui-même dans la quiddité. Comme une terminologie ultérieure le laisse encore entendre, c'est la *quidditas*, et non l'*existentia*, qui est le véritable *esse*, qui est l'*essentia*. Ce que l'idée met alors en vue, et ainsi donne à voir, c'est, pour le regard dirigé sur elle, le « non-voilé » de ce comme quoi elle apparaît. Ainsi le « non-voilé » est-il compris par avance et d'une manière unique comme ce que nous percevons en percevant l'ἰδέα, comme ce qui est connu (γιγνωσκόμενον) dans le connaître (γιγνώσκειν). C'est seulement à la faveur de ce tournant que le νοεῖν et le νοῦς (la perception) obtiennent chez Platon un rapport essentiel à l' « idée ». C'est l'adoption de cette orientation vers les idées qui marque l'essence de la « perception » et, plus tard, celle de la Raison [4].

1. *Die* ἰδέα *ist das Scheinsame.*
2. *Das Wesen der Idee liegt in der Schein- und Sichtsamkeit.*
3. *Im Was-sein des Seienden.*
4. *Vernunft,* « Raison », de *vernehmen,* « percevoir ».

Désormais le « non-voilement » renvoie toujours au non-voilé entendu comme accessible grâce à la luminosité de l'idée. Pour autant toutefois que l'accession au non-voilé s'accomplit nécessairement comme « vision », le non-voilement est engagé dans une « relation » à la vue, il lui est « relatif ». C'est pourquoi, vers la fin du Livre VI de la *Politeia*, Platon développe la question suivante : Par quoi la chose vue et l'acte de voir sont-ils ce qu'ils sont dans leur relation? Qu'est-ce qui tend l'arc qui les relie? Quel joug (ζυγόν, 5o8 a, 1) les tient réunis? La réponse, que le « mythe de la caverne » est chargé de traduire en représentations sensibles, nous est ainsi donnée sous forme d'image : c'est le soleil, source de lumière, qui confère à la chose vue sa visibilité. Mais la vue ne voit le visible que pour autant que l'œil est ἡλιοειδές, « de nature solaire [1] », qu'il est le pouvoir de participer au mode d'être du soleil, c'est-à-dire à sa luminosité. L'œil est lui-même « lumineux », il se donne au paraître, et c'est ainsi qu'il peut accueillir et percevoir ce qui apparaît. Pour qui voit à travers elle, cette image suggère les relations désignées comme suit par Platon (VI, 5o8 e, 1 sq.) : τοῦτο τοίνυν τὸ τὴν ἀλήθειαν παρέχον τοῖς γιγνωσκομένοις καὶ τῷ γιγνώσκοντι τὴν δύναμιν ἀποδιδὸν τὴν τοῦ ἀγαθοῦ ἰδέαν φάθι εἶναι. « Ce qui, donc, accorde le non-voilement aux choses connues, mais donne aussi au connaisseur le pouvoir [de connaître], dis que cela est l'Idée du Bien ».

D'après le « mythe », le soleil est l'image de l'Idée du Bien, mais en quoi consiste l'essence de cette idée? Le Bien est une idée, donc il brille.

---

1. *Sonnenhaft*. Le terme est de Gœthe (cf. Heidegger, *Le Principe de raison*, p. 125).

Brillant, il accorde la vision et, pour autant, il est lui-même visible, donc connaissable. Plus précisément ἐν τῷ γνωστῷ τελευταία ἡ τοῦ ἀγαθοῦ ἰδέα καὶ μόγις ὁρᾶσθαι (517 b, 8). « Dans le domaine du connaissable, l'Idée du Bien est la visibilité[1] qui accomplit tout paraître et qui en conséquence n'est perçue qu'en dernier lieu, et cela de telle sorte que c'est à peine si elle est elle-même proprement vue [elle ne l'est qu'à grand-peine]. »

On traduit τὸ ἀγαθόν par « le Bien ». Cette expression semble facile à comprendre. En outre, la plupart du temps le Bien est entendu comme le « Bien moral », ainsi appelé parce qu'il est conforme à la loi morale. Pareille conception nous fait sortir de la pensée grecque, bien que l'interprétation de Platon, qui fait de l'ἀγαθόν une idée, ait elle-même fourni l'occasion de donner au « Bien » une coloration « morale » et finalement de l'inscrire au compte des « valeurs ». La notion de « valeur », apparue au XIXe siècle comme conséquence interne de la conception moderne de la « vérité », est le dernier rejeton, et en même temps le plus faible, de l'ἀγαθόν. Pour autant que « la valeur » et l'interprétation par les « valeurs » sont à la base même de la métaphysique nietzschéenne et cela sous la forme absolue d'un « renversement de toutes les valeurs », Nietzsche, lui aussi, est platonicien et, comme il ignore tout de l'origine métaphysique de la « valeur », son platonisme est le plus effréné que connaisse l'histoire de la métaphysique occidentale. Concevant la valeur comme condition de possibilité de la « vie », condition posée par la « vie elle-même », Nietzsche a maintenu l'essence de l'ἀγαθόν; mais ce faisant, il a montré moins de préjugés que

1. *Sichtsamkeit.*

d'autres, qui courent après la construction boi-
teuse et sans fondement de « valeurs valant par
elles-mêmes ».

Si de plus on conçoit l'essence de l'« idée » à la
façon moderne, comme *perceptio* (« représentation
subjective »), on découvre alors dans l' « Idée du
Bien » une « valeur » existant en soi quelque part, et
dont il y a en outre une « idée ». Il faut naturellement
que cette « idée » soit suprême, car ce qui importe
est que tout aboutisse au « Bien » (au bien-être de la
prospérité ou à l'ordre de la bonne organisation).
A vrai dire, si loin qu'on suive cette pensée moderne,
on n'y retrouve plus rien du sens originel de l'ἰδέα
τοῦ ἀγαθοῦ de Platon.

Pour la pensée grecque, τὸ ἀγαθόν signifie ce qui
est apte à quelque chose et qui rend apte à quelque
chose. Chaque ἰδέα, toute é-vidence d'une chose,
permet la vue de ce qu'est la chose considérée.
Ainsi, pour la pensée grecque, les « idées » rendent
apte à ceci, qu'une chose puisse apparaître en
ce qu'elle est et puisse être ainsi présente en ce
qu'elle a de permanent. Les idées sont, en chaque
étant, ce qui est[1]. Ainsi, ce qui rend chaque idée
apte à être une idée, c'est-à-dire, en langage platonicien, l'Idée de toutes les idées, consiste en ceci
qu'elle rend possible l'apparition de toutes les choses
présentes dans leur entière visibilité. L'essence de
toute idée réside déjà en ceci qu'elle permet de
paraître, qu'elle rend apte à ce paraître qui accorde
une vue sur l'é-vidence. C'est pourquoi l'Idée des
idées est ce qui rend apte purement et simplement :
τὸ ἀγαθόν. Elle fait paraître tout le paraissable et
est ainsi, elle-même, ce qui vraiment et proprement
paraît et qui, dans son paraître, est le paraissable

---

1. *Die Ideen sind das Seiende jedes Seienden.*

maximum [1]. C'est pourquoi Platon (518 c, 9) désigne aussi l'ἀγαθόν comme τοῦ ὄντος τὸ φανότατον, « ce
qui paraît le plus, de toutes les choses qui sont (le
paraissable maximum) ».

L'expression « Idée du Bien », si propre à égarer
les interprètes modernes, est le nom de cette Idée
privilégiée qui, en tant qu'Idée des idées, est pour
toutes choses ce qui rend apte [2]. Cette idée, qui
seule peut être appelée « le Bien », demeure ἰδέα
τελευταία, parce que c'est en elle que l'essence de
l'idée s'accomplit, c'est-à-dire commence d'être, de
sorte que d'elle procède aussi, et en premier lieu,
la possibilité de toutes les autres idées. Le Bien
peut être appelé l' « Idée suprême » en un double
sens : il est l'idée la plus haute comme source de
possibilité — et le regard qui monte vers lui est
le plus vertical, donc le plus pénible. Si fatigant
qu'il puisse être de la saisir véritablement, l'Idée
qui, vu ce qu'est une idée, doit être appelée « le
Bien » au sens grec du mot, cette Idée, pourtant,
est toujours d'une certaine manière à portée du
regard, partout où quelque étant nous apparaît.
Même là où nous ne voyons que des ombres dont
l'être réel se dérobe encore à nous, la lueur d'un
feu est déjà nécessaire, bien que cette lueur ne
soit pas saisie comme telle ni éprouvée comme un
don du feu et bien que surtout nous ignorions
encore que ce feu est un rejeton (ἔγγονον, VI, 507 a,
3) du soleil. A l'intérieur de la caverne, le soleil
demeure invisible et pourtant les ombres elles-
mêmes tirent leur subsistance de sa lumière. De
son côté le feu de la caverne, qui rend possible la
perception des ombres sans toutefois qu'une telle

1. *Das... Scheinsamste.*
2. *Das Tauglichmachende.*

perception se saisisse elle-même dans son être propre, le feu de la caverne, disons-nous, est l'image du fond inconnu de cette expérience de l'étant qui vise l'étant, mais ne le connaît pas comme ce qu'il est. Le soleil, au contraire, lorsqu'il brille, ne donne pas seulement à tout ce qui apparaît la clarté et avec elle la visibilité, et par là le « non-voilement » : le soleil, lorsqu'il brille, rayonne en même temps la chaleur; et son ardeur rend possible à tout « ce qui naît » de s'avancer dans la visibilité de ce qui le constitue (509 b).

Mais une fois que le soleil a été vu lui-même (ὀφθεῖσα δέ) comme soleil ou, pour laisser là les images, une fois que l'Idée suprême a été perçue, alors συλλογιστέα εἶναι ὡς ἄρα πᾶσι πάντων αὕτη ὀρθῶν τε καὶ καλῶν αἰτία (517 c), « alors — la pensée ayant été rassemblée et ramenée à l'unité — on aperçoit (comme découlant de l'Idée suprême) que, pour tous les hommes, elle (l'Idée du Bien) est manifestement la Chose primordiale, la Cause [1] de tout ce qui est bien (dans leur comportement) comme de tout ce qui est beau », c'est-à-dire de ce qui se montre à ce même comportement de telle sorte qu'il fait apparaître sa propre é-vidence dans ce qu'elle a de brillant [2]. Pour toutes les « choses » et pour leur choséité, l'Idée suprême est l'Origine, c'est-à-dire la Cause [1]. « Le Bien » accorde l'apparition de l'évidence, de ce en quoi la chose présente possède la consistance de son être. Par cet octroi, l'étant est maintenu dans l'être et ainsi « sauvé ».

Pour qui observe avec prudence ce qui se passe autour de lui, il découle de l'être de l'Idée suprême ὅτι δεῖ ταύτην ἰδεῖν τὸν μέλλοντα ἐμφρόνως πράξειν

1. *Die Ur-sache.*
2. *Das Scheinen seines Aussehens zum Erscheinen bringt.*

ἢ ἰδίᾳ ἢ δημοσίᾳ (517 c, 4-5), « que celui qui est soucieux d'agir avec discernement et prudence, dans ses affaires privées comme dans les affaires publiques, doit tourner ses regards vers celle-ci (vers l'Idée qu'on appelle le Bien, parce qu'elle rend possible l'être même de toute idée) ». Qui doit et veut agir dans un monde gouverné par « l'Idée » a besoin, avant toute autre chose, de ce regard qui atteint l'Idée. Et l'essence de la παιδεία consiste justement en ce qu'elle rend l'homme libre et fort, capable de diriger constamment sur l'essence un regard clair. Et puisque, suivant l'interprétation même de Platon, le « mythe de la caverne » doit fournir une représentation imagée de l'essence de la παιδεία, on comprend pourquoi il lui faut aussi raconter la montée vers la vision de l'Idée suprême.

Ce n'est donc pas l'ἀλήθεια qui forme l'objet propre du « mythe de la caverne »? Certainement pas. Et pourtant il demeure assuré que ce mythe contient la « doctrine » de Platon sur la vérité. Car il se fonde sur un événement qu'il ne mentionne pas, à savoir que l'ἰδέα prend le dessus sur l'ἀλήθεια. Le « mythe » donne une image de ce que Platon dit de l'Idée du Bien : αὐτὴ κυρία ἀλήθειαν καὶ νοῦν παρασχομένη (517 c, 4), « elle est elle-même la Souveraine, en ce qu'elle accorde le non-voilement (à ce qui se montre) et en même temps la perception (du non-voilé) ». L'ἀλήθεια passe sous le joug de l'Idée. Lorsque Platon dit de l'Idée qu'elle est la Souveraine qui concède le non-voilement, il nous renvoie à quelque chose qu'il ne dit pas, à savoir que désormais l'essence de la vérité cesse de se déployer, à partir de sa propre plénitude d'être, comme essence du non-voilement, mais qu'elle se déplace pour venir coïncider avec l'essence de l'Idée. L'essence de la vérité abandonne son trait fondamental antérieur : le non-voilement.

Lorsque partout, dans chacun de nos rapports avec les choses qui sont, il n'est rien qui importe plus que l'ἰδεῖν de l'ἰδέα, la saisie de l' « é-vidence » par le regard, tous nos efforts doivent se concentrer d'abord sur un seul point : rendre possible une pareille vision. Ce qui exige que nous sachions regarder comme il faut. Quand, dans la caverne, l'homme libéré se détourne des ombres pour considérer les choses, il dirige déjà son regard vers ce qui « a plus d'être » que de simples ombres : πρὸς μᾶλλον ὄντα τετραμμένος ὀρθότερον βλέποι (515 d, 3-4), « ainsi tourné vers ce qui a plus d'être, il voit sans doute d'une façon plus exacte ». Passer d'un état à un autre, c'est regarder d'une façon plus exacte. Tout est subordonné à l'ὀρθότης, à l'exactitude du regard. Par cette exactitude, la vue et la connaissance deviennent correctes, de sorte que finalement elles visent directement l'Idée suprême et se fixent dans cette « visée ». Ainsi orientée, la perception se conforme à ce qui doit être vu. C'est là l' « é-vidence [1] » de ce qui est. Cette adaptation de la perception, de l'ἰδεῖν, à l'ἰδέα, entraîne une ὁμοίωσις, un accord de la connaissance et de la chose elle-même. De cette prééminence conférée à l'ἰδέα et à l'ἰδεῖν sur l'ἀλήθεια résulte un changement dans l'essence de la vérité. La vérité devient l'ὀρθότης, l'exactitude de la perception et du langage.

Ce changement dans l'essence de la vérité s'accompagne d'un autre changement qui concerne le lieu de la vérité. En tant que non-voilement, la vérité est encore un trait fondamental de l'étant lui-même. Mais, comme exactitude du « regard », elle

1. *Aussehen.*

devient la caractéristique d'un certain comportement de l'homme envers les choses qui sont.

Toutefois Platon est contraint de maintenir
encore, d'une certaine façon, la « vérité » comme
caractère de l'étant, car celui-ci, en tant que chose
présente, possède l'être dans la mesure où il apparaît : or l'être apporte avec lui le non-voilement.
Mais en même temps la question concernant le
non-voilé se déplace : elle vise désormais l'apparition
de l'é-vidence et, par elle, la vue qui lui correspond,
la justesse et l'exactitude de cette vue. C'est pourquoi, nécessairement, une ambiguïté est inhérente
à la doctrine de Platon. C'est précisément cette
ambiguïté qui témoigne du changement intervenu
dans l'essence de la vérité, de ce changement
jamais mentionné et dont il serait bon de parler
désormais. L'ambiguïté en question apparaît très
nettement si l'on observe que Platon traite et parle
de l'ἀλήθεια, alors qu'il pense à l'ὀρθότης et la pose
comme décisive, et cela en une seule et même
démarche de pensée.

Cette ambiguïté touchant la conception de
l'essence de la vérité ressort d'une phrase de
l'alinéa où Platon donne sa propre interprétation
du « mythe de la caverne » (517 b, 7, à c, 5). La
pensée directrice est que l'Idée suprême établit
un lien unissant le connaître et le connu. Mais cette
relation est conçue de deux façons différentes. Platon dit d'abord, donc comme ce qui est déterminant : ἡ τοῦ ἀγαθοῦ ἰδέα est πάντων ὀρθῶν τε καὶ
καλῶν αἰτία, l'Idée du Bien est « la Cause (c'est-à-
dire ce qui rend possible l'essence) de tout ce qui est
exact comme de tout ce qui est beau ». Mais nous
lisons ensuite que l'Idée du Bien est κυρία ἀλήθειαν
καὶ νοῦν παρασχομένη, « la Souveraine qui accorde
le non-voilement, mais aussi la perception ». Ces

deux affirmations ne sont pas parallèles en ce sens que l'ἀλήθεια correspondrait aux ὀρθά (à l'exact) et le νοῦς (la perception) aux καλά (au beau). Les correspondances sont bien plutôt croisées. La perception correcte répond aux ὀρθά, à l'exact et à son exactitude; et le non-voilé répond au beau : car l'être du beau consiste à être ἐκφανέστατον (cf. *Phèdre*), à être ce qui, brillant le plus de soi-même et le plus purement, montre l'é-vidence et est ainsi non voilé. Les deux propositions marquent la prééminence de l'Idée du Bien en tant qu'elle rend possible l'exactitude de la connaissance et le non-voilement du connu. Ici encore la vérité est à la fois non-voilement et exactitude, bien que le non-voilement, lui aussi, soit déjà placé sous le joug de l'ἰδέα.

La même ambiguïté concernant la conception de la vérité se retrouve chez Aristote. Dans le chapitre final du livre IX de la *Métaphysique* (*Mét.*, Θ, 10, 1051 a, 34 sqq.), là où la pensée d'Aristote touchant l'être de l'étant atteint son apogée, le non-voilement est le trait fondamental de l'étant, celui par lequel toutes choses sont régies. Mais en même temps Aristote peut dire : οὐ γάρ ἐστι τὸ ψεῦδος καὶ τὸ ἀληθὲς ἐν τοῖς πράγμασιν... ἀλλ' ἐν διανοίᾳ (*Mét.*, E, 4, 1027 b, 25 sq.). « En effet le faux et le vrai ne sont pas dans les choses [elles-mêmes]... mais dans l'entendement. »

Le jugement prononcé par l'entendement est le lieu de la vérité, de la fausseté et de leur différence. Le jugement est dit vrai pour autant qu'il se conforme à la chose elle-même, qu'il est une ὁμοίω-σις. Cette définition de la vérité ne contient plus aucune référence à l'ἀλήθεια au sens du non-voile-ment; c'est au contraire l'ἀλήθεια qui est conçue comme l'opposé du ψεῦδος, c'est-à-dire du faux au sens de l'inexact; elle est donc conçue comme l'exactitude. L'essence de la vérité une fois caractérisée comme l'exactitude de la représentation qui s'énonce, cette définition de la vérité devient déterminante pour la philosophie occidentale tout entière. Il nous suffira, pour le montrer, de citer quelques propositions fondamentales qui sont caractéristiques des conceptions admises pour l'essence de la vérité, aux principales époques de la métaphysique.

Pour la scolastique médiévale, la thèse de Thomas d'Aquin fait autorité : *veritas proprie invenitur in intellectu humano vel divino (Quaestiones de veritate, qu. I, art. 4, resp.)*, « la vérité se rencontre proprement dans l'intellect humain ou divin ». Son lieu est essentiellement l'intellect. La vérité n'est plus ici ἀλήθεια, mais ὁμοίωσις *(adaequatio)*.

Au début des temps modernes, Descartes, accentuant l'affirmation précédente, écrit : *veritatem proprie vel falsitatem non nisi in solo intellectu esse posse (Regulae ad directionem ingenii, Reg. VIII, Opp. X, 396)*, « la vérité et la fausseté, au sens propre de ces termes, ne peuvent être nulle part ailleurs que dans le seul intellect ».

Et à l'âge où les temps modernes entrent dans leur plein accomplissement, Nietzsche écrit, renforçant encore l'affirmation précédente : « *La vérité est cette sorte d'erreur* sans laquelle une espèce déterminée d'êtres vivants ne pourrait vivre. En dernière analyse, c'est la valeur pour la *vie* qui est décisive » (*Notes* de l'année 1885, *La Volonté de puissance*, n⁰ 493). Si la vérité, comme le dit Nietzsche, est une sorte d'erreur, elle consiste essentiellement en un trait de la pensée, qui fausse chaque fois le réel et d'une façon nécessaire, à savoir pour autant que toute représentation arrête le « devenir », qui ne cesse de progresser et qu'en face de son flux elle dresse, comme soi-disant réalité, une chose figée, donc non conforme au devenir, donc inexacte et par là trompeuse.

En définissant la vérité comme une inexactitude de la pensée, Nietzsche montre qu'il est d'accord avec la conception traditionnelle pour laquelle la vérité est l'exactitude de l'énonciation (λόγος). Le concept nietzschéen de la vérité nous fait percevoir le dernier reflet de l'extrême conséquence de cette mutation par laquelle la vérité, qui était le non-voilement de l'étant, est devenue l'exactitude du regard. La mutation elle-même s'est accomplie, lorsque l'être de l'étant (c'est-à-dire pour les Grecs l'arrivée de la chose à la présence) a été défini comme ἰδέα.

Suivant cette interprétation de l'étant, l'arrivée à la présence [1] n'est plus, comme elle l'était au début de la pensée occidentale, l'accession du latent à l'état de non-latence, accession où la non-latence, en tant que dévoilement [2], constitue le trait fondamental de l'arrivée à la présence. Platon comprend l'arrivée-à-la-présence (οὐσία) comme ἰδέα. Celle-ci toutefois n'est pas subordonnée au non-voilement en ce sens qu'étant au service du non-voilé, elle le ferait apparaître. C'est au contraire le fait de paraître, de briller (de se montrer) qui détermine ce qui, intérieurement à l'essence du paraître, et rapporté à lui et à lui seul, peut encore être appelé non-voilement. L'ἰδέα n'est pas un premier plan de l'ἀλήθεια, où les choses viendraient prendre figure, mais le fond où se fonde sa possibilité. Même ainsi, cependant, l'ἰδέα revendique encore

---

1. *Die Anwesung.*
2. *Entbergung.*

quelque chose de l'être originel, mais inconnu, de l'ἀλήθεια.

La vérité n'est plus, comme non-voilement, le trait fondamental de l'être lui-même ; mais, devenue exactitude en raison de son asservissement à l'Idée, elle est désormais le trait distinctif de la connaissance de l'étant.

Depuis lors existe un effort vers la « vérité » au sens de l'exactitude du regard et de sa direction. Depuis lors, dans toutes les positions fondamentales adoptées à l'égard de l'étant, l'obtention d'un regard correct vers l'Idée devient décisive. La méditation de la παιδεία et le changement intervenu dans l'être de l'ἀλήθεια sont deux choses qui se tiennent et elles sont bien toutes deux à leur place dans une même histoire, celle que raconte le mythe de la caverne et qui décrit le passage d'un lieu de séjour à un autre.

La différence des deux lieux de séjour, à l'intérieur et à l'extérieur de la caverne, est une différence dans l'être de la σοφία. En général ce mot désigne, relativement à quelque chose, le pouvoir de s'y retrouver, de s'y connaître. Un sens plus propre de σοφία est le pouvoir de s'y reconnaître, en ce qui est présent comme non-voilé et qui, en tant que présent, est permanent. « S'y reconnaître » ne veut pas dire qu'on possède de simples connaissances, mais bien que l'on occupe un lieu de séjour qui a d'emblée, pour toutes ses parties, un point d'appui dans le permanent.

La façon de « s'y reconnaître » qui seule est acceptée en bas dans la caverne, ἡ ἐκεῖ σοφία (516 c, 5), est surpassée et dominée par une autre σοφία. Celle-ci vise avant tout, et vise exclusivement, à saisir l'être de l'étant dans les « idées ». Cette σοφία supérieure, au rebours de celle qui a cours là-bas dans la caverne, est caractérisée par le désir de dépasser les choses immédiatement présentes pour trouver un point d'appui dans le Permanent, dans ce qui est visible par soi-même. Cette σοφία est en soi une prédilection et une amitié (φιλία) pour les « idées », auxquelles nous devons tout ce qui est non voilé. Hors de la caverne la σοφία est φιλοσοφία. L'usage de ce mot est antérieur à Platon; les Grecs l'employaient, d'une façon générale, pour désigner l'inclination à « s'y reconnaître » comme il faut. Platon est le premier qui s'en soit servi pour nommer une façon de « s'y reconnaître » à l'intérieur de l'étant : celle qui caractérise comme idée l'être de l'étant. Avec Platon la pensée touchant l'être de l'étant devient... « philosophie », parce qu'elle est un regard levé vers les idées. Mais la « philosophie » qui commence ainsi avec Platon a désormais le caractère de ce qu'on appellera plus tard « métaphysique ». Platon nous présente lui-même, dans ses grandes lignes, la figure de la métaphysique, précisément dans cette histoire qui constitue le « mythe de la caverne ». Dans le récit de Platon, le mot même de « métaphysique » se trouve déjà préformé. Là où il nous montre (516) comment le regard peut s'habituer à la vue des idées, Platon dit (516 c, 3) : La pensée va μετ' ἐκεῖνα, « au-delà » des choses perçues là-bas et qui ne sont qu'ombres et images, elle va εἰς ταῦτα, « vers » celles-ci, à savoir les « idées ». Les idées forment le suprasensible, qui est saisi par un regard non sensible; elles constituent cet être de l'étant qui échappe aux organes du corps. Et suprême dans le domaine suprasensible est cette idée qui, en tant qu'Idée de toutes les idées, demeure la cause de la consistance et de l'apparition de tout ce qui est. Étant ainsi la Cause universelle, elle est également « l'Idée » qu'on nomme « le Bien ».

Cette Cause première et suprême est appelée par
Platon, et à sa suite par Aristote, τὸ θεῖον, le
Divin. Depuis que l'être a été interprété comme
ἰδέα, la pensée tournée vers l'être de l'étant est
métaphysique, et la métaphysique est théologique.
Par « théologie » il faut entendre ici, et l'interprétation pour laquelle la « cause » de l'étant est Dieu,
et le transfert de l'être dans cette cause, qui contient
en soi l'être et le fait jaillir de soi, parce qu'elle est,
de tout ce qui est, l'Étant maximum.

Cette même interprétation de l'être comme ἰδέα,
qui doit son succès à un changement dans l'essence
de l'ἀλήθεια, implique que le regard tourné vers
les idées possède une excellence spéciale. A cette
excellence répond le rôle de la παιδεία, de la « formation » de l'homme. La métaphysique tout
entière est régie par le souci de l'être de l'homme
et de sa position au milieu de tout ce qui est.

Le début de la métaphysique, qui s'observe
dans la pensée de Platon, est en même temps le
début de l' « humanisme ». Ce mot doit être ici
pensé en mode essentiel, donc en son acception
la plus large. « Humanisme » désigne alors le processus — lié au début, au développement et à la
fin de la métaphysique — par lequel l'homme, dans
des perspectives chaque fois différentes, mais
toujours sciemment, se place en un centre de
l'étant, sans être encore lui-même, pour autant,
l'Étant suprême. « L'homme » veut dire ici, soit
l'humanité ou l'une de ses cultures, soit l'individu
ou une communauté, soit le peuple ou un groupe
de peuples. Il s'agit toujours, en partant d'une
constitution métaphysique bien arrêtée de l'étant,
de permettre à l' « homme », tel qu'il résulte de
cette constitution, à l'*animal rationale*, de libérer
ses possibilités, de parvenir à la certitude de sa

destinée et à la mise en sûreté de sa « vie ». Ce qui
a lieu comme définition d'un comportement
« moral », ou comme libération de l'âme immor-
telle, déploiement des puissances créatrices, épanouissement de la Raison, culture de la personna-
lité, éveil du sens de la communauté, discipline
ascétique ou enfin union appropriée de quelques-
uns de ces « humanismes » ou d'eux tous. On gravite
chaque fois autour de l'homme, d'une façon métaphysiquement déterminée et sur des orbites plus ou
moins larges. La métaphysique une fois parachevée,
l' « humanisme » (ou, pour faire plus grec, l'anthropologie) monte aussi à l'assaut des « positions »
extrêmes, c'est-à-dire inconditionnées.

La pensée de Platon suit la mutation intervenue
dans l'essence de la vérité : cette mutation devient
l'histoire de la métaphysique, dont le total achèvement a commencé avec la pensée de Nietzsche.
La doctrine de Platon sur la « vérité » n'est donc
rien qui soit déjà perdu dans le passé. Elle est un
« présent » historique, ce qui toutefois ne doit pas
être entendu seulement comme la « conséquence
lointaine », dégagée après coup par les calculs de
l' « histoire », d'une certaine doctrine, pas davantage comme un réveil, ou comme une imitation
de l'antiquité, ou comme le simple maintien d'une
tradition. La mutation alors intervenue dans
l'essence de la vérité nous est présente comme
la réalité fondamentale de l'histoire mondiale de
notre planète, alors que cette histoire s'avance
vers la phase extrême de sa modernité et que
la réalité en question, consolidée depuis longtemps,
donc encore inébranlée, domine et régit toutes
choses.

Tout ce qui advient à l'homme historique résulte
chaque fois d'une décision prise antérieurement

et qui n'est jamais le fait de l'homme lui-même. Cette décision concerne l'essence de la vérité et, par elle, se trouve déjà délimité ce qui, à la lumière de l'essence admise pour la vérité, est recherché et retenu comme vrai, mais aussi ce qui est rejeté comme faux et perd ainsi toute audience.

Le « mythe de la caverne » nous ouvre les yeux sur ce qui, dans l'histoire de cette partie de l'humanité qui a reçu l'empreinte occidentale, constitue maintenant, et constituera encore à l'avenir, l'événement proprement historique : conformément à la définition de la vérité comme exactitude de la représentation, l'homme pense tout ce qui est suivant des « idées » et apprécie toute réalité d'après des « valeurs ». Ce qui seul importe, ce qui est décisif en premier lieu, ce n'est pas de savoir quelles idées et quelles valeurs sont établies et acceptées, mais bien que d'une façon générale le réel soit interprété d'après des « idées », que d'une façon générale le « monde » soit soupesé d'après des « valeurs ».

L'essence originelle de la vérité s'est trouvée, chemin faisant, rappelée à notre mémoire. A cette mémoire le non-voilement apparaît comme le trait fondamental de l'étant lui-même. Le rappel de l'essence originelle de la vérité, toutefois, doit penser cette essence d'une façon plus originelle. Aussi ne peut-il jamais assumer le non-voilement au seul sens de Platon, c'est-à-dire en le soumettant à l'ἰδέα. Compris au sens de Platon, le non-voilement demeure engagé dans une relation avec la vue, la perception, la pensée et le langage. Accepter cette relation, c'est abandonner l'essence du non-voilement. Aucune tentative pour fonder l'essence du non-voilement sur la « Raison », sur l' « esprit », sur la « pensée », sur le « Logos », sur n'importe quelle sorte de « subjectivité », ne pourra jamais sauver l'essence du non-voilement. Car alors ce qu'il faut fonder, l'essence du non-voilement lui-même, n'a pas encore été suffisamment questionné, sondé, dégagé. On se contente toujours d' « expliquer » une conséquence de l'essence incomprise du non-voilement.

Nécessaire en premier lieu est une appréciation de ce que l'essence « privative » de l'ἀλήθεια contient de « positif ». Ce contenu positif doit être, en premier lieu, appréhendé comme le trait fondamental de l'être lui-même. Mais il faut que d'abord éclate la détresse où ce n'est plus comme toujours l'étant seul, mais pour une fois l'être, qui mérite d'être visé par nos questions. C'est parce qu'une telle détresse n'est encore qu'imminente que l'essence originelle de la vérité repose toujours dans l'obscurité de son origine.

Ce qu'est et comment se détermine la ΦΥΣΙΣ.

Traduit par François Fédier.

Titre original :

DIE PHYSIS BEI ARISTOTELES

LIVRE B
DE L'ÉCRIT ACROAMATIQUE
DE PHYSIQUE
*(Traduction d'après
la traduction de M. H.)*

I

Τῶν γὰρ ὄντων τὰ μέν ἐστι φύσει, τὰ δὲ δι'ἄλλας αἰτίας, φύσει μὲν τά τε ζῷα καὶ τὰ μέρη αὐτῶν καὶ τὰ φυτὰ καὶ τὰ ἁπλᾶ τῶν σωμάτων, οἷον γῆ καὶ πῦρ καὶ ἀὴρ καὶ ὕδωρ.

De l'étant [dans son ensemble] l'un est venant-à-partir de la φύσις, l'autre toutefois par d'autres « causes »; venant de la φύσις sont alors, comme nous disons, les bêtes tout comme leurs membres [parties], aussi les plantes, de même les Simples des corps, comme Terre et Feu et Air et Eau.

Πάντα δὲ τὰ ῥηθέντα φαίνεται διαφέροντα πρὸς τὰ μὴ φύσει συνεστῶτα.

Tout ce qui est ici nommé se montre comme quelque chose qui se distingue par rapport à cela qui ne s'est pas, à partir de la φύσις, posé de soi-même ensemble dans une constance et consistance.

Τὰ μὲν γαρ φύσει ὄντα πάντα φαίνεται ἔχοντα ἐν ἑαυτοῖς

De cela, en vérité, / qui, venant-à-partir de la φύσις,

ἀρχὴν κινήσεως καὶ στάσεως, τὰ μὲν κατὰ τόπον, τὰ δὲ κατ' αὔξησιν καὶ φθίσιν, τὰ δὲ κατ' ἀλλοίωσιν.

Κλίνη δὲ καὶ ἱμάτιον, καὶ εἴ τι τοιοῦτον ἄλλο γένος ἐστίν, ᾗ μέν τετύχηκε τῆς κατηγορίας ἑκάστης καὶ καθ' ὅσον ἐστίν ἀπὸ τέχνης, οὐδεμίαν ὁρμήν ἔχει μεταβολῆς ἔμφυτον, ᾗ δέ συμβέβηκεν αὐτοῖς εἶναι λιθίνοις ἢ γηΐνοις ἤ μικτοῖς ἐκ τούτων ἔχει.

Καὶ κατὰ τοσοῦτον, ὡς οὔσης τῆς 'φύσεως ἀρχῆς τινὸς καὶ αἰτίας τοῦ κινεῖσθαι καὶ ἠρεμεῖν ἐν ᾧ ὑπάρχει πρώτως

est *ce* que c'est et *comment* c'est / chacun a en lui-même pouvoir originaire sur la mobilité et l'arrêt, où mobilité et repos sont entendus une fois par rapport au lieu, une autre fois par rapport à l'accroissement et à la diminution, une autre fois par rapport au devenir-autre [transformation].

Une couche [un lit] toutefois et un vêtement, et s'il y a par ailleurs un tel genre autre [de choses telles], [cela] a, *pour autant bien sûr* que c'est cité et fixé conformément à la déclaration exigée [comme vêtement par exemple], et dans la mesure où cela provient du s'y-connaître productif — [cela] n'a *absolument en rien* le premier élan de la lancée à l'intérieur de lui-même; *mais pour autant* qu'à de telles choses [chaque fois] par avance est venu s'adjoindre qu'elles sont en pierre et terre, ou bien mélangées à partir d'elles, elles *ont* un premier élan de la lancée en elles-mêmes et assurément elles ne l'ont juste que dans cette mesure.

Suivant cela, la φύσις est alors quelque chose comme issue et pouvoir, et ainsi donc quelque chose d'origi-

καθ' αὐτὸ καὶ μὴ κατὰ συμβεβηκός.

Λέγω δέ τὸ μὴ κατὰ συμβε-
βηκός, ὅτι γένοιτ' ἂν αὐτὸς
αὐτῷ τις αἴτιος ὑγιείας ὢν
ἰατρός· ἀλλ' ὅμως οὐ καθὸ
ὑγιάζεται τὴν ἰατρικὴν ἔχει,
ἀλλὰ συμβέβηκε τὸν αὐτὸν
ἰατρὸν εἶναι καὶ ὑγιαζόμενον·
διὸ καὶ χωρίζεταί ποτ' ἀπ'
ἀλλήλων.

Ὁμοίως δὲ καὶ τῶν ἄλλων
ἕκαστον τῶν ποιουμένων·
οὐδὲν γὰρ αὐτῶν ἔχει τὴν
ἀρχὴν ἐν ἑαυτῷ τῆς ποιήσεως,
ἀλλὰ τὰ μέν ἐν ἄλλοις καὶ
ἔξωθεν, οἷον οἰκία καὶ τῶν
ἄλλων τῶν χειροκμήτων ἕκαστον, τά δ' ἐν αὐτοῖς μὲν ἀλλ'
οὐ καθ' αὐτά, ὅσα κατὰ
συμβεβηκὸς αἴτια γένοιτ' ἂν
αὐτοῖς.

naire pour, et sur le se-mou-
voir et être-en-repos de ce
dans quoi elle a d'avance
originairement pouvoir, premièrement en soi et partant
de soi, et *en direction de soi*,
et ainsi *jamais* de telle sorte
que l'ἀρχή ne s'installerait
seulement qu'en passant.

J'ajoute bien « cela non à la
manière du venu-en-pas-
sant », parce qu'un homme
pourrait bien être de lui-
même et pour lui-même l'originaire [départ et pouvoir]
de la « santé », et cependant
être aussi en même temps
médecin; pourtant il a la
connaissance médicale *à sa
disposition* non dans la
mesure où il recouvre la
santé — bien plutôt dans ce
cas sont confondus en un
seul et même homme être-
médecin et recouvrer la
santé; c'est pourquoi les
deux demeurent séparés chacun pour soi.

Il en est de même façon aussi
pour toute autre chose qui
fait partie des choses œu-
vrées; à dire vrai, aucune
d'elles n'a le départ et le
pouvoir de l'œuvrer en elle-
même; bien plus, les unes ont
leur ἀρχή en un autre étant,
et ainsi l'ont depuis l'extérieur, ainsi, par exemple,
que la maison, et toute autre

chose œuvrée à la main; les autres pourtant ont bien l'ἀρχή en elles-mêmes, mais non dans la mesure où elles-mêmes sont elles-mêmes. De cela fait partie tout ce qui, à la manière de l'accidentel, peut être « cause » pour soi-même.

Φύσις μὲν οὖν ἐστὶ τὸ ῥηθέν· φύσιν δὲ ἔχει ὅσα τοιαύτην ἔχει ἀρχήν. Καὶ ἔστι πάντα ταῦτα οὐσία· ὑποκείμενον γάρ τι καὶ ἐν ὑποκειμένῳ ἐστὶν ἡ φύσις ἀεί. Κατὰ φύσιν δὲ ταῦτά τε καὶ ὅσα τούτοις ὑπάρχει καθ' αὐτά, οἷον τῷ πυρὶ φέρεσθαι ἄνω· τοῦτο γὰρ φύσις μὲν οὐκ ἔστιν, οὐδ' ἔχει φύσιν, φύσει δὲ καὶ κατὰ φύσιν ἐστίν. Τί μὲν οὖν ἐστὶν ἡ φύσις, εἴρηται, καὶ τί τὸ φύσει καὶ κατὰ φύσιν.

Φύσις, donc, ainsi, est ce qui a été dit. « A » de la φύσις, tout ce qui contient un pouvoir originaire de ce genre. Et tout cela *est* [a l'être] du genre de l'étance; depuis soi-même étant gisant là-devant, à vrai dire, quelque chose de tel est, et *dans* un tel venant-là-devant-s'étendre (déterminant l'ὑποκεῖσθαι), la φύσις, chaque fois. A la mesure de la φύσις, pourtant, est cela aussi bien que tout ce qui appartient à cela quant à soi-même de soi-même — ainsi par exemple, pour le feu : être porté vers le haut; cela en effet (être porté vers le haut] est à la vérité non pas φύσις, ni ne contient de la φύσις — mais c'est bien venant-à-partir de la φύσις, et à la mesure de la φύσις. Ce qu'est la φύσις, voilà donc qui est défini, et aussi ce que signifie « venant-à-partir de la φύσις » et « à la mesure de la φύσις ».

Ὡς δ' ἔστιν ἡ φύσις, πειρᾶσθαι δεικνύναι γελοῖον· φανερὸν γὰρ ὅτι τοιαῦτα τῶν ὄντων ἐστὶ πολλά. Τὸ δὲ δεικνύναι τὰ φανερὰ διὰ τῶν ἀφανῶν οὐ δυναμένου κρίνειν ἐστὶ τὸ δι' αὐτὸ καὶ μὴ δι' αὐτὸ γνώριμον. Ὅτι δ' ἐνδέχεται τοῦτο πάσχειν, οὐκ ἄδηλον· συλλογίσαιτο γὰρ ἄν τις ἐκ γενετῆς ὢν τυφλὸς περὶ χρωμάτων, ὥστε ἀνάγκη τοῖς τοιούτοις περὶ τῶν ὀνομάτων εἶναι τὸν λόγον, νοεῖν δε μηδέν.

Mais *qu'*elle *soit*, la φύσις, vouloir pour cela déployer une preuve est ridicule; car cela [l'être comme φύσις] se montre de soi-même, vu que justement de l'étant de ce genre s'offre multiplement parmi l'étant. Or fournir des preuves pour cela qui se montre à partir de soi-même, [et surtout] la preuve en passant par ce qui n'accorde pas l'apparaître, c'est le geste d'un homme incapable de distinguer [l'un par rapport à l'autre] ce qui est par soi-même et ce qui n'est pas par soi-même familier à la connaissance. Mais cela [une telle incapacité à faire cette distinction], que cela puisse se présenter, ce n'est pas du domaine des choses étrangères à la figure d'un monde. Par une suite de réflexions en effet, il se pourrait bien que disons un aveugle-né essaie de parvenir, à propos des couleurs, à une certaine connaissance. Dans ce cas, de telles gens en viennent nécessairement à un énoncé portant sur la signification des noms de couleurs, mais ils ne voient jamais par là la moindre chose des couleurs elles-mêmes.

Δοκεῖ δ' ἡ φύσις καὶ ἡ οὐσία τῶν φύσει ὄντων ἐνίοις εἶναι

Or, la φύσις et ainsi donc l'étance de l'étant qui est à

τὸ πρῶτον ἐνυπάρχον ἑκάστῳ ἀρρύθμιστον καθ' ἑαυτό, οἷον κλίνης φύσις τὸ ξύλον, ἀνδρι- άντος δ' ὁ χαλκός. Σημεῖον δέ φησιν Ἀντιφῶν ὅτι, εἴ τις κατορύξειε κλίνην καὶ λάβοι δύναμιν ἡ σηπεδὼν ὥστε ἀνεῖναι βλαστόν, οὐκ ἂν γενέσθαι κλίνην ἀλλὰ ξύλον, ὡς τὸ μὲν κατὰ συμβεβηκὸς ὑπάρχον, τὴν κατὰ νόμον διάθεσιν καὶ τὴν τέχνην, τὴν δ' οὐσίαν οὖσαν ἐκείνην ἡ καὶ διαμένει ταῦτα πάσχουσα συνεχῶς. Εἰ δὲ καὶ τούτων ἕκαστου πρός ἕτερόν τι ταὐτὸ τοῦτο πέπονθεν, οἷον ὁ μὲν χαλκὸς καὶ ὁ χρυσὸς πρὸς ὕδωρ, τὰ δ' ὀστᾶ καὶ ξύλα πρὸς γῆν, ὁμοίως δὲ καὶ τῶν ἄλλων ὁτιοῦν, ἐκεῖνα τὴν φύσιν εἶναι καὶ τὴν οὐσίαν αὐτῶν.

partir de la φύσις, se montre pour quelques-uns [des Pen- seurs] comme si elle était ce qui, en toute chose, premiè- rement s'étend là-devant — ce qui en soi-même manque de structure; ainsi, la φύσις du lit serait le bois, et celle de la statue l'airain. Cela se montre, suivant l'exposé d'Antiphon, de la manière suivante : si quelqu'un en- fouit un lit dans la terre, et que la putrescence arrive à faire qu'un germe vienne à éclore, alors [de ce dernier] ne sort pas un lit, mais du bois; en conséquence, ce qui a été mené à bien à la mesure d'une institution et d'un s'y-connaître est bien à la vérité quelque chose qui se rencontre, mais il ne se ren- contre que dans la mesure où il s'est mis-avec; l'étance, pourtant, gît en celle-là [la φύσις], qui, elle, demeure tout au long, se maintenant bien ensemble au cours de tout ce qu'elle endure en [en] « passant par là ». Et si même parmi cela [le bois, l'airain / l'un, dans son rapport à un quelconque autre, a justement déjà passé par cela même / à savoir qu'il a été porté à une struc- ture /, comme par exemple l'airain ou l'or par rapport à l'eau, où les os et le bois

par rapport à la terre, et de
même façon également n'importe
quelle chose toujours parmi le reste de tout
l'étant, alors celles-là [l'eau,
la terre] *sont* la φύσις et
ainsi donc également leur
étance.

Διόπερ οἱ μὲν πῦρ, οἱ δὲ γῆν,
οἱ δ' ἀέρα φασίν, οἱ δὲ ὕδωρ,
οἱ δ' ἔνια τούτων, οἱ δε πάντα
ταῦτα τὴν φύσιν εἶναι τὴν
τῶν ὄντων. Ὃ γάρ τις αὐτῶν
ὑπελαβε τοιοῦτον, εἴτε ἕν
εἴτε πλείω, τοῦτο καὶ τοσαῦτά
φησιν εἶναι τὴν ἅπασαν οὐσίαν,
τὰ δὲ ἄλλα πάντα πάθη τούτων καὶ ἕξεις καὶ διαθέσεις.
Καὶ τούτων μὲν ὁτιοῦν εἶναι
ἀΐδιον (οὐ γὰρ εἶναι μετα-
βολήν αὐτοῖς ἐξ αὐτῶν), τὰ
δ' ἄλλα γίγνεσθαι καὶ φθεί-
ρεσθαι ἀπειράκις.

C'est pourquoi les uns disent
que le Feu, les autres que la
Terre; les uns que l'Air, les
autres l'Eau; les uns que
quelques-uns de ceux-ci [les
« éléments »], les autres que
tous ceux-ci sont *la* φύσις et,
partant, l'être de l'étant
dans son ensemble. Car *cela*
que l'un parmi ces gens,
d'avance, a pris comme de
cette manière s'étendant-
là-devant, que ce soit simple
ou multiple, cela, il le donne
en tant que tel pour l'étance
elle-même — et le reste,
autant qu'il y en a, [il le
donne] pour états annexes
du proprement étant, et
pour comport, et pour ce en
quoi l'étant est posé dispersivement. Et c'est pourquoi,
de cela [qui constitue chaque
fois la φύσις] chacun serait,
demeurant en lui-même, le
même [*ne* leur appartiendrait
pas, en effet, la lancée par
laquelle ils sortiraient d'eux-
mêmes], alors que le reste
naîtrait et périrait « sans
limite ».

Ἕνα μὲν οὖν τρόπον οὕτως ἡ φύσις λέγεται, ἡ πρώτη ἑκάστῳ ὑποκειμένη ὕλη τῶν ἐχόντων ἐν αὐτοῖς ἀρχὴν κινήσεως καὶ μεταβολῆς, ἄλλον δὲ τρόπον ἡ μορφὴ καὶ τὸ εἶδος τὸ κατὰ τὸν λόγον.

D'une manière donc, la φύσις est dite *ainsi :* elle est, pour chaque chose particulière, ce qui, en premier et d'avance-gisant-au-fond, est disponible pour l'étant qui a en lui-même l'originaire pouvoir sur la mobilité, ce qui veut dire : avancer d'une seule lancée; mais d'une autre manière / la φύσις est déclarée / comme ce qui installe dans la configuration — c'est-à-dire comme ce qui donne-à-voir [à savoir le donner-à-voir] qui se fait voir pour la déclaration.

Ὥσπερ γὰρ τέχνη λέγεται τὸ κατὰ τέχνην καὶ τὸ τεχνικόν, οὕτω καὶ φύσις τὸ κατὰ φύσιν λέγεται καὶ τὸ φυσικόν. Οὔτε δὲ ἐκεῖ πω φαῖμεν ἂν ἔχειν κατὰ τὴν τέχνην οὐδέν, εἰ δυνάμει μόνον ἐστὶ κλίνη, μή πω δ' ἔχει τὸ εἶδος τῆς κλίνης, οὐδ' εἶναι τέχνην, οὔτ' ἐν τοῖς φύσει συνισταμένοις· τὸ γὰρ δυνάμει σὰρξ ἢ ὀστοῦν οὔτ' ἔχει πω τὴν ἑαυτοῦ φύσιν, πρὶν ἂν λάβῃ τὸ εἶδος τὸ κατὰ τὸν λόγον, ὃ ὁριζόμενοι λέγομεν τί ἐστι σὰρξ ἢ ὀστοῦν, οὔτε φύσει ἐστίν.

De même en effet que [globalement] est nommé τέχνη ce qui est produit à la mesure d'un tel s'y-connaître, et ainsi également ce qui appartient à ce genre d'étant, de même est aussi nommé [globalement] φύσις ce qui est à la mesure de la φύσις et ainsi appartient à l'étant de ce genre. Au contraire nous ne dirions jamais, là, que se comporte [et vient à la présence] quelque chose à la mesure de la τέχνη, ou bien que c'est là de la τέχνη, là où quelque chose est un lit seulement suivant l'être-approprié, mais n'a en fait pas du tout le visage du lit; nous ne voudrions pas plus procéder ainsi, en appelant ce qui, venant à partir de la φύσις, se pose ensemble dans une stabilité; car ce qui n'est chair et os que selon l'être-approprié, cela non seulement n'a pas la φύσις, qui lui appartient, déjà avant d'avoir atteint le visage, le visage entendu à la mesure de la déclaration, ce que nous délimitons quand nous disons *ce* qu'est la chair ou l'os, mais encore [ce qui n'est qu'approprié] n'est pas déjà un étant venant à partir de la φύσις.

"Ωστε ἄλλον τρόπον ἡ φύσις ἂν εἴη τῶν ἐχόντων ἐν αὑτοῖς κινήσεως ἀρχὴν ἡ μορφὴ καὶ τὸ εἶδος, οὐ χωριστὸν ὂν ἀλλ' ἢ κατὰ τὸν λόγον. Τὸ δ' ἐκ τούτων φύσις μὲν οὐκ ἔστι, φύσει δέ, οἷον ἄνθρωπος.

C'est pourquoi [donc] d'une autre manière la φύσις pourrait être le mouvement de se mettre dans un visage, pour *cet* étant qui a en lui-même pouvoir originaire sur la mobilité. Assurément, le mouvement d'ainsi s'installer et le visage qui se donne à voir ne sont rien qui soit chacun pour soi; mais bien plutôt [ils sont] chaque fois, à propos de chaque étant particulier, seulement montrables dans l'appellation. Mais *ce qui* a sa consistance à partir de cela est à la vérité non la φύσις elle-même, mais l'étant à partir de la φύσις, comme par exemple un homme.

Καὶ μᾶλλον αὕτη φύσις τῆς ὕλης· ἕκαστον γὰρ τότε λέγεται

Et même *davantage* est celle-ci [à savoir la μορφή] φύσις

ὅταν ἐντελεχείᾳ ᾖ, μᾶλλον
ἢ ὅταν δυνάμει.

que le disponible. Chaque
étant particulier en effet
est interpellé lorsqu'il « est »
sur le mode du « se-posséder-
dans-la-fin », plutôt que
lorsqu'il est [seulement] dans
l'être-approprié-pour.

Ἔτι γίνεται ἄνθρωπος ἐξ
ἀνθρώπου, ἀλλ' οὐ κλίνη ἐκ
κλίνης.

En outre, un homme vient
bien à être à partir d'un
homme, mais non un lit à
partir d'un lit.

Ἔτι δ' ἡ φύσις ἡ λεγομένη
ὡς γένεσις ὁδός ἐστιν εἰς
φύσιν. Οὐ γὰρ ὥσπερ ἡ ἰάτρευσις λέγεται οὐκ εἰς ἰατρικὴν
ὁδὸς ἀλλ' εἰς ὑγίειαν· ἀνάγκη
μὲν γὰρ ἀπὸ ἰατρικῆς οὐκ εἰς
ἰατρικὴν εἶναι τὴν ἰάτρευσιν,
οὐχ οὕτω δ' ἡ φύσις ἔχει πρὸς
τὴν φύσιν, ἀλλὰ τὸ φυόμενον
ἐκ τινὸς εἰς τὶ ἔρχεται ἢ
φύεται. Εἰς τί οὖν φύεται;
οὐχὶ ἐξ οὗ, ἀλλ' εἰς ὅ.

De plus, la φύσις, qui est
prise en vue comme mise en
position d'être, est cheminement en direction de la
φύσις. [Et cela] aucunement,
à dire vrai, comme la médecine est dite être cheminement non pas vers l'art
médical, mais vers la santé ;
car nécessairement la médecine sort bien de l'art médical, mais elle n'a pas son
orientation vers celui-ci ;
mais pas ainsi non plus la
φύσις ne se rapporte à la
φύσις ; au contraire, ce qui
est un étant à partir de la
φύσις et selon son mode, cela
part de quelque chose pour
aller en direction de quelque
chose, pour autant que c'est
déterminé par la φύσις . Or
« vers quoi » maintenant cela
va-t-il à la mesure de la
φύσις en s'épanouissant ?
Non vers ce « à partir de
quoi », mais en direction de

ce en tant que quoi, chaque fois, il vient à l'être.

Ἡ ἄρα μορφὴ φύσις.

Elle donc, l'installation qui se compose dans le visage, c'est la φύσις.

Ἡ δέ γε μορφὴ καὶ ἡ φύσις διχῶς λέγεται· καὶ γὰρ ἡ στέρησις εἶδος πώς ἐστιν.

L'installation qui se compose dans le visage, cependant, et cela veut maintenant aussi dire la φύσις — elle est interpellée *doublement;* car la « dépossession » aussi est quelque chose comme un visage.

CE QU'EST ET COMMENT SE DÉTERMINE LA φύσις

(Aristote, *Physique*, B 1) [1]

φύσις, les Romains le traduisent par *natura;*
natura, de *nasci,* naître, provenir-de, en grec : γεν-;
natura : ce qui laisse provenir de soi. Le nom de
« Nature », depuis ce temps, est la parole fondamentale qui nomme quelques relations essentielles
de l'homme occidental (l'homme de l'Histoire) à
l'étant — que ce soit l'étant qu'il n'est pas, ou
bien celui qu'il est lui-même. Cela devient visible
à simplement énumérer des couples d'oppositions
devenus canoniques : Nature et Grâce (Sur-nature),
Nature et Art, Nature et Histoire, Nature et Esprit.
Mais on parle aussi de la « nature » de l'esprit, de
la « nature » de l'histoire et de la « nature » de
l'homme, voulant signifier par là non seulement
le « corps » *(der Leib),* voire le sexe, mais bien tout
l'être de l'homme. C'est ainsi qu'on parle en général

1. Le texte qui suit reprend le travail de Heidegger pour
un séminaire qui eut lieu à l'Université de Fribourg-en-Brisgau au début de l'année 1940. Ont été ajoutées par l'auteur,
et pour la première édition du texte, des remarques ou
des additions qui figurent entre /.../
La traduction française a été en plus d'un point améliorée
grâce à des indications, précisions et modifications de l'auteur lui-même.

de la « nature des choses », autrement dit de *ce qu'elles sont* dans leur « possibilité » et *comment* elles sont — sans considérer si elles sont « réelles » et dans quelle mesure elles le sont.

Le « naturel » dans l'homme, c'est — pour la pensée chrétienne — ce qui lui a été donné en propre lors de la création, ce qui est laissé à la discrétion de sa liberté; *cette* « nature » — abandonnée à elle-même — conduit par le jeu des passions à la ruine de l'homme; c'est pourquoi la « nature » doit être continuellement *rabrouée:* en un certain sens, elle est ce qui ne doit pas être.

Dans une autre interprétation, c'est au contraire laisser libre cours aux pulsions et passions qui passe pour le naturel de l'homme; l'*homo naturae,* selon Nietzsche, est l'homme qui prend le « corps » *(Leib)* pour fil conducteur de son interprétation du monde — entrant ainsi, par rapport au « sensible » en général, par rapport aux « éléments » (Feu, Eau, Terre, Lumière), aux passions, aux pulsions et ce qu'elles conditionnent, dans une nouvelle relation d'accord, grâce à laquelle il peut se rendre maître de l' « élémentaire » et, dans cette maîtrise, se rendre capable de dominer le monde, au sens d'une domination du monde à la mesure de la planification.

Et finalement, « Nature » c'est aussi le mot pour ce qui est non seulement au-dessus de tout « élémentaire » et de tout humain, mais au-dessus même des dieux. Ainsi parle Hölderlin, dans l'Hymne *Wie wenn am Feiertage...* (strophe III) :

> *Or maintenant le jour pointe! Je l'espérais, le vis venir.*
> *Et ce que j'ai vu, le Sauf soit ma parole.*
> *Car elle, elle-même, qui plus ancienne que les âges*
> *Et sur les dieux du soir et d'Orient est,*

La nature est à présent dans le fracas éveillé,
Et haut, depuis l'Éther jusqu'à l'abîme en bas
Selon ferme statut, comme jadis, d'un chaos sacré
*   engendrée,*
Sent neuve l'Inspiratrice, soi,
La Toute-créatrice, à nouveau.

(« Nature » devient ici le nom pour ce qui est
au-dessus des dieux et « plus ancien que les âges »,
ces âges où, chaque fois, de l'étant devient étant.
« Nature » devient le nom pour l' « être »; car
l' « être » est antérieur à tout étant, qui emprunte
de lui ce qu'il est; et *sous* l' « être » sont aussi
tous les dieux, dans la mesure où ils *sont*, et
quelle que soit aussi leur manière d'être.)

Ici, l'étant dans son ensemble n'est pas plus
mésentendu dans un sens « naturaliste » (c'est-à-
dire ramené à la « Nature » au sens de la matière
douée de force) qu'il n'est obscurci dans une « mystique » et délayé dans l'indéterminable.

Quelles que soient la force et la portée qui sont
attribuées au mot de « Nature » aux divers âges
de l'histoire occidentale, chaque fois ce mot contient
une interprétation de l'étant dans son ensemble
— même là où, apparemment, il n'est pris que
comme notion antithétique. Dans toutes ces distinctions (Nature-Surnature, Nature-Art, Nature-
Histoire, Nature-Esprit) la nature ne prend pas
seulement signification en tant que terme d'opposition, mais c'est elle qui est première, dans la
mesure où c'est toujours et d'abord par opposition
à la *nature* que les distinctions sont faites; par
conséquent, ce qui est distingué d'elle reçoit sa
détermination *à partir d'elle*. (Quand par exemple
la « Nature » est comprise unilatéralement et super-
ficiellement comme « matière », élément structuré,
alors on a de l'autre côté, symétriquement, l'esprit

comme « im-matériel », « spirituel », « créateur », donateur de constitution.)

/ Mais la perspective même dans laquelle est faite la distinction : « l'être » /

Ainsi, la distinction de Nature et Histoire doit, elle aussi, chaque fois se dépasser elle-même, et penser jusqu'à un domaine qui lui fait fond et qui porte l'opposition elle-même, un domaine où Nature et Histoire ont leur lieu; même quand on ne cherche pas à savoir, ou que reste indéterminé si l' « Histoire » repose sur la « Nature » et de quelle manière — même quand on conçoit l'Histoire à partir de la « subjectivité » de l'homme, l'interprétant comme « Esprit » et laissant ainsi la Nature être déterminée par l'esprit, même là, dans cette pensée, est *encore* et est *déjà*, quant à l'être, impliqué le *Subjectum*, l'ὑποκείμενον, c'est-à-dire la φύσις. L'impossibilité de contourner et d'éluder la φύσις vient au jour avec *le* nom par lequel nous désignons le mode traditionnel du savoir qui, en Occident, porte sur l'étant dans son ensemble. L'ajointement, à chaque moment historial, de la vérité « portant sur » l'étant dans son ensemble se dit « méta-physique ». Que cette métaphysique soit exprimée en thèses ou non, que l'exprimé prenne forme de système ou non — cela n'y change rien. La métaphysique est le savoir où l'humanité occidentale, c'est-à-dire historiale [1], garde et sauve-

---

[1]. *L'humanité occidentale, c'est-à-dire historiale* (das abendländische-geschichtliche Menschentum) : « l'humanité occidentale » n'est pas une dénomination rigoureuse, tant que n'est pas dite la caractéristique de cette humanité. Cela, c'est d' « avoir » une « Histoire » — non certes au sens de l'*Historie* (le déroulement événementiel susceptible

garde la vérité des références à l'étant dans
son ensemble et la vérité qui porte sur l'étant
dans son ensemble. La méta-physique est dans
un sens tout à fait essentiel une « physique » —
autrement dit un savoir de la φύσις (ἐπιστήμη
φυσική).

Quand nous sommes en quête de ce qu'est la
φύσις et de la manière dont elle se conçoit, à première vue on dirait qu'il s'agit d'une pure et simple
recherche menée par curiosité de savoir la provenance de l'interprétation traditionnelle et contemporaine de la « Nature ». Mais si nous portons attention au fait que cette parole fondamentale de
la métaphysique héberge en elle des ouvertures
qui engagent décisivement le sens de la vérité de
l'étant; si nous nous avisons qu'aujourd'hui la
vérité qui porte sur l'étant dans son ensemble est
devenue de fond en comble problématique; si enfin
nous pouvons entrevoir que, de ce fait, le déploiement de la vérité demeure absolument indécis,
indéfini et donc clos; si, en plus, nous savons que
tout cela a même commune origine dans l'Histoire
de l'interprétation de ce qu'est la φύσις — alors
d'emblée nous nous situons hors de l'intérêt des
historiens de la philosophie pour une « histoire
des concepts » : alors, nous faisons l'épreuve — ne
serait-ce que de loin — de la proximité d'un avenir
d'ouverture et de décision.

---

d'être relaté), mais au sens de *Geschichte*, que Heidegger
nommera plus uniment *Geschick*, non pas le « destin », mais
le *rythme* absolument singulier à l'intérieur duquel et dans
l'unité duquel, à cette humanité dès lors nommée « occidentale », ne cesse de *parvenir*, d'*arriver*, depuis l'emprise
initiale grecque, le même appel à répondre de l'être. *Die
Geschichte (das Geschick)* ne doit donc plus être compris
comme histoire.

/ Car le globe terrestre se disloque — a-t-il jamais été ajointement? — et l'interrogation surgit : la planification de l'homme moderne (fût-elle planétaire) est-elle en état de créer un jour l'ordonnance d'un monde /

Le premier essai cohérent (premier par son mode d'interrogation) pour déterminer par la pensée ce qu'est la φύσις nous est transmis depuis l'époque où la philosophie grecque entre en achèvement. Il est d'Aristote et se trouve consigné dans sa φυσικὴ ἀκρόασις (Leçon, ou plutôt Écoute à propos de la φύσις).

La « Physique » d'Aristote est, en retrait, et pour cette raison jamais suffisamment traversé par la pensée, le livre de fond de la philosophie occidentale.

Il est probable que ses huit livres n'ont pas été esquissés d'un seul coup ni écrits en une seule fois; ces questions sont ici indifférentes; et même, cela n'a pas beaucoup de sens quand on dit que la « physique » précède la « métaphysique », vu que la métaphysique est tout autant « physique » que la physique est « métaphysique ». Pour des raisons qui tiennent à l'œuvre elle-même ainsi que pour des raisons historiques on peut admettre que vers 347 (mort de Platon) le second livre était déjà rédigé (cf. aussi Jäger, *Aristoteles*, 1923, p. 311 sq.; ce livre, à côté de toute son érudition, a le seul défaut de penser la philosophie d'Aristote d'une manière absolument *non grecque*, c'est-à-dire à partir de la scolastique, de la philosophie moderne et du néo-kantisme; plus juste, parce que moins concerné par le « contenu », il y a beaucoup à trouver dans la *Entstehungsgeschichte der Metaphysik des Aristoteles* de 1912).

Toujours est-il que ce premier travail d'une pensée serrée sur elle-même pour comprendre la φύσις est aussi déjà le dernier écho de l'élan initial et suprême dans lequel a été ouverte la dimension pour une pensée de ce qu'est la φύσις — tel qu'il nous est encore conservé dans les fragments d'Anaximandre, Héraclite et Parménide.

Dans le premier chapitre du second des huit livres de la *Physique* (*Physique*, B 1, 192 b 8-193 b 21), Aristote donne l'interprétation de la φύσις qui porte et régit toutes les compréhensions ultérieures de ce qu'est la « Nature ». C'est ici aussi que la détermination ultérieure de l'essence de la *Nature* à partir de sa distinction relativement à l'Esprit et par l'Esprit a sa racine secrète. Par où s'annonce que la distinction « Nature-Esprit » est *absolument non grecque*.

Avant de suivre pas à pas la détermination, par Aristote, de ce qu'est la φύσις, portons attention à *deux phrases* qu'il énonce dans le premier livre (A), qui est une introduction :

ἡμῖν δ'ὑποκείσθω τὰ φύσει ἢ πάντα ἢ ἔνια κινούμενα εἶναι· δῆλον δ'ἐκ τῆς ἐπαγωγῆς.

« Pour nous doit d'avance [comme avéré] apparaître : ce qui est à partir de la φύσις, que ce soit Tout-ensemble ou bien quelques-uns / le non-en-repos /, est mû [= déterminé par la mobilité]; mais cela est manifeste par l'immédiate in-duction [qui conduit *jusqu'à* cet étant, et *par-delà* cet étant, jusqu'à son « être »] (A 2, 185 a 12 sqq.) [1].

1. La traduction en français de la traduction par Heidegger d'Aristote présente un côté abrupt et pour tout dire *barbare*.
Comme le dit Heidegger p. 188, ce type de traduction est en fait le contraire de ce qu'on entend habituellement par

Ici, Aristote fait proprement ressortir ce qui, lorsqu'il ouvre la dimension où se déterminera l'essence de la φύσις, vient à la rencontre de son regard comme le critère décisif, à savoir : κίνησις, la mobil*ité* (l'être-mû); c'est pourquoi la détermination de l'essence du mouvement devient le cœur de la question qui s'enquiert de la φύσις. Pour nous autres, hommes d'aujourd'hui, ce n'est plus qu'un lieu commun de dire que les phénomènes naturels sont des phénomènes de mouvement; proposition qui d'ailleurs ne fait que répéter deux fois la même chose. Nous ne pressentons rien du poids des deux phrases citées et de l'interprétation aristotélicienne de la φύσις si nous ne savons pas que ce qui, pour nous, est lieu commun, fut pour lui et par lui seulement soulevé jusqu'au regard fixateur d'essence de l'homme occidental. Il est pourtant bien vrai que les Grecs, avant Aristote, faisaient déjà l'épreuve que le ciel et la mer, les plantes et les animaux sont en mouvement; vrai que déjà avant Aristote les penseurs ont tenté de dire ce qu'est le mouvement; et cependant c'est lui qui, le premier, a atteint — et par conséquent créé — un niveau du questionnement où [le mouvement ne vaut pas seulement comme quelque chose qui existerait parmi d'autres choses, mais où, bien plus] l'*être-mû* est proprement mis en question et conçu comme mode fondamental de l'être. [Mais cela signifie : la détermination de ce qu'est l'être n'est pas possible sans porter un regard éidétique [1] sur la mobilité en tant que

---

traduire. Il ne se justifie que s'il permet d'aller jusqu'à ce qui est dit dans l'autre langue.

1. *Regard éidétique* traduit *Wesensblick :* le regard, c'est-à-dire l'éclair illuminant qui *va voir* jusqu'au cœur du déploiement essentiel d'une « chose ». L'usage du mot « éidétique »

telle. Assurément, cela ne signifie absolument pas
que l'être soit conçu « comme mouvement » (respectivement : comme repos); car ce serait là une
pensée *non grecque*, et même tout simplement
non philosophique (dans la mesure où l'être-mû
n'est pas « rien », et où seulement l'être traverse
et régit, dans son déploiement, le Rien, et l'étant,
et ses modes).]

Que tout ce qui est à partir de la φύσις soit
en mouvement (et respectivement en repos)
voilà qui est, selon Aristote, manifeste : δῆλον
ἐκ τῆς ἐπαγωγῆς. On a coutume de traduire le
mot de ἐπαγωγή par « Induction »; et cette traduction est, quant à la lettre, presque appropriée;
mais quant à ce qui se débat derrière ce mot,
c'est-à-dire en tant qu'entente de ce dont il est
question, cette traduction est totalement erronée.
Ἐπαγωγή ne signifie pas : passer en revue des faits
et des séries de faits isolés en vue d'y reconnaître
des propriétés analogues, à partir de quoi on conclut
ensuite à quelque chose de commun, c'est-à-dire le
« général ». Ἐπαγωγή signifie le mouvement de
conduire jusqu'à... *(Die Hinführung)*, conduire
jusqu'à cela qui vient au regard tandis que,
d'avance, nous avons porté le regard par-delà
l'étant particulier — le délaissant, et pourquoi?
Pour regarder jusqu'à l'être. C'est seulement
lorsque nous avons déjà en vue, par exemple, ce
qui fait être-arbre tout arbre que nous sommes
en mesure de constater et qualifier des arbres particuliers. Voir et rendre visible cela qui, tout comme

ne m'a pas paru impossible, surtout si on remarque, dans
toutes ces pages, la constante présence d'une méthode
phénoménologique — jusqu'au salut, plus loin, de Husserl
en passant. Il ne faut toutefois pas *confondre* "Wesensblick"
et "Wesensschau".

l'arboréité, est déjà en vue, voilà l'ἐπαγωγή. L'ἐπαγωγή, c'est le mot allemand *Ausmachen*, au double sens de : d'abord élever jusqu'au regard, et ensuite, simultanément, fixer ce qui a été vu. L'ἐπαγωγή est ce qui devient immédiatement suspect à l'homme lié au mode de pensée scientifique; ce qui lui reste le plus souvent étranger. Il y voit une inadmissible pétition de principe, c'est-à-dire outrepasser la pensée « empirique »; seulement, le *petere principium*, autrement dit tendre vers le fondement et sa fondation, c'est là le seul et unique pas de la philosophie, le pas qui passe outre, en avant, et qui ouvre le domaine à l'intérieur duquel seulement une science est en mesure de s'établir.

Quand nous faisons la simple épreuve du φύσει ὄν, quand simplement nous disons φύσει ὄν, il y a déjà chaque fois dans le regard le « en mouvement » et la mobilité; mais ce qui est ainsi en vue n'est pas encore fixé en tant que cela que c'est, c'est-à-dire dans son mode de déploiement.

La question qui porte sur la φύσις doit, pour cette raison, questionner du côté de la mobilité de cet étant et chercher à voir ce qu'est la φύσις, rapportée à la mobilité. Mais pour fixer sans équivoque la direction de ce questionnement, il faut d'abord, au sein de l'étant dans son ensemble, délimiter le domaine comprenant le type d'étant dont nous disons qu'il *est* déterminé par la φύσις, autrement dit : τὰ φύσει ὄντα.

C'est par cette délimitation que commence le chapitre i du livre B de la *Physique*. (Dans ce qui suit, nous donnons une « traduction » articulée selon des césures *faites à propos;* comme cette traduction est déjà la véritable *interprétation*, il n'est plus besoin que d'un éclaircissement de la « traduction ». Toutefois, la « traduction » n'est pas un transport de la parole grecque dans la *propre force portante de notre langue.* Elle ne veut pas *remplacer* la parole grecque, mais seulement nous placer *en* elle et, nous y plaçant, disparaître en elle. C'est pourquoi lui manque la frappe et la rondeur qui viennent du fond de notre langue; elle ne connaît pas la facilité du style « uni ».)

> « De l'étant [dans son ensemble] l'un est venant-à-partir de la φύσις, l'autre toutefois par d'autres « causes »; venant de la φύσις, sont alors, comme nous disons, les bêtes tout comme leurs membres [parties], aussi les plantes, de même les Simples des corps comme Terre et Feu et Air et Eau » (192 b 8-11).

L'autre étant, qui maintenant n'est pas encore nommé en propre, *est* par d'autres « causes »; l'un, au contraire, celui qui est nommé, *est* par [1] la φύσις. Ainsi, dès l'abord, la φύσις est prise comme « cause » (αἴτιον, αἰτία). Avec ce mot et ce concept de « cause » nous pensons quasi spontanément à la « causalité », à la manière dont une chose « agit » sur une autre. Αἴτιον — notion pour laquelle Aristote va sous peu introduire une détermination plus tranchée — signifie ici : ce qui y est pour quelque chose si un étant est *ce* qu'il est. Cet « y être pour quelque chose » n'a pas le caractère de « donner naissance » au sens de l'achèvement d'une action « causale »; ainsi, par exemple, la spatialité fait partie de la *realitas* [2] de la matérialité, mais

---

1. *Par la* φύσις : traduit *von der* φύσις *her*, c'est-à-dire exactement : « venant (d'ailleurs) à partir de la φύσις ». C'est cette traduction développée que l'on trouvera — ou ses variantes — dans la suite du texte.

2. La *realitas* est la détermination du *quid* de la *res*. Il s'agit donc de la *réalité* non au sens de l'effectivité (Wirklichkeit), mais au sens où Kant, encore, nie de l'être qu'il soit *ein reales Prädikat* (un prédicat réel).

l'espace ne donne pas naissance à la matière; il
faut comprendre ici à la lettre le mot de *Ur-sache*
(la « cause ») : c'est le primordial qui constitue et
fixe la choséité d'une chose. La « causalité » n'est
qu'un mode dérivé de l'αἰτία ainsi comprise.

Par la simple nomination de la bête, de la plante,
de la terre, du feu, de l'eau et de l'air, Aristote fait
signe vers le domaine où la question portant sur la
φύσις doit aller questionner.

> « Mais tout le nommé, ici, se montre comme quel-
> que chose qui se distingue par rapport à cela
> qui *ne* s'est *pas* — à partir de la φύσις — posé
> de soi-même ensemble dans une constance et
> consistance » (192 b 12-13).

Συνεστῶτα est employé ici pour ὄντα (cf. 193 a
36 τοῖς φύσει συνισταμένοις); nous tirons de là la
signification de l' « être » pour les Grecs. Ils disent
l'étant comme « constant »; le « constant » a double
signification : d'abord ce qui a station en soi et
par soi, ce qui se tient « là »; ensuite et simultanément le constant au sens du durant, du permanent. Tout à fait contraire à l'esprit grec serait
notre pensée si nous voulions saisir le constant
comme l'*ob*-stant [1] de l'objectivité. Obstant *(Gegen-
stand)* est la « traduction » d'objet; mais l'étant ne
peut être éprouvé comme objet que là où l'homme
est devenu sujet — le sujet qui éprouve dans
l'objectivation (= faire devenir ob-stant) de ce
qui est rencontré — sous la forme de la maîtrise
de celui-ci — sa relation fondamentale à l'étant.
Pour les Grecs, l'homme n'est absolument pas un
sujet; c'est pourquoi l'étant non humain ne peut

---

1. *Ob-stant* est la « traduction » de *das Gegenständige*.
Le « constant » traduit *das Ständige*.

jamais avoir le caractère de l'objet. Φύσις est ce qui y est pour quelque chose dans un mode tout à fait propre, pour le constant, de se tenir en soi-même. Dans la phrase suivante, la φύσις est plus précisément cernée en son contour :

> « De cela, à dire vrai / qui, venant à partir de la φύσις, est *ce* que c'est et *comment* c'est /, chacun a en lui-même pouvoir originaire [ἀρχή] sur la mobilité et l'arrêt [repos], où mobilité et repos sont entendus une fois par rapport au lieu, une autre fois par rapport à l'accroissement et à la diminution, une autre fois par rapport au devenir-autre [transformation] » (192 b 13-15).

Ici, il y a expressément, pour αἴτιον et αἰτία, le mot ἀρχή. Les Grecs entendent le plus souvent deux sens parler dans ce mot : ἀρχή signifie d'abord cela d'où quelque chose sort et prend départ; ensuite ce qui simultanément, *en tant que* cette source et issue, maintient son emprise *sur* l'autre qui sort de lui, et ainsi le tient, donc le domine. Ἀρχή signifie en même temps prise du départ et emprise. En laissant de côté la rigueur ontologique, cela veut dire : commencement et commandement; pour exprimer l'unité des deux dans son double mouvement d'éloignement et de retour à soi, ἀρχή peut être traduit par « pouvoir originaire » et « origine se déployant en pouvoir ». L'unité de ce double visage est *essentielle*. Et c'est cette notion d'ἀρχή qui donne au mot αἴτιον (employé plus haut) un contenu plus déterminé. (Selon toute apparence, le concept d'ἀρχή n'est pas un concept « archaïque »; c'est seulement depuis Aristote, et plus tard avec le travail des doxographes, qu'il est replacé à l'aurore de la philosophie grecque.)
La φύσις est ἀρχή, et donc *origine pour* et *pou-*

voir sur la mobilité et le repos, à savoir de quelque chose qui est en mouvement et qui a en lui-même cette ἀρχή. Nous ne disons pas : « en *soi*-même »; c'est pour signaler que l'étant de cette sorte n'a pas expressément l'ἀρχή « *pour soi* », i. e. *en le sachant* — car il ne « *se* » « possède » pas du tout, en tant que Soi. Plantes et bêtes sont *dans* la mobilité, et cela même quand ils sont arrêtés et qu'ils reposent; le repos est un genre du mouvement; seul le mobile peut être en repos; parler d'un nombre 3 « en repos » est dénué de fondement. Comme, ainsi, plantes et bêtes — qu'elles soient mues ou en repos — sont *dans* le mouvement, pour cette raison elles ne sont pas seulement en *mouvement,* mais elles *sont* dans la mobilité; ce qui veut dire : elles ne sont pas d'abord un étant pour **soi** et parmi d'autres qui, ensuite, de temps à autre, entre dans des états de mouvement — au contraire : elles *sont* de l'étant seulement dans la mesure où elles ont dans la mobilité le séjour qui correspond à leur être, c'est-à-dire ce qui les maintient dans leur être propre. Leur être-mû est pourtant *tel* que l'origine pour, l'ἀρχή, le pouvoir sur la mobilité, c'est en eux-mêmes qu'il règne.

Ici, où Aristote détermine la φύσις comme ἀρχή κινήσεως, il ne manque pas de signaler divers genres du mouvement : accroissement et diminution, devenir-autre et déplacement (transport). Ces genres ne sont qu'énumérés, c'est-à-dire qu'ils ne sont pas distingués selon une perspective clairement exprimée ni, dans cette distinction, localisés et fondés (cf. *Physique*, E 1, 224 b 35-225 b 9). La simple énumération n'est pas même complète. Et le genre de mobilité qui *n'*est *pas* nommé, c'est justement le genre décisif pour la détermination de ce qu'est la φύσις. Pourtant l'énoncé des genres du mouvement en cet endroit a sa signification. Il montre qu'Aristote comprend la κίνησις — mobilité — en un très *large* sens — « large » ne voulant pas dire ici « élargi », « approximatif » et plat; *large* au sens de l'essentiel et de la plénitude qui est fondement.

Nous autres, hommes d'aujourd'hui, sous l'empire de la pensée mécanique des sciences modernes de la nature, nous sommes enclins à tenir le déplacement d'un endroit spatial à un autre pour la forme première du mouvement et à « expliquer » tout ce qui est mû à partir de cette mobilité-là. Mais ce genre de mobilité — κίνησις κατὰ τόπον, mobilité eu égard au lieu et à la place — est pour Aristote seulement *un* genre parmi d'autres, en aucune façon elle n'est distinguée *comme le mouvement à l'état pur.*

Outre cela, il vaut la peine de remarquer que le « changement de lieu », dans un certain sens, est quelque chose d'autre que ce que la pensée moderne envisage comme le changement de position d'un point de masse dans l'espace. Τόπος, c'est le ποῦ, le *où* et le *là-bas* d'un avoir-sa-place qui caractérise tout corps déterminé; ainsi ce qui est de la nature du feu, l'igné, a sa place en haut, et le chtonien l'a en bas. Les lieux eux-mêmes, haut et bas (ciel-terre), sont bien distingués; c'est par eux que se déterminent les distances et les relations, autrement dit ce que nous nommons l' « espace », mais pour quoi les Grecs n'ont ni mot ni concept. Pour nous autres, ce n'est pas l'espace qui est déterminé par des lieux; au contraire : tous les lieux, compris comme des points, sont déterminés par l'espace indéfini, isotope et partout indistinct.

Le repos qui correspond à la mobilité, lorsque celle-ci est comprise comme changement de lieu, c'est demeurer au même endroit. Seulement, ce qui de cette manière *ne* se meut *pas* (puisqu'en effet cela se tient et maintient au même lieu), cela peut très bien être pourtant dans la mobilité. Exemple : une plante enracinée croît (augmente) ou bien dépérit (diminue) /αὔξησις — φθίσις/. Et inversement, telle chose qui se meut au sens du changement de lieu peut bien pourtant « être en repos », dans la mesure où elle reste identique à elle-même selon la complexion : le renard est en repos dans sa course pour autant qu'il garde la même couleur — repos de ne pas devenir autre, absence d'ἀλλοίωσις. Ou bien quelque chose peut être mû dans le mode du dépérissement, et se mouvoir simultanément encore d'une autre façon, à savoir celle du devenir-autre : sur l'arbre qui se dessèche les feuilles se fanent, le vert devient jaune. Et ce qui est ainsi en double mouvement (φθίσις et ἀλλοίωσις) c'est pourtant aussi ce qui est en même temps *en repos*, en tant que cet arbre qui se tient là-bas, *à la même place.*

Prendre en vue comme genres de la mobilité tous ces « phénomènes » qui s'entrecroisent, cela trahit une vision de leur trait fondamental — qu'Aristote retient et fixe dans le mot et dans le concept de μεταβολή. Toute mobilité est μεταβολή ἔκ τινος εἴς τι — *Umschlag von etwas zu etwas:* la *lancée* depuis quelque chose jusqu'à quelque chose, et de telle sorte que le second soit *après* le premier [1]. Mais le

---

1. Le texte est ici très difficile à traduire. Heidegger traduit avec une stupéfiante précision μεταβολή par *Umschlag: Um,* dans la succession de « avant » et « après »; *Schlag,* la lancée, c'est-à-dire le mouvement qui ne cesse de garder pouvoir aussi bien sur son origine que sur son but. Pour éclairer, Heidegger fait appel à l'usage courant de la langue (passage non traduit) :

Auch wir sprechen vom Umschlag des Wetters und der Stimmung und denken da an ,,Änderung``; wir sprechen auch

cœur de la μεταβολή comme pensée *grecque*, nous ne l'atteignons que si nous remarquons, dans le fait d'ainsi passer d'une seule lancée, que quelque chose de jusqu'alors en retrait et absent vient à paraître [1].

[Nous autres, ceux d'aujourd'hui, il nous faut être capables de deux choses :

1° Nous libérer de l'idée que le mouvement est *au premier chef* changement de lieu;

2° Apprendre à voir comment, pour les Grecs, le mouvement (comme genre de l'*être*) a le caractère de l'entrée dans la présence.]

Φύσις est ἀρχὴ κινήσεως — pouvoir originaire sur le successif d'une seule lancée, et de telle manière

---

von Umschlageplätzen, wo es sich um Ortsveränderung der Güter im Verkehr handelt.

« Nous aussi, nous disons que le temps *schlägt um* — change — et aussi notre humeur, et nous pensons là à un « devenir-autre »; nous parlons aussi de *Umschlageplätze* — lieux de transbordement ou reversement — là où il s'agit du changement de lieu des biens dans une circulation. » La μεταβολή comprise comme *Umschlag*, il faudra donc toujours l'entendre dans ce texte comme un *passage* où, par la continuité d'une seule lancée (comme en français on dit d'un mobile qu'il continue sur *sa* lancée), quelque chose est amené depuis... jusqu'à... [où l'on voit clairement que le « changement de lieu » n'est qu'une figure parmi d'autres du « mouvement »].

1. Dans une parenthèse, Heidegger ajoute deux mots pour faire mieux comprendre le sens *grec* de *Umschlag :* "Aus-schlag" et "Durchschlag". *Aus-schlag*, dit ce qui dans *Umschlag* est jaillissement, apparition éruptive qui fait voir un visage (ἐκβολή); *Durchschlag*, de son côté, dit la percée à travers, l'apparition du visage à travers... (διαβολή). Bref, la μεταβολή est l'unité du βάλλειν où la *frappe* fait jaillir à travers un « milieu » un visage qui dès lors devient visible.

Comme tous ces moments essentiels n'ont pu être rendus que par périphrases, le traducteur demande au lecteur une particulière attention aux diverses variantes de la traduction (« lancée », « passage », « élan » et tous les composés).

que tout ce qui, chaque fois, passe ainsi d'une seule
lancée possède ce pouvoir à l'intérieur de lui-même.
Dès le début du chapitre ce qui est à partir de la
φύσις a été distingué par rapport à ce qui est autrement, sans que soit nommé ou caractérisé en propre
un tel étant. Maintenant vient une distinction
expresse et déterminée, mais en même temps curieu-
sement restreinte :

> « Une couche [un lit] toutefois et un vêtement,
> et s'il y a par ailleurs un tel genre autre [de choses
> telles], [cela] a, *pour autant bien sûr* que c'est
> cité et fixé conformément à la déclaration exigée
> [comme vêtement par exemple], et dans la mesure
> où cela provient du s'y connaître productif —
> [cela] n'a *absolument en rien* le premier élan de
> la lancée à l'intérieur de lui-même; *mais pour
> autant* qu'à de telles choses [chaque fois] par
> avance est venu s'adjoindre qu'elles sont en pierre
> et terre, ou bien mélangées à partir d'elles, elles
> *ont* un premier élan de la lancée en elles-mêmes,
> et assurément, elles ne l'ont juste que dans cette
> mesure » (192 b 16-20).

A l'étant du genre de la « plante », de la bête, de la
terre, de l'air est maintenant opposé l'étant du genre
du lit, du vêtement, du bouclier, du char, du navire,
de la maison. — Les premiers sont : ce qui croît;
les seconds, ce qui est fait (ποιούμενα) [1]. L'opposition
des deux ne réalise son objet, à savoir faire encore
plus nettement ressortir l'essence propre des φύσει

---

1. Ici apparaît une distinction capitale pour la suite, celle
que Heidegger traduit en allemand par les mots *die „Gewä-
chse"* (tout ce qui croît) et *die Gemächte* (tout ce qui est
fait, fabriqué — les œuvres). Le mot de *Gemächte* ayant
pris couramment le sens de « agissements », « basses œuvres »,
Heidegger ajoute (incidente non traduite) : « „die Gemächte"
— où nous tenons à distance le sens adventice du mot, qui
est péjoratif. »

ὄντα et de la φύσις, que si elle reste dans la perspective directrice : continuer à mettre en question ce
qui est mû, sa mobilité et l'ἀρχή de cette mobilité.

Mais un lit, un habit, le bouclier et la maison
sont-ils donc quelque chose de mû? Bien sûr — seulement, nous ne les rencontrons le plus souvent que
dans un mode de mouvement difficilement visible :
celui de ce qui est en repos; et leur « repos » a le
caractère de l'être-devenu-achevé, de l'avoir-été-
produit[1] et de l'*ainsi* déterminé se-tenir « là » :
ὑποκεῖσθαι. Nous autres, les hommes d'aujourd'hui,
nous laissons facilement échapper ce repos tout à
fait caractéristique — et par là même la mobilité
qui lui correspond; ou bien nous ne la prenons,
pour le moins, pas assez essentiellement pour le
signe propre de l'être de cet étant. Pourquoi? Parce
que, sous la contrainte d'être-homme selon l'époque
moderne, nous nous abandonnons à l'habitude de
penser l'étant comme *objet* — laissant l'être de
l'étant s'épuiser en objectivité de l'objet. Mais pour
Aristote, ce qui compte c'est montrer que ce qui est
fait, c'est dans la mobilité de la production, et
ainsi dans le repos de l'être-produit que *c'est ce* que
c'est et *comment* c'est; qu'avant tout, cette mobilité a une autre ἀρχή, et que les étants qui sont
ainsi mus entretiennent un nouveau rapport avec
leur ἀρχή. (Il n'y a pas lieu de lire, avec Simplicius,

---

1. Avoir-été-produit traduit *Hergestelltheit*. Cette notion
va devenir de plus en plus centrale pour la compréhension
d'Aristote. On va voir, p. 256, la détermination complète du
Herstellen. En attendant, soulignons qu'il faut *entendre*,
dans le français « produire » : *pro-ductio*, le mouvement qui
mène *pro*, c'est-à-dire au sens originel du mot : « en avant »
(comprenons : le mouvement de mener jusqu'à l'ouvert).
Ainsi traduit, le *Herstellen*, bien que lui manque son moment
essentiel (celui du *stellen*) — il lui reste, dans *produire*, au
moins l'identité du sens.

ἀρχή au lieu de ὁρμή, vu que ὁρμή — le premier élan — élucide bien l'être de l'ἀρχή.)

L'ἀρχή de ce qui est fait, c'est la τέχνη; ce qui ne veut pas dire « la technique » au sens de la production et du genre de production, ni « l'art » au sens plus large du savoir-produire; τέχνη est un concept de connaissance et signifie : s'y connaître dans le domaine où toute confection et production a son fond; s'y connaître dans les choses qui déterminent la réussite d'une production, par exemple celle du lit, et qui déterminent nécessairement sa fin et son achèvement. Cette fin s'appelle en grec τέλος. Cela où une production « s'arrête », c'est la table, en tant que finie — mais justement : finie *en tant que table*, en tant que ce qui est une table : l'εἶδος-table. L'εἶδος doit par avance être en vue, et ce visage [1] pris d'avance en vue — εἶδος προαιρετόν — c'est la fin : τέλος; c'est en τέλος que la τέχνη s'y connaît; c'est *pour cela* — mais maintenant seulement — qu'elle contribue simultanément à déterminer le genre et la manière de procéder dans

---

[1]. *Visage* traduit εἶδος — qu'en allemand traduit *Aussehen*. Sur cette traduction, Heidegger s'explique dans le texte sur Platon, où il écrit : « Cet *Aussehen*, Platon ne le prend pas comme un simple "aspect". L'*Aussehen* a pour lui encore quelque chose d'un ressortir hors de soi. » Ce moment tout à fait capital manque, hélas, dans le mot de *visage*. Toutefois il se dessine dans des expressions comme : faire bon visage; là, apparaît en effet une direction opposée à celle de l'*aspect* (*ad-spectum :* ce qui est visé par un regard) — dans la mesure où le visage, d'abord, « se donne à voir ». Tel est en effet le sens premier de *Aus-sehen :* où le *sehen* a un sens non plus « actif » (voir) mais « passif » (être-vu; comme en anglais, lorsqu'on dit d'une personne qu'elle est *looking fine* — qu'elle a belle allure, qu'elle fait bonne figure, bref que son « visage » est beau) — et où le *Aus* renforce encore cette idée : visage, donc, qui *s'offre* en ressortant en évidence.

ce que nous nommons la « technique ». Mais, encore
une fois : ce n'est pas le mouvement des manipulations, en tant qu'activité, mais bien s'y connaître
dans le procéder qui détermine ce qu'est la τέχνη;
quant au τέλος, il n'est pas la cible, ni le but, mais
la fin au sens de : être-achevé (être achevé de sorte
que soit déterminée l'essence); *à partir de là seulement* le τέλος peut être pris comme cible et posé
comme but. Mais le τέλος, le visage pris en vue
d'avance (du lit, par exemple), c'est ce qui est
reconnu par celui qui s'y connaît, et se trouve chez
celui-ci; seulement comme tel il est point de départ
pour la représentation et pouvoir sur la confection.
Ce n'est pas l'εἶδος en soi qui est ἀρχή, mais l'εἶδος
προαίρετον, c'est-à-dire la προαίρεσις, c'est-à-dire :
la τέχνη est ἀρχή.

Parmi ce qui est fait, donc, l'ἀρχή de la mobilité et, partant, du repos d'être-fini et achevé,
*n'*est *pas* à l'intérieur de ce qui est fait, mais
bien en un autre, à savoir l'ἀρχιτέκτων — celui
qui a pouvoir sur la τέχνη en tant qu'ἀρχή. Ainsi
serait parfaite la distinction par rapport aux φύσει
ὄντα, qui portent précisément ce nom parce que
l'ἀρχή de leur mobilité, ils l'ont *non pas* en un
autre étant qu'eux, mais dans l'étant qu'ils sont
eux-mêmes (et dans la mesure où ils sont celui-là).
Seulement, en suivant la présentation aristotélicienne, la délimitation entre ce qui croît et ce qui
est fait n'est aucunement aussi simple. Rien que
la construction de la phrase donne déjà une indication : — ἧ μὲν — ἧ δέ : pour autant que ce qui
est fait est vu de cette manière — pour autant qu'il
l'est d'une autre manière. Les ποιούμενα peuvent
être pris dans une double perspective; et d'abord
dans la mesure où ce qui est fait est atteint selon
la déclaration casuelle — κατηγορία.

Nous rencontrons ici un emploi du mot κατηγορία qui se situe *avant* sa fixation en « terme technique » (c'est d'ailleurs précisément Aristote qui effectue cette fixation, et même sur la base de l'emploi courant tel qu'il a lieu ici). Κατηγορία, nous le traduisons par déclaration [1], et nous ne saisissons assurément pas, même ainsi, sa pleine signification en grec : κατά — ἀγορεύειν, sur l'ἀγορά, dans le débat juridique public, accuser quelqu'un en pleine face d'être « celui-là » qui...; de là suit la signification plus large : déclarer quelque chose comme ceci ou cela, et de telle sorte que dans la déclaration et par elle, ce qui est déclaré est posé dans la publicité et l'ouvert, dans le manifeste. Κατηγορία est la nomination de ce quelque chose est : maison, arbre, ciel, mer, dur, rouge, sain. Le « terme technique » de « catégorie », en revanche, veut dire une déclaration *caractérisée.* Quand nous déclarons quelque chose qui est devant nous comme étant une maison, un arbre, nous ne le pouvons que dans la mesure où, ce faisant, ce qui nous rencontre, nous l'avons déjà interpellé sans une parole comme ce qui se dresse en soi-même, comme chose — l'ayant ainsi porté à l'ouvert de notre champ de « vision »; de même, un vêtement ne se laisse déclarer comme rouge que si, d'avance, nous l'avons déjà interpellé sans une parole en direction de quelque chose comme la qualité. « Substance », « qualité » et ainsi de suite, voilà ce qui constitue l'être (étance [2]) de l'étant.

---

1. *Déclaration* ne sera pas la seule « traduction », dans notre texte, de κατηγορία. Sans que ces variations présentent d'autre sens que la commodité, on trouvera aussi, pour le même mot : appellation, assignation, interpellation.

2. *Étance* traduit *Seiendheit,* et au-delà : οὐσία. Étance, du vieux français estance, paraît devoir *traduire* parfaitement οὐσία, du fait que 1° c'est le substantif féminin formé à partir du participe présent du verbe être; 2° il signifie :

C'est pourquoi les catégories sont les déclarations
caractéristiques, à savoir les interpellations qui
portent toutes les déclarations quotidiennes et
communes — κατηγορίαι au sens « technique ». Les
« catégories » sont au fond des déclarations quotidiennes, qui se développent en propositions et
« jugements »; c'est uniquement pour cette raison
qu'*inversement* les « catégories » peuvent être trouvées par le fil conducteur de la proposition, du λόγος,
en conséquence de quoi Kant n'a plus qu'à « déduire »
la table des catégories de la table des *jugements;*
c'est pourquoi le savoir des catégories en tant que
déterminations de l'être de l'étant — autrement dit
ce qui s'appelle la métaphysique — est, dans un
sens essentiel, savoir du λόγος, c'est-à-dire « Logique »; ce nom, la métaphysique le reçoit donc là
où elle parvient à la *pleine* (autant que cela lui soit
possible) *conscience d'elle-même:* chez Hegel.

/« Savoir achevé de la logique » = savoir absolu
de ce qu'elle est capable de savoir en tant que su,
représenté; [l'être-représenté, dans les Temps
modernes = étance = être]. /

Dans notre texte, κατηγορία est utilisé au sens
pré-terminologique; dans la mesure où un produit
de fabrication, par exemple un lit, est pris dans
l'optique qu'ouvre la déclaration ou nomination
quotidienne, nous prenons cet étant — dans la
perspective de son visage (εἶδος) — comme une
chose d'usage; en tant que tel, cet étant *n*'a *pas*
l'ἀρχή κινήσεως en lui-même. Pourtant ce même
étant, le lit, il est possible de le prendre en vue en

le séjour, la demeure, le bien (cf. p. 209 sq.). Le mot espagnol
estancia est resté avec cette signification dans la langue
la plus courante.

direction du bois dont il est fait, donc en tant qu'il
est un morceau de bois. En tant que bois, il est
tronc d'arbre qui a été en croissance; le tronc a
l'ἀρχή κινήσεως en lui-même. Mais le lit, quant à
lui, ce n'est pas du bois — il est seulement *de* bois,
il est *fait en bois;* seulement ce qui est autre chose
que du bois peut être en bois, raison pour laquelle
nous ne déclarons jamais du tronc d'arbre qu'il
est en bois; au contraire, d'une pomme, nous dirons
qu'elle est « dure comme du bois », et du comportement d'un homme qu'il est « raide comme un bout
de bois ». Ce qu'est le lit selon la κατηγορία, la chose
d'usage ayant tel ou tel aspect, cela n'a aucun lien
absolument nécessaire avec le bois; il pourrait tout
aussi bien être de pierre ou de fer; la qualité d'être
en bois est συμβεβηκός : à côté de ce que le lit est
« proprement » et en particulier, elle n'a fait que
s'*installer-avec;* toutefois, dans cette mesure, mais
rien qu'en cette mesure (en tant, simplement, que
bois), cet étant a l'ἀρχή κινήσεως en lui-même : le
bois est ce qui a été croissance dans quelque chose
qui croît.

Sur la base de cette différenciation entre ce qui
est fait et ce qui croît, Aristote, résumant ce qui
précède, peut arrêter le premier contour de ce qu'est
la φύσις :

> « Suivant cela, la φύσις est alors quelque chose
> comme issue et pouvoir, et ainsi donc quelque
> chose d'originaire pour et sur le se-mouvoir et
> être-en-repos de ce dans quoi elle a d'avance
> [ὑπό] originairement pouvoir [ἄρχει], premiè-
> rement en soi et partant de soi, et *en direction
> de soi*, et ainsi *jamais* de telle sorte que l'ἀρχή ne
> s'installerait [dans l'étant] seulement qu'en
> passant » (192 b 20-23).

Le contour de ce qu'est la φύσις est ici typé simplement et presque avec dureté : la φύσις n'est pas seulement en général pouvoir originaire sur la mobilité d'un mobile, mais elle appartient à ce mobile lui-même, si bien que celui-ci, en lui-même, à partir de lui-même et en direction de lui-même a pouvoir sur sa mobilité. L'ἀρχή n'est alors rien de tel que le point de départ d'un choc qui, ensuite, expulserait ce qui est soumis au choc pour l'abandonner à lui-même. Au contraire, ce qui est déterminé par la φύσις non seulement demeure, dans son mouvement, auprès de soi, mais, se déployant conformément à la mobilité (à la μεταβολή), il retourne justement en lui-même.

La situation essentielle à laquelle Aristote fait ici allusion, nous pouvons nous la clarifier à l'exemple de ce qui croît au sens étroit (les « plantes ») : la « plante », tout en germant, s'épanouissant et se déployant dans l'ouvert, retourne en même temps en ses racines qu'elle affermit dans le fermé — prenant ainsi son site. L'épanouissement qui se déploie est, quant à soi, un retourner-en-soi; cette manière de déployer l'être, voilà la φύσις; mais il ne faut pas qu'elle soit pensée comme un « moteur », ajouté on ne sait où, pour mettre en mouvement quelque chose, ni comme un « organisateur » quelque part présent et qui ajuste ceci ou cela. On est tout aussi facilement tenté de tomber dans l'idée que l'étant déterminé à partir de la φύσις est tel qu'il *se fabrique tout seul*. Cette idée s'impose si facilement et si inopinément qu'elle est justement devenue canonique pour l'interprétation même de la nature vivante (en général) — ce qui s'exprime en ceci que, depuis le règne de la pensée moderne, on pense le vivant comme « organisme ». Il passera sans doute encore beaucoup de temps avant que

nous apprenions à voir que la pensée de l' « organisme » et de l' « organique » est un pur concept
moderne, c'est-à-dire pensé à partir d'une interprétation mécaniste de la technique, et conformément auquel ce qui croît est compris comme une
œuvre se fabriquant elle-même. Rien que le mot
et concept de « plante » comprend ce qui croît comme
« plant », c'est-à-dire planté et cultivé (sélection).

Pour tout ce qui est fait, le départ du faire est
« hors » de ce qui est fait; vue à partir de celui-ci,
l'ἀρχή vient toujours s'installer-avec en passant.
Pour ne pas mésinterpréter la φύσις comme *fabri-
cation-de-soi* et ne pas prendre les φύσει ὄντα que
comme un genre d'œuvres, Aristote éclaire le καθ'
αὐτὸ par l'addition : καὶ μή κατὰ συμβεβηκός. Le
καὶ a ici la signification de « et cela veut dire ». Ce que
cette remarque de mise en garde signifie, Aristote
l'éclaire par un exemple :

> « J'ajoute bien " cela non à la manière du venu-
> en-passant ", parce qu'un homme pourrait bien
> être de lui-même et pour lui-même l'originaire
> [départ et pouvoir] de la " santé ", et cependant
> être aussi en même temps médecin; pourtant
> il a la connaissance médicale *à sa disposition*,
> non dans la mesure où il recouvre la santé — bien
> plutôt dans ce cas sont confondus en un seul et
> même homme être-médecin et recouvrer la santé;
> c'est pourquoi les deux demeurent séparés chacun
> pour soi » (192 b 23-27).

Aristote, fils de médecin, utilise volontiers, même
dans d'autres contextes, des exemples tirés de la
« pratique » médicale. Ici, il pose le cas d'un médecin
se soignant lui-même et qui guérit. Deux genres de
mobilité sont ici caractéristiquement entrelacés :
la ἰάτρευσις, c'est-à-dire la médecine comme τέχνη,

et la ὑγίαισις, c'est-à-dire la guérison comme φύσις. Les deux mouvements, pour le cas du médecin se soignant lui-même, sont en un seul et même étant — dans cet homme déterminé. C'est même vrai, chaque fois, pour l'ἀρχή des deux « mouvements ». Le « médecin » a l'ἀρχή de la guérison ἐν ἑαυτῷ, *en* lui, mais non καθ'αὑτόν, non conformément à lui-même — non dans la mesure où il est *médecin*. Être-médecin n'est pas ἀρχή de la guérison, mais bien être-homme, et cela, dans la mesure seulement où l'homme est un ζῷον, vivant, qui ne vit que pour autant qu'il est vivance d'un corps [1]. Comme il nous arrive d'ailleurs aussi de le dire : c'est la saine « nature » elle-même, capable de résistance, qui est le point de départ véritable de la guérison et ce qui la commande; sans cette ἀρχή, toute médecine devient inutile. Au contraire, le médecin a l'ἀρχή de la médecine en lui; être médecin est départ de et pouvoir sur le traitement. Mais cette ἀρχή, à savoir le *regard en avant* (regard de celui qui s'y connaît : τέχνη) sur ce qu'est la santé et ce que requiert sa conservation ou son recouvrement (l'εἶδος τῆς ὑγιείας), cette ἀρχή-là n'est pas dans l'homme pour autant qu'il est homme, mais elle est venue s'adjoindre, appropriée par lui grâce à l'acquisition de la connaissance et à l'apprentissage; en conséquence, la τέχνη elle aussi, par rapport à la guérison, est chaque fois seulement quelque chose qui peut venir s'adjoindre en passant. Médecins et médecine ne croissent

---

1. *Vivance d'un corps* tente de dire le simple mot *Leib*, que la proximité de *leben* éloigne radicalement du *corpus* (= cadavre). *Der Leib* n'est plus une pensée de l'opposition de l' « âme » et du « corps » — mais, ontologique, une pensée de l'être là du *Dasein*, qui est autant *leiblich* qu'il est peu *corporel*.

pas comme des arbres; et pourtant nous disons bien : un médecin-né, voulant dire qu'un homme porte avec lui des dispositions pour la reconnaissance des maladies et le traitement des malades. Mais ces dispositions ne sont pas du tout, à la manière de la φύσις, l'ἀρχή pour être-médecin, dans la mesure où elles ne se déploient pas *d'elles-mêmes* en un être-médecin.

On pourrait ici faire l'objection suivante : étant admis que deux médecins souffrent de la même maladie, dans les mêmes conditions, et que tous deux se traitent eux-mêmes; entre les deux cas, cependant, se sont écoulés cinq cents ans, au cours desquels a eu lieu le « progrès » de la médecine moderne. Le médecin d'aujourd'hui a pouvoir sur une « meilleure » technique — et guérit. Le médecin d'autrefois meurt de cette maladie. L'ἀρχή de la guérison du médecin d'aujourd'hui est donc bien *pourtant* la τέχνη. Soit, mais il faudrait toutefois méditer ceci : d'abord, le fait de ne pas mourir, au sens d'un allongement de la vie, n'est pas encore nécessairement une guérison; qu'aujourd'hui les hommes vivent plus longtemps n'est pas une preuve de leur meilleure santé; on pourrait même tirer la conclusion inverse. Mais admettons que le médecin d'aujourd'hui n'ait pas seulement échappé provisoirement à la mort — il recouvre la santé. Mais là aussi, le savoir médical n'a fait que soutenir et guider mieux la φύσις. La τέχνη ne peut qu'aller à la rencontre de la φύσις, hâter plus ou moins la guérison; en tant que τέχνη elle ne peut jamais remplacer la φύσις et devenir toute seule et à sa place l'ἀρχή de la *santé* en tant que telle. Cela ne serait que si la vie comme telle devenait une œuvre fabricable « techniquement »; mais au même instant il n'y aurait plus de santé non plus — ni naissance, ni mort. Parfois on dirait que l'humanité moderne fonce vers ce but : *que l'homme se produise lui-même techniquement;* que cela réussisse, et l'homme se sera fait lui-même, c'est-à-dire *son être en tant que subjectivité,* sauter en l'air — en l'air où ne vaut plus, comme sens, que l'absolue absence de sens, et où maintenir cette validité paraît être la « domination » de l'homme sur la terre. Ce n'est pas ainsi que la « subjectivité » est dépassée; elle est seulement « calmée » dans le « progrès éternel » d'une « constance » à la chinoise; celle-ci est la plus extrême contrefaçon de l'οὐσία φύσις.

Cet exemple, où deux mobilités de genres différents s'entrecroisent, Aristote le prend aussi comme occasion pour déterminer de plus près le genre et la manière dont les ποιούμενα (ce qui est fait) sont en relation avec leur ἀρχή.

> « Il en est de même façon aussi pour toute autre chose qui fait partie des choses œuvrées; à dire vrai aucune d'elles n'a le départ et le pouvoir de l'œuvrer en elle-même; bien plus, les unes ont leur ἀρχή en un autre étant, et ainsi l'ont depuis l'extérieur, ainsi par exemple que la maison et toute autre chose œuvrée à la main; les autres pourtant ont bien l'ἀρχή en elles-mêmes, mais non dans la mesure où elles-mêmes sont elles-mêmes. De cela fait partie tout ce qui, à la manière de l'accidentel, peut être " cause " pour soi-même » (192 b 27-32).

La maison a départ et pouvoir de ce qu'elle soit maison, c'est-à-dire construction, dans l'intention de bâtir du maître de l'œuvre; cette intention se détermine dans le plan de l'architecte. Ce plan — c'est-à-dire en grec *le visage vu par avance* de la

maison (exactement l'ἰδέα) — a pouvoir sur chaque
pas dans l'accomplissement du bâtir, sur le choix
et le travail du matériau. Même quand la maison
« se dresse », elle se dresse bien sur le fond d'une
fondation, mais jamais *à partir* de ce fond en tant
que tel : toujours elle ne se dresse que comme
bâtiment. La maison, se dressant (en grec : venant
se dresser dans l'ouvert et le sans-retrait), *elle* ne
peut, se dressant ainsi, jamais se replacer elle-
même dans son ἀρχή; la maison ne s'enracine
pas, mais demeure toujours seulement posée là et
établie.

Mais que quelqu'un, par exemple dans un mouvement maladroit de la main, se blesse l'œil, la
blessure et le mouvement de la main sont bien
ἐν ταὐτῷ, « dans » ce même étant — mais ils n'ont
rien à voir ensemble; ils n'ont fait que coïncider —
συμβεβηκός : arriver-ensemble. C'est pourquoi il ne
suffit pas, pour déterminer le mode d'être des
φύσει ὄντα, de dire qu'ils sont l'ἀρχή de leur
mobilité en eux-mêmes; il y faut ·encore la détermination caractéristique : en eux-mêmes, et à la
vérité dans la mesure où eux-même sont eux-
mêmes et auprès d'eux-mêmes.

/ Cet « et à la vérité » n'est pas une limitation,
mais bien l'exigence à porter le regard dans
l'ampleur du déploiement sans fond d'un être
qui se refuse à toute τέχνη, parce que celle-ci
renonce à savoir et fonder la *vérité* comme telle. /

Aristote achève la caractérisation, jusqu'ici, de
ce qu'est la φύσις par une clarification apparemment extérieure de la signification des notions et
tournures qui se rassemblent autour de l'essence, de
la notion et du mot de φύσις :

« Φύσις, donc ainsi, est ce qui a été dit. " Α " de la φύσις tout ce qui contient un pouvoir originaire de ce genre. Et tout cela *est* [a l'être] du genre de l'étance; depuis soi-même étant gisant là-devant, à vrai dire, quelque chose de tel est, et *dans* un tel venant-là-devant-s'étendre [déterminant l'ὑποκεῖσθαι] [quelque chose de tel est] la φύσις, chaque fois. A la mesure de la φύσις [1], pourtant, est cela aussi bien que tout ce qui appartient à cela quant à soi-même de soi-même — ainsi, par exemple, pour le feu : être porté vers le haut; cela en effet [être porté vers le haut] est à la vérité non pas φύσις, ni ne contient de la φύσις — mais c'est bien venant-à-partir de la φύσις, et à la mesure de la φύσις. Ce qu'est la φύσις, voilà donc qui est défini et aussi ce que signifie " venant-à-partir de la φύσις " et " à la mesure de la φύσις " » (192 b 32-193 a 2).

Il saute aux yeux que nous laissons maintenant encore sans traduction le mot fondamental : φύσις. Nous ne disons pas *natura* et Nature, parce que ces noms sont trop équivoques et chargés — et pour tout dire parce qu'ils ne reçoivent leur force nominative que d'une interprétation très particulière et très orientée de la φύσις. Nous n'avons en fait aucun mot pour penser en une parole le mode de déploiement de la φύσις tel qu'il a été clarifié jusqu'ici. (Nous tentons de dire *Aufgang* — la levée de ce qui se dresse en s'ouvrant — mais nous restons impuissants à donner sans intermédiaire à ce mot la plénitude et la détermination dont il aurait besoin.) Mais la raison première pour continuer à utiliser sans le traduire le mot (peut-

---

1. *A la mesure de la* φύσις traduit κατὰ φύσιν. Plus loin on reconnaît la traduction déjà adoptée pour φύσει : venant-à-partir de la φύσις.

être intraduisible) de φύσις, c'est que tout ce qui a été dit jusqu'ici pour éclairer son mode d'être n'est qu'un prélude. Nous ne savons d'ailleurs même pas encore quel genre de considération et de mise en question est justement en cours alors que nous sommes ainsi en quête de la φύσις. Cela, Aristote ne le dit que dans le passage qui vient d'être lu — passage qui arrête dans la plus extrême économie le cercle de vision à l'intérieur duquel se meut l'explication en train, en même temps que celle qui va suivre.

La phrase décisive, en voici le texte : καὶ ἔστι πάντα ταῦτα οὐσία — et tout cela (à savoir l'étant venant-à-partir de la φύσις) a l'être du genre de l'*étance*. Ce mot d' « étance » — peu élégant pour l'oreille ordinaire — est la seule traduction appropriée pour οὐσία. Il est vrai que ce mot ne dit *pas grand-chose*, et même presque rien. Mais c'est justement son avantage : nous évitons ainsi les habituelles « traductions » — c'est-à-dire les interprétations de l'οὐσία comme *substantia* et *essentia*. Φύσις est οὐσία, c'est-à-dire étance : cela qui désigne et signe l'étant comme un étant — précisément l'être. Le mot d'οὐσία n'est pas originellement une « expression » philosophique, pas plus que le mot de κατηγορία que nous avons déjà rencontré et expliqué; οὐσία n'a été typé comme « terme technique » qu'avec Aristote. Cela a lieu en ceci qu'Aristote fait ressortir de ce mot, en le pensant, quelque chose de décisif qu'il maintiendra fermement en toute univocité. Et pourtant ce mot continue de garder, au temps d'Aristote et même après lui, sa signification ordinaire. Par celle-ci, ce qui veut être entendu c'est : la propriété, ce que l'on possède, le bien; on dit aussi, en allemand, *das „Anwesen"*, *die „Liegenschaften"* : *ce qui vient*

s'étendre devant. Il faut penser en direction de ce
sens pour nous assurer la puissance nominative du
mot οὐσία comme parole philosophique fondamentale. Et nous voyons alors aussitôt combien l'explication qu'Aristote adjoint maintenant au mot
οὐσία se comprend de soi : ὑποκείμενον γάρ τι καὶ
ἐν ὑποκειμένῳ ἐστίν ἡ φύσις ἀεί — car quelque
chose comme un s'étendre-devant, et « dans » un
s'étendre-devant est chaque fois la φύσις. On
pourrait être tenté de remarquer que nous venons
de traduire « mal »; la phrase d'Aristote ne dit pas :
ὑποκεῖσθαι γάρ τι — un s'étendre-devant, mais
bien ὑποκείμενον : ce qui s'étend-devant; mais
ici il faut justement faire attention : ce qui doit
être éclairci, c'est en quelle mesure la φύσις est
ὀυσία, par conséquent en quelle mesure elle a le
caractère de l'étance (= celui de l'être); il s'ensuit
une seule et unique exigence : celle que postule
souvent l'usage grec de la langue philosophique,
mais qu'on a beaucoup trop négligé par la suite —
l'exigence d'entendre le participe ὑποκείμενον en
répondant à ce qu'il dit, comme il faut le faire
pour τὸ ὄν. Τὸ ὄν peut vouloir dire *l'étant*, à savoir
cet étant-ci lui-même dans sa détermination; mais
cela peut aussi signifier : ce qui *est*, qui a de l'*être;*
de même ὑποκείμενον : d'abord ce qui s'étend-devant,
mais aussi ce qui se caractérise par s'étendre-
devant, et donc le s'étendre-devant lui-même (les
formes participiales, extraordinairement riches et
multiples dans la langue grecque — la langue
proprement philosophique! — ne sont pas fortuites,
mais elles n'ont pas non plus été encore reconnues
dans leur signification).

Étance de l'étant, cela veut dire que les Grecs
(si nous suivons l'éclaircissement d'οὐσία par
ὑποκείμενον) quelque chose comme : s'étendre « là »

et « devant »; ce qui nous fait ressouvenir qu'Aristote, au début de ce chapitre, en 192 b 13 (et plus
loin, en 193 a 36), au lieu de τὰ ὄντα dit συνεστῶτα —
le constant parvenu à sa consistance. D'après cela,
être veut dire quelque chose comme « se dresser
en soi-même »; or « dresser », c'est pourtant bien
le contraire de « s'étendre ». Assurément, si nous
nous contentons de regarder chacun des deux à
partir de lui-même; si, au contraire, nous saisissons
« se dresser » et « s'étendre » en cela où ils conviennent, alors chacun ne devient visible qu'à partir
de sa contrepartie. Seul ce qui se dresse peut choir
puis être-étendu; et seul ce qui s'étend peut être-
levé puis se dresser. Si les Grecs saisissent l'être
tantôt comme se-dresser-en-soi-même, ὑπόστασις-
substantia, tantôt comme s'étendre-devant, ὑπο-
κείμενον-*subjectum*, les deux ont tout autant de
poids parce que dans les deux cas leur regard
envisage l'Un et l'Unique : le venir depuis soi-même
à l'être, l'entrée dans la présence [1]. La phrase
décisive d'Aristote, pour ce qui concerne le sens
à donner à la φύσις, se formule ainsi : la φύσις
doit être saisie comme οὐσία, comme un genre et
mode de l'entrée dans la présence.

Maintenant est déjà acquis par l'ἐπαγωγή que
les φύσει ὄντα sont des κινούμενα — l'étant qui
vient à partir de la φύσις est un étant en mobilité;
il s'agit donc de comprendre la mobilité comme un
genre et mode de l'être, c'est-à-dire de l'entrée

---

1. *Entrée dans la présence* traduit le mot *Anwesung*, qu'il
faut entendre dans un sens éminemment « énergique ». C'est
pourquoi nous accentuons la traduction : l'entrée dans la
présence doit être comprise comme suprême « mobilité »
— mobilité par excellence. On trouvera plus loin d'autres
traductions pour le même mot : *présentation* (l' « acte » de
devenir présent) et *présentance*.

dans la présence. C'est seulement lorsqu'une telle compréhension est devenue possible que la φύσις est SAISISSABLE dans son mode de déploiement comme le POUVOIR ORIGINAIRE SUR LA MOBILITÉ DE L'ÉTANT MOBILE A PARTIR DE SOI-MÊME ET EN DIRECTION DE SOI-MÊME. Ainsi il est maintenant principiellement clair que la question en direction de la φύσις des φύσει ὄντα ne cherche pas les propriétés ontiques repérables *au contact* d'étants de ce genre — mais elle s'enquiert de l'être de cet étant; et à partir de cet être se détermine par avance sur quel mode, en général, l'étant d'un tel être peut avoir des propriétés.

La façon décisive dont la localisation aristotélicienne de la φύσις a entre-temps débouché sur la méditation des principes, et la nécessité de cette méditation par rapport à la tâche qu'il faut maintenant affronter, c'est ce qui ressort dans le paragraphe suivant, qui forme la transition vers une détermination du mode de déploiement de la φύσις selon un nouveau départ :

« Mais *qu*'elle *soit*, la φύσις, vouloir pour cela déployer une preuve est ridicule; car cela [l'être comme φύσις] se montre de soi-même, vu que / et non : " il se montre que... " / justement de l'étant de ce genre s'offre multiplement parmi l'étant. Or fournir des preuves pour cela qui se montre à partir de soi-même, [et surtout] la preuve (en passant) par ce qui n'accorde pas l'apparaître, c'est le geste d'un homme incapable de distinguer [l'un par rapport à l'autre] ce qui est par soi-même et ce qui n'est pas par soi-même familier à la connaissance. Mais cela [une telle incapacité à faire cette distinction], que cela puisse se présenter, ce n'est pas du domaine des choses étrangères à la figure d'un monde. Par une suite de réflexions, en effet, il se pourrait

bien que, disons un aveugle-né essaie de parvenir,
à propos des couleurs, à une certaine connaissance.
Dans ce cas, de telles gens en viennent nécessairement à un énoncé portant sur la signification des noms de couleur, mais ils ne voient
jamais par là la moindre chose des couleurs
elles-mêmes » (193 a 3-9).

« Mais *qu*'elle *soit*, la φύσις, chercher pour cela
une preuve est risible. » Et pourquoi donc? Ne
faut-il pas prendre au sérieux une telle recherche?
Sans la preuve préalable *que* quelque chose de tel
que la φύσις « est », toutes les localisations à propos
de la φύσις seraient en fait sans objet. Engageons-
nous donc dans une telle tentative de preuve.
Nous sommes *alors* contraints d'admettre, au
moins provisoirement, que la φύσις n'est pas, ou
du moins qu'elle n'est pas avérée dans son être et
comme être; il nous est donc interdit de nous
référer à *elle* lors du cours de la démonstration.
Comment veut-on alors, tenant sérieusement à cet
interdit, pouvoir trouver et produire quelque chose
comme des φύσει ὄντα à proprement parler — des
plantes, des animaux par exemple — par quoi l'être
de la φύσις doive être établi? Une telle manière
de procéder est impossible, parce qu'elle ne peut
que s'être déjà d'avance référée à l'être de la φύσις;
c'est pourquoi une preuve ainsi articulée est
toujours superflue. Dès son premier pas, elle
témoigne que son dessein est inutile. Toute l'entreprise est en fait ridicule. L'être de la φύσις et la
φύσις comme être restent indémontrables, parce
qu'ils n'ont pas besoin d'une démonstration; ils
n'ont pas besoin d'une démonstration parce que,
chaque fois que l'étant qui est à partir de la φύσις
se dresse dans l'ouvert, la φύσις elle-même s'est
déjà montrée et est en vue.

A ceux qui exigent et recherchent de telles
preuves, on peut tout au plus attirer l'attention
sur le fait qu'ils ne voient pas *cela* qu'ils voient
déjà, qu'ils n'ont pas l'œil pour ce qui déjà
leur est en vue. Assurément, *cet œil-là* — cet œil
non pas pour ce que l'on voit, mais pour ce qu'on
a déjà en vue lorsqu'on voit ce que l'on voit — ce
n'est pas tout le monde qui l'a. Pour l'avoir, il faut
la capacité de distinguer entre ce qui se montre de
soi-même, ou vient à l'ouvert en suivant son seul
déploiement, et ce qui ne se montre pas de soi-
même. Ce qui s'est toujours déjà montré — comme
la φύσις dans les φύσει ὄντα, comme l'Histoire
dans tout événement historique, comme l'Art
dans toute œuvre d'art, comme la « vie » dans tout
vivant — cela qui est déjà en vue d'avance dans
tout regard, c'est ce qu'il y a de plus difficile à
voir, de plus rare à saisir et concevoir; presque
toujours on le falsifie en quelque chose de simplement surajouté après coup, ce qui permet de le
négliger. Il n'est toutefois pas nécessaire que tout
un chacun prenne expressément en vue ce qui est
d'avance vu dans toute forme de vision; seuls en
ont besoin ceux qui prétendent faire apparaître
quelque chose à propos de la Nature, de l'Histoire,
de l'Art, de l'Homme, de l'étant dans son entier
— ou simplement veulent questionner dans ces
directions. Bien sûr, ce n'est pas non plus tout
individu qui se tient, par l'action ou par la connaissance, dans ces domaines qui a besoin de méditer
en propre ce qui est d'avance en vue dans la vision.
Mais il n'est pas non plus permis qu'il le néglige,
ou même qu'il le rejette, comme « abstrait », parmi
l'insignifiant — à supposer qu'il veuille réellement
se tenir là où il est.

Ce qui se montre ainsi par avance — l'*être*, à

chaque fois, de l'étant — n'est ni abstrait après
coup de l'étant, réduction subtile et vide, finalement une simple fumée; ni quelque chose qui ne
devient accessible, chez celui qui pense, qu'à
travers une « réflexion » sur lui-même. Au contraire :
le chemin vers le déjà-vu de la vision, bien que
non encore affronté et, encore moins, conçu — ce
chemin, c'est justement cette ἐπαγωγή dont il a
déjà été question. C'est elle qui accomplit la
pré-vision, qui est vision s'élançant au-dehors,
vers cela qui n'est précisément pas tel que nous
sommes, ni tel que nous ne pourrons jamais être
— vers un comble de lointain qui tout aussi bien
est comble de proximité, plus proche que tout ce qui
est à portée de nos mains, sous nos yeux, à nos
oreilles. Pour *ne pas* laisser échapper ce plus proche
qui est pourtant aussi le plus lointain, il faut
dominer de la pensée tout ce qui est à portée de la
main, tous les « états de fait ». Faire la distinction
entre ce qui d'avance se montre de soi-même et
ce qui ne se montre pas ainsi, c'est un κρίνειν
au vrai sens grec : séparer ce qui, quant au rang,
se tient *plus haut*, et cela, le maintenir contre
l'inférieur. Par cette capacité « critique » de distinguer — capacité toujours décisive — l'homme
est tiré hors du simple engourdissement dans ce
qui le harcèle et le préoccupe, tiré et placé dans la
relation à l'être; il devient, au sens le plus réel,
ex-sistant, il ex-siste, au lieu de simplement
« vivre » et d'attraper au vol la « réalité », grâce
à sa « proximité vitale » — alors que cette réalité
n'est en fait rien de plus que le refuge pour ce qui
depuis longtemps est fuite devant l'être. Qui n'est
pas capable d'accomplir cette distinction vit, selon
Aristote, comme l'aveugle-né qui s'efforcerait de
se rendre accessible les couleurs par des ratiocina-

tions sur les mots qu'il aurait entendus les nommer.
Choisir ce chemin, c'est ne jamais pouvoir parvenir
au but, car, à ce but, un seul chemin conduit, qui
précisément est refusé à l'aveugle : « Voir ». Mais
tout comme il y a des aveugles de la couleur,
il y a des *aveugles de la* φύσις. Et si nous nous
remémorons que la φύσις a été déterminée comme
un mode de l'οὐσία (de l'étance), alors les aveugles
de la φύσις ne sont qu'un genre d'aveugles de
l'être. Il faut croire que leur nombre non seulement
est bien plus grand que celui des aveugles de la
couleur, mais leur puissance aussi est plus forte
et plus obstinée, d'autant plus qu'ils sont davantage
cachés, et la plupart du temps non reconnus. En
conséquence, les aveugles de l'être finissent même
par passer pour les seuls authentiques voyants. Et
pourtant il est manifeste que cette relation de
l'homme à ce qui se montre par avance de soi-même
tout en se retirant à toute entreprise de démonstration ne peut qu'être difficile à maintenir dans son
originaire vérité. Sinon, Aristote déjà n'aurait
pas eu à y ramener l'attention, en attaquant la
cécité ontologique. Cette relation à l'être est
difficile à garder parce qu'elle paraît nous être
rendue facile par notre rapport courant à l'étant —
si facile même qu'elle finit par sembler être remplacée rien que *par* ce rapport, et ne consister en
rien de plus que *dans* ce rapport.

Le rôle particulier que joue, dans le tout de son
exposé, la remarque d'Aristote sur cette volonté
de démontrer l' « apparition » de la φύσις, c'est ce
que nous ne tardons pas à voir avec la suite :

> « Or, la φύσις, et ainsi donc également l'étance
> de l'étant qui est à partir de la φύσις, se montre
> pour quelques-uns [des Penseurs] comme si elle
> était ce qui, en toute chose, premièrement s'étend

là-devant — ce qui en soi-même manque de structure [1]; ainsi, la φύσις du lit serait le bois, et celle de la statue l'airain. Cela se montre, suivant l'exposé d'Antiphon, de la manière suivante : si quelqu'un enfouit un lit dans la terre, et que la putrescence arrive à faire qu'un germe vienne à éclore, alors [de ce dernier] ne sort pas un lit, mais du bois; en conséquence, ce qui a été mené à bien à la mesure d'une institution et d'un s'y-connaître / ce qui a figure de lit dans le bois / est bien à la vérité quelque chose qui se rencontre, mais il ne se rencontre que dans la mesure où il s'est mis-avec; l'étance, pourtant, gît en celle-là [la φύσις] qui, elle, demeure tout au long, se maintenant bien ensemble au cours de tout ce qu'elle endure en « passant par là ». Et si même parmi cela / le bois, l'airain / l'un, dans son rapport à un quelconque autre, a justement déjà passé par cela même / à savoir qu'il a été porté à une structure /, comme par exemple l'airain ou l'or par rapport à l'eau, ou les os et le bois par rapport à la terre, et de même façon également n'importe quelle chose toujours parmi le reste de tout l'étant, alors celles-là [l'eau, la terre] *sont* la φύσις et ainsi donc également leur étance [à eux pour autant qu'ils sont étants] » (193 a 9-21).

Vu de l'extérieur, de la clarification du comportement correct lors de la détermination de ce qu'est la φύσις en tant que mode d'être, Aristote *passe maintenant à* la caractérisation de l'opinion d'autres

---

1. *Ce qui en soi-même manque de structure* traduit le mot ἀρρύθμιστον. C'est que nous traduirons ῥυθμός non par *rythme*, mais par *structure*. En allemand, Heidegger traduit par *Verfassung :* la disposition d'un ordre constitutif. Sous le mot de structure, il faudra donc toujours entendre la notion ainsi déterminée du *rythme* — telle qu'elle est éclairée quelques lignes plus bas par le commentaire de Heidegger.

penseurs relativement à la φύσις. Pourtant il ne veut pas, ce faisant, mentionner *aussi* d'autres « théories », en vue d'on ne sait quelle perfection érudite; il ne veut pas non plus seulement les rejeter afin de constituer pour son interprétation un arrière-fond de contraste. L'intention d'Aristote est plutôt d'élucider l'interprétation antiphonienne de la φύσις à la lumière de sa propre interrogation, et ainsi seulement de conduire vers *le* chemin sur lequel il est possible de déterminer suffisamment le mode d'être de la φύσις présent à son esprit. A ce propos nous ne savons jusqu'ici qu'une seule chose : φύσις est οὐσία — l'être d'un étant; et à la vérité, d'un étant au contact duquel est par avance en vue ceci : qu'il a le caractère des κινούμενα — de l'étant en mouvement. Plus précisément encore : la φύσις est pouvoir originaire (ἀρχή) sur la mobilité de l'étant en soi-même mobile.

Si la φύσις est οὐσία, un mode d'être, alors la détermination essentiellement correcte de la φύσις dépend d'une double exigence : d'abord que soit saisi de manière suffisamment originaire le mode de déploiement de l'οὐσία; ensuite, qu'on tienne compte de cela pour interpréter ce qui est rencontré à la lumière du concept, chaque fois, de l'être, comme un étant venant à partir de la φύσις. Or les Grecs entendent l'οὐσία au sens de la constante entrée dans la présence. Cette interprétation de l'être ne reçoit pas de fondement, pas plus que le fond de sa vérité n'est mis en question. Car plus essentiel que cela reste, à la première emprise de la pensée, que l'être lui-même de l'étant soit saisi et conçu.

Comment donc le Sophiste Antiphon, issu de l'école éléate, interprète-t-il la φύσις dans cette lumière de l'être conçu comme constante entrée dans la présence? Il dit : à la mesure de la φύσις *est* véritablement, et est *seulement* la Terre, est l'Eau, est l'Air, est le Feu. Mais ainsi, c'est une option décisive qui vient de tomber, une ouverture de la plus grande portée : à savoir que ce qui, chaque fois, apparaît comme *davantage*, par rapport à la simple Terre (la Terre à l'état pur), par exemple le bois qui se « forme » à partir d'elle, ou bien plus encore, le lit fabriqué à partir du bois, tout ce « davantage » est en fait *moindrement* étant; car ce « davantage » a le caractère de l'articulation, de la typisation, de l'ajointement et de la structure — bref : du ῥυθμός. Mais ce qui est de cet ordre est changeant, est inconstant et inconsistant; en bois, comme on sait, peut être fabriquée une table tout aussi bien qu'un bouclier ou un bateau, et le bois, à son tour, n'est rien d'autre que quelque chose de formé à partir de terre. Mais à la terre, comme ce qui proprement ne cesse de durer à travers tout, le caractère changeant du ῥυθμός ne vient jamais s'ajouter que de temps en temps. Proprement étant est τὸ ἀρρύθμιστον πρῶτον — ce qui premièrement et de soi est libre de structure, restant constamment présent au milieu du changement de ce qu'il subit en traversant ses diverses versions et constitutions. A partir des thèses d'Antiphon quelque chose devient clair : le lit, la statue, le vêtement, l'habit ne sont étant que pour autant qu'ils sont bois, métal, etc., c'est-à-dire consistent en une chose qui soit plus constante. Mais le plus constant, c'est la Terre, l'Eau, le Feu, l'Air — les « Éléments ». Or, si l' « élémentaire » est ce qui est le plus étant, alors, avec cette interprétation de la φύσις dans le sens du premièrement libre de structure portant tout ce qui est structuré, c'est en même temps le sens de l'interprétation de tout « étant » qui est

engagé décisivement — et la φύσις ainsi comprise
est égalée à *l'être lui-même*. Ce qui implique : le
mode de déploiement de l'οὐσία (de la constante
entrée dans la présence) est fixé et arrêté dans une
direction tout à fait déterminée. Mesurées à *ce*
mode de déploiement, toutes les choses — qu'elles
soient en croissance ou bien en fabrication — ne
sont jamais véritablement étantes, et bien que
non rien (elles ne sont pas non-étantes), toutefois
elles ne suffisent pas complètement à l'étance; face
à ce non-étant, seul l' « élémentaire » épuise et
accomplit le déploiement de l'être.

Le paragraphe qui suit donne un aperçu sur la
portée de l'interprétation dont il est présentement
question, l'interprétation de la φύσις dans le
sens du πρῶτον ἀρρύθμιστον καθ'ἑαυτό.

« C'est pourquoi les uns disent que le Feu, les
autres que la Terre; les uns que l'Air, les autres
l'Eau; les uns que quelques-uns de ceux-ci [les
« éléments »], les autres que tous ceux-ci sont *la*
φύσις et, partant, l'être de l'étant dans son
ensemble. Car *cela* que l'un parmi ces gens
d'avance [ὑπό] a pris comme de cette manière
s'étendant-là-devant, que ce soit simple ou
multiple, cela, il le donne en tant que tel pour
l'étance elle-même — et le reste, autant qu'il
y en a, [il le donne] pour états annexes du proprement étant, et pour comport [1], et pour ce en

1. Ἕξις est traduit par *comport* pour rendre l'allemand
Verhalt, qui lui-même cherche à « détruire » la fixation
traditionnelle de ἕξις en « habitude ». Ἕξις est ainsi
rapproché de ἔχειν — tenir — dans la mesure où *der Verhalt*
est la tenue fondamentale qui soutient tout rapport à quoi
que ce soit, ou « habitude ». *Comport*, attesté dans le vieux
français, dit le maintien qui supporte toute relation.
On remarquera par ailleurs que πάθος est parallèlement
traduit par « état annexe » (où il faut entendre : « venu

quoi l'étant est posé dispersivement [dis-posé] [et ainsi décomposé en relations]. Et c'est pourquoi, de cela [qui constitue chaque fois la φύσις] chacun serait, demeurant en lui-même, le même [*ne* leur appartiendrait *pas*, en effet, la lancée par laquelle ils sortiraient d'eux-mêmes], alors que le reste naîtrait et périrait "sans limite" » (193 a 21-28).

La distinction entre la φύσις comme « élémentaire » au sens de ce qui proprement et uniquement est étant (le πρῶτον ἀρρύθμιστον καθ'ἑαυτό) et le non-étant (πάθη, ἕξεις, διαθέσεις, ῥυθμός) est ici exposée encore une fois, et d'une manière synthétique, avec mention de diverses opinions doctrinales et référence claire à Démocrite. / Comment ici la position fondamentale du « matérialisme » devient visible comme position métaphysique — dans la lumière de l'histoire de l'être. /
Mais plus importante encore est la conclusion du paragraphe, qui élève expressément cette distinction au domaine de la détermination pensive et la porte jusqu'à la formulation du contraste entre ἀίδιον et γινόμενον ἀπειράκις. Communément, on pense ce contraste comme celui de l' « éternel » et du « temporel ». Suivant cette habitude, le πρῶτον ἀρρύθμιστον est l' « éternel », et tout ῥυθμός, en tant que changement et échange, c'est le « temporel ». Rien n'est plus clair que cette distinction. On néglige seulement de penser qu'avec l'opposition ainsi entendue de l'éternité et de la temporalité, on n'a fait que replacer anachroniquement des représentations « hellénistiques » et « chrétiennes », et en général « modernes », au cœur de l'entente

s'attacher à » — *Zu-stand*), et que διαθέσις est développé en *auseinander gesetzt* = posé dans le διά

grecque de l' « étant ». L' « éternel » passe pour
l'illimité, ce qui dure sans début ni fin; le « temporel », au contraire, c'est la durée dans une limite.
La perspective directrice de cette distinction s'ouvre
sur la durance. Assurément les Grecs connaissent
aussi cette distinction par rapport à l'étant; mais ils
pensent toujours la différence sur fond de leur
appréhension de l'être. Et de celle-ci, la distinction
« chrétienne » est très exactement la contrefaçon.
Qu'avec l'opposition de ἀίδιον et de γινόμενον
ἀπειράκις ce ne peut être le durant-sans-limite et
le limité qui sont en vue, c'est ce qui ressort clairement rien que des seuls mots grecs qui exposent ces
notions; car ce que l'on prend pour le temporel
se nomme ici : ce qui naît et périt *sans limite;*
ainsi donc, ce qui est opposé à l'ἀίδιον, à l' « éternel »
prétendu « illimité », c'est justement *aussi* quelque
chose d'*illimité* — ἄπειρον (πέρας). Comment
alors pourrait-il être question ici d'avoir mis le
doigt sur une opposition et, qui plus est, sur *l'opposition décisive*, à partir de laquelle se détermine le
véritable sens de l' « être »? Mais ce qu'on nomme
éternel, cela se dit en grec ἀίδιον — ἀείδιον; et
ἀεί ne veut pas dire seulement le « toujours sans
arrêt », « sans relâche », mais bien d'abord : ce
qui chaque fois s'attarde en son lieu propre. Ὁ
ἀεί βασιλεύων = celui-là qui *en son temps* (et
de temps en temps) est le dominateur, et *justement
pas* quelque chose comme l' « éternel » dominateur.
Dans le ἀεί, ce qui est en vue, c'est s'arrêter,
demeurer, s'attarder — et à la vérité au sens de
l'entrée dans la présence; l'ἀίδιον est ce qui, à
partir de soi-même et sans aucun ajout extérieur,
vient entrer dans la présence — et *pour cette raison*,
possiblement, le présent constant; la perspective
suivant laquelle pense ici le grec, ce n'est pas la

« durée », mais bien l'entrée dans la présence;
voilà ce qui donne une indication pour bien entendre
la notion contraire, le γινόμενον ἀπειράκις; ce qui
naît et périt, pensé en grec, c'est ce qui tantôt entre
dans la présence, tantôt en sort, et cela sans limite;
mais πέρας, pensé philosophiquement, c'est-à-dire
en grec, ce n'est pas la limite au sens du bord
extérieur ultime, ce n'est pas cela où quelque chose
cesse. La limite, c'est chaque fois ce qui limite —
le délimitant et déterminant, ce qui donne maintien
et stabilité, ce grâce à quoi et en quoi quelque chose
a origine et est. Ce qui sans limite vient dans la
présence et s'en va de la présence, cela n'a *de soi-
même* aucune entrée dans la présence, cela succombe
à l'absence de stabilité. La différence entre le vrai
étant et le non-étant ne consiste pas en ceci
que le premier perdure sans restriction alors que
le second ne cesse de souffrir une rupture de sa
durée; par rapport à la durée, ils peuvent être aussi
bien l'un que l'autre restreints ou non; le décisif
est bien davantage en ceci que le vrai étant vient
à la présence à partir de lui-même; c'est pourquoi
il est atteint et rencontré comme ce qui toujours
s'étend déjà là devant : ὑποκείμενον πρῶτον. Au
contraire, le non-étant tantôt vient à la présence
et tantôt s'absente, vu qu'il ne peut justement venir
à la présence *que* sur la base préalable de l'antério-
rité d'un ὑποκείμενον, autrement dit n'est là ou
bien ne fait défaut qu'*auprès*, c'est-à-dire qu'en
rapport avec l'ὑποκείμενον. L'étant (au sens de
l' « élémentaire »), c'est le « toujours-*là* »; le non-
étant, c'est le « toujours-ailleurs [1] » — où « là »

---

1. Heidegger oppose ici deux manières de dire, en allemand, le *toujours: immerda* = toujours au sens de la
perpétuité, et *immerfort* = toujours au sens du continuel
nouveau. Il développe cette opposition ontologiquement,

et « ailleurs » sont compris à partir de l'entrée dans la présence, et non dans la perspective de la simple « durée ». Ce qui serait au fond le plus proche de cette opposition grecque, c'est encore la distinction ultérieure entre *aeternitas* et *sempiternitas*. *Aeternitas*, c'est le *nunc stans*; *sempiternitas*, le *nunc fluens*. Mais même ici, le déploiement originaire de l'être dans son épreuve grecque a disparu. La distinction vise, sinon le genre de la simple durée, du moins déjà seulement celui de l' « altération ». Le *stans*, c'est l'*inaltérable*; le *fluens*, c'est le « passager », l'altérable; tous deux toutefois entendus simultanément sur le mode de la continuité incessante de ce qui dure.

Or, pour les Grecs, l' « être » signifie l'*entrée en présence dans ce qui n'est pas en retrait*. Ce qui décide de l'ouverture du sens, ce n'est pas la durée et la mesure de la présentance, mais bien ceci : savoir si elle se donne en présent dans le non-retrait du simple, et ainsi se reprend dans le retrait de l'inépuisé — ou bien si la présentance se tourne tout de travers (ψεῦδος) en pur et simple « avoir tout l'air de », en « *paraître* », au lieu de se tenir et maintenir dans l'ἀ-τρέχεια, la non-fausseté comme *absence* de *tour* C'est seulement en portant le regard sur le contraste, l'un pour l'autre, du non-retrait et du paraître que le déploiement *grec* de l'οὐσία devient pour nous adéquatement connaissable. De cette connaissance dépend, *avant tout et en général*, la compréhension de l'entente aristotélicienne de la φύσις, mais aussi en particulier la possibilité d'accomplir avec elle et en suivant son

en faisant apparaître l'élément variable, d'abord : *da* (le *là* de la présence), ensuite : *fort* (ailleurs au sens de parti-ailleurs = absenté). D'où l'apparition, quatre lignes plus bas, de l'opposition entre le *nunc stans* et le *nunc fluens*.

élan le saut maintenant imminent qui conduit à sa détermination définitive.

Avant de le tenter, il faut nous rendre présent, dans sa simple cohérence, tout le chemin parcouru jusqu'ici :

Suivant la mesure de l'ἐπαγωγή, l'étant qui est à partir de la φύσις est dans la mobilité. Or la φύσις elle-même est ἀρχή — origine pour, et pouvoir sur la mobilité. De là se tire aisément : le caractère d'origine et de pouvoir, dans la φύσις, atteint seulement sa détermination adéquate lorsqu'un regard éidétique est porté jusque dans *ce pour quoi* et *ce sur quoi* la φύσις est origine et pouvoir : là savoir a κίνησις.

Au début du livre III de la *Physique,* dont les trois premiers chapitres donnent l'interprétation décisive du mode de déploiement de la κίνησις, Aristote nous met devant les yeux en parfaite clarté tout cet enchaînement cohérent :

> Ἐπεὶ δ' ἡ φύσις μέν ἐστιν ἀρχὴ κινήσεως καὶ μετα-
> βολῆς, ἡ δὲ μέθοδος ἡμῖν περὶ φύσεώς ἐστι, δεῖ μὴ
> λανθάνειν τί ἐστι κίνησις. ἀναγκαῖον γὰρ ἀγνοουμένης
> αὐτῆς ἀγνοεῖσθαι καὶ τὴν φύσιν (200 b 12-15).

« Mais comme la φύσις est pouvoir originaire sur la mobilité, c'est-à-dire donc sur ce qui, d'une manière déterminante dans son jaillissement, avance d'une seule lancée, et comme d'autre part notre démarche est en quête de la φύσις [μέθοδος, la poursuite pas à pas, et non notre récente « méthode » qui est un genre et mode de la μέθοδος], ne doit en aucun cas rester en retrait ce qu'est [en son mode de déploiement] la κίνησις; nécessairement resterait en effet, là où elle [la κίνησις] demeurerait non familière, dans la non-familiarité aussi la φύσις » (cf. plus haut B 1 193 a 6, où il était question de la cécité par rapport à l'être et à son déploiement, l'expression γνώριμον).

Dans le texte et contexte que nous avons maintenant sous les yeux, il ne s'agit d'abord que de
dessiner le trait fondamental du déploiement de la
φύσις; de ce fait dans ce qui suit (193 b 7), le
déploiement de la κίνησις propre à la φύσις est
bien saisi à fond, mais non développé expressément;
il est plutôt seulement différencié par rapport aux
autres domaines de l'étant, la mobilité et le repos
de ce qui est fabriqué.

La φύσις est originaire pouvoir sur la mobilité
(κίνησις) d'un étant mobile (κινούμενον), et plus
précisément elle est cela καθ'αὑτὸ καὶ μὴ κατὰ
συμβεβηκός. L'étant qui est à partir de la φύσις *est*
en lui-même de lui-même et en direction de lui-
même une telle origine décisive de la mobilité du
mobile qu'il est à partir de lui-même et jamais
incidemment. En conséquence, il faut accorder
dans le sens le plus appuyé à l'étant venant à
partir de la φύσις le caractère de ce qui se tient
constant depuis soi-même. L'étant venant à partir
de la φύσις est οὐσία, étance, au sens des « biens-
fonds », de ce qui depuis soi-même s'étend là-devant.
Voilà pourquoi quelques penseurs sont surpris et
trompés par l'apparence insidieuse (δοκεῖ) selon
laquelle l'essence de la φύσις ne consisterait en rien
d'autre que dans le fait d'être le πρῶτον ἀρρύθμιστον, et comme tel dominer en donnant mesure
(ὑπάρχον) à l'être de tout autre « étant », quel qu'il
soit. Aristote ne formule aucun rejet pour ce genre
de compréhension de la φύσις. Mais la présence
du δοκεῖ fait pourtant signe vers un tel rejet.
Quant à nous, il est bon maintenant déjà de méditer
pourquoi l'interprétation rejetée de la φύσις ne
peut nécessairement que rester insuffisante :

1° Elle ne prend pas en considération que l'étant
qui est à partir de la φύσις est *dans* la mobilité,

autrement dit que la mobilité contribue à donner
son type à l'être de cet étant; au contraire, pour
cette compréhension de la φύσις, tout ce qui a
trait au mouvement, tout devenir-autre et toute
circonstancialité changeante (ῥυθμός) sont rejetés
parmi ce qui n'advient à l'étant que de manière
incidente; le mouvement est inconstant, donc non
étant.

2⁰ L'étance est bien conçue comme constance,
mais c'est unilatéralement, et dans la direction
de ce qui d'avance-et-toujours-gît-au-fond. En
conséquence

3⁰ l'autre moment essentiel de l'οὐσία est perdu :
l'entrée dans la présence. Or c'est elle qui, pour la
notion grecque de l'être, constitue le point décisif.
Nous tentons de clarifier en parole ce qui lui est le
plus propre, en disant, au lieu de *Anwesenheit* (la
présence comme présencialité), *Anwesung* (le mouvement de venir à la présence, la présence se faisant
présente — présentance). En vue n'est pas la pure
et simple présence, au sens de ce qui se trouve devant
nous à notre disposition; encore moins ce qui
s'épuise dans la seule persistance; mais bien la
venue *en présence,* au sens du venir en avant dans le
non-en-retrait : se placer dans l'ouvert. Par la
référence à la pure et simple durée, la venue en
présence n'est pas atteinte.

4⁰ Au contraire, l'interprétation de la φύσις
chez Antiphon et les autres comprend l'être des
φύσει ὄντα par l'intermédiaire du détour suivant :
produire l'exemple d'un « étant » (l' « élémentaire »).
Cette méthode — expliquer l'être à partir de
l'étant au lieu de tenir tête à l'étant à partir de
l'être — c'est elle qui a pour conséquences la
méconnaissance de la κίνησις, que nous avons déjà
signalée, et l'interprétation unilatérale de l'οὐσία.

Comme ainsi la doctrine d'Antiphon ne peut absolument pas atteindre la région d'une pensée de
l'être, Aristote doit manifestement, avant de passer
à sa propre présentation de la φύσις, rejeter cette
compréhension insuffisante.

Nous lisons :

> « D'une manière, donc, la φύσις est dite *ainsi :*
> elle est, pour chaque chose particulière, ce qui,
> en premier et d'avance-gisant-au-fond, est dispo-
> nible pour l'étant qui a en lui-même l'originaire
> pouvoir sur la mobilité, ce qui veut dire : avancer
> d'une seule lancée; mais d'une autre manière
> / la φύσις est déclarée / comme ce qui met,
> institue, installe [1] dans la configuration — c'est-
> à-dire comme ce qui donne-à-voir [à savoir
> le donner-à-voir] qui se fait voir pour la décla-
> ration » (193 a 28-31).

Nous lisons, et nous sommes frappés d'étonnement. Car la phrase commence par un οὖν : « ainsi
donc ». La transition n'exprime aucun rejet de la
doctrine précédemment examinée; au contraire,
elle est clairement assumée — avec toutefois une
restriction : en elle, il n'y a qu'*une* manière (εἷς
τρόπος) de saisir la φύσις, à savoir comme ὕλη
(« matière »); ἕτερος τρόπος, l'autre manière,

---

1. La traduction cherche ici à cerner par développement
ce que le texte dit d'un seul mot : *Gestellung.* La *Gestellung*
est l'ensemble unique *(Ge)* de tous les modes de l'entrée
dans la présence qui ont pour trait commun de *mettre*, d'*instituer*, d'*in-staller*, bref de faire venir l'étant à sa stature
propre. D'où l'expression de Heidegger : *die Gestellung in
die Gestalt* — où l'on comprend que la *Gestalt*, la « forme »
ou, mieux, la stature, n'*est* qu'en tant qu'elle est la « fin »
d'une *Gestellung.*

Le même travail de développement a lieu immédiatement
après, où le mot de *Aussehen* (l'εἶδος) est « traduit » par :
« ce qui donne-à-voir ».

qu'Aristote développera par la suite, comprend la φύσις comme μορφή (« forme »).

Nous reconnaissons facilement, dans cette distinction ὕλη-μορφή (matière-forme), la distinction qui a été examinée tout à l'heure : le πρῶτον ἀρρύθμιστον (ce qui premièrement est libre de structure) et le ῥυθμός (la structure particulière). Toutefois, Aristote ne remplace pas simplement la première distinction par celle de ὕλη et de μορφή. Alors que pour Antiphon le ῥυθμος ne pouvait être que ce qui, inconsistant, vient s'ajouter, en passant, à ce qui seul est consistant, donc à ce qui est libre de structure particulière (la « matière » élémentaire), pour Aristote, si nous suivons la phrase qui vient d'être lue, la μορφή, elle aussi, reçoit la dignité d'être une détermination essentielle de la φύσις. Ces deux interprétations de la φύσις sont mises au même rang, ce qui donne la possibilité de construire un double concept de la φύσις. Mais alors il s'ensuit également la *tâche* de montrer que la μορφή est proprement un caractère essentiel de la φύσις.

Tout a bien l'air, à première vue, d'être ainsi; et pourtant il s'agit de tout autre chose. La distinction ὕλη-μορφή n'est pas simplement une autre formulation pour ἀρρύθμιστον-ῥυθμός; au contraire, elle transporte la question en quête de la φύσις sur un plan entièrement neuf, où justement la question inquestionnée du caractère kinésique de la φύσις peut trouver réponse, et où la φύσις peut seulement être conçue adéquatement comme οὐσία, c'est-à-dire comme mode de la venue en présence. Il s'ensuit en même temps que la doctrine d'Antiphon, malgré l'apparence contraire, est maintenant rejetée de la manière la plus forte. C'est ce que nous ne pouvons voir avec suffisamment de clarté que si nous entendons d'une oreille aristotélicienne, c'est-à-dire grecque, la distinction ὕλη-μορφή qui vient maintenant d'émerger — et si nous sommes capables de ne pas aussitôt retomber hors de cette entente. Car c'est ce qui constamment menace, du fait que la distinction de la « matière » et de la « forme » est par excellence le boulevard sur lequel la philosophie occidentale évolue depuis des siècles. La distinction forme-contenu passe pour ce qui va le plus de soi parmi tout ce qui est censé aller de soi; pourquoi donc les Grecs n'auraient-ils pas déjà pensé suivant ce « schéma »?

Ὕλη et μορφή ont été traduits, chez les Romains, par *materia* et *forma;* dans l'interprétation qu'effectue cette traduction, la distinction est passée au Moyen Age et aux Temps modernes. Kant la conçoit comme la différence de « *Materie* » et « *Form* », et clarifie cette différence comme celle du « déterminable » et de sa « détermination » (cf. *Critique de la Raison pure*, De l'Amphibolie des concepts de la réflexion, A 266, B 322). Avec cette clarification, c'est le plus extrême éloignement de la distinction grecque et aristotélicienne qui est atteint.

Ὕλη, dans le sens courant, veut dire la « forêt », la « sylve », le « bois », où chasse le chasseur; mais en même temps, c'est le « bois » qui livre les madriers comme matériau de construction; de là, ὕλη devient la matière pour tout genre de bâtir et « produire » [1] en général. Ainsi serait donc justement montré, par ce retour à la signification « originelle » des mots que l'on pratique volontiers, que ὕλη veut dire

---

1. Les guillemets signalent ici que *produire (herstellen)* est entendu au sens courant de la « production » (= fabrication) d'objets.

quelque chose comme « matière ». Soit — mais à y
regarder de plus près c'est la *question* décisive qui
ne s'est faite que plus urgente : si ὕλη signifie
la « matière » *pour* un « produire », alors la détermination de ce qu'est cette prétendue « matière »
dépend d'une interprétation de l'essence de la
« production ». Or μορφή ne veut tout de même pas
dire « production », mais tout au plus « configuration », et la configuration, c'est justement la
« forme », en laquelle la « matière » est amenée par
empreinte et pétrissage, c'est-à-dire par l' « information ».

Seulement, la manière dont Aristote pense la
μορφή, il la dit par bonheur lui-même dans la
phrase qui introduit la notion décisive pour son
interprétation de la φύσις :

ἡ μορφή καί τὸ εἶδος τὸ κατὰ τὸν λόγον

« la μορφή, et cela veut dire τὸ εἶδος, celui qui est
à la mesure du λόγος ». La μορφή doit être entendue
à partir de l'εἶδος, et ce dernier doit être rapporté
au λόγος[1]. Mais, avec εἶδος — que Platon nomme

1. N'allons pas cependant imaginer que « comprendre
la μορφή à partir de l'εἶδος et celui-ci en relation avec le
λόγος » pourrait revenir à placer la μορφή sous la dépendance
du λόγος *comme* ἀποφαντικός. Ce n'est pas en effet dans le
même horizon que l'εἶδος apparaît comme catégorie et
qu'il apparaît comme μορφή. L'εἶδος comme catégorie renvoie à l'optique du τι κατὰ τινος. Mais l'εἶδος comme μορφή
renvoie à un tout autre domaine : celui à l'intérieur duquel
l'étant se montre comme σύνολον. Sur la connexion de ces
deux domaines Aristote ne dit rien, sauf qu'ils relèvent
disparatement du même contexte : τὸ ὄν λέγεται πολλαχῶς.
Il est facile de trouver maints passages attestant que
l'étude du mouvement, qui est la « vie » du σύνολον, se
réfère à l'analyse catégoriale de l'étant. Mais ne faut-il pas
aller plus loin et se demander si l'horizon catégorial n'est

aussi ἰδέα — et avec λόγος sont nommés des notions qui, sous la désignation d' « idée » et de « *ratio* » (raison), caractérisent des assises qui sont les fondations mêmes de l'humanité occidentale — et ne sont pas moins équivoques, ni moins éloignées de l'emprise initiale grecque que « matière » et « forme ».

Et pourtant, il faut tenter d'atteindre l'initial. Εἶδος veut dire l'air, le visage que fait une chose et un étant en général — mais ce visage en tant que ce qui est en vue dans le regard, la vision, la vue (ἰδεα) qu'elle offre, et qu'elle peut seulement offrir parce que l'étant, en ce visage, est mis en évidence et, se tenant en lui-même, avance à partir de soi dans la présence, c'est-à-dire *est*. Ἰδέα est le vu de ce qui est en vue, non pas au sens où il ne serait tel que grâce au voir; ἰδέα est ce qui offre au voir un visible : c'est le donnant-vue, le *visageable*. Seulement, Platon, pour ainsi dire subjugué par son déploiement, saisit l' εἶδος lui-même à son tour comme quelque chose qui s'avance pour soi dans la présence, et ainsi comme commun (κοίνον) aux « étants » qui « ont » ce visage-là; par là, le particulier, en tant que subordonné et dépendant par rapport à l'ἰδέα (interprétée comme le proprement étant), est déclassé au rang de non-étant.

Contre cela, Aristote exige simplement que l'on regarde : l'étant particulier, quel qu'il soit, cette

pas lui-même secrètement porté par celui à l'intérieur duquel l'étant apparaît comme σύνολον, à savoir l'horizon de la ποίησις? L'artisan qui, le regard fixé sur l'εἶδος, menuise une table ne s'y prend pas moins μετὰ λόγου que celui qui se borne à en disserter. Et n'est-ce pas au premier sens que le λόγος est vraiment, selon la parole d'Héraclite (fragment 45), « profond »? (Note de M. Jean Beaufret.)

maison-ci, et cette montagne là-bas, ils ne sont pas
non-étants; bien au contraire, ils sont justement
l'étant — pour autant qu'ils posent en se plaçant
dans le visage « maison » ou « montagne » — faisant
ainsi seulement ressortir ce visage, sortir dans la
présentance [1]. En d'autres termes : l'εἶδος n'est
saisi selon son déploiement propre d'εἶδος que
lorsqu'il se fait voir à l'intérieur de l'horizon de
l'appellation (déclaration) immédiate de l'étant :
εἶδος τὸ κατὰ τὸν λόγον. L'appellation déclare
immédiatement chaque *ceci* ou *cela* comme tel ou
tel, c'est-à-dire le déclare étant de tel ou tel visage.
Le fil conducteur au long duquel l'εἶδος et ainsi
donc également la μορφή sont saisissables, c'est
le λόγος. C'est pourquoi, au cours de l'interprétation, maintenant, de la détermination du déploie-

---

1. Il convient ici d'examiner le texte avec attention.
Heidegger écrit : (dieses Haus da und jener Berg dort sind)
„*gerade das Seiende, sofern sie sich in das Aussehen Haus,
Berg hinein und dieses so erst heraus, in die Anwesung stellen*".
Toute la difficulté de la traduction vient de l'unité du
double mouvement que dit ici le verbe *stellen*. La « maison »
et la « montagne » sont des étants précisément dans la mesure
où ils ont rapport avec l'*être*, dont la plus constante interprétation métaphysique est la θέσις *(positio)* = *stellen*.
Or quel est le caractère de ce *stellen?* D'abord il est : *sich in
das Aussehen hinein-stellen* = aller poser et se poser dans
l'exposition d'un visage; « ensuite », mais en fait simultanément, il est : *dieses Aussehen in die Anwesung heraus-
stellen* = ce visage, le placer de façon ressortante, c'est-à-
dire dans le mouvement de l'entrée dans la présence.
On verra comment par la suite sera traduit *stellen*. Mais
pour ne pas oublier un moment de signification essentiel,
soulignons que dans *sich stellen* entre toujours une nuance
de *pose*, comme lorsqu'on dit d'un modèle qu'il prend la
pose, ou d'un acteur qu'il *compose* son personnage. C'est
pourquoi quelques lignes plus bas on lit : « μορφή c'est
"donner-à-voir"; plus précisément : se tenir dans ce qui
donne à voir, et se *composer* en cela. »

ment de la μορφή, il faudra bien voir si Aristote suit ce fil conducteur, et jusqu'où. En anticipant nous pouvons dire : la μορφή, c'est « donner-à-voir »; plus précisément se tenir dans ce qui donne à voir, et se composer en cela; en un mot : la composition qui s'installe dans le visage. En conséquence, lorsque par la suite il sera question simplement de « visage », il s'agira toujours du visage qui *se* donne soi-même, et dans la mesure où il se donne et se livre dans ce qui chaque fois est pour un temps (le « visage » de « table » dans cette table-ci). Ce qui chaque fois est pour un temps s'appelle ainsi parce que c'est en tant que particulier qu'il s'attarde dans le visage dont il garde le mode de séjour (l'entrée dans la présence), et que c'est à partir d'une telle sauvegarde du visage qu'il se tient en lui et ressort de lui — en grec : qu'il « *est* ».

Avec cette traduction de μορφή — la composition qui s'installe dans le visage [1] — deux choses veulent être dites, qui pour les Grecs sont également essentielles, et qui font totalement défaut dans le mot de « forme ». D'abord, la composition qui s'installe dans le visage comme mode de l'entrée dans la présence : οὐσία; μορφή n'est pas une propriété qui se rencontre au contact de la « matière », une propriété *étante* — c'est un mode de l'*être*. Ensuite « composition qui s'installe dans le visage » comme

---

1. « La composition qui s'installe dans le visage » traduit *Gestellung in das Aussehen*. Composition cherche à redire ce qui a été remarqué à propos de *sich stellen;* la forme verbale cherche à faire sentir la profonde composante « énergique », ou « mobile », de la μορφή; enfin le verbe *installer* — avec la présence en lui de la racine *stal* — semble tout à fait propre à rendre *Stellung*. Manque bien sûr le ramassé de l'expression heideggérienne, qui lui donne sa force.

mobilité, κίνησις (« moment » qui, alors lui, est radicalement absent du concept de forme).

Ce renvoi en direction de la signification, à entendre d'une oreille grecque, de μορφή n'est pourtant en aucune façon déjà la preuve de ce qu'Aristote s'est proposé de montrer, à savoir que, suivant un autre mode de déclaration, la φύσις elle-même est μορφή. Cette démonstration, qui embrasse tout ce qui reste du chapitre, passe par plusieurs niveaux, et de telle façon que chaque degré place plus haut la tâche de la démonstration elle-même. La preuve débute ainsi :

« De même en effet que [globalement] est nommé τέχνη ce qui est produit à la mesure d'un tel s'y connaître, et ainsi également ce qui appartient à ce genre d'étant, de même est aussi nommé [globalement] φύσις ce qui est à la mesure de la φύσις et ainsi appartient à l'étant de ce genre. Au contraire nous ne dirions jamais, là, que se comporte [et vient à la présence] quelque chose à la mesure de la τέχνη, ou bien que c'est là de la τέχνη, là où quelque chose est un lit seulement suivant l'être-approprié [δυνάμει], mais n'a en fait pas du tout le visage du lit; nous ne voudrions pas plus procéder ainsi en appelant ce qui, venant à partir de la φύσις, se pose ensemble dans une stabilité; car ce qui n'est chair et os que selon l'être-approprié, cela non seulement n'a pas la φύσις qui lui appartient, déjà avant d'avoir atteint le visage, le visage entendu à la mesure de la déclaration, ce que nous délimitons quand nous disons *ce* qu'est la chair ou l'os, mais encore [ce qui n'est qu'approprié] n'est pas déjà un étant venant à partir de la φύσις » (193 a 31-b 3).

Comment, par ces phrases, la preuve peut-elle être apportée que la μορφή contribue à constituer le mode de déploiement de la φύσις, alors qu'il n'y est pas du tout question de la μορφή? Bien au contraire, Aristote commence sa démarche démonstrative très extérieurement, en renvoyant à une manière de parler qui nous est, à nous encore, tout à fait courante. Ainsi, nous disons, par exemple d'un tableau de Van Gogh : « Voilà de l'art. » Ou bien, voyant un oiseau de proie tournoyant sur la forêt : « C'est la nature elle-même. » Dans un tel « usage de la langue », cela qui, tout bien considéré, est un étant grâce à, et sur fond de l'art, nous le nommons lui-même et directement « art ». Car le tableau n'est pourtant pas l'art lui-même, mais une œuvre d'art; et l'oiseau n'est pas la nature, mais un étant naturel. Or, cette façon de parler trahit quelque chose d'essentiel. *Quand* nous arrive-t-il, en mettant ainsi l'accent, de dire : voilà de l'art? — Non pas quand il n'y a qu'un morceau de toile tendue, barbouillé de taches de couleur; même pas lorsque nous avons sous les yeux une quelconque « peinture »; mais seulement lorsque l'étant dont il s'agit ressort d'une manière éminente dans le visage d'une œuvre d'art, lorsque cet étant *est* dans la mesure où il s'installe dans un tel visage; de même lorsqu'on dit : « C'est la nature elle-même » — φύσις. Cette façon de parler témoigne donc que nous ne trouvons ce qui est à la mesure de la φύσις que là où nous tombons sur une *composition s'installant dans le visage*, c'est-à-dire là où il y a μορφή. En conséquence, la μορφή constitue le mode de déploiement de la φύσις ou, du moins, *contribue* à le constituer.

Cependant, la preuve qu'il en est bien ainsi ne s'appuie que sur notre façon de parler. Et Aristote donne là un exemple éclatant, mais tout de même un peu discutable, d'une philosophie à partir de l' « usage parlé ». Ainsi pourrait dire un homme d'aujourd'hui, qui ne sait pas ce que signifie pour les Grecs λόγος et λέγειν. Or il suffit de se rappeler la détermination essentielle de l'homme chez les Grecs, à savoir comme ζῷον λόγον ἔχον, pour tenir la direction dans laquelle il faut penser afin de saisir le mode de déploiement du λόγος. Nous pouvons, nous devons même traduire ἄνθρωπος : ζῷον λόγον ἔχον par : « L'homme est ce vivant à qui *la parole* est en propre. » Nous pouvons même dire « la langue » au lieu de « la parole », à supposer que nous soyons capables de penser d'une manière suffisamment originaire le mode de déploiement de la langue — c'est-à-dire de le faire en puisant hors de l'essence du λόγος auquel on aurait comme il faut tenu tête. La détermination essentielle de l'homme, qui est devenue courante dans les « définitions » *homo : animal rationale* — l'homme : animal raisonnable, cette détermination ne veut pas dire que l'homme « a » la « faculté de parler », comme il aurait une particularité parmi d'autres. Au contraire, avoir le λόγος, se tenir et maintenir en lui, c'est le distinctif du mode d'être de l'homme.

Que veut dire λόγος? Dans la langue des mathématiciens grecs, le mot de λόγος signifie quelque chose comme « relation » et « rapport »; nous disons « analogie » et traduisons : « correspondance », entendant aussi un rapport d'un certain genre, plus particulièrement un rapport de rapports; en disant « correspondance », nous ne pensons pas du tout à la « réponse », c'est-à-dire à la langue et au discours.

L'usage mathématique et, en partie aussi, l'usage philosophique gardent encore quelque chose de la signification originelle de λόγος; car λόγος fait partie des mots qui dépendent de la racine de λέγειν, et λέγειν veut dire et est le même mot que l'alle-

mand *lesen* (= le *legere* latin, qu'on retrouve dans
le français col-lecte et son doublet cueillette).
Lesen, c'est rassembler, recueillir. Soit. Mais rien
n'est encore acquis à seulement assurer que λέγειν
veut dire *lesen;* on peut toujours, en dépit d'une
référence correcte à la signification étymologique,
passer à côté de la teneur *essentielle* du mot *grec*, et
mésentendre dans le sens habituel la notion de λόγος.

Lesen, rassembler en cueillant, cela veut dire :
l'éparpillé et sa multiplicité, le ramener ensemble
à une unité, et cet Un, simultanément, le porter
-auprès et le remettre-*à* (bei*bringen und* zu-
stellen: παρά) — où cela? Dans le non-retrait de
l'entrée dans la présence [παρουσία = οὐσία
(ἀπουσία)]. Λέγειν — en direction de l'Un, ensemble, et cela, rassemblé, c'est-à-dire entrant
simultanément dans la présence, le porter-auprès —,
cela ne veut pas moins dire que : de l'antérieurement
en retrait, le rendre manifeste, le laisser se faire voir
dans son entrée dans la présence. C'est pourquoi,
suivant Aristote, le mode de déploiement propre
de l'énonciation est l'ἀπόφανσις : laisser voir, à
partir de l'étant lui-même, ce que et comment il est;
cela, il le nomme aussi τὸ δηλοῦν : rendre-manifeste. Ce faisant, Aristote ne donne pas une quelconque « théorie » particulière du λόγος — il ne fait
que sauvegarder ce que les Grecs depuis toujours
ont reconnu être le déploiement propre du λέγειν.
Un fragment de Héraclite le fait magnifiquement
voir (fragment 93) :

> ὁ ἄναξ οὗ τὸ μαντεῖόν ἐστι τὸ ἐν Δελφοῖς, οὔτε λέγει
> οὔτε κρύπτει, ἀλλὰ σημαίνει.

Les philologues (par exemple Diels, Snell) traduisent :

« Le seigneur dont l'oracle est à Delphes ne dit rien, n'énonce rien, et ne cèle rien, mais il donne un signe. » De cette manière, la parole d'Héraclite est privée de sa teneur essentielle, de la distension et de la tension si caractéristiques d'Héraclite. Οὔτε λέγει οὔτε κρύπτει : ici, λέγειν est la contre-partie de κρύπτει (celer); c'est pourquoi nous devons le traduire par déceler, c'est-à-dire rendre-manifeste; l'oracle ne *décèle* pas directement, il ne cèle pas non plus simplement — il donne à voir, ce qui veut dire : il décèle tout en celant, et cèle tout en décelant. / Pour savoir comment ce λέγειν est rapporté au λόγος, et ce que signifie λόγος pour Héraclite, cf. fragments 1 et 2, et autres. /

Λέγειν, λόγος, dans la détermination grecque de l'essence de l'homme, veulent dire ce rapport sur fond duquel seulement quelque chose de présent se rassemble en tant que tel autour de l'homme et pour l'homme. Et c'est seulement parce que l'homme *est* pour autant qu'il se rapporte à l'étant comme tel, le décelant et recelant, qu'il peut et doit avoir la « parole », c'est-à-dire parler l'être de l'étant. Quant aux mots que la langue utilise, ils ne sont que les retombées qui viennent de la parole, à partir desquelles jamais l'homme n'est en état de retrouver le chemin qui conduit à re-prendre sa relation à l'étant, et à la maintenir comme épreuve de l'étant en tant que tel — si ce n'est sur le fond du λέγειν. En soi, λέγειν n'a rien à voir avec le parler et la langue; *si* pourtant les Grecs conçoivent le parler comme λέγειν, alors il y a une entente tout à fait unique du déploiement de la parole et du dire, dont aucune « philosophie du langage » ultérieure n'a jamais plus été capable de pressentir les abîmes inappro-chés. Là seulement — à savoir chez nous — où la langue est rabaissée à n'être qu'un moyen de communication et d'organisation, là seulement la pensée qui médite à partir de la langue finit par n'avoir plus l'air que d'être une creuse « philosophie verbale », incapable d'atteindre à la réalité qui « colle à la vie ». Mais ce jugement est un aveu; l'aveu qu'on n'est plus soi-même assez fort pour faire confiance à la parole, en la pensant comme un fondement — comme *le* fondement essentiel de toutes les références à l'étant comme tel.

Pourquoi nous perdons-nous ici, à l'occasion de la question en quête de ce qu'est la φύσις, dans cette digression prolixe pour éclairer ce qu'est le λόγος? — Pour rendre intelligible qu'Aristote, lorsqu'il en appelle au λέγεσθαι, ne cherche pas extérieurement un recours auprès d'un « usage linguistique », mais pense à partir de l'originalité du rapport fondamental à l'étant. Ainsi, l'amorce apparemment légère de la démonstration regagne son poids réel : si l'étant qui a en lui-même pouvoir originaire sur sa mobilité est éprouvé au fil conducteur du λέγειν, alors se dévoile comme caractère « physique » de cet étant précisément la μορφή — et non seulement la ὕλη, pour ne pas parler de l'ἀρρύθμιστον. A la vérité, Aristote ne le montre pas immédiatement, mais d'une manière qui illumine justement l'opposé de μορφή, la ὕλη, restée jusqu'ici dans l'ombre. En effet, nous ne disons pas : « voilà de la φύσις » là où il n'y a que chair et os; cela n'est, tout comme le bois pour un lit, que « matière » pour un vivant. Ainsi donc, ὕλη veut pourtant bien dire « matière »? — N'allons pas si vite! Demandons-nous à nouveau : que veut dire « matière »? S'agit-il seulement du caractère « matériel »? Non! Car Aristote caractérise la ὕλη comme τὸ δυνάμει. Δύναμις signifie la capacité, mieux :

l'être-approprié-pour..., l'être-propre-à. Le bois présent dans l'atelier est propre à devenir « table » : il est dans « l'être-approprié-pour » une « table »; mais ce caractère d'être approprié pour la table, le bois ne l'a pas en général; il ne l'a qu'en tant qu'il est ce bois-ci, choisi et découpé; le choix et le découpage, c'est-à-dire le caractère d'appropriement, se déterminent à partir de la « production » de ce qui est « à produire ». Mais « produire » signifie, lorsque l'on pense en grec, et si l'on suit l'originelle puissance nominative de notre mot allemand *Herstellen*[1] : *Her:* depuis là-bas jusqu'ici, c'est-à-dire dans le mouvement de la présentation; *stellen:* mettre, poser quelque chose d'achevé, comme faisant tel ou tel visage. La ὕλη est le disponible parce qu'approprié — ce qui, comme la chair et l'os, fait partie d'un étant qui a en lui-même pouvoir originaire sur sa mobilité. Mais attention! C'est seulement dans l'être-installé-et-composé, dans le visage, que l'étant est ce qu'il est et comme il est. Aristote peut alors poursuivre :

> « C'est pourquoi [donc] d'une autre manière la φύσις pourrait être le mouvement de se mettre dans un visage, pour *cet* étant qui a en lui-même pouvoir originaire sur la mobilité. Assurément, le mouvement d'ainsi s'installer et le visage qui se donne à voir ne sont rien qui soit chacun pour soi; mais bien plutôt [ils sont] chaque fois, à propos de chaque étant particulier, seulement montrables dans l'appellation. Mais *ce qui* a sa

---

1. Ici, avec l'explication du sens de *herstellen*, la traduction de ce mot par *production* trouve sa limite. Il lui manque en effet entièrement la détermination précise de la *duction* comme *stellen*. C'est pourquoi il faut toujours lire ici « production » en se souvenant qu'il traduit bien *herstellen* dans le *sens* de ce mot, mais non avec précision.

consistance à partir de cela [le disponible et le
mouvement de s'installer], cela est à la vérité
non la φύσις elle-même, mais l'étant à partir
de la φύσις, comme par exemple un homme »
(193 b 3-6).

Ces phrases ne sont pas seulement une récapitu-
lation des affirmations maintenant prouvées, selon
lesquelles la φύσις est à dire suivant *deux* modes.
Bien plus importante est la mise en avant de la
pensée qui ouvre la détermination décisive : à
savoir que la φύσις ainsi doublement interpellée
est un genre de l'*être*, et non de l'étant. Voilà pourquoi Aristote insiste derechef : le visage qui se
donne à voir (εἶδος) et le mouvement de s'installer
dans l'avoir-visage (μορφή), il n'est pas permis,
platoniciennement, de les prendre comme quelque
chose qui se tient à part (χωριστόν); il faut les
penser comme l'être, à l'intérieur duquel, chaque
fois, l'étant particulier (par exemple cet homme-ci)
se tient. Cet étant particulier est bien *à partir de*
ὕλη et μορφή — mais justement pour cette raison
il *n*'est *pas* lui-même, comme la ὕλη et la μορφή
dans leur essentielle coappartenance, *un genre
d'être*, à savoir : φύσις — mais simplement un étant.
Autrement dit : maintenant devient clair dans
quelle mesure la distinction aristotélicienne de ὕλη
et de μορφή n'est pas une autre formulation pour
la distinction chez Antiphon de l'ἀρρύθμιστον et
du ῥυθμος; celle-ci en effet, alors qu'elle vise à
déterminer la φύσις, ne nomme en fait chaque fois
qu'un seul étant, à savoir le consistant, dans sa
différence par rapport à un inconsistant; mais les
deux termes de l'opposition antiphonienne n'atteignent pas, et conçoivent encore moins la φύσις
comme être, c'est-à-dire comme ce en quoi la
consistance, le se-tenir-en-soi-même des φύσει ὄντα

consiste. Cet être ne devient tangible qu'au fil conducteur du λόγος. Mais l'appellation fait voir comme *premier* le visage (εἶδος) et l'être-installé dans le visage (μορφή) — à partir d'où, ensuite, ce qui est nommé ὕλη se détermine comme le disponible. Mais ainsi, c'est encore quelque chose de plus qui se trouve déjà décidé, quelque chose qui rend nécessaire l'étape suivante de la découverte comme μορφή de la φύσις. En effet, bien que ὕλη et μορφή constituent toutes deux l'essence de la φύσις, elles ne s'équilibrent pas dans une égalité d'importance ; la μορφή a la *préséance*. Où s'exprime que le *cours* de la démonstration jusqu'ici effectuée élève la *tâche* démonstrative à un plus haut niveau. Et Aristote n'hésite pas, alors, à le dire sans plus tarder :

> « Et même *davantage* est celle-ci [à savoir la μορφή comme composition qui s'installe dans le visage] φύσις que le disponible. Chaque étant particulier en effet est interpellé / en tant que véritablement étant / lorsqu'il « est » sur le mode du se-posséder-dans-la-fin, plutôt que lorsqu'il est [seulement] dans l'être-approprié pour... » (193 b 6-8).

Pourquoi donc la μορφή est-elle, non pas tout autant φύσις que la ὕλη, mais « *davantage* » ? Parce que nous interpellons quelque chose comme véritablement étant *quand* il est sur le mode de l'ἐντελέχεια. Ainsi, la μορφή, d'une manière ou d'une autre, doit avoir en elle le caractère de l'ἐντελέχεια. Dans quelle mesure, c'est ce qu'Aristote ne discute pas en cet endroit. De même il n'explique pas ce que veut dire ἐντελέχεια. Ce nom forgé par Aristote lui-même est le mot fondamental de sa pensée, et il contient le savoir de l'être dans lequel la philosophie grecque parvient à son achèvement. L'ἐντελέχεια embrasse la notion fondamentale de la métaphysique, au changement de sens de laquelle peut être au mieux apprécié — et doit même être reconnu en toute clarté — l'éloignement de la métaphysique ultérieure par rapport à la pensée initiale des Grecs. D'abord, bien sûr, reste obscur pourquoi l'ἐντελέχεια est introduite ici pour fonder que la μορφή soit μᾶλλον φύσις, et dans quelle mesure elle l'est. Nous ne voyons clairement qu'une chose : Aristote se réfère à nouveau au λέγειν, au genre de l'appellation, pour rendre visible en quoi l'être véritable d'un étant est pris en vue. Pourtant, cette *preuve et son fondement*, d'abord obscurs, s'illuminent pour nous si nous portons préalablement au jour *ce qui est à fonder*. Que veut dire ce que soutient maintenant Aristote — et qui va au-delà de l'antérieur équilibre de ὕλη et μορφή —, à savoir que la μορφή est *davantage* φύσις ? Plus haut nous étions tombé sur la phrase décisive, qui ouvrait, en le déterminant, tout le sens de ce chapitre : la φύσις est οὐσία, est un genre de l'étance, autrement dit de l'entrée dans la présence. La phrase à maintenant fonder affirme, en suivant cette même direction : la μορφή satisfait mieux au déploiement de l'étance que la ὕλη. Plus haut encore, il avait été établi que les φύσει ὄντα sont des κινούμενα, que leur être est la mobilité.

Il s'agit maintenant de concevoir la mobilité comme οὐσία, et cela veut dire qu'il s'agit de dire ce que la mobilité peut bien être. Seulement ainsi s'illumine le déploiement de la φύσις comme ἀρχὴ κινήσεως; seulement à partir du déploiement de la φύσις *ainsi* illuminé devient clair pourquoi la μορφή remplit davantage le déploiement de l'οὐσία, et ainsi est davantage φύσις.

Qu'est-ce que la mobilité, à savoir comme l'être,
c'est-à-dire l'entrée dans la présence de ce qui est
en mouvement? Aristote donne la réponse en
Physique Γ 1-3. Il serait présomptueux de vouloir
amener en peu de phrases sous le regard éidétique
ce qu'Aristote porte au jour lorsqu'il interprète
la mobilité. Car cela, c'est ce qu'il y a de plus
difficile parmi tout ce que la métaphysique occidentale allait avoir à penser dans le cours de son
histoire. Pourtant il faut le tenter — à supposer
que nous voulions suivre le cours de la démonstration où se prouve le caractère « morphique »
de la φύσις.

Le fondement de la difficulté à comprendre la
détermination aristotélicienne de l'essence de la
mobilité réside dans la tout à fait étrange simplicité
du regard éidétique — simplicité que nous n'arrivons
que rarement à atteindre, parce que nous n'avons
plus guère qu'un soupçon de ce que pouvait être
la notion *grecque* de l'être, et que, de plus, quand
nous repensons à l'expérience grecque de la mobilité, nous oublions ce qui décide de tout. Cela, il
consiste en ceci que les Grecs conçoivent la mobilité
à partir du repos. Ici, il faut distinguer entre
mobilité et mouvement, et tout autant entre reposance [1] et repos. Mobilité veut dire l'être-mobile,
donc un déploiement, à partir duquel se déterminent
aussi bien mouvement que repos. Le repos passe

---

1. Heidegger introduit une distinction essentielle entre
Ruhe et *Ruhigkeit* — distinction parallèle à celle de la *Bewe-
gung* et de la *Bewegtheit*. Il faut redire en y appuyant que
la distinction entre mouvement et mobilité est entièrement
ontologique, en ce sens que la mobilité est le caractère
ontologique de l'être-mû. En français il n'existe pas de mot
pour dire l'être de l'être-en-repos. L'ancien français fournit
le mot de *reposance*, où le traducteur prie d'entendre la
substance d'un participe présent.

alors pour l' « arrêt », la pause (παύεσθαι, *Met.*, Θ 6, 1048 b 26) du mouvement. Le défaut de mouvement se laisse compter comme la limite (= o) de celui-ci. Mais justement, le repos ainsi compris comme dégénération du mouvement a pourtant pour essence la mobilité. Le déploiement le plus pur de la mobilité, il faut le chercher là où le repos ne signifie pas arrêt ou interruption du mouvement, mais où la mobilité se rassemble dans le *faire-halte*, et où cette suspension n'exclut pas la mobilité, mais tout au contraire l'inclut — et même ne l'inclut pas seulement, mais l'ouvre jusqu'à son épanouissement; ainsi par exemple : ὁρᾷ ἅμα καὶ ἑώρακε (*Met.*, Θ 6, 1048 b 23) : « Quelqu'un voit et, voyant, il a [justement] en même temps aussi déjà vu. » Le mouvement de voir autour de soi en promenant ses regards, et de vérifier en allant revoir, n'*est* véritablement *suprême* mobilité que dans la *reposance* du voir recueilli en soi-même — simple voir. Un tel voir est le τέλος, c'est-à-dire la fin, où seulement le mouvement de regarder au loin se *reprend*, et est mobilité déployée. (« Fin » non pas conséquence de l'arrêt du mouvement, mais emprise[1] de la mobilité comme reprise et sauvegarde du mouvement.) La mobilité d'un mouvement consiste alors éminemment en ceci que le mouvement de ce qui est mû se reprend en sa fin, τέλος, et, en tant qu'ainsi repris, dans la fin se « possède » : ἐν τέλει ἔχει : ἐντελέχεια — « se-posséder-dans-la-fin ». Au lieu du mot qu'il a lui-même forgé Aristote use aussi du mot ἐνέργεια. Dans ce mot, à la place de τέλος il y a ἔργον,

---

1. Emprise traduit *Anfang* = „an-gefangen werden" : le *commencement*, compris comme le « moment » initial de l'entre-prise.

l'œuvre — au sens de ce qui est à produire et qui est produit. Ἐνέργεια, pensé en grec, veut dire : être-en-œuvre; l'œuvre, en tant que ce qui se dresse en toute plénitude dans la « fin »; mais le « parfait », l' « achevé », à son tour, n'est pas entendu au sens du « terminé » (le « fini », au sens du clos) — pas plus que τέλος ne signifie la conclusion finale (qui clôture); au contraire, τέλος et ἔργον, pensés en grec, sont déterminés par l'εἶδος et nomment le genre et la manière dont quelque chose se tient « finalement » dans son visage.

A partir de la *mobilité* comprise comme ἐντελέχεια, il faut maintenant tenter de comprendre le mouvement de quelque chose qui est mû comme un genre de l'être, à savoir celui du κινούμενον. Nous appuyer sur un exemple peut rendre plus sûre la manière dont on guide le regard éidétique. Et nous faisons choix de l'exemple en suivant le penchant d'Aristote : le prenant dans le domaine du « produire[1] » (« produire » l'ensemble des choses qui sont faites) — autrement dit, dans le domaine du « *faire* ». Ainsi, le cas de la genèse d'une table. Là nous trouvons bien, manifestement, des mouvements. Mais Aristote n'a pas en vue les « mouvements » que l'ébéniste effectue et qui sont la série de ses manipulations; à l'occasion de la genèse d'une table, il pense le mouvement précisément *de ce qui est en genèse lui-même et comme tel*. Κίνησις est μεταβολή,

---

1. Produire est ici entre guillemets pour signifier qu'il s'agit de la compréhension courante de produire — qui néglige son sens profond de pro-duire = conduire (et plus rigoureusement installer) dans la présentation. C'est ce qu'explique la parenthèse : « produire » dans le sens de la fabrication des choses faites. Or, nous le verrons, la fabrication n'est que l'*un* des modes du pro-duire, qui devient alors la notion décisive pour comprendre aussi bien la τέχνη que la φύσις.

c'est le passage d'une seule lancée depuis quelque
chose jusqu'à quelque chose, et de telle manière
que dans ce passage, le passage lui-même, tout un
avec ce qui passe, parvient à « passer », c'est-à-dire
ressort dans le paraître. Le bois disponible dans
l'atelier passe d'une seule lancée en une table. Quel
est le caractère ontologique de ce passage? Ce qui
passe ainsi, c'est le bois qui est là, et non n'importe
quel bois en général — *ce* bois-*là* qui est approprié.
« Approprié pour », cela veut dire déjà : équarri en
direction du visage de table, donc en direction de
cela où la genèse de la table, le mouvement, parvient
à sa « *fin* ». Le passage (μεταϐολή) depuis le bois
approprié jusqu'à une table consiste en ceci que
l'être-approprié de l'approprié ressort à vue d'œil
plus pleinement dans le visage de table, et ainsi finit
par tenir (= arrive à être) dans la table produite,
c'est-à-dire dans la table quand elle est portée,
conduite et placée [1] dans le non-retrait. Dans le
repos de cette station [2] (la station de ce qui est
parvenu à se-tenir-debout = l'achevé) se rassemble
et se « possède » (ἔχει), comme en sa fin (τέλος),
l'être-approprié (δύναμις) de ce qui est approprié
(δυνάμει). C'est pourquoi Aristote peut dire (*Physique*, Γ 1, 201 b 4 sq.) :

---

1. Les trois verbes commentent, on l'aura compris, le
mot de *stellen*, qui est ici caractéristiquement le développement d'un *herstellen*. Pour la traduction française, remarquons que les trois verbes commentent donc l'élément
-*duite* du mot « produite ».
2. Station, c'est *Stand*. C'est donc l'idée de la station
debout, de la stature, comme l'explique la parenthèse qui
suit. Dans cette parenthèse, Heidegger fait parler l'allemand :
das Zustandegekommene, c'est « ce qui est arrivé à être »,
« ce qui est venu à existence », bref : l'*achevé* au sens du
τέλος.

ἡ τοῦ δυνατοῦ ᾗ δυνατὸν ἐντελέχεια φανερὸν ὅτι κίνησις ἐστιν.

« Le se-posséder-en-fin de l'approprié en tant qu'approprié [*i. e.* en son *être*-approprié], c'est manifestement [l'essence de] la mobilité. »

Toutefois, la genèse n'est une telle genèse (c'est-à-dire κίνησις au sens restreint de ce que l'on distingue du repos) que dans la mesure où l'approprié n'a *pas encore* porté à sa fin son être-approprié, donc est encore ἀ-τελές; le se-tenir-en-œuvre n'est pas encore à sa fin; en conséquence Aristote écrit (*Physique*, Γ 2, 201 b 31 sq.) :

ἥ τε κίνησις ἐνέργεια μέν τις εἶναι δοκεῖ, ἀτελὴς δέ.

« Le mouvement se fait voir à la vérité comme quelque chose de tel que être-en-œuvre, mais comme un qui n'est pas encore parvenu à sa fin. »

Le se-posséder-en-fin (ἐντελέχεια) est le déploiement intime de la mobilité (c'est-à-dire *l'être* de ce qui est mû) parce que cette reposance suffit le plus proprement au déploiement de l'οὐσία ou : en soi constante présentation dans le visage. Aristote le dit à sa façon en une phrase que nous empruntons au traité où il s'agit expressément de l'ἐντελέχεια (*Met.*, Θ 8, 1049 b 5 sq.) :

φανερὸν ὅτι πρότερον ἐνέργεια δυνάμεώς ἐστιν :
« Manifestement est antérieur l'être-en-œuvre à l'être-approprié-pour... » Si l'on traduit à la façon habituelle cette phrase (où la pensée aristotélicienne, et cela veut dire en même temps la pensée grecque, atteint son sommet), alors on a : « Manifestement la réalité est antérieure à la possibilité. » Ἐνέργεια, l'être-en-œuvre au sens de l'entrée dans la présence qui devient visage, les Romains l'ont

traduit par *actus* — et d'un seul coup, par cette traduction, le monde grec était liquidé; à partir d'*actus, agere*, effectuer, on a fait *actualitas* — la « réalité-effective [1] ». De δύναμις on a fait *potentia*, la capacité et la possibilité, que quelque chose a. L'énoncé : « manifestement la réalité est antérieure à la possibilité » apparaît alors comme une évidente erreur, car le contraire est bien plus plausible : pour que quelque chose soit « réel » et puisse être « réel », il faut qu'il soit d'abord « possible ». Donc la possibilité est bien antérieure à la réalité. Mais si nous pensons ainsi, nous ne pensons ni aristoté- liciennement, ni en grec. Δύναμις, à la vérité, signifie aussi *capacité*, et passe même pour le nom de la « force »; seulement, quand Aristote utilise δύναμις comme contrepartie de ἐντελέχεια et de ἐνέργεια, il prend ce mot (tout comme κατηγορία et οὐσία) pour nommer pensivement une notion fondamentale dans laquelle se pense l'étance, c'est-à-dire l'οὐσία Δύναμις, nous l'avons déjà traduit par être-appro- prié, appropriement-pour...; seulement, *de cette façon aussi* le danger subsiste que nous ne pensions pas assez en grec, et que nous nous déliions de l'effort rigoureux pour nous rendre clair l'être-approprié- pour... comme le mode encore retenu et contenu de paraître et de ressortir dans le visage, où l'être- approprié s'accomplit. Δύναμις est un mode de l'entrée dans la présence; mais l'ἐνέργεια (ἐντελέ- χεια), dit Aristote, est πρότερον, « antérieure » à la δύναμις : « antérieure », à savoir quant à l'οὐσία (cf. *Mét.*, Θ 8, 1049 b 10-11). L'ἐνέργεια accomplit de façon plus originelle le déploiement de la pure

---

1. « Réalité effective » traduit *Wirklichkeit* — non pas seulement la réalité (qui est *realitas* = caractère de la *res*), mais « réalité » de l'effectuation, ou actualité d'un *wirken* (= avoir un effet).

entrée en présence dans la mesure où elle signifie :
le se-posséder-en-œuvre-et-en-fin, qui a laissé derrière lui tout le « pas encore » de l'être-approprié-
pour... — et même, encore mieux, qui l'a mis *en
avant, avec lui*, dans l'accomplissement du visage
pleinement achevé. La thèse principielle d'Aristote
sur le rapport hiérarchique d'ἐντελέχεια et δύναμις,
nous pouvons aussi la résumer ainsi : l'ἐντελέχεια est
« davantage » οὐσία que la δύναμις; la première
accomplit plus intimement que la seconde le déploiement de l'entrée dans la présence, en sa constance
constamment référée à elle-même.

Dans notre passage de la *Physique* (B 1, 193 b 6-8)
Aristote dit :

> « Et même *davantage* est celle-ci [à savoir la
> μορφή] φύσις que la ὕλη. Chaque étant particulier
> en effet est interpellé / comme véritablement
> étant / lorsqu'il « est » sur le mode du se-posséder-
> dans-la-fin, plutôt que lorsqu'il est [seulement]
> dans l'être-approprié pour... »

Restait obscur dans quelle mesure la seconde
phrase veut être une preuve de ce que la μορφή
(comme autre τρόπος de la φύσις) ne soit pas seulement de rang égal à la ὕλη, mais qu'elle soit bien
davantage φύσις que celle-ci. La μορφή, c'est la
composition qui s'avance et s'installe dans un
visage — autrement dit, la κίνησις elle-même, le
mouvement (μεταβολή) de l'approprié, en tant
qu'éclosion (ἐκβολή) de l'appropriement [1]. Mais le

---

1. Le texte allemand dit : „Die μορφή ist die Gestellung in
das Aussehen, d. h. eben die κίνησις selbst, das Umschlagen
des Geeigneten als Ausschlagen der Eignung." (Ici apparaît
l'unité de sens à laquelle Heidegger faisait allusion dans le
texte rapporté dans la note de la page 194.)
Comprenons : La μορφή est mouvement d'installation du

déploiement intime de la κίνησις, c'est l'ἐντελέχεια qui de son côté accomplit plus originellement et mieux que la δύναμις le déploiement de l'οὐσία, La détermination de ce qu'est la φύσις est tout entière sous l'autorité canonique de la proposition : φύσις est un genre de l'οὐσία; donc la μορφή — puisqu'elle est en son essence ἐντελέχεια, c'est-à-dire *davantage* οὐσία — est aussi en elle-même μᾶλλον φύσις; la composition qui s'avance et s'installe dans un visage remplit davantage le déploiement de la φύσις, c'est-à-dire de l'être du κινούμενον καθ'αὑτό.

Pénétrer correctement du regard le genre de préséance qu'a la μορφή par rapport à la ὕλη, voilà qui est maintenant devenu avant tout nécessaire, parce qu'avec cette préséance de la μορφή, c'est en même temps son déploiement essentiel qui se dévoile encore plus nettement. Et cela implique qu'un nouveau palier dans la tâche de comprendre la φύσις comme μορφή ne peut plus être éludé. C'est pourquoi il faut que nous prenions clairement en vue, au moment de passer au prochain niveau, ce qui a été aperçu sur le précédent. La μορφή n'est pas « davantage » φύσις parce que, comme « forme », elle pétrirait une « matière » qui lui serait subordonnée; au contraire, en tant que composition s'avançant pour être visage, elle domine le disponible (la ὕλη) parce qu'elle est l'entrée dans la présence de ce qui, dans l'approprié, est appro-

---

visage; en tant que tel, c'est la κίνησις elle-même; or la κίνησις est essentiellement μεταβολή. La μεταβολή est « changement » de ce qui est approprié (p. ex. ce bois-ci, approprié pour faire un lit) *dans la mesure où* à travers ce « changement » jaillit ou surgit en propre la δύναμις, c'est-à-dire, comme vient d'être précisé : « un mode de l'entrée dans la présence ». La μεταβολή est donc bien l'unité de ἐκ- et διαβάλλειν.

priement — et de ce fait est plus originelle quant à
l'entrée dans la présence. Selon quelle perspective
le déploiement de la μορφή vient-il alors mieux au
jour? La phrase suivante fixe cette perspective :

« En outre, un homme vient bien à être à
partir d'un homme, mais non un lit à partir d'un
lit » (193 b 8-9).

Y a-t-il ici autre chose qu'un lieu commun insignifiant? Oui, car déjà le genre de transition : ἔτι
— « en outre » — indique le rapport à ce qui précède, tout en annonçant un « dépassement ». Ἔτι
γίνεται — il faudrait traduire en appuyant : « En
outre, il est question, dans le domaine que nous
avons en vue, du venir-à-être[1] (γένεσις), et celui-ci
est différent qu'il s'agisse d'un homme ou bien d'un
lit, autrement dit s'il s'agit de φύσει ὄντα ou bien de

---

1. *Venir-à-être* traduit *Entstehung*. *Entstehung*, comme
traduction de γένεσις, doit être compris à partir de la signification du *stehen*, lorsqu'il prend son sens à partir d'un
ent-.

Stehen, c'est « être », au sens de *stare :* être debout — mais
être debout comme ce qui est venu se mettre debout, et que
menace sans cesse une chute (voir plus haut, p. 211), bref :
« être », compris à partir de l'entrée dans la présence.

Ent-, c'est la particule qui dit la *mise en mouvement qui
libère, la marche qui fait sortir de*, et cela *dans la direction
précise d'un « but »* (τέλος). En ce sens, *ent-* est l'unité d'un
ἐκ et d'un εἰς, l'unité du « mouvement » au sens grec =
μεταβολή ἔκ τινος εἴς τι. *Entstehen*, c'est donc « être » à
partir de quelque chose, de sorte que cet être parvienne
à son complet épanouissement, qui est sortie hors de soi
d'un εἶδος. Dans la *venue à l'être* ainsi comprise, comprenons que c'est la γένεσις elle-même qui fait paraître ce d'où
elle vient comme ὕλη — non plus « matière », mais *disponible*;
non plus quelque chose d'*antérieur* à l'εἶδος, mais ce qui
n'apparaît comme tel qu'à la faveur de l'apparition supérieure et donc première de l'εἶδος.

ποιούμενα [ce qui croît et ce qui est fait] » (L'homme n'est pris ici que comme ζῷον, comme « vivant » — ici, où il s'agit de la γένεσις). En d'autres termes : la μορφή, comme composition qui s'installe dans un visage, est comprise *maintenant seulement de façon expresse* comme γένεσις. Or la γένεσις est précisément *ce genre* de la mobilité qu'Aristote avait laissé de côté lorsque, au début (192 b 14 sq.), il caractérisait par l'énumération des genres de mouvement la κίνησις comme μεταβολή. Pourquoi? Parce qu'il était réservé à la γένεσις de distinguer et de marquer le déploiement essentiel de la φύσις comme μορφή.

Deux genres de venir à l'être sont face à face. Nous avons assez de raisons pour tirer de la façon appuyée dont les deux sont distingués de quoi voir l'essence du venir-à-l'être — c'est-à-dire l'essence de l'*Entstehung ;* car le caractère décisif de la μορφή comme mobilité — à savoir l'ἐντελέχεια — a bien été exposé en examinant comment une table vient à être. Pourtant, sans y prendre garde, nous avons en même temps transporté à la μορφή « physique » ce qui avait été dit à propos de la manière dont un étant fabriqué vient à être. Mais la φύσις n'est-elle pas ainsi *més-entendue* et travestie en un ποιούμενον dont la particularité serait de se faire soi-même? Ou bien n'y a-t-il là aucune mésentente, mais bien la seule interprétation possible de la φύσις, comme un genre de τέχνη? Il semble presque qu'il en soit ainsi, tant que la métaphysique moderne, dans son style magistral, par exemple chez Kant, comprend la « Nature » comme une « Technique », si bien que cette « technique » constituante du déploiement naturel livre le *fondement* métaphysique pour que soit possible ou même nécessaire la sujétion et maîtrise de la nature par la technique des machines. Quoi qu'il en soit, la phrase d'Aristote à propos de

la genèse différente d'un homme et d'un lit — phrase
allant apparemment tout à fait de soi — force à une
méditation décisive, dans laquelle doit maintenant
être clarifié en général le rôle revenant à la différenciation qu'Aristote a effectuée d'entrée de jeu
au début du chapitre — cette différenciation qui
commande toute la suite des développements —, la
différenciation de ce qui vient par croissance, par
opposition à ce qui vient par fabrication.

Aristote entend-il donc déjà les φύσει ὄντα
comme des ποιούμενα qui se font eux-mêmes, lorsqu'il en revient toujours à caractériser ce qui croît
à partir de l'analogie avec ce qui est fait? Non.
Bien plutôt il comprend la φύσις comme le se-pro-
duire-soi-même. Mais n'est-ce pas là la même chose
— « produire » et faire [1]? Pour nous, oui — tant que,
sans penser, nous nous agitons au milieu du système
des représentations éculées et ne gardons pas fermement en mémoire ce qui nous a déjà été signifié.
Mais qu'en est-il lorsque nous retrouvons le chemin
vers le domaine de l'être, tel que le grec l'entend?
Alors se montre : le faire, la ποίησις est *un* genre du
produire, et le « croître » (s'épanouir, qui est retourner en soi en allant hors de soi), la φύσις, en est un
autre. Produire (*Her-stellen* [2] = *installer*, placer,
poser à partir d'ailleurs) ne peut alors plus vouloir

1. C'est ici que s'opposent enfin, au niveau de la pensée,
produire *(herstellen)* et faire *(machen)* — donc l'entrée dans
la présence *en général,* et le mode très particulier d'entrer
dans la présence qu'est le faire entrer dans la présence par
ποίησις.

2. Désormais, et pour marquer le nouveau pallier atteint,
la traduction rappellera le *stellen,* aussi bien dans *Herstellung* que *Gestellung,* par les italiques dans in*staller.* Parallèlement, pour attirer l'attention sur le sens ontologique
de la *Herstellung,* on décomposera produire en pro-duire
(= conduire dans le « en avant » de l'ouvert).

dire « faire », mais : in*staller* dans le non-retrait
du visage, laisser advenir au présent — entrée dans
la présence. Ce n'est qu'à partir de la pro-duction
comprise dans ce sens que peut se déterminer le
déploiement de la genèse entendue comme « venir-
à-l'être », ainsi que ses divers modes. Au lieu de
Entstehung (la genèse comme venue à l'être) il faudrait dire *Ent-stellung* [1], non pas au sens habituel
de la décomposition (par exemple des traits), mais
bien dans celui de : prendre à un visage, en l'enle-
vant, le visage dans lequel un produit (*ein Her-
gestelltes* : ce qui est posé à partir d'ailleurs) —
c'est-à-dire un étant particulier — est posé (in*stallé*
dans sa consistance) et ainsi *est*. Or, il y a plusieurs
manières d'être ainsi mis en position d'être. Ce qui
vient à l'être (par exemple la table) peut être tiré
— au sens d'emprunté — d'un visage (*comme* la
table), et être produit (= in*stallé* depuis ailleurs)
dans un tel visage, sans que le visage dont le produit *provient* entreprenne lui-même l'in*stallation*
dans le visage. Le visage-table (l'εἶδος) est seulement
παράδειγμα, ce-qui-se-montre-auprès-de, mais justement *ne* fait *que* se montrer, et de ce fait demande
quelque autre chose pour in*staller* (placer, mettre)
un disponible (par exemple le bois), en tant qu'il

---

1. Comme le *Entstehen* est maintenant compris à fond
comme *Gestellung eines Hergestellten*, Heidegger propose
audacieusement, au lieu de *Entstehen*, le verbe *Ent-stellen*.
Or il y a un verbe *entstellen*, dont la signification courante
est : défigurer, décomposer les traits d'un visage, défaire,
déformer. Mais si l'on comprend, dans le verbe *entstellen*,
la particule *ent-* dans son sens « positif » (cf. n. p. 253), alors
plus aucun contresens n'est possible. *Ent-stellung* veut dire
désormais : *stellen* (τιθέναι), de telle sorte que cette *mise*
soit reprise pour mieux avancer jusqu'à l'être — en un
mot : *mise en étance*. C'est pourquoi, de ce mot, sera proposée
aussitôt la traduction : être mis en position d'être.

est l'approprié-à-avoir-tel-visage — pour l'in*staller
dans* ce visage-là. Où le visage s'en tient au se-mon-
trer et, se-montrant, ne fait que guider une τέχνη
(un « s'y connaître ») dans sa pro-duction ; et où, lors
de la pro-duction, il ne fait que jouer un rôle
d'accompagnement, au lieu d'*accomplir et mener
à bonne fin* la pro-duction elle-même — là, la production est un *faire.*

Se montrer est bien déjà un genre d'entrée dans
la présence, mais cependant ce n'est pas l'unique.
En effet, le visage (comme ce qui se donne à voir),
sans *proprement* se montrer comme παράδειγμα —
c'est-à-dire dans et pour une τέχνη —, peut immédiatement s'in*staller lui-même* dans la figure de qui
prend en charge en soi-même l'in*stallation;* l'εἶδος
(ce qui se donne à voir) s'in*stalle* lui-même, en
d'autres termes : se pose, se propose et se compose
lui-même [1]. Ici, donc, a lieu une composition in*stallante* d'un visage. Et s'in*stallant* ainsi, cela s'in*stalle*
en cela même, c'est-à-dire in*stalle* soi-même, en le
pro-duisant, quelque chose qui a ce visage-là —
μορφή comme φύσις. Et nous voyons facilement
qu'un ζῷον (une bête) ne se « fait » pas soi-même,
ni ne « fait » ses semblables — car son visage (εἶδος)
n'est pas et n'est jamais simplement mesure et
modèle *à la mesure duquel* quelque chose est produit à partir d'un disponible; au contraire, le visage
est ce qui entre lui-même dans la présence, visage
s'in*stallant* soi-même, et qui de ce fait dispose alors
seulement du disponible, l'in*stallant* comme appro-

1. Les trois verbes tentent de dire le seul verbe allemand
stellen (Das Aussehen stellt *sich selbst.)* Pour ne perdre
aucun de ses moments, la suite traduira le seul mot de *Gestellung* par : composition in*stallante,* où il faudrait entendre
composition comme l'ensemble de tous les sens de *poser,
se poser, se proposer* et *se composer.*

prié dans l'appropriement [1]. Dans la γένεσις comme in*stallation* composante, le produire est de fond en comble entrée du visage lui-même dans la présence, sans aucun recours ni secours adventices, qui justement caractérisent tout « faire ». Ce qui se produit soi-même au sens de la μορφή n'a aucun besoin préalable d'une fabrique qui le fasse; s'il en avait besoin, cela signifierait qu'une bête serait incapable de se reproduire à moins de maîtriser sa propre zoologie. C'est ici que s'annonce que la μορφή non seulement est plus φύσις que la ὕλη, mais qu'elle l'est même seule complètement. Voilà justement ce que l'apparent lieu commun d'Aristote veut porter au savoir. Mais dès que la φύσις est ainsi parvenue comme γένεσις sous le regard, sa mobilité exige une détermination qui ne peut plus, à aucun point de vue, esquiver sa singularité. C'est pourquoi il est déjà devenu nécessaire de faire un pas de plus :

« De plus, la φύσις, qui est prise en vue comme mise en position d'être [2], est [rien de moindre que]

1. L'allemand joue ici de toutes les nuances que peut prendre grâce aux particules la racine verbale *stellen*. Voici le texte :

Das Aussehen ist das An-wesende selbst, das sichstellende Aussehen, das sich erst je das Verfügliche bestellt und als Geeignetes in die Eignung stellt.

Il faut comprendre à fond le passage « et qui de ce fait dispose alors seulement du disponible ». Il s'agit en effet de la ὕλη, telle que l'entrée en présence de l'εἶδος la fait apparaître comme telle. Une autre traduction aurait pu donner :

« Le visage est ce qui entre lui-même dans la présence, visage se mettant soi-même en présence, visage qui de ce fait et alors seulement se met la ὕλη à sa propre disposition, la mettant dans l'état de δύναμις en tant qu'elle est alors devenue δυνάμει ὄν. »

2. Il manque ici un mot. Le texte allemand porte : „...*die angesprochen wird als Entstellung in den Ent-stand...*" Il

cheminement en direction de la φύσις. [Et cela]
aucunement, à dire vrai, comme la médecine est
dite être cheminement non pas vers l'art médical,
mais vers la santé; car nécessairement la médecine sort de l'art médical, mais elle n'a pas son
orientation vers celui-ci [comme s'il était sa
fin]; mais pas ainsi non plus [comme la médecine
se rapporte à la santé] la φύσις ne se rapporte
à la φύσις; au contraire, ce qui est un étant à
partir de la φύσις et selon son mode, cela part
de quelque chose pour aller en direction de quelque
chose, pour autant que c'est déterminé [dans la
mobilité de ce cheminement] par la φύσις. Or
« vers quoi » maintenant cela va-t-il à la mesure
de la φύσις en s'épanouissant? Non vers ce « à
partir de quoi » [il se tire chaque fois en se libé-
rant], mais en direction de ce en tant que quoi,
chaque fois, il vient à l'être » (193 b 12-18).

La φύσις, qui avait été marquée dans la phrase
précédente comme γένεσις, la voici maintenant
conçue à travers la détermination de ὁδός. Nous
traduisons ὁδός aussitôt par *chemin*, en pensant
sous ce nom à ce qui s'étend entre un point de
départ et un point d'arrivée. Or, par où le chemin
est chemin, cela doit être cherché dans une autre
direction : un chemin *mène* à travers une région,
il s'ouvre lui-même et ouvre celle-ci. Chemin, c'est
alors aussi bien le cheminement depuis quelque
chose et en direction de quelque chose — chemin
en tant qu'*être-en-chemin*.
Si la caractéristique de la γένεσις doit être déter-

faut comprendre cet *Ent-stand* comme l'aboutissement du
mouvement qu'est l'*Entstellung*. *Ent-stand* c'est donc le
Stand abouti, c'est-à-dire parvenu à sa fin (τέλος) : ce qui se
tient en soi dans la complète libération de soi-même — en
tant que « résultat » de la mise en position d'être. (Comprendre
Ent-stand « par opposition » à *Gegen-stand*.)

minee de plus près, cela veut dire : la mobilité de ce
genre de mouvement doit être élucidée. La mobilité du mouvement est ἐνέργεια ἀτελής — être-en-
œuvre non encore parvenu à sa fin. Ἔργον, œuvre,
signifie — suivant ce qui a été vu — non pas être-
fait et fabrique, mais bien : ce qui est à pro-duire,
à porter dans la présentation. L'ἐνέργεια ἀτελής
est en elle-même déjà un être-en-chemin, qui comme
tel fait ressortir à la mesure d'un cheminement
précisément ce qui est à pro-duire. L'en-chemin,
pour la φύσις, c'est la μορφή (l'in*stallation* composante). Dans la précédente phrase était aussi
annoncé déjà *d'où* la μορφή, comme une telle
in*stallation,* est en chemin — pour autant qu'en
elle le visage du φύσει ὄν lui-même *s'installe soi-
même*. Restait indéterminé le « vers où » du cheminement, plus exactement, la caractérisation de
l'ὁδός, qui s'obtient dès que le « vers où » du cheminement est déterminé.

La φύσις est ὁδὸς ἐκ φύσεως εἰς φύσιν — c'est
être-en-chemin, pour ce qui s'in*stalle* soi-même,
en direction de lui-même en tant qu'il est ce
qui est à pro-duire — et ceci de telle sorte que
l'in*stallation* elle-même est tout à fait du genre
de ce qui s'in*stalle* et est à pro-duire. Comment
ne pas être tenté de croire alors que la φύσις
soit pourtant bien un genre de se-faire-soi-même,
donc une τέχνη, avec pour seule différence que
la fin de cette fabrication-là aurait le caractère
de la φύσις? Une telle τέχνη, nous en connaissons
un exemple : la ἰατρική, la médecine, qui a pour
τέλος l'ὑγίεια, soit un état de type « physique ».
La ἰατρική est ὁδός εἰς φύσιν. Seulement, au
moment même où paraît se préparer une analogie
entre la φύσις et la ἰατρική, se trahit l'essentielle
différence dans la manière dont les deux portent

un φύσει ὄν à être. En effet, la ἰατρική demeure,
en tant que ὁδός εἰς φύσιν, un cheminement *vers*
quelque chose qui *n*'est *pas* ἰατρική, qui n'est pas
elle-même, c'est-à-dire n'est pas τέχνη. Pour être
analogique à la φύσις, la ἰατρική devrait être
ὁδός εἰς ἰατρικήν; or, si elle était cela, elle ne serait
plus la ἰατρική, vu que la médecine a précisément
sa fin dans la santé — et là seulement; même quand
le médecin pratique la médecine pour parvenir au
plus haut degré du savoir-faire, cela n'a lieu, encore
une fois, que dans le but d'atteindre une bonne
fois le τέλος — à supposer bien évidemment que
le médecin soit un médecin, et non pas un homme
d'affaires ou un esclave de la routine.

La tentative renouvelée d'éclaircir ce qu'est la
φύσις par analogie avec la τέχνη vient maintenant
d'échouer *à tous les points de vue.* Cela signifie :
nous devons concevoir ce qu'est la φύσις rien qu'en
partant d'elle-même, et il nous est interdit de
porter atteinte, par de hâtives analogies et explications, au prodige de la φύσις comme ὁδός εἰς φύσιν.

Même quand on a renoncé à faire appel à l'analogie avec la τέχνη, une dernière « explication »
captieuse tend encore à s'imposer. Comme φύσεως
ὁδος εἰς φύσιν, est-ce que la φύσις ne serait pas
alors un perpétuel tourner en rond sur soi-même?
Or justement, voilà qui est faux; en tant que
« *en-chemin* » vers la φύσις, la φύσις ne peut en aucun
cas être chute en retour sur cela en particulier dont
elle provient. Ce qui vient à l'être ne s'in*stalle jamais*
en retour dans cela dont il est issu — et cela précisément du fait que l'essence du venir-à-l'être n'est
autre que l'in*stallation* dans le donner à voir du
visage. Dans la mesure où l'in*stallation* laisse et fait
avancer dans la présence le visage qui s'in*stalle*
et se pose lui-même; dans la mesure où le visage,

quant à lui, parvient chaque fois à la présence dans un τόδε τι bien singulier — τόδε τι en tant que faisant tel visage — il faut que *ce en direction de quoi* le venir-à-l'être in*stalle* le visage soit justement quelque chose d'autre, chaque fois, que ce dont il vient.

Assurément, le φύσεως ὁδός εἰς φύσιν est un mode de s'avancer en ressortant dans la présentation, un mode dans lequel la provenance, le but et le moyen de l'entrée dans la présence (le « d'où », le « vers où » et le « comment ») restent le même. La φύσις est cheminement, cheminement en tant qu'ouverture pour s'épanouir, et ainsi, bien sûr, c'est un aller-*en-retour*-en-soi, vers *soi*, qui ne cesse d'être un épanouissement[1]. L'image seulement spatiale de tourner en rond ne suffit absolument pas ici, parce que cette ouverture qui retourne en soi-même fait précisément s'épanouir quelque chose à partir de quoi et en direction de quoi l'ouverture, chaque fois, est en chemin.

A ce déploiement de la φύσις comme κίνησις, il n'y a seulement qu'une mobilité du genre de celle de la μορφή qui puisse satisfaire. C'est pourquoi maintenant la phrase qui dit l'option décisive — la phrase vers laquelle naviguait toute la considération pour déterminer ce qu'est la φύσις, énonce en toute concision :

> « Elle, donc, l'in*stallation* qui se compose dans le visage, c'est la φύσις » (193 b 18).

---

1. Le texte allemand de cette phrase dit : *Die Φύσις ist Gang als Aufgang zum Aufgehen und so allerdings ein Insich-*zurück-*Gehen, zu* sich, *das ein Aufgehen bleibt.*

La difficulté de la traduction vient de ce qu'on ne peut garder la même racine *Gang - gehen* pour tous les mots de la phrase.

Dans la μορφή comme ἐνέργεια ἀτελής de la γένεσις, c'est l'εἶδος seul, le visage, qui se déploie comme le « à partir d'où » du cheminement, comme son « vers où » et comme son « comment ». Ainsi donc la μορφή n'est pas seulement « plus » φύσις que la ὕλη; elle peut encore moins ne lui être *que* égalée — de sorte qu'on en resterait aux deux τρόποι de rang égal qui suffiraient à déterminer ce qu'est la φύσις, et que la doctrine d'Antiphon pourrait continuer, à côté de celle d'Aristote, à faire valoir ses droits. Non, cette doctrine connaît au contraire maintenant — et par la phrase : « la μορφή, et elle seule, accomplit le déploiement de la φύσις » — son rejet le plus coupant. Mais Aristote n'avait-il pas repris à son compte, dans la transition vers sa propre interprétation (193 a 28 : ἕνα μὲν οὖν τρόπον οὕτως ἡ φύσις λέγεται), la doctrine antiphonienne? Comment cela s'accorde-t-il avec la phrase maintenant atteinte, où il n'y a plus qu'*un seul* τρόπος de valable? Pour comprendre cela, il convient de savoir dans quelle mesure Aristote, reprenant à son compte la doctrine d'Antiphon, c'est en fait au rejet le plus décisif que nous assistons. Car la forme la plus drastique et la plus impitoyable du rejet, ce n'est pas quand le réfuté est brutalement refusé et mis au rebus, mais bien quand au contraire il est repris et introduit dans un contexte cohérent et fondé — repris et introduit, bien sûr, comme l'ombre qui nécessairement appartient à la lumière [1].

---

1. La traduction est ici très faible. Le texte dit : „*wo das Widerlegte... übernommen und eingewiesen (wird) freilich als das Unwesen, das notwendig zum Wesen gehört.*"

L'opposition est entre *Unwesen* et *Wesen*, les deux modes du déploiement de tout être. L'*Unwesen* n'est pas le contraire du *Wesen*, mais plutôt son *fond* — dans la mesure où le fond

Que deux τρόποι, en général, de l'interprétation
de la φύσις soient possibles et dans la perspective
de la μορφή et de la ὕλη, qu'en conséquence on
puisse méconnaître la ὕλη en y voyant ce qui
constamment est rencontré et qui n'a pas de structure — il faut que cela ait son fondement dans le
déploiement même de la φύσις, c'est-à-dire donc
maintenant : dans la μορφή elle-même. C'est à ce
fondement que renvoie Aristote dans la phrase
qui suit, phrase par laquelle l'explication de la
φύσις trouve sa conclusion.

> « L'*installation* qui se compose dans le visage,
> cependant, et cela veut maintenant aussi dire la
> φύσις, elle est interpellée *doublement;* car la
> « dépossession » aussi est quelque chose comme
> un visage » (193 b 18-20).

Le fondement pour la possibilité de prendre en
vue la φύσις selon deux directions de regard,
c'est-à-dire de l'interpeller et de la déclarer de
deux manières — ce fondement consiste en ceci
que la μορφή en elle-même (et donc aussi le déploiement de la φύσις lui-même) est *double.* La phrase
sur le double déploiement de la φύσις est appuyée
sur la remarque qui s'y ajoute : « Car la " dépossession " aussi est quelque chose comme un visage. »
La στέρησις, dans ce chapitre, est introduite,
comme mot, comme notion et comme « cause à

---

ne doit jamais venir à la surface, si ce qui est à la surface
doit rester pleinement ce que c'est. En ce sens, Heidegger
peut dire que l'*Unwesen* fait nécessairement partie de
tout *Wesen* — ce qui est *faiblement* traduit par : l'ombre
appartient nécessairement à la lumière.
Ce même contraste essentiel apparaîtra un peu plus loin
(p. 272) où l'on a (aussi faiblement) traduit par : *essence
et inessence.*

débattre », avec aussi peu de ménagement que plus
haut l'ἐντελέχεια—sans doute parce qu'elle présente,
dans la pensée d'Aristote, la même importance
décisive que l'ἐντελέχεια (au sujet de la στέρησις,
voir *Physique*, A, 7 et 8 — où toutefois elle n'est
pas non plus expliquée). Pour expliciter le dernier
morceau de l'exposition de la φύσις, il faut donner
réponse aux quatre questions suivantes :

1⁰ Que veut dire στέρησις?

2⁰ Comment se tient la στέρησις par rapport à
la μορφή, pour que ce soit à partir d'elle que le
double déploiement de la μορφή puisse devenir
visible?

3⁰ En quel sens, par suite, le déploiement de la
φύσις est-il double?

4⁰ Que résulte-t-il de la dualité de la φύσις pour
la détermination définitive de ce qu'elle est?

A propos de 1⁰.

Στέρησις, c'est le même mot que *stehlen* (voler,
dépouiller); mais cette littéralité ne nous est pas de
grand secours; au contraire, la signification du mot
peut plutôt barrer le chemin qui mène à la compréhension de ce qui est en débat si — comme
toujours dans ces cas-là — nous ne sommes pas
au préalable familiers par le savoir dans le domaine
du débat où le mot fait irruption par la nomination
de sa parole. Ce domaine, il est porté à notre
connaissance par l'indication d'Aristote, selon
laquelle la στέρησις, elle aussi, serait quelque chose
de tel que l'εἶδος. Or, nous le savons, l'εἶδος, et
plus précisément l'εἶδος κατὰ τόν λόγον, carac-

térise la μορφή; et celle-ci accomplit le déploiement de la φύσις comme οὐσία τοῦ κινουμένου καθ'αὐτό, c'est-à-dire de la φύσις comme κίνησις. Le déploiement de ce qu'est la κίνησις, c'est l'ἐντελέχεια. Voilà qui est suffisant pour reconnaître que nous ne serons en état de comprendre le mode de déploiement de la στέρησις que dans le domaine et sur la base de l'entente *grecque* de l'*être*.

Στέρησις, les Romains le traduisent par *privatio;* la *privatio* est entendue comme un genre de la *negatio*. Mais la négation à son tour est comprise comme un mode de *dire*-non. La στέρησις appartient ainsi au domaine du « dire » et du « déclarer » — de la κατηγορία au sens *pré*-terminologique que nous avons caractérisé plus haut.

Même Aristote semble comprendre la στέρησις comme un genre du dire. On peut l'attester par une citation, qui en même temps est propre à éclairer la phrase de la *Physique* qui fait présentement question et de plus donne un exemple de στέρησις. Dans le traité Περὶ γενέσεως καὶ φθορᾶς (Α 3, 318 b 16 sq.), Aristote dit :

τὸ μὲν θερμὸν κατηγορία τις καὶ εἶδος, ἡ δὲ ψυχρότης στέρησις.

« Le "chaud" est quelque chose comme déclaration, et cela veut justement dire : un visage; le "froid" par contre, c'est une στέρησις. » Ici, « chaud » et « froid » sont face à face en tant que κατηγορία τις et στέρησις; mais il faut bien remarquer ceci : Aristote dit κατηγορία τις; « chaud » n'est déclaration que d'une certaine manière, à savoir le chaud *entre guillemets;* en d'autres termes : dire-« chaud », c'est un dire attributif; analogiquement, la στέρησις est d'une certaine façon un

dire dénégatif [1]; mais dans quelle mesure « froid »
est-il une dénégation?

Quand nous disons : « l'eau est froide », nous disons
pourtant bien quelque chose qui va s'*at*tribuer,
s'*ad*joindre à l'étant; assurément, mais cela de
telle sorte qu'à l'eau, ce faisant, à cela même à quoi
est adjoint ou attribué [quelque chose], la chaleur
est *déniée*. Mais au fond il ne s'agit pas, avec cette
différence du chaud et du froid, de la distinction
entre « dire attributivement » et « dire dénégativement » — il s'agit bien plutôt de quelque chose
de tel qu'il soit, à la mesure de son εἶδος, *attributivement dicible* et *dénégativement dicible*. Voilà
pourquoi la phrase à laquelle est réservée de donner
le fondement, à la fin du chapitre, pour le double
déploiement de la μορφή et par conséquent de la
φύσις grâce à la référence qu'elle fait de la στέρησις
— cette phrase dit : καὶ γὰρ ἡ στέρησις εἶδος πώς
ἐστιν, « car la dépossession aussi, *i. e.* la dénégation,
est en quelque sorte visage ». Dans le froid quelque
chose se fait voir, quelque chose entre en présence,
que de ce fait nous « sentons »; dans ce qui est
senti et qui entre en présence, il y a pourtant
simultanément aussi quelque chose qui s'absente
(= sort de la présence), et de telle manière, en
vérité, que ce qui entre ainsi en présence, nous le
ressentons précisément grâce à l'absentement qui
a lieu. Dans la στέρησις (« dépossession ») il s'agit
d'un prendre qui *éloigne* ce qui est pris de telle sorte
qu'il *n'y soit plus* — tout cela sur le mode du dire-
dénégatif. La στέρησις implique assurément un tel

---

1. Heidegger dit : « *Zusage* » et « *Ab-sage* », autrement
dit : le dire qui dit en accordant, adjoignant, attribuant
(Zu - ad-) et le dire qui dit en ôtant, refusant d'attribuer,
retranchant, déniant *(Ab - ἀπόφασις)*.

« éloignement » — mais à chaque fois et premièrement au sens où l'on dit que quelque chose n'a plus
lieu, a disparu, fait défaut, est absent [1]. Repensons
toujours que οὐσία veut dire étance : entrée dans
la présence — alors plus besoin d'éclaircissements
compliqués pour déterminer où la στέρησις comme
absentement est à sa place.

Et pourtant c'est juste maintenant que nous
parvenons à un point dangereux de la compréhension; on pourrait en effet se rendre les choses
faciles et prendre la στέρησις (absentement) pour
la simple contrepartie de l'entrée en présence.
Seulement, la στέρησις n'est pas simplement l'être-
absent; comme absentement, la στέρησις est précisément : στέρησις pour l'entrée en présence [2]. Mais
alors qu'est-ce que c'est? (cf. Aristote, *Métaphysique*, Δ 22, 1022 b 22 sqq.).

Nous autres, nous disons aujourd'hui par exemple : « La bicyclette n'est plus là [3] », et nous n'entendons pas seulement dire qu'elle est ailleurs;
nous voulons dire : elle manque. Quand quelque
chose manque, alors *cela* qui manque a bien disparu,
mais l'*avoir-disparu* lui-même, le manquer, voilà
ce qui nous dérange et pour cette raison nous

---

1. Les verbes : *weg-fällt, weg-gekommen, weg-bleibt, abwest*.
Heidegger fait donc ressortir la particule *weg-* qui sera
éclairée dans le paragraphe suivant.

2. „Στέρησις *zur Anwesung.*" Comprenons : la στέρησις
n'est pas essentiellement « dépossession » au sens où elle
retirerait la possession de ce dont elle est στέρησις. Bien plus
important est, dans la στέρησις, la direction dans laquelle
elle pointe, c'est-à-dire le vide qu'elle fait être présent
comme vide = comme vide d'une absence. En ce sens, elle
est tout entière en direction d'une entrée en présence :
στέρησις *zur Anwesung*, « dépossession *pour* l'entrée dans
la présence ».

3. „*Das Fahrrad ist weg*"; ici commence l'explication du
sens de la particule *weg*.

jette dans l'inquiétude — ce qu'un « manquer »,
après tout, ne peut pas occasionner, si d'abord il
n'est pas lui-même « là », c'est-à-dire s'il n'*est*, c'est-
à-dire s'il ne détermine un être. Στέρησις comme
absentement, ce n'est pas seulement être-absent,
mais bien *entrée en présence*, à savoir celle dans
laquelle c'est justement *l'absentement* — et non ce
qui est absent — qui se fait présent. La στέρησις
est εἶδος, mais εἶδος πώς — un visage qui se donne
à voir en quelque façon, c'est-à-dire entre en
quelque façon dans la présence. Nous autres,
aujourd'hui, nous avons trop tendance à analyser
quelque chose de tel que l'entrée dans la présence
de l'absentement, c'est-à-dire à le décomposer
en un facile jeu dialectique, au lieu de retenir
fermement son prodige ; car c'est dans la στέρησις
que se voile ce qu'est la φύσις. Pour le voir, il faut
attendre la réponse à la seconde question.

A propos de 2⁰.

Comment la στέρησις se rapporte-t-elle à la
μορφή ? L'in*stallation* qui se compose dans le visage,
c'est une κίνησις, c'est-à-dire le passage d'une seule
lancée depuis quelque chose jusqu'à quelque autre
chose — cet élan [1] étant en lui-même l'élan d'un
« faire ressortir ». Quand le vin aigrit et devient
vinaigre de vin, il ne devient pas rien. Il nous
arrive pourtant bien de dire : l'affaire tourne au

---

1. Élan traduit *Umschlagen* (μεταϐολή). L'élan d'un
« faire ressortir » traduit „*Ausschlagen*" — dont on a vu
qu'il était le caractère le plus kinésique de la μεταϐολή.
Comprendre, donc, dans le mot de *élan* la continuité du
passage de l'*un* à l'*autre*, par exemple comme dans l'exemple
qui suit : passage du vin au vinaigre de vin.

vinaigre, et nous voulons dire qu'elle tourne mal,
que « rien » n'en sort — à savoir : pas ce qu'on en
attendait. Dans le « vinaigre », il y a le faire-défaut,
l'absentement du vin. La μορφή comme γένεσις est
ὁδός, être-en-chemin depuis un « pas-encore »
jusqu'à un « plus-maintenant ». L'*installation* qui
se compose dans le visage fait perpétuellement
entrer de telle sorte dans la présence que du même
coup *dans* la présentation un absentement entre
en présence [1]. Tandis que la fleur « s'épanouit »
(φύει), les écailles du bourgeon se détachent et
tombent; le fruit fait apparition pendant que la
fleur s'efface. L'*installation* dans le visage, la μορφή,
a un caractère de στέρησις, et cela veut dire maintenant : la μορφή est διχῶς, *en soi-même double*,
entrée en présence de l'absentement. Partant,
la troisième question a déjà reçu réponse.

A propos de 3⁰.

En quel sens le déploiement de la φύσις est-il
double? En tant que φύσεως ὁδὸς εἰς φύσιν, la
φύσις est un genre de l'ἐνέργεια, c'est-à-dire de
l'οὐσία, et plus précisément c'est : se pro-duire soi-
même à partir de soi-même et en direction de soi.
Pourtant, dans l'« être-en-chemin » essentiel, chaque
étant *produit* (ne pas confondre ici avec un étant
fabriqué) est dans son mouvement même d'approche simultanément aboli, par exemple la fleur par
le fruit [2]. Mais dans cette abolition, l'*installation*

1. Allemand „*Die Gestellung in das Aussehen lässt stets
so anwesen, dass zugleich in der Anwesung eine Abwesung
anwest.*"

2. Allemand : „*Im wesenhaften, ,Unterwegs' jedoch wird
ein je Hergestelltes (nicht etwa Gemachtes), z. B. die Blüte*

dans le visage ne renonce pas à soi; au contraire :
comme fruit, la pousse retourne à son germe, qui
d'après son déploiement n'est pas autre chose que
s'épanouir dans le visage qui se donne à voir —
ὁδὸς φύσεως εἰς φύσιν. Tout vivant, avec son
vivre, entreprend déjà aussi de mourir, et inversement : mourir c'est encore vivre, vu que seul le
vivant est capable de mourir; oui, *il se peut* que
mourir soit l' « acte » suprême du vivre. La φύσις
est l'abolition d'elle-même qui se pro-duit elle-même;
c'est pourquoi lui appartient un singulier pouvoir
de se fournir à elle-même ce qui, seulement *grâce
à elle*, devient, de disponible en général — comme
par exemple l'Eau, la Lumière, l'Air —, quelque
chose qui est approprié à elle seule, par exemple
de la nourriture, qui à son tour devient humeur et os.

On peut bien prendre cet approprié pour lui-
même comme du disponible en général, et considérer le disponible comme matière, et la φύσις
comme « échange matériel ». La matière, on peut
encore la réduire plus et la ramener à ce qui en
elle est substance générale; cela, on peut le prendre
pour le constant, voire pour ce qu'il y a de plus constant, et ainsi, dans un certain sens, pour ce qui est
le plus étant — et dire de cela : voilà la φύσις. Ainsi
prise en vue, la φύσις offre une double possibilité
d'appellation : suivant la matière et la forme. Le

---

durch die Frucht weggestellt.'' Tout est ici dans l'accentuation
de *Her* et de *Weg*.

Dans la traduction, « abolir » doit être compris dans son
sens propre comme *ab-olescere* — ce qui ne traduit pas
exactement l'allemand. Une traduction plus proche aurait
dû faire ressortir le *stellen* de *wegstellen: poser dans le* „*weg*",
faire être dans cette dimension d'absentement dont il vient
d'être parlé. C'est pourquoi toute *Gestellung*, en tant que
Weg-stellung du *Her-gestelltes*, est : „*ein wesenhaftes Unter
wegs*" !

fondement de cette possibilité est dans le double
déploiement originel de la φύσις dont il est question
en 193 b 19, et plus précisément dans une mésentente du δυνάμει ὄν — de l'approprié — que l'on
ravale à n'être plus que du disponible en général,
dont la caractéristique est de se trouver là sous
la main. La doctrine d'Antiphon et de ses suc-
cesseurs, en une suite jusqu'ici ininterrompue,
entr'aperçoit juste encore l'extrême inessence de la
φύσις et la gonfle en vue de la faire passer pour son
essence propre et unique — ce grossissement étant,
en fait, l'essence de toute inessence.

A propos de 4°.

Que résulte-t-il de la dualité de la φύσις pour
la détermination définitive de ce qu'elle est?
Réponse : l'unicité de son déploiement. Si nous
repensons le tout, nous avons maintenant chaque
fois un concept pour *deux* déterminations de ce
qu'est la φύσις. La première prend la φύσις comme
ἀρχὴ κινήσεως τοῦ κινουμένου καθ'αὑτό — comme
le pouvoir originaire sur la mobilité d'un mobile
mû à partir de lui-même. La seconde prend la
φύσις comme μορφή, et cela veut dire comme
γένεσις, c'est-à-dire comme κίνησις. Si nous pensons chacune des deux déterminations en direction
de l'unité, alors, vue à partir de la première, la
φύσις n'est rien d'autre que l'ἀρχὴ φύσεως, et c'est
justement ce qu'en dit la seconde détermination,
suivant laquelle la φύσις est φύσεως ὁδὸς εἰς φύσιν;
la φύσις elle-même est origine pour, et pouvoir
sur elle-même. Vue à partir de la seconde détermination, la φύσις est μορφὴ ἀρχῆς — l'in*stallation*
dans laquelle l'origine s'in*stalle* elle-même *dans*
le pouvoir et *comme* pouvoir sur l'in*stallation* dans

le se-donner-à-voir du visage. La μορφή est le déploiement de la φύσις comme ἀρχή, et l'ἀρχή est le déploiement de la φύσις comme μορφή, pour autant que celle-ci possède sa singularité en ceci qu'en elle l'εἶδος se porte à la présentation de lui-même et en tant que tel, et n'a pas besoin, comme dans la τέχνη, d'une ποίησις adventice, qui pro-duise quelque chose qui se trouve là indifféremment sous la main, par exemple du bois en général — le pro-duise donc jusqu'au visage de « table » — ce produit n'étant jamais de soi-même en chemin (parce que ne pouvant pas être en chemin) vers une table.

La φύσις au contraire c'est l'entrée dans la présence cheminante, à partir d'elle-même et en direction d'elle-même — entrée dans la présence de l'absentement d'elle-même. En tant que tel absentement, elle est aller-en-retour-en-soi-même — cet aller, pourtant, n'étant que le cheminement d'un s'épanouir.

Φύσις, Aristote la conçoit ici dans la *Physique* comme l'étance (οὐσία) d'une région propre (en elle-même délimitée) de l'étant — ce qui croît, par opposition à ce qui est fait. Cet étant, dans la perspective précisément de sa manière d'*être*, provient justement de la φύσις, dont Aristote dit pour cette raison :

ἓν γάρ τι γένος τοῦ ὄντος ἡ Φύσις.

« *Une* souche à vrai dire de l'être / parmi d'autres / pour le [multistirpe] étant, voilà la Φύσις. »

Cela, Aristote le dit dans un traité qui, plus tard, lors de l'ordonnancement définitif de ses écrits par l'École péripatéticienne, sera rangé parmi ceux qui portent, depuis, le titre de Μετὰ τὰ φυσικά

— ceux qui ont leur place, bien sûr, avec les
φυσικά, et pourtant aussi n'en font pas partie.
Le traité, compté aujourd'hui comme livre Γ (IV)
de la *Métaphysique*, donne bien en son chapitre III
l'indication sur la φύσις que nous venons de citer;
elle concorde avec ce qui a été établi comme la
proposition directrice du chapitre I de *Physique* B,
soit : la φύσις *est un genre de* l'οὐσία. Seulement,
le même traité (Γ de la *Métaphysique*) dit, dès son
chapitre I, exactement le contraire : l'οὐσία (l'être
de l'étant comme tel et en sa totalité) est φύσις τις,
quelque chose comme une φύσις. Mais Aristote est
bien loin de vouloir dire par là que le déploiement
de l'être en général soit proprement du genre de
la φύσις, qu'il caractérise d'ailleurs expressément
peu après comme n'étant qu'*une* souche de l'être,
parmi d'autres. Que l'οὐσία soit φύσις τις, cette
phrase (qui est à peine formulée sous cette forme)
est bien plutôt un *écho tardif* de la grande emprise
de la philosophie grecque, c'est-à-dire de l'emprise
première de la philosophie occidentale. Là, l'être
est pensé comme φύσις, et de telle façon que la
φύσις portee au concept par Aristote ne peut elle-
même qu'être un rejeton de la φύσις initiale. Un
tout faible, un irreconnaissable écho de cette
φύσις lancée et ouverte comme être de l'étant nous
reste même à *nous* encore, quand nous parlons
de la « nature » des choses, de la « nature » de l'état
et de la « nature » de l'homme — voulant dire par
là non les « fondements » naturels (physiques,
chimiques et biologiques), mais bien l'*être et le
déploiement* de l'étant, un point c'est tout.

Mais comment faut-il penser la φύσις telle qu'elle
a été initialement pensée? Y a-t-il encore des
traces de l'ouverture et de la lancée de son sens
dans les fragments des paroles des penseurs ini-

tiaux? Oui, et pas seulement des traces, car tout
ce qu'ils disent et que nous pouvons encore entendre parle, si nous avons pour cela la bonne oreille,
de la φύσις — et *rien que d'elle. Médiatement*
en témoigne la *monstruosité* (depuis longtemps
régnante) de l'interprétation historisante de la
première pensée grecque comme « philosophie de
la *nature* », au sens d'une « chimie » de « primitifs ».
Laissons cette monstruosité [1] à sa propre pente.

Pensons pour finir la parole d'un penseur matinal
qui parle directement de la φύσις et, ce faisant,
entend l'être de l'étant comme tel et dans sa totalité (cf. fragment 1). Le fragment 123 d'Héraclite (tiré de Porphyre) dit :

Φύσις κρύπτεσθαι φιλεῖ.

L'être aime son propre retrait.

Qu'est-ce que cela veut dire? On a cru, on croit
que c'est : l'être, étant difficile d'accès, il faut beaucoup d'efforts pour aller le débusquer de sa cache, et
lui faire passer, si l'on peut dire, le goût de se cacher.

Il est temps, car le besoin croît, de penser le
contraire : se retirer, s'héberger soi-même en son
propre retrait appartient à la prédilection de l'être,
c'est-à-dire à ce en quoi il a affermi son déploie-

---

1. Monstruosité, c'est à nouveau *Unwesen*. Il convient
de comprendre les trois apparitions de cette notion (p. 264,
p. 272 et maintenant) les unes à partir des autres — c'est-à-
dire ne pas oublier que 1° l'*Unwesen* appartient nécessairement à tout *Wesen*; 2° l'essence de tout *Unwesen* consiste
à sortir de son fond et se donner pour le *Wesen*; 3° lorsque
ce déploiement de l'*Unwesen* a lieu, ne reste plus que la
possibilité d'un *Verfall*, non pas déchéance — plutôt
dé-chéance, peut-être même mal-chance — s'il est vrai (Héraclite, Fgt 60) que le cheminement vers le haut et vers le
bas sont un et le même. Sur ce point, v. *Sein und Zeit*, p. 259,
l. 29 sq. et globalement § 38.

ment. Et le déploiement de l'être, c'est de se déclore, de s'épanouir, de ressortir dans l'ouvert du non-retrait — φύσις. Seul ce qui, suivant son déploiement, s'ouvre et se déclôt, et ne peut que se déclore, seul cela peut aimer se reclore. Seul ce qui est ouverture de déclosion peut être reclosion. Et c'est pourquoi il ne convient pas de « dépasser » le κρύπτεσθαι de la φύσις, le lui extirper; bien plus lourde est la tâche de laisser à la φύσις, dans toute la pureté de son déploiement, le κρύπτεσθαι comme partie intégrante de la φύσις.

Être est l'ouverture de déclosion qui se clôt soi-même — φύσις, au sens initial. Se-déclore, c'est sortir en évidence dans l'ouvert du non-retrait, et cela veut dire : héberger le non-retrait comme tel en son déploiement. L'ouvert du non-retrait se dit ἀ-λήθεια; la vérité, comme nous traduisons, n'est pas initialement, et cela veut dire quant à son déploiement, un caractère de la connaissance humaine et de son énoncé; la vérité est encore moins une simple valeur ou une « idée », dont l'homme — on ne sait trop pourquoi — devrait poursuivre la réalisation. La vérité appartient, en tant qu'ἀλήθεια, à l'être lui-même : φύσις est ἀλήθεια, déclosion dans l'ouvert, et pour cette raison κρύπτεσθαι φιλεῖ.

/ φύσις au sens de la *Physique* est un genre de l'οὐσία, et l'οὐσία dans son déploiement surgit elle-même de la φύσις telle qu'elle s'ouvre dans son ébauche initiale — voilà bien pourquoi l'ἀλήθεια appartient à l'être, et *voilà pourquoi* se dévoile comme *un* caractère de l'οὐσία la *présentation* dans l'ouvert de l'ἰδέα [Platon] et de l'εἶδος κατὰ τὸν λόγον [Aristote], *voilà pourquoi* le déploiement de la κίνησις comme ἐντελέχεια devient pour lui *visible.* /

DU MÊME AUTEUR

ACHEMINEMENT VERS LA PAROLE

HÉRACLITE. Séminaire du semestre d'hiver 1966-1967 *(en collaboration avec Eugen Fink)*

LES HYMNES DE HÖLDERLIN : « LA GERMANIE » ET « LE RHIN »

ARISTOTE, MÉTAPHYSIQUE Θ 1-3 De l'essence et de la réalité de la force

Aux Éditions Montaigne

LETTRE SUR L'HUMANISME (édition bilingue)

Aux Presses Universitaires de France

QU'APPELLE-T-ON PENSER ?

tel

Ouvrage reproduit
par procédé photomécanique.
Impression Bussière Camedan Imprimeries
à Saint-Amand (Cher), le 21 mars 2001.
Dépôt légal : mars 2001.
1er dépôt légal : janvier 1990.
Numéro d'imprimeur : 011633/1.

ISBN 2-07-071852-2./Imprimé en France.